中国近现代中医药期刊续编

第三辑

中国医药杂志 医药改进月刊

王咪咪 侯酉娟◎主编

2022年度北京市优秀古籍整理出版扶持项目

北京科学技术出版社

图书在版编目（CIP）数据

中国医药杂志；医药改进月刊 / 王咪咪，侯西娟主编. — 北京：北京科学技术出版社，2023.11
（中国近现代中医药期刊续编. 第三辑）
ISBN 978-7-5714-3367-3

Ⅰ.①中… Ⅱ.①王… ②侯… Ⅲ.①中国医药学—医学期刊—汇编—中国—近现代 Ⅳ.①R2-55

中国国家版本馆CIP数据核字(2023)第206625号

策划编辑：侍　伟　吴　丹
责任编辑：吴　丹　杨朝晖　刘　雪
文字编辑：王明超　刘雪怡　李小丽　毕经正
责任校对：贾　荣
图文制作：北京艺海正印广告有限公司
责任印制：李　茗
出 版 人：曾庆宇
出版发行：北京科学技术出版社
社　　址：北京西直门南大街16号
邮政编码：100035
电　　话：0086-10-66135495（总编室）　0086-10-66113227（发行部）
网　　址：www.bkydw.cn
印　　刷：北京捷迅佳彩印刷有限公司
开　　本：787 mm × 1092 mm　1/16
字　　数：601千字
印　　张：32.75
版　　次：2023年11月第1版
印　　次：2023年11月第1次印刷
ISBN 978 – 7 – 5714 – 3367 – 3

定　　价：890.00元

《中国近现代中医药期刊续编·第三辑》编委会名单

序

2012年，上海段逸山先生的《中国近代中医药期刊汇编》（下文简称“《汇编》”）出版，在中医界引起了广泛关注。这部汇集了众多中医药期刊的著作为研究近代中医药发展提供了宝贵的学术资料。在《汇编》的影响下，时隔7年，中国中医科学院中国医史文献研究所的王咪咪研究员决定仿照《汇编》的编纂模式，尽可能地将《汇编》中未收载的中华人民共和国成立前的中医药期刊进行搜集、整理，并将其命名为《中国近现代中医药期刊续编》（下文简称“《续编》”）。

尽管《续编》所收载期刊的数量与《汇编》的相当，但其总页数仅为《汇编》的1/4，约25 000页。《续编》中绝大部分内容为中医期刊及一些纪念刊、专题刊、会议刊。除此之外，还收录了1915—1949年《中华医学杂志》（合计35卷，近300期）中与中医发展、学术讨论等相关的200余篇学术文章，其中包括6期《医史专刊》的全部内容。值得注意的是，《续编》还收录了1951—1955年、1957年、1958年出版的《医史杂志》。尽管这与整理中华人民共和国成立前期刊的初衷不符，但是段逸山先生已将1947年、1948年（1949年、1950年《医史杂志》停刊）的《医史杂志》收入了《汇编》。王咪咪等编者认为，将这7年的《医史杂志》全部收入《续编》，将使《医史杂志》初期各种学术成果得到更好的保存和利用。我认为这将是对段逸山先生《汇编》的一次富有学术价值的补充与完善，对中医近现代的学术研究，以及对中医的整理、继承、发展都是有益的。医学史的研究范围不只是中国医学史，还包括世界医学史，医学各个方面的发展史、疾病史，以及从史学角度探讨医学与其关系等。《续编》中收载的文章虽有些出自西医学家之手，但提出来的问题对中医发展具有极大的推进作用。例如，陈邦贤先生在《中国医学史》的自序中指出："世界医学昌明之国，莫不有医学史、疾病史、医学经验史……岂区区传记遽足以存掌故资考证乎哉！"陈先生将他所研究内容分为三大类："一关于医家地位之历史，一为医学的知识之历史，一为疾病之历史。"医学史的研究具有连续性。例如，在中华人民共和国成立初期，《医史杂志》登载了一系列具有开创性和历史性的文章，无论是陈邦贤先生对医学史料的连续性收集，还是李涛先生对医学史的断代研究，都对医学史的研究做出了重要贡献。范行准先生的《中国预防医学思想史》《中国古代军事医学史的初步研究》《中华医学史》等，具有极高的学术价值，自出版以来未曾被超越。这些文献多距今已近百年，能保存下来的十分稀少。今天能把这样一部分珍贵文献用影印的方式保存下来，是对这一研究领域最大的贡献。此外，将1951—1958年期间的《医史杂志》也纳入收载范围，完整保留医学史学科在20世纪50年代的研究成果，这很好地保持了学术研究的连续性，故而我对主编的这一做法表示支持。

《续编》借鉴了段逸山先生《汇编》的编纂思路，旨在更为全面地保存和整理中华人民共和国成立前的中医及相关期刊。愿中医人利用这丰富的历史资料更深入地研究中医近现代的学术发展、临床进步、中西医汇通实践、中医教育改革等，以更好地继承、挖掘中医药这一伟大宝库。

李经纬 九十老人

2019年11月于中国中医科学院

前　言

《汇编》主编段逸山先生曾总结道，中医相关期刊文献凭借时效性强、涉及内容广泛、对热门话题反应快且真实的特点，如实地记录了中医发展的每一步，展现了中医人为中医生存而进行的每一次艰难抗争，是记录中医近现代发展的真实资料，更是我们今天进行历史总结的最好参考资料。因此，中医药期刊不但具有很高的文献价值，还对当今中医药发展具有很强的借鉴意义。

本次出版的《续编》具40余册之规模，主要收载了段逸山先生《汇编》中未收载的中华人民共和国成立前50年间的中医相关期刊，以期为广大读者进一步研究和利用中医药近现代期刊提供更多宝贵资料。

《续编》所收载期刊的时间跨度主要集中在1900—1949年。之所以不以1911年作为界限，是因为《绍兴医药学报》《中西医学报》等一批在社会上具有深远影响力的中医药期刊是在1900年之后才陆续问世的。这些期刊开始关注并讨论中医的改革、发展等相关话题，是承载那段岁月的重要历史载体。

在历史的长河中，50年或许很短暂，但在20世纪上半叶的50年却是中医曲折发展并产生深远影响的50年。随着西医东渐，中医在中国社会上逐渐失去了主流医学的地位，学术传承面临危机，以至于连中医是否能名正言顺地保存下来都变得不可预料。因此，能够反映这50年中医发展状况的期刊便成为重要的历史载体。据不完全统计，这批文献有1 500万～2 000万字，包括3万多篇涉及中医不同内容的学术文章。虽然这50年间所发生的事件都已成为历史，但当时中医人所提出的问题、争论的焦点、未完成研究的课题一直在延续，促使今天的中医人要不断地回溯过去，思考答案。

中医究竟是否科学？如何改革才能使中医适应社会需要并有益于其发展？120年前，这些问题就已经在社会上引发广泛讨论。在现存的近现代中医药期刊中，有关这类主题的文章不下3 000篇。

关于中医基础理论的学术争论仍在继续：阴阳五行、五运六气、气化的理论要怎样传承？怎样体现中国古代的哲学精神？在这50年间涌现出不少相关文章，其中有些还是大师之作，对延续至今的这场争论具有重要的参考价值。

像章太炎这样知名的近代民主革命家，曾对中医的发展有过重要论述，并发表了近百篇的学术文章。他是怎样看待中医的？他的观点可以在这些期刊中找到答案。

最初的中西医汇通、结合、引用对今天的中西医结合有什么现实意义？中医如何在科学技术高度发达的现代社会中建立起完备的预防、诊断、治疗系统？这些文章可以给我们以启示。

为适应社会发展，中医院校应该采取何种办学模式？中医教材应该具备哪些特点？在收集期刊的过程中，我们发现仅百余种期刊中就有50余位中医前辈所发表的20余类80余种中医教材。以中医经典的教材为例，有秦伯未、时逸人、余无言等大家在不同时期从不同角度撰写的《黄帝内经》《伤寒论》《金匮要略》等教材20余种，它们在学术性、实用性上堪称典范。然而，由于当时的条件所限，这些教材只能在期刊上登载，无法正式出版，因此很难保存下来。看到秦伯未先生所著《内经生理学》《内经病理学》《内经解剖学》《内经诊断学》中深入浅出、引人入胜的精彩章节时，联想到现在许多中医学生在读了5年大学后，仍不能深知《黄帝内经》所言为何，一种使命感便油然而生。我们真心希望尽可能地将这批文献保存下来，为当今的中医教育、中医发展尽一份力。

中华人民共和国成立前这50年也是针灸发展的一个重要阶段，在理论和实践上都有很多优秀论文值得被保存下来。除承淡安主办的《针灸杂志》专刊外，其他期刊上也有许多针灸方面的内容是研究这一时期针灸发展状况的重要文献。

在中医的在研课题中，有些学者在做日本汉方医学与中医学的交流及相互影响的研究，而这一时期的期刊中保存了不少当时中医对日本汉方医学的研究成果。但如今这些最原始、最有影响的重要信息载体却面临散失的危险，保护好这些文献可以为相关研究提供强有力的学术支撑。

在这50年中，以期刊为载体，一门新的学科——中国医学史诞生了。中国医学史首次作为独立学科出现在世人面前，为研究中医、整理中医、总结中医、发展中医，把中医推向世界，再把世界的医学展现于中医人面前，做出了重大贡献。创建中国医学史学科的是一批中医专家和一批虽出身于西医却热爱中医的专家，他们潜心研究中医医史，并将其成果传播出去，对中医发展起到了举足轻重的作用。《古代中西医药之关系》《中国医学史》《中华医学史》《中国预防医学思想史》《传染病之源流》等学术成果均首载于期刊中，作为对中医学术和临床的提炼与总结，这种研究将中医推向了世界，也为中医的发展坚定了信心。这些医学史文章大都较长，因此在期刊上发表时大多采用连载的形式进行刊登。此外，这类文章也需要旁引很多资料。为了帮助读者更全面、连贯地了解医学史初期的演变过程，以及该学科对中医发展的重要作用，我们决定将《医史杂志》的收集范围定为1958年之前刊行的内容。《医史杂志》创刊于1947年，在此之前一些研究医学史的专家利用西医刊物《中华医学杂志》发表文章，从1936年起《中华医学杂志》不定期出版《医史专刊》。（《中华医学杂志》是西医刊物，我们已把相关的医学史文章及1936年后的《医史专刊》收录于《续编》之中。）这些医学史文章的学术性很强，但其中大部分只保存在期刊上，一旦期刊散失，这些宝贵的资料也将不复存在，如果我们不抢救性地加以保护，可能将永远看不到它们了。

此外，值得一提的是，近现代期刊中的这些文献不只是资料，更是前辈们智慧的结晶，我们应该尽最大的努力把这批文献保存下来。这50年的中医期刊、纪念刊、专题刊、会议刊等，都为我们提供了一段回忆、一个见证、一种警示、一份宝贵的经验。这批1 500万～2 000万字的珍贵中医文献已到了需要保护、研究和继承的关键时刻，它们大多距今已有百年，那时的纸张又是初期的化学纸，脆弱易老化，在百年的颠沛流离中能保留至今已属万分不易，若不做抢救性保护，就会散落于历史的尘埃中。

段逸山先生、王有朋先生等一批学术先行者们以高度的专业责任感，克服困难领衔影印出版了《汇编》，以最完整的方式保留了这批期刊的原貌，最大限度地保存了这段历史。《汇编》收载的48种期刊的遴选标准为中华人民共和国成立前保留时间较长、发表时间较早、内容较完备，其体量是中华人民共和国成立前中医药期刊的2/3以上，但仍留有近1/3的期刊未被收载出版。正如前面所述，每多保留一篇文献就是在多保留一点历史痕迹，故对《汇编》未收载的近现代中医药期刊进行整理出版有着重要意义。

北京科学技术出版社有限公司秉持传承、发展中医的责任感与使命感，积极组织协调《续编》的出版事宜。同时，在该出版社的大力支持下，《续编》入选北京市优秀古籍整理出版扶持项目，为其出版提供了可靠的经费保障。这些都让我们十分感动。希望在大家的共同努力下，我们能尽最大可能保存好这批珍贵期刊文献。

近现代中医可以说是对旧中医的告别，也是更适应社会发展的新中医的开始，从形式上到实践上都发生了巨大的改变。这50年中医的起起伏伏、学术的争鸣、教育的改革、理论与临床的悄然变革，都值得现在的中医人反思回顾，而这50年的文献也因此变得更具现实研究意义。

《续编》即将付梓之际，我代表全体编委向曾给予本书出版大量帮助和指导的李经纬、余瀛鳌、郑金生等研究员表示最诚挚的感谢。

王咪咪

2023年2月

内容提要

本书是《中国近现代中医药期刊续编》第一辑、第二辑的延续之作，又为收官之作，收录了包括《医学扶轮报》在内的文献 11 种。

本书所收录的期刊除来自江浙一带外，尚有广东、山东、四川等地方性中医期刊。受环境和经费等因素的限制，地方性期刊通常存续时间较短、存留期数有限，能够保存至今实属不易。本次将有较高学术价值、历史意义且保存比较完整的地方性中医药学术期刊整理、影印出版，不仅有助于完善近代中医药发展脉络，而且可以间接反映出一些地区近代中医药发展情况，让更多人看到近代地方中医工作者为了传承和发扬中医所做出的努力与贡献。

《医学扶轮报》

中西医汇通报刊，1910 年创刊，月刊，发起人为吴鹤龄，扬州南河下中西医学研究会发行，现存 1 ~ 6 期（1910 年）。

此刊在第 1 期的发刊词中详细介绍了办刊宗旨："世界医学开化以吾中国为最先，秦汉以后虽见退化，然犹代有贤豪，如孙思邈之裒集古方，许叔微之传记方案，张子和之发明三法，李东垣之发明脾胃……倘能举中国古今来固有之医学与今日东西洋之学说，合一炉而熔冶之，取其精华，弃其糟粕，实事求是，锐志图存，安见吾中国医学不能驾东西洋而上哉！"这是出版此刊的初衷，也是目标。

此刊内容既有中医学术，也有西医学知识。当时西医东渐对中医学的发展具有重大影响，此刊第 1 期第 1 篇文章即陈邦贤先生的《中西医学分科相同论》，第 2 期则有袁焯的《论今日医学界急宜扩张其势力以图自存》，可见此刊编者对中医结合西学非常重视。此刊所载文章学术水平较高，其中《心理疗病法》《切脉为传声之学说》《脑与心互为功用说》《痘科明辨》《察舌辨证法》等文章有很高的临床价值。另外，此刊还引录了许多优秀医案，如《扁仓医案合解》《勉吾轩医案》《春泽堂医案》《春在寄庐医案》《杏雨草堂医案》等。

《现代国医》

中医学术期刊，1931 年创刊，月刊，谢利恒主编，上海市国医公会发行，现存第 1 卷 1 ~ 6 期、第 2 卷 2 ~ 7 期（1931—1932 年）。

此刊编委会成员均为中国近代名中医，包括丁仲英、蒋文芳、陆士谔、吴克潜、张赞臣、陈存仁、秦伯未等。此刊设有医事杂评、言论、专著、学说、医案、方剂、纪载、案牍等栏目。在第 1 卷第 1 期的医事杂评中，谢利恒先生写道：“吾今不辨国医之是否不合科学，独问国医之是否不适于现代社会？从国内观之，西医之不能战胜国医，固成绩昭著。即从国外观，德美之赞美中药，日本之复兴汉医……不在国医学术之本身上，而在国医之缺乏时代精神耳。”从这段杂评可以看出将此刊定名为《现代国医》的初衷。

此刊内容丰富，涉及中西汇通、中医办学相关内容。此刊第 1 卷第 1 期就刊登有商复汉的《中西医治疗之比较》、聂崇宽的《中西医之科学观》、严苍山的《中西医之门户见》、胡树百的《中西医之脏燥病比观》等多方面阐明对中西医学汇通看法的文章。首刊刊登了秦伯未的《医校之教材问题》一文，此文提出了当时中医发展迫切需要解决的关键问题。此刊第 2 卷第 2 期特别设立了“中国医学院专号”，专门刊登医学院教师职工的中医研究论文及中医学生的研究成果，以增加中医院校在社会上的影响力。此刊还刊登了有关中医发展问题的文章，如日本富士川游的《日本医学之变迁与中国医学及西洋医学》、郑守谦的《各国趋重中医学说》、李怀仁的《中国医药研究之法门》、姜子房的《中医与中药同时改进说》、陆士谔的《论国医》、俞大同的《中央国医馆与振兴中医药具体方案》等，对中医的发展和改革提出了多种可期的设想。

此刊收录了诸多学术水平较高的名家论述，如朱懋泽的《伤寒温病之我见》和《气病概论》、胡安邦的《伤寒以六方提纲论》和《书阴阳应象大论后》、王辉中的《外感成温与伏气成温的研究》等。此刊亦登载了一些知名医家的医案，如《一瓢砚斋医案》《碧荫书屋新医案》《潜庐医案》《澄斋医案》《尤在泾晚年医案》等。

此外，需要说明的是，在第 2 卷第 2 期封面上清晰地标注着“第二卷第二期”字样，但其目录页却标为“第二卷第八期”，此期又为“中国医学院专号”，其目录与正文内容完全相符，故目录中的“第八期”为误。这种文字错误在第 2 卷第 7 期也出现了。第 2 卷各期出刊时间均为民国二十一年（1932 年），第 2 卷第 7 期却注为“民国二十年（1931 年）”。此刊各期也并非完全按月出刊，如第 2 卷第 3 期出刊时间为 1932 年 1 月，但第 2 卷第 4 期的出刊时间是 1932 年 8 月。故读者应以各期实际内容为准，注意时间标注即可。

《中国医学月刊》

中医学术期刊，1928 年创刊，不定期，现存 1 ～ 11 期（1928—1931 年）。

此刊有一篇很有特色的发刊词，提出中医应勇于革新，向西医学习，指出中医不能“只知抱残守缺，凭借特效之方药以自足，绝不思极深研几，以求学理至当……急起整理，力谋发新，焉可墨守旧说，划地自限，不事创作……抑集思广益以求迈越于西医乎！由前之说，则必尽弃其学，醉心欧化，如戴季陶先生所言，近时青年对于五十年前读物便不肯寓目，是直丧心病狂，自暴自弃，既显示我国无一学术可以独立，尚能免除劣等民族之恶谥乎，此则一国人民之奇耻大辱，非仅医学本身问题而已也……为谋人类健康问题、生命问题，关系至重，本极艰难困苦，而在个人，则有学术之兴趣，引人入胜，不能自已者也。现在受环境压迫，既不能望有力者之提倡，惟凭借社会之信仰，勉自支撑，若再不从学术根本上谋其发展，吾恐数千年圣哲相传无尽藏之义蕴，皆将自吾而斩。医学亦随此潮流而汩没不复矣。故就医论医，吾人应急起直追，以冷静态度，做忍耐工夫，出之以敏锐之视察力，绵密之思考力，精微之判断力，以引动其日新月异自得之兴趣，为中国医学放一异彩，开一新纪元”。

20 世纪 20 年代末正是中医发展最艰苦之时，此发刊词不仅体现了办刊宗旨，更反映出当时的中医人对中医改革的强烈愿望。当时的中医人坚信“吾国固有宝藏，得以由整理而尽泄，俾出陈而发新”，并且对中医的改革发展有着明确的目标和长期奋斗的思想准备。此发刊词鼓舞着新一代中医人不断前进。

此刊发刊地为上海，现存的部分没有关于主编、编委会组成的介绍，但从所载文章可知此刊主编应为民国著名医家陆渊雷。此刊 1 ～ 7 期连载了陆渊雷先生的《改造中医之商榷》一文（其中第 6 期无刊载），这篇数万字的文章中讲到了改造中医之动机、医药的起源是单方、《内经》学说之由来、病理学说与治疗方法之不相应、中西学派之不同、中国的科学趋势、唐宋以后的医学、伤寒之外没有温热、中医方药对于证有特效对于病无特效、中医不能识病却能治病、中医有吸收科学之必要、科学头脑与中国学术的柄凿、细菌原虫非绝对的病源等，这些内容对中西汇通初期一些存在争议的问题明确地提出了自己的观点，吸引着当时的中医人投身到中医继承、改革的队伍中来。陆渊雷先生的这篇文章不仅是几十年前有关中医改革问题的宝贵历史资料，而且对今天的中医发展具有借鉴意义。

此外，此刊还刊有研究医经及临床疾病的70余篇学术论文，这些论文充分体现了此刊的学术价值。

《卫生杂志》

中医学术期刊，1932年创刊，月刊，张子英主编，中医书局发行，现存第1～2卷1、2、5、6、8及13～20、22～24期，第3卷5～6期，以及第4卷1～5期（1932—1935年）。

此刊在“编辑大意”中描述了创刊目的：“我国卫生问题太不讲究，死亡率来得很高……使人人都知道卫生问题的紧要，同时发扬我国医药的精华……非但不反对西药，不攻讦西医，又共同联络研究。”刊中有多幅名人题词，如谢利恒先生的“吾道干城”、蒋文芳先生的“养生宝筏”及钱今阳先生的“康强之道”等。

此刊不仅载有常见病防治方面的文章，如《冬日滋补问题》《皮肤病与血液之关系》等，还收录了《痢疾商榷》《肺结核之超早期诊断》《疟疾经验谈》《喉痧与白喉之别》等涉及传染病防治内容的文章。同时，此刊还设立有特别专刊，对日常多见疾病的相关知识加以普及。例如，“性病专号”收录了有关性病、白带、男女之阴阳痿病等的文章；“服装专号”收录了有关服装与疾病关系等的文章。

另外，此刊也收录了有关学术讨论、医案验方等的论文，如《内科病理治疗大要》《六气致病之原理》《骨蒸的病原和证状》《国医三焦通义》等；同时还收录了一些具有前瞻性的文章，如《中西医学术之趋向解》《中西医药优劣平议》《中医学理是否合乎科学平议》《国医以维护同道改进学术为先务》《关于医药之空间性的讨论》等。

《大众医学月刊》

中医学科普期刊，1932年创刊，月刊，杨志一主编，大众医刊社发行，现存第1卷1～12期（1932年）。

此刊可谓是中西医汇通临床应用的百科全书。其内容十分广泛，包括卫生常识、胃病指南、吐血概论、四季时症、精神病学、肺病讲义、脑病研究、大众医药顾问、小药囊等。此刊所载文章的作者有杨志一、时逸人、张山雷、宋大仁、尤学周、蔡济平等，他们都是当时的名医大家。

在此刊第3期中宋大仁写道："伤风……最初为呼吸郁闷，其次为鼻炎，鼻流清涕，发热咳嗽。其在消化器之病，为口中无味，食欲不振，或则腹痛，或下痢，或则为春温诸病，久咳则延成肺痨……通用金沸草散、川芎茶调散加减。有虚体受风，屡感屡发，形气病气俱虚者，又宜顾正解肌，亦不可专泥发散。正气益虚，腠理益疏，病反增矣。李士材曰：风邪伤人，必从俞入，俞皆在背，故背常固密，风弗能干。已受风者，常曝其背，使之透热，则默散潜消矣。"第4期中则有一篇探讨食补、药补的文章，该文章提到："食补之原素，一为炭水化物，二为蛋白质，三为脂肪质，四为无机物质，五为维他命，凡此种种，多混合于谷畜果蔬之中。药补之功能，一为温补，能使神经活泼，局部血行畅利，加增脏腑阳气，二为凉补……食补为日常所需要，药补为一时所需要。"此刊还设有"小药囊"栏目，以西医学科对所列各药进行分类，并以中医知识对其进行解说。

由以上内容可以看出，当时中医学者对西医理论的接受程度很高，且西医理论已得到一定的普及。因此，此刊在当时具备了较高的科学性与实用性，同时具有时代价值，值得后世研究。

《幸福杂志》《丹方杂志》

《幸福杂志》：中医验方验案期刊，1933年创刊，月刊，朱振声主编，上海幸福书局发行，现存1～8、11～12期（1933—1934年）。

《丹方杂志》：中医验方期刊，1935年创刊，月刊，朱振声主编，上海幸福书局发行，现存1～12期（1935—1936年）。

《幸福杂志》每期列有10～12个专题，其重要内容会在多期中连载，如"胃病研究""吐血概论"等。此刊还载有"长篇专著"，向读者介绍优秀的中医著作，最大程度地向读者普及医学知识，介绍各类疾病的治疗方法。

《幸福杂志》内容全面、浅显易懂。此刊重视养生，所载文章观点独特。如有文章提出要养成良好的卫生习惯，不要吸烟；吃饭要细嚼慢咽，不使脾胃受损；要注意食品卫生、居室卫生、个人卫生等。此刊收载了有关各类人群精确细致的养生方法的文章。

如有文章认为健忘大多由精神衰弱引起，健忘者在生活中要保护与保养脑力，不要过多刺激，勿用脑过度；小儿要注意睡眠卫生；女性要注意月经卫生、孕期卫生、产褥卫生、女子阴部卫生等；要从环境、心理、饮食等多方面对病人进行调理。

此刊的撰稿人多为当时的临床名家，他们所撰有关各种常见病的文章都具有较强的实用性，可称得上是当时的常见疾病手册。例如，尤学周的《脾胃虚弱之简治法》《胃气痛》《胃酸过多》，丁仲英的《胃病与失眠》《胃口不开》，陈存仁的《吐血治疗大要》，严苍山的《便血之研究》，张锡纯的《因凉而得之吐血治法》等。由于这些文章为读者提供了许多疾病的防治知识，因此，此刊成为20世纪30年代具有较大社会影响力的刊物。

1935—1936年，为扩大影响力，《幸福杂志》更名为《丹方杂志》，专门收载有关民间丹药验方之应用研究的文章。尤学周在《丹方杂志》的序中写道："今有《丹方杂志》之刊行，探秘搜奇，深入民间，将灵方妙药尽量披露，介绍于人群，不特为病者谋幸福，而国医药前途亦发见不少光明，实堪钦佩。"张赞臣则在序中表示："今朱君有鉴于此，搜集古来丹方，以为骨干，下及近世丹方，旁及乡村丹方，秘及私家丹方，而为之五官百骸，编为杂志，非其体，达其用，以为苍生。"另外，此刊主编在自序中写道："而于无意中发见不少治病之法，今之所谓丹方者，即道家所赠遗之品也。道家推千其教义，深入民间，同时为人治病，以眩其术，以坚人信仰，丹方亦传入民间，书中偶有记载，皆由道听途说，偶然录下者。关于单方之专书，则少有所见，鄙人于丹方之应用，往往发见不可思议之效力，对于丹方之信力甚坚，故有本刊之发行。"此刊12期共登载了约千首治疗临床各科疾病的方剂，其价值有待后人进一步挖掘。

《中国医药杂志》

中医学术期刊，1934年创刊，月刊，赵恕风主编，中国医药研究社发行，现存第2卷1～12期（1935年）。

此刊为地方性中医药期刊，内容广泛。此刊设有学说、临床各科、医案、验方、来函等栏目，并且非常重视学术讨论，如刊登了唐映书的《瘟疫与温病不同说》、姚肃吾的《春令流行性时疫的病因和治法》、单生文的《中医学理之科学观》、梁惠群的《湿温病与伤寒少阳病异同之点》、林志生的《论气血与风》等。

此刊实用性较强，较为重视验方和医案。除刊登了《隔食症验方》《治疗淋病的效方》《经过实验的喉病奇方》等验方类文章外，还刊登了《治验笔记》《诊伤寒笔记》《论瘟疫之症治》《咳嗽论治》等医案类文章，并引录《植林医庐笔记》《也是斋随笔》及邢锡波的《怀葛斋医案》等。另外，此刊也连载了一些有实用价值的书籍，如《张五云痘疹书》。

综上所述，此刊在一定程度上起到了传播和推广地方中医药的作用。

《医药改进月刊》

中医学术期刊，1941 年创刊，月刊，本刊编审委员会主编，现存第 1 卷 1 ~ 12 期（1941—1942 年）。

此刊发行于四川成都，为地方性中医药期刊。此刊第 1 期的发刊词阐明了创刊宗旨："本社有鉴于此，乃联合同志创办社刊，特辟学术论文、学术研究、整理珍闻等各栏，意在以科学之方法，发皇古医之奥义，且整齐同一步调，一致向前，务使古圣之遗意无余，中西之各美兼备，而我国医之伟迹长留于万世，始可稍尽本社同人之素志。"为体现创刊宗旨，此刊第 1 卷第 1 期便刊载了具有针对性的论文，如《我们对于国医科学化的意见》《为什么要改进中医》。第 2 期《中医管理权》一文指出："我们主张西医应该研究中医学术，中医也应该研究西医医理，两者融会贯通，自不难产生新的医术，为世界医学放一异彩。"此刊连续数期刊登的评论文章《对于建设中国本位医学的意见》对当时中医的改革与发展具有较大影响。

此刊比较注重经方的学习与应用，除刊登一般性中医学术研究文章外，每期都刊登有关于经方的文章，如《桂枝十九方合论》《甘草干姜汤》《芍药甘草汤》《三承气汤麻仁丸》《大青龙汤》《四逆十一方合论》《理中九方合论》《泻心十一方论》等，非常值得经方研习者及临床医生研究学习。

从以上内容可以看出，此刊学术水平很高，是近代中医期刊中的上乘之作。

《广东医药旬刊》

中医学术期刊，1943 年创刊，旬刊，吴粤昌主编，广东医药旬刊社发行，现存第 2 卷 1 ~ 8 期（1943 年 7—11 月）。

此刊是地方性中医药期刊，内容丰富，有较强的理论性与学术性，连载了较多理论性文章，如梁荫天的《中医学术源流》、梁乃津的《略论中西医学之特质及中西汇合问题》、曾天治的《整理中国医学之我见》、蔡适季的《现阶段中医进修问题》等。

其中，《现阶段中医进修问题》具有很强的前瞻性与实用性，其内容包括中医进修的意义、步骤、原则、条件、方式及方法等，对当时乃至现在的中医药发展都有很强的指导意义。

此刊保留了许多具有全局性的中医学术文章，如姜春华的《伤寒新论》及《中医基础学》、钟春帆的《近世内科学》、梁乃津的《霍乱》、缪俊德的《疾病之本相与现象》、袁鉴韬的《中国物理医学之针灸》等。

另外，此刊还刊登了《本草腔识》《中医应用处方集》《实用方剂学总论》《药物各论》等长篇文章，这些文章展现了当时一批致力于研究、发展中医的学者们的学术思想，虽然数量有限，但值得被保存和研究。

《医药卫生专刊》

又名《济世日报佑仁医药卫生》，中医学术期刊，1947 年创刊，周刊，施今墨主编，济世日报社发行，现存 1 ～ 15 期（1947 年）。

此刊的办刊宗旨是“建医、强种、救国”，即“不攻击西医，也不攻击中医，我们一心一德，把中西各方真实的医药卫生常识，介绍给水深火热中的同胞，同时提供有心沟通中西学术的朋友，及贤明当局，作为参考的资料”。

此刊与报纸类似，没有栏目分类，每期 20 余页。每期都有相当篇幅的普及卫生知识的内容，如《细菌常识》《为什么会发炎》《蛔虫的生活史》《如何避孕》等。此刊既收录有《伤寒质难》《国药性赋》《法定传染病概说》等学术文章，同时也向读者普及医学器材的知识，如介绍什么是注射器、显微镜等，具有一定的学术性和科普性。

另外，此刊还载有用通俗易懂的语言探讨中医发展的文章，如《中医为什么要争管理权》，强调中医机关“不但要负管理的责任，还要负规划中医药教育方针的责任”，提出科学化的中医仍是中医。

目　录

中国近现代中医药期刊续编·第三辑

中国医药杂志

中國醫藥研究社主編

中國醫藥雜誌

第二卷第一期

內政部登記證警字第叁柒柒伍號
中華郵政特准掛號認為新聞紙類

1958, 10, 2 8.

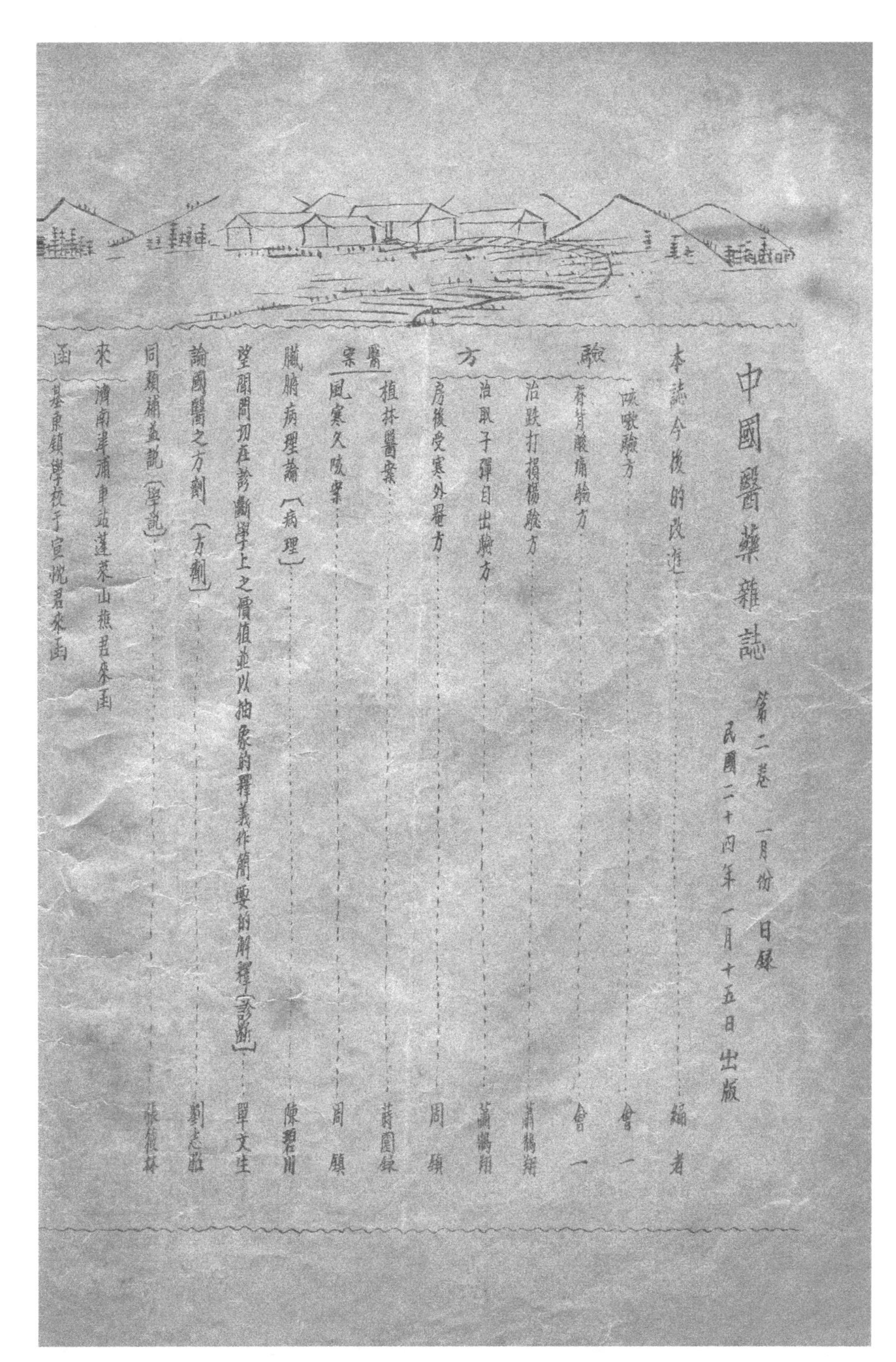

中國醫藥雜誌

第二卷 一月份 目錄
民國二十四年一月十五日出版

本刊今後之改進

編者

多量登載驗方醫案

加闢生理病理診斷內科外科婦科幼科各欄

通函問病不取分文

贈送藥品概不收費

內容增加並不加價

歡迎投稿無論刊登與否概有酬贈

本刊自出版以來荷蒙各界贊許銷數日增具見熱心國醫者尚不乏人何勝感激茲擬自本期起將驗方醫案等多量登載以便讀者得普通應用之益並特闢生理病理診斷．方劑內科外科婦科幼科各欄

與原有之學說言論藥物等欄輪流登載，使有志習醫者得窺門徑，已為醫師者藉供參考，尚祈醫界同人惠寄佳稿並時賜教言為感

疾病為人所不能無，治不得法，往往積年累月不得痊愈，讀者如有通函問病，本社當為竭誠答覆，不取分文，並於可能範圍內贈以特效藥，藥品亦不收費．但此項辦法須費甚鉅，故以本刊全年定戶為限，非訂戶概不通融．

本刊自本期起一律改為十六開大本，內容雖增加，而全年訂費，則仍不加價．（每全年連郵費仍收大洋一元．）

本刊歡迎投稿，即不刊登亦贈獎品以酬雅意．但以他報未發表者為限，一稿廣投者萬勿寄來．

驗方

咳嗽驗方　會一

凡咳嗽有宿根冬月即發者，用左方一服即愈並能除根．

前胡二錢　麻黃二錢　蘇子三錢　杏仁二錢　乾薑一錢　生石膏二錢　五味子一錢

款冬花三錢　麥冬三錢　甘草一錢　水煎食遠服

脊背酸痛驗方　會一

冬月感寒脊背酸痛，連及胃腸等處，均大痛不止者，用左方酒水煎服即愈．

當歸五錢　良薑三錢　川羌五分　白芥子二錢　杜仲五錢　香附三錢　川楝子一錢五分

治跌打損傷驗方

蕭鶴翔

跌打損傷未出血者，用鮮狗蹄草（又名虎蹄草）杜荷二株，薄荷一株，加老酒憑量煎服，其效迅速如神。已經試過屢驗，勿謂其有毒也。

治取彈子自出驗方

前人

鎗彈傷身手術不能出者，用車床蟋蟀雄一對，酒飼；雄雞毛一握，酒浸煅炭；土鱉子數顆，酒洗；螻蛄二隻，（即土狗）酒飼；地龍二條，（即蚯蚓）酒洗；金鎖匙一隻（即蟑螂）酒飼，六物用菜油浸以磁罐或玻璃等器中，封固其口，用時敷彈口，其彈即出，真聖藥也！

房後受寒外罨方

周鎮

方名：房後受寒鴿龕臍。

主治病名：房後中寒（又名挾陰）

適應：襲陰寒於房事後，重者腹痛厥逆，玉莖內縮，小溲不爽，用此提邪外出，如響斯應。

証候：房事後初起少腹痛漸重，面色發青，腹如刀絞，上下二焦氣不相接，面色青白，昏迷不語。（有寒熱一星期狂言不省者）

藥品及用量：正麝香一二分，放肚臍上，活鴿一隻，（男用雌女用雄）於腹背破二寸許，帶血蓋臍上，以布紮緊，覆衣令臥。

加減方法：粵東救急方，原用十餘兩小鷄，剖開鷄背，罨於臍以布紮緊。

配合禁劑：麝香輕症數厘，重者一二分，須三人動手，一剖鷄，一放麝於臍，一用布紮。

用法：用小鷄或黑色鷄，（男用雌女用雄）剖背約二寸見血即罨臍，不剖腹者，防雨距落動網之不緊耳。

效果説明：一次不應，再數罨至二三次，隨症內服煎方。

副作用：外罨無副忌。

禁忌：罨鷄或鷄後，即覺周身發熱，不可搖動，致受氣透進，約六小時，令汗發透，熱即退。

備考：温病暑火不能內服薑、附、朮、桂者，外罨有利無弊。

植林醫案

蔣國屏

吳左　邪之所湊，其氣必虛，卒然傾跌，神識不清，口眼喎斜，語言蹇澀，溲赤而渾，苔黃且厚，脈來洪數，恙原腎虧水不涵木，七情鬱結化火，風邪乘襲厥陰，横擾陽明，目為肝竅，胃脈挾口環唇，肝在聲為呼，胃受疾為噦，諸汗屬陽明，謹防呃逆、鼾呼、汗出如淋，茲擬玉屏風合升麻葛根湯加減，外以桂酒塗頰。

黄耆二錢、防風錢、白朮五錢、生地四錢、升麻三分、葛根錢、赤芍錢、甘草五分、歸身二錢、　桂酒塗頰法：肉桂二錢研末，燒酒二兩，煎湯百沸，搽塗兩頰，加入馬脂更妙。

二診　藥後，夜來神志漸清，言語亦爽，苔黃稍腐，身有微熱，似得小汗，更衣一次，溲色轉黃，洪數之脈依然，口目喎斜未正，症本陰虛火盛，情志乖違，腠理開疏，為風所襲，擾亂厥陰之絡，原法增減，仍以桂酒塗頰。

生黃耆三錢、當歸身三錢、潞黨參二錢、於朮兩、煨葛一錢、乾地黃四錢、防風錢、生杭芍兩、粉甘草五分

三診　厥陰為風木之臟，陽明乃十二經之長，真陰素虧，肝木自燥，木燥生風，虛風直襲，攻其無備，是以斜中，連進玉屏風、升葛湯二方加減，神識已清，語言明爽，飲食頗納，熱得汗解，溲便如常，腐苔漸退，脈亦較緩，惟口目仍斜，風邪未盡，真陰難復，再仿前法加減。

乾生地四錢、西洋參一錢、生白芍一錢、當歸三錢、防風兩、葛根錢、於白朮兩、黃芪三錢、獨活錢。

四診　諸恙悉退，惟喎斜未正，口目時動，蓋肝氣通於目，胃脈環於口，必得肝胃沖和，口目方能平復。

黃耆三錢、白朮兩、當歸身二錢、大白芍二錢、防風錢、白蒺藜三錢、乾地黃四錢、西洋參兩

仍照上法，並用桂酒塗頰。

五診　病原疊載前方，惟口眼仍斜，未能如故，肝為藏血之臟，胃為水穀之海，症本血燥召風，風翻胃腑，氣脈為之動變，蠢闌上冒清空，分佈不周於絡，服藥以來，風邪雖解，陰液未充，氣脈亦未流暢，水能生木，土能培木，當以脾腎為主，爰擬六味歸脾，以善其後。

熟地八兩　丹皮三兩　澤瀉三兩　萸肉三兩　山藥四兩　茯苓三兩　當歸身三兩　棗仁三兩　人參兩　白朮三兩　遠志二兩　炙甘草兩　為末，水泛丸，每早晚各服三錢，開水送下。

五

風寒久咳案

六 周鎮

病者　陳永安年二十餘歲牛肉業　辛酉五月

病名　風寒久咳

原因　感受風寒伏於肺臟

証候　正月咳嗽起，因漸增，胃呆力乏，延至五月，服藥百餘劑，醫咸目視為損症，因見過痰紅，藥多黃芪、生地、沙參、阿膠、烏梅、白芍，有貴至每劑一元者，以致咳嗽痰甚，面瘦，唇生黑暈，宛如瘵狀。

診斷　脈都細濡，苔白，咽有痰膩，詢知牛肉攤設於擱下，風寒有徵，宜舍脈從證

療法　退一步由表面設法，開展肺氣，遣邪滌痰。

處方　蒼耳子三錢　路路通錢半　款冬花三錢　前胡二錢　蘇子三錢　杏仁泥三錢　生薏米二錢　冬瓜子四錢　宋半夏三錢　竹茹二錢　瓜蔞皮三錢　鬱金二錢　射干五分　另月石三分　生明礬一分　雄精一分　研細末蘿蔔汁過服。

復診　欬減痰爽

原方損蘇子一錢，加止嗽散（桔梗、荊芥、紫菀、百部、白前、陳皮、甘草）數服，其欬愈稀，面與手上之暈自褪，惟手指之黑暈其退稍遲，不過十餘劑，而嗽竟止。

結果　咳止全愈。

（說明）今世病者每不肯先述病因，以為脈之自得，此風寗波江北尤甚，以致別醫誤會其病，不耐

須審，周弄假成真，如不翻然何從挽回。

病理

臟腑病理論

平遠 陳碧川

臟者五臟也，腑者六腑也。心、肝、脾、肺、腎謂之五臟，胆、胃、大小腸、三焦、膀胱謂之六腑。夫醫生為人治病，必須明瞭臟腑之病理，然後對症用藥，奏效尤速，茲將臟腑之病理約畧述之於下。

中醫學說，以五臟分配於面部，左肝右肺，腎頤、心額、鼻脾。又以五色合於五臟，赤色屬心，青色屬肝，黑色屬腎，白色屬肺，黃色屬脾。譬如察色而知何病，見赤色即知其病由心臟發來，藥宜治心。然心與小腸相表裏，所謂表裏，即是有關係也，故心臟有病，又可兼治小腸。見青色即知肝病，藥宜治肝，然肝與膽相表裏，以膽附於肝之短葉間，有關係也，故肝有病，又可兼治胆。見黑色即知腎病，藥宜治腎，然腎與膀胱相表裏，腎有內腎外腎之分，內腎即腰子，主造尿，外腎即睾丸，主生精，今此腎字，是指內腎而言，主造尿，膀胱為腎之府，為藏尿之器，又名尿袋，故腎病可兼治膀胱。見白色即知肺病，藥宜治肺，然肺與大腸相表裏，如肺部感受風寒，氣即上逆，則發咳嗽，然肺部有熱，往往引起大便燥結，其故即肺與大腸相表裏之理也。見黃色即知脾病，藥宜治脾，然脾與胃相表裏，脾居胃之側，西醫云脾臟助消化，脾臟又名甜肉，中醫名胰，又名脺，難經謂之散膏，即俗名甜肉。胃納水穀，胃氣強則飲食多，胃氣弱則飲食少，然用健脾藥，使脾健則飲食亦隨之而進，胃氣亦強，此即脾與胃相表裏之故也。中醫以左頰屬肝，右頰屬肺，西醫

七

云：肝居於右，肺有在右，倘謂左肝右肺，不知中醫之所謂左肝右肺者，非謂肝居左肺居右，是謂肝之作用司於左，肺之作用司於右也，如左頰紅腫，即知肝經有熱，用藥宜瀉肝火，如柴胡白芍青皮等是也，右頰紅腫，此肺經有熱，用藥宜瀉肺火，如黃芩桑皮只殼等是也。

中醫以目合五臟六腑，中醫云五臟六腑之精華皆上注於目，肝開竅於目，是言其大要，今云五臟六腑之精皆上注於目，須析更詳，西醫云：目僅一小部分，五臟六腑未曾繫此，不知中醫五臟六腑合於目者，非謂五臟六腑曾繫於此，是言臟腑之精氣能達於目也。蓋肝脈通於腦，通於目系，且西醫云：腦氣筋能通各臟腑，據此則各臟腑之精可上注腦氣筋，然腦氣筋又通於目，則五臟六腑之皆可上注於目矣。大眥屬心為血輪，心主發血也。白睛屬肺為氣輪，肺主氣也，黑輪屬肝為風輪，肝主風也。瞳人屬腎為水輪，腎屬水也。上包屬脾為肉輪，脾主肌肉也。下包屬胃，小眥屬小腸，又有相表裏之義，心與小腸相表裏，肝與胆相表裏，腎與膀胱相表裏，肺與大腸相表裏，脾與胃相表裏，則分配五臟六腑之部位均詳備矣。例如見大眥紅赤，此心有熱，宜瀉心火，白睛紅赤，此肺有熱，宜瀉肺火，部位既明，則投治得宜矣。凡治目疾，總以辨明虛實為主，不必繁雜，如目疾暴赤腫痛，畏日羞明，名曰外障，為實症，由於風熱所致，治宜散風瀉火，久痛昏花，細小沉陷，名曰內障，為虛症，由於血少所致，治宜滋水養陰，此治眼之大法也。

再論臟腑之為病，心為噫，凡見噫氣者屬於心，肝為語，謂關於言語病者皆屬於肝，例如譫語多屬肝經有熱，肺為咳，謂肺善患咳嗽也，蓋肺主氣，氣管為呼吸出入之道，肺最惡寒，積感風寒，氣則上逆而不利，故發咳嗽，且每覺胸前痞滿，皆由呼吸之氣不利也。腎為欠為嚏，見欠嚏皆屬於腎，脾為吞，脾主化穀生津，故口中液少者，時作吞狀，化穀生津者，蓋津生於水，水入化氣而為津，液生於穀，穀入化汁而為液，西醫云：腸胃及吸管中，有養汁如牛乳，有明汁如水，不知明汁即津也，養汁即液也。胃為氣逆為噦為恐，逆謂上逆也，凡氣出入便利為順，反則逆矣，噦者吐穢惡之氣，如吞酸噯腐之類是也。恐者腎所主，腎水動而胃不能制之故也。大小腸為泄，凡泄皆屬小大腸之病，蓋小腸者受盛之官，化物出焉，小腸屬火，為心之府，故小腸主化穀，火虛則穀不化而飧泄，大腸者傳道之官，變化出焉，大腸屬金，為肺之府，故腸熱則糞燥，燥氣不足則糞溏瀉，下焦溢為水腫，人有三焦，經云三焦者決瀆之官，水道出焉，今獨言下焦者，蓋下焦當膀胱上口，為水入膀胱之路，最為緊要，若此處不利，則水溢於上達於外而發水腫，故上焦不治則水泛高源，中焦不治則水流中脘，下焦不治則水亂二便，故凡治水腫，皆以利水為主，膀胱不利為癃，不約為遺溺，蓋膀胱下溺管，如溺管淋澀不通，則為癃矣，癃者小便點滴無也，遺溺者睡眠而小便也。蓋肺以陰氣下達膀胱，通調水道，而主制節，使小便有度，不得違碍，肝腎以陽氣達於膀胱，蒸發水氣，使其上騰，不得直瀉，如陽氣不能蒸，則無約束，遂發為遺溺，如軍無主將，兵士四散擾亂無序矣，膽氣鬱為怒，鬱是氣遏於內，不得舒發也，由於肺氣不暢達之故，治宜散降之，怒者氣上衝也，故經云：怒者氣上，由木鬱生火，火鬱暴發之故也，故凡病之易怒者，皆屬於膽，以上所述是五臟六腑之病理，乃吾國數千年來遺下之經驗，為治病之權衡，氣化之神奇，西醫莫能測也。

診斷

九

望聞問切在診斷學上之價值並以抽象的釋義作簡要的解釋

十

畢生文

夫診斷為治療之方針，治療乃診斷之實施，諺云：「善診斷者，必善於治療。」是以醫師之於診斷學，不可須臾離也。但望聞問切在診斷學上，佔有極重之位置，而為臨病診斷上唯一之關鍵，凡遇一病，務必經此四種手續檢查之後，始可斷定病名，而分析其主証、兼証、及夾症等之界限，並可定其病理、症狀、治療及衛生等。是以望聞問切、不但為診斷學上之樞紐，且為醫家臨床上之秘典。若四診不精，則臨床診病，必茫然無從，難免盲人騎瞎馬，亂施治療，必致殺人。因之望聞問切，在診斷學上，頗具有若大之價值，茲以抽象的釋義，簡要釋之如次，聊供研究之一助，是否有當，尚希醫界同志，匡正以指教焉。

(一)望診：望色以斷人之生死，古聖未嘗欺人，進而言之，按術治病，失於色診者半，失於聞問切半，蓋望其部位之色，即知其病之所在，望其唇舌之色，即能辨其病之表裏虛實寒熱，望其有神無神，即知其可生可死，况吾人之面色各不相同，故一望其色，即知其病之吉凶。觀察其神而知其為生為死。例如外感不防滯濁，久病切忌鮮妍，眼胞不宜下陷，若黃色見於面目，既不枯槁，又不浮澤，是為佳良之現象。

(二)聞診：自來醫家，多以聞字但作聞聲解釋，殊不知聞診不僅限於聞聲也，且兼聞氣之義焉。蓋一則聞其聲，即俗所謂以耳聽也。一則聞其氣，即俗所謂以鼻嗅也。聞聲以察病之盛衰有餘不足，聞氣以審其病之虛實寒熱，新久輕重。總之言語聲音及氣味，不異於平時者為吉。是以四診之聞，不專限於聽其聲音，即示吾人凡入病室，必須耳聞鼻嗅，聽其聲音，辨其氣味。故凡臨床之際，則當耳聞鼻嗅，並行審察可也。

(三)問診：醫師以望聞切脈而知病，總不若病者之自言為尤真確，故臨床問診，頗關重要。蓋經詢問之後，其病之總概可知矣。但病者有拘於情事，不能言之處，或言之而不知其所以然之處，此須全賴醫師之推求，即因其言，而知其病之所在，問其既往，則知其病之由來，問其現狀，則知其病之深淺，即同中求其異，異中辨其常，全在問診決之。究其同異，審其病情，然後始可立方施治。此外如婦女之經期，趨前落後，是否有孕，亦須格外注意，其他如寡婦室女等，更當詳加詢問，切勿隨意妄言，此於醫師之價值上最關重要也。

(四)切診：查脈之運行，根於心臟，語云：「經脈乃人身之鐵路，而運輸氣血」，此古今中外學理之同然也。故切脈之關鍵，則不外浮沉遲數等。蓋浮沉係審其起伏，遲數係察其至數，凡常人之脈，一見浮沉遲數之象，即為病理之現象，此係血液變性，還流障碍，或血壓過高過低，以致然哉。反之，生理正常之人，其脈不浮不沉而在中，不遲不數而五至，是謂生理之脈象也。蓋切脈之道，即審其本體之盛衰，邪氣之深淺，為醫家認証巧法，換言之，即望聞問以知其外，而切脈以知其內，既知其表裏，則病情確實，而診斷定矣。是以醫家臨床，若能四診合參，審証始可真確無疑，然後立方施治，決不至有誤，是則望聞問切在診斷學上價值之梗概也。

方劑

論國醫之方劑

劉志服

吾國醫學之方劑，始於商朝伊尹調和湯液，岐伯建立七方，北周徐之才建立十劑，清之王訒菴分為二十劑，以療治病症。至于千變萬化之病，不過內傷外感與不內外傷三者而已。內傷者喜怒憂思悲恐驚是也。外感者，風寒暑濕燥火是也。不內外傷者，跌打損傷自縊摧壓溺水魘魅服毒五絕之類是也。病有三因，內因外因不內外因，而不外此焉。至於病雖千變萬化，又不外寒熱虛實表裏陰陽八字盡之，浮沉遲數虛實大緩八脈應之。又不過汗吐下溫清和消補用之。而以此法，總不離乎七方與十劑以療之。此皆療病之手段，治法之權衡，七方者大小緩急奇偶複也，十劑者宣通補瀉滑濇輕重燥濕也。各有寒熱溫平之性，升降浮沉之能，氣味厚薄不同，輕重不等，形有盛衰，治有緩急，故七方十劑能統治百病，茲分析論之。

(一)大方　即病之複雜，症候重極並附別症，實邪強盛，非大力之劑，藥性之猛烈，何以能治愈，徒以小方則罔效，仲景用大承氣湯治傷寒陽明症胃實便秘，發熱譫語，痞滿燥結，大渴大熱，猛攻以下之。大青龍湯治太陽中風，脈浮身痛，發熱無汗煩燥，用以大汗之。大陷胸丸治結胸痞滿項強如柔痓狀，用以急消之。大陷胸湯治傷寒六七日，結胸熱實，脈沉而緊，按之石硬者，亦治水結在胸脇，心腹硬滿，而痛，膈內拒痛，用此湯攻消之。此皆大方之能力，所以特效，乃是上古名醫立大方之義也。

(二)小方　病無兼症，病勢輕緩，邪氣薄弱，故用小方，藥性分量宜輕少，療治上能速見奇效。如少陽病，目眩口苦，嘔吐咽乾，寒熱滿煩，脇痛耳聾，此病之輕淺，以小柴胡湯和解之立愈，如小青龍湯治傷寒表未解，喘咳嘔噦，煩渴自利，腹有水氣，以此方微汗之法也。如小承氣湯治中風傷寒陽明症，發熱譫語潮熱，而喘，痞滿不通，以徹下之法也。此皆是小方之功效，所以治小病，蓋古聖立小方之義也。

(三)緩方　緩者緩慢也，緩方者藥方性力之緩慢者也。虛近之症，病弱而患久，或輕淺之病，治當甘溫而和之，緩緩而和補之，慢慢而飲之，如和緩之藥，四君子湯治面白言微，無力脉弱，氣虛倦怠。補中益氣湯治陰虛内熱，頭痛口渴，表熱自汗，四肢倦怠，懶于言語，氣虛而喘也。其甘緩之藥，與肺痿喘咳，虛勞内傷，歸脾湯治思慮傷脾，血妄行，健忘怔忡，驚悸盜汗，疼痛虛痢等症，皆須緩緩服之，或長期服之。例如肺癆病何以一劑能效，非長期服之不可，因為病菌已浸入肺部，縱一劑能愈，終不能斷其根，其根未斷彼病復生焉，故先聖立緩方造丸散，乃是凡者緩慢之義也。

(四)急方　當病勢危急，猝然昏倒仆地，不省人事，中風跌打等症，必須急救，藥劑宜速，藥性宜峻烈，試舉六味回陽飲，能救陰脫陽脫，回陽救急湯能救裏寒，太陰少陰厥陰之寒厥，三星飲能救風痰猝倒，不能言語之症，或卒中痰迷，涎潮壅盛，五癇痰壅，人事昏沉，實熱風痰等，當用瓜蒂散急吐之，虛症者食停胸膈，腹滿疼痛，纏喉鎖喉等，當用參蘆散急吐之。又或少陰病，口燥咽乾，腹滿不大便，有宿食心下堅硬，痛甚若死，急用大小承氣湯，大陷胸湯下之是也。

(五)奇方　單方也，病有單症或各症合病，輕重淺深之病，皆有單方可獲效，因藥性藥力僅一性，無別藥牽制，不受彼藥之攻擊反對，可以自由自在，乘機專權，驅逐病魔，速起沈疴。如仲景之甘草湯主治少陰病，咽喉熱痛，獨參湯獨附湯，治元氣虛弱，脈微欲絶，婦人血崩，產後血暈等症，又如童便白芨兩單方，治吐血衄血嘔血咯血，因童便性鹹温，功能壓熱降火，補陰潤肺，止諸家血，聚諸家衆血，引肺火下行，從膀胱出，白芨性濇收歛，生新血，逐瘀血，止諸血，此單方之效驗，豈不大哉。

(六)偶方　單方之對，双方也，奇之反，偶方者，謂藥性味之並行，君臣之佐使，為君之藥最多，為臣者次之，佐使者又次之，種種用法，實用藥如用兵焉。例如卒患傷寒太陽病，頭痛項強，發熱惡寒，身體疼痛，骨節四肢疼痛，無汗而喘，脈浮而緊，必施于麻黄湯，麻黄為君，桂枝為臣，甘草杏仁為佐使，而麻黄藥力雖大，加桂枝甘草杏仁君臣佐使，更為效驗也。例如卒患傷寒陽明病，發熱頭痛，表熱風邪，或下痢生疹，痘疹初發，必施于錢氏升麻葛根湯，升麻最為主要之藥為君，葛根白芍次之為臣，甘草又次之為佐使，升麻能引藥上行，入陽明經表，散風邪，葛根除風退熱，生津止渴，白芍養液生新血，解除諸熱，甘草調和百藥使之不爭，此皆偶方分配得法，所以特效，此先聖立偶方之義也。

(七)複方　重複之義，錯雜之方，或數方合一方，或數十種藥合一方服之，此必施於錯雜之病，如傷寒症太陽少陽合病，少陽陽明合病，有未罷太陽，未罷少陽，未罷陽明，或三症四症合病，五症六症合病，合病若多，病勢必繁重，藥方必複雜，藥力必加多，乃一定之理。試看十全大補湯，是四君子湯與四物湯再加桂耆，十味其合，能補治一切血虛氣虛，老人骨筋枯痿，目視不明，真陰虧損，先天不足，後天失調，羸弱百病，乃其藥之複雜，其協力之大，所以歧伯有言，奇方治之不愈則偶，偶之偶方不愈則用複方大劑以療之，可以隨手取效，此古人立複方之義也。

十劑者，尚缺寒熱二端，後人再續二劑，茲分析如下。

(一)補可扶弱　補之為義大矣哉，先天虧損宜補腎，六味丸八味丸還少丹，大補陰丸虎潛丸是也，後天不足宜補脾，歸脾湯，香砂六君子湯，四君子湯是也。凡病致虛弱者，精氣被奪，氣虛者用四君子湯，以補肺氣為主，血虛者用四物湯，以補肝血為主，虛熱者用六味丸，四君子湯，清骨散，加減補之。陽虛者宜補中發汗，陰虛者宜養陰發汗，假熱者宜理陰煎，溫補之，寒瀉腹痛宜附子理中湯補之，由此可見補可治萬病，以上各病若不補，則氣易消，血日耗，天真營衛欲絕矣。西洋人以地骨皮，龍膽草，黃連，苦參之類入補劑，因其地氣居赤道之中，在于熱帶，氣候酷熱，身體不合熱藥，用苦寒之藥，退熱清暑，清肌解毒，合身體之營養，益血益氣，使筋骨壯健，五臟能安，故入補劑也。夫中國地勢居赤道之外，在于溫帶，北方又近寒帶，蓋以鹿茸，鹿角，猴膏，人參，肉桂之類，大熱純陽之藥，能補五臟，生精血，壯陽益腎，強腰脚，堅筋骨，安神定魄，故補劑也。

(二)重可鎮怯　怯者氣浮，重而鎮下之，有怒氣逆，驚氣亂，恐氣下，虛氣浮，四等。怒氣逆咳嗽痰喘，宜蘇子降氣湯，蘆薈丸，滾痰丸，清膈煎降之，驚氣亂宜琥珀至寶丹，黑錫丹平之。恐氣下，宜二加龍骨湯升之。虛氣浮，心神昏亂，驚悸怔忡，寢寐不安，宜珠砂安神丸，桑螵蛸散鎮之。又如珠砂，磁石，龍骨，海石等是質物而重者，皆是重可鎮怯之意也。

(三)輕可去實　即發汗解肌之法也。如傷寒之風邪中於人身，痘，瘡，痳，疹，癍發于膚體，宜輕而揚之，從外解之。如仲景麻黃湯治傷寒太陽症，邪氣在表，頭痛項強，發熱惡寒，用麻黃，桂枝，杏仁，甘草，邪從外解也。張元素九味羌活湯及香蘇飲治四時感冒，是三陽解表，人參敗毒散治瘟疫傷寒，是疏邪扶正解表也。大青龍湯治太陽中風，發熱惡寒，是風寒兩解法也。防風通聖散治表裏三焦，皆實，風熱，壅盛，是攻

十五

表解表法也。

(四)宣可決壅　宣者涌吐也，壅者壅塞鬱而不散也，必當發散吐下之法，生薑橘皮是發散之藥，升麻荊芥陳皮薄荷桂枝是表散風邪之氣，如越鞠丸，治六鬱，神𥻗散治食鬱，川芎散治血鬱，香附散治氣鬱，蒼朮消濕鬱，法夏散痰鬱，山梔子清火鬱，此解鬱之劑也。如痰潮壅盛，實熱痰厲，喉嚨若牽鋸，必用通關散吹鼻取嚏，或滾痰丸滌痰湯，天花解毒湯降之，瓜蒂散吐之，虛症用參蘆散吐之。

(五)通可行滯　火氣鬱而滯留，凡小便滯留不通，宜導赤散六一散通關丸五淋散皆可通之，精滯留于尿道成白濁，宜八正散萆薢分清飲治之，五淋皆是尿道滯留，可分膏淋、石淋、勞淋、氣淋、血淋，俱五淋散為主。膏淋宜五淋散加萆薢分清飲通之，石淋宜五淋散加六一散通之，勞淋宜五淋散加補中益氣湯固而通之。氣淋宜五淋散加荊芥香附烏藥升麻，疏氣而通之。血淋宜五淋散加牛七鬱金桃仁紅花破血而通之。更有一症，點點滴滴之淋，名癃閉，宜滋腎丸加補中益氣湯補虛而通之也。

(六)泄可去閉　邪盛則閉塞不通，宿食不化，大便硬結，心腹脹滿，欲嘔，當用大柴胡湯大小承氣湯麻仁丸，調胃承氣湯，以療實熱便結。備急丸溫脾湯蜜煎導法，治寒實秘結。如葶藶大棗瀉肺湯泄其氣閉，桃仁承氣湯，小薊飲子，失笑散下瘀血湯，泄其血閉。十棗湯舟車丸泄其水閉，此皆破氣破血破水以刻閉塞。凡遇大便閉症，不可任投下劑，倘若藥力罔效，乃是氣閉之故，須加升麻升清氣以降濁氣總效。

(七)滑可去着　着者停留不去也，滑者潤澤之法，凡痰黏附喉中，宜滾痰丸，指迷茯苓丸清氣化痰丸順氣消食化痰丸以潤之。痢症發於大腸，生冷濃毒停滯於內，故裏急後重，欲便不便，宜芍藥湯束風散，潤澤之。大便硬結，停留於內，宜麻仁丸、脾約丸、通幽湯、潤腸丸以潤澤之。咽喉燥熱，口渴瘡痛，咳嗽喘嗽，宜炙甘草湯、活血潤燥生津飲，潤澤之劑皆倣此。

(八)澀可固脫　脫者虛脫也，開腸洞瀉，溺遺精滑，大汗亡陽，宜酸澀以收斂之。開腸洞瀉，陰寒過盛，兼嘔利腹痛，下痢清水，宜理中、四神丸、聖濟附子丸收斂之。虛症盜汗，宜六黃湯、柏子仁丸、歸脾湯收斂之。陽虛自汗，宜參附湯、朮附湯、芪附湯、玉屏風散、牡蠣散收斂之。溺遺精滑，大抵不夢而遺，由於心腎之弱，氣虛不攝也，宜金鎖固精丸、十全大補丸、知柏八味丸補而斂之。如吐血衄血，宜衄血方加桑皮、阿膠、川貝、山查，涼而收斂之。腸風下血，宜槐花散，嚴澀而收斂之。脫肛宜訶子散、真人養臟湯，是補托而收斂之。更有一症，開腸痛瀉，下利清水，投于止瀉收斂之品，概不見效，後用閘接治方以利小便之藥服之驟效。

(九)濕可潤燥　燥者枯也，風熱血液枯竭，氣息不和，而生為燥。上燥則口渴，津液乾枯，咽喉疼痛，聲嘶氣憊，肺痿乾咳等，宜救肺湯、炙甘草湯、瓊玉膏、滋燥養營湯、清燥湯、酥蜜膏酒潤之。下燥則大便秘結，噎嗝腹痛，腸胃伏火，幽門不通，宜通幽湯、潤腸丸、活血潤燥生津飲、麻仁丸潤之。腸燥腸食，翻胃，胃脘作痛，宜當歸芝麻丸、韭汁牛乳飲潤之。筋燥則四肢拘攣，宜阿膠竹茹湯潤之。血燥加當歸、老熟地、酒芍之類，津燥加麥冬、五味、勃葛，精燥加兔絲子、杞子、知母、黃柏之類是也。

(十)燥可去濕　濕者六淫之一，外感而來，濕侵喉嚨，變為濕痰，或喘咳嘔噦，當燥之，宜二陳湯、滌痰湯。濕侵胃曰胃濕，宜平胃散。濕侵脾曰脾濕，宜健脾丸、大安丸。溫燥之濕侵膀胱尿道，宜五苓散加知母、黃柏。若久坐濕地，常潮水中，則濕侵內，釀成五瀉，宜胃苓散。濕熱加黃連、黃芩，濕冷加吳茱萸、附子，濕積加

十七

神麴山查，濕盛加防黨參附子，胃寒宜四神丸，加防黨參白朮茯苓罌粟殼益智附子吳萸遠志澤瀉，如濕毒濕癬用散毒湯化毒湯解毒湯等涼藥是也。

（十一）寒能勝熱　熱者火也，蓋病當以寒藥瀉之，分三等苦寒之劑如龍膽瀉肝湯當歸蘆薈丸黃連解毒湯，甘寒之劑，如甘露飲人參白虎湯，竹葉石膏湯，清寒之劑，如清心蓮子飲清胃散大黃黃連瀉心湯，大概心熱宜川貝麥冬延胡川連犀角以瀉心火，肝熱宜柴胡白芍龍膽草蘆薈青黛丹皮以瀉肝火，胃熱宜梔子知母黃柏澤瀉木通以瀉胃火，肺熱宜葶藶黃芩桑皮羚羊杏仁以瀉肺火，脾熱宜青皮石膏枳實以瀉脾火，胃熱宜清胃方加枳實石膏元明粉之類，血逆妄行，而衄血吐血宜四生丸，熱痛宜金鈴子散，熱毒宜化毒湯解毒湯，大便熱宜調胃承氣湯小承氣湯，小便濕熱宜五苓散八正散。

（十二）熱可制寒　寒者陰氣，宜辛溫之品暖之，回陽急救湯治三陰寒厥之裏寒，理中湯四逆湯，治泄瀉腹痛脾腎之寒，吳萸湯烏梅丸，治肝木之寒，小青龍湯定喘湯，治肺金之寒，平胃散橘皮竹茹湯，治胃寒作嘔，麻黃湯桂枝湯大青龍湯治表寒，餘皆倣此

綜合七方十二劑，而療治萬病，各有所長，治法齊備，變化無窮，誠有上駕西醫之概，蓋西醫方劑雖有科學化驗藥物，器械檢驗病菌，惟方劑呆板，用法粗工，不辨寒熱虛實表裏陰陽，不察氣色形症，只聞症發藥，徒以呆板方劑攻之，如患燒則除燒，患泄則止泄，發痛則止痛，服之不愈，再攻而復攻之，復攻不愈以為不治之症，中醫則辨症明確，用藥神奇，及有直接與間接治法，直接治之不愈，間接治之當愈，然中醫自唐朝末葉以來，漸成退化，所有醫書著作，多是虛議空論，現在民國成立，方有革新工作，印刷醫報，

公開研究，設學校教授專門人才，利用器械直驗病原，貫通中西各取所長，將來之中醫，必能成最完善之學說矣。

同類補益說

張筱林

古人有五臟能補五臟之說，如肺癆食豬肺，腎虧食羊腰，血痢治以大腸，目疾嘗啟肝湯，後世醫者，每視為不足法，至歐西醫家發明臟器療法，世界驚奇，知體羸血枯者，可服牛肉膏，消化不良者，宜用牛膽汁，雞內金有助胃之功用，鹿精液有強壯之效，百布聖可以供蛋白質之消化，膵液皆可以使脂肪澱粉之消化，後有內分泌學說，大放光彩，凡吾人之因某種分泌腺機能缺乏而發生之病，可以他種動物之該腺臟器製劑，行皮下注射法，或內服其病自愈，始証明吾國先醫同類補益之說非妄，於以見後人之不事研究也。附錄數種確奏特效之臟器如下。

(一)腦下垂體製劑　腦下垂體分前後二葉，此乃後葉所製，為無色之液體，對於分娩時之陣痛微弱，及心臟麻痺，俱著奇效。

(二)甲狀腺製劑　用牛羊之新鮮甲狀腺，搗和麵包內食之，或使其乾燥，製成粉末服之，能治女子之心悸亢進，眼球突出，全身振顫，及粘液性水腫，頭痛等甲狀腺疾患。

(三)副腎製劑　最主要為副腎素，而實際應用者，多為鹽化副腎素，為止血收斂劑，心臟衰弱或霍亂患者適用之.

(四)睪丸製劑　昔柏爾氏曾由睪丸中析出一種有效成分,命名精液素,據稱對於身體精神有強奮強壯之效力,生殖性神經衰弱,陽痿,老衰等症亦可用之.

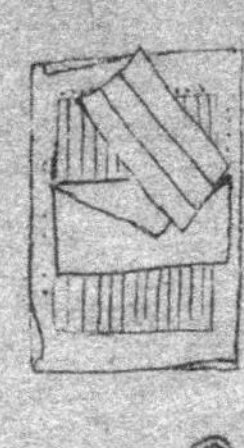

來函

濟南津浦車站蓬萊山樵君來函

慨自歐風輸入,人尚維新,而療治病痛,亦尚時髦,然西醫偏重形質,其剖解手續,瘡瘍療法,固未可厚非,而內科之氣化,以及隱疽等症,尚屬茫然,是以日本有皇漢醫室之設,美人謂中國醫學有研究之深趣,而國人學西醫者,甫得皮毛,即侮慢國醫,謗駁內難,各經,反對生剋制化,蜀犬吠日,本不足怪,惟中醫之祖傳世傳秘密各方,不肯公開,致將一生之心得埋沒荒土,歷代不知凡幾矣,殊可惜哉.尤以江湖醫術,賺為害羣,實為憾事,茲貴社提倡國醫,所著講義,言簡意賅,不設疑陣,即如鹿角霜拔天柱骨倒,青箱子療目疾失明,發前人之所未發,啟學者之捷逕,欽佩難銘.(下略)

基東顧學校于宣恍君來函

敝人嘗涉獵國醫書籍,總覺得太空泛而太籠統的居多,似乎言之無物,或者指鹿為馬,不知改良就進,只是讚人之美,照樣畫葫蘆,業斯道者,又多因循敷衍,以致中醫有落伍的遺憾,光明磊落的中國醫藥學一書,內容完全是心得和經驗的精粹,知道的說出,不知道的也不勉強在上面敷衍,詞簡意明,發揮益淨，並且賅括無遺，發前人所未發，誠國醫復興的一大救星。敝人得此書後，閱覽一番，深感有味，閱到診斷處，益為贊佩，書載四診雖然並重，但對於切診議論最詳，而且獨具法門，使人一目了然。但仍不使讀者以切脈自詡，必兼以望聞三者，互相對照，才能判斷疾病，誠為定論！（下略）

本社贈送價值拾元——中國醫藥學——二十四冊

本書內容有藥物、診斷、內科、外科、婦科、幼科等。理論明顯，切合實用，全部裝訂二十四冊，並附質疑證書，讀書如有未明，可以通函詢問。茲為普及起見，每部只收二元，介紹四部，另贈一部，不取分文。

王一仁主编

醫藥衛生月刊第二年彙訂本出版

內容有學說，筆記，方劑，藥物，雜俎，雜錄，衛生，討論等，都數十萬言，以中國醫藥立場，闡發學理經驗，精深透闢，可以為慎疾慎藥之鑑，又可為修習醫學途徑，破名詞之爭執，為真理之闡揚，上載總目，既便檢查，後附刊誤，尤易尋勘，精裝一大厚冊，實價大洋七角弍分，並第一年彙訂（實價大洋捌角）同購者，一元五角，郵費在內，再本社自第三年起，另定出版計劃，月刊力求簡潔充實，二十五期起定閱全年三角二分，寄費在內，索閱樣本，直接致函杭州本社，至少有四期同訂，長十萬餘言，附郵一角即寄，空函不覆，贈完即止

編輯及發行處 杭州東坡路湖濱七弄第三號 中國醫藥學社

上海代售處

千頃堂書局 三馬路望平街東首

中醫書局 上海山東路麥家圈

中國醫學書局 白克路西祥康里第七號

光華醫藥雜誌社 北山西路According to 隆里九號

上海國醫書館 四馬路二八三號郵政信箱二〇八八

上海國醫出版社 白克路西祥康里九十號

現代中醫社 西門城內古夜弄赤仁里

上海市國醫學會 西門城內南石皮弄廣益中醫院內

國醫師鯽堂吳錫璜主編～～「國醫旬刊」～歡迎

訂閱 交換 投稿 批評

定價：半年五角全年一元

社址：廈門廣禾路一五四號

國醫專門學校國醫旬刊社

（試閱付郵三分即寄一期）

二十三

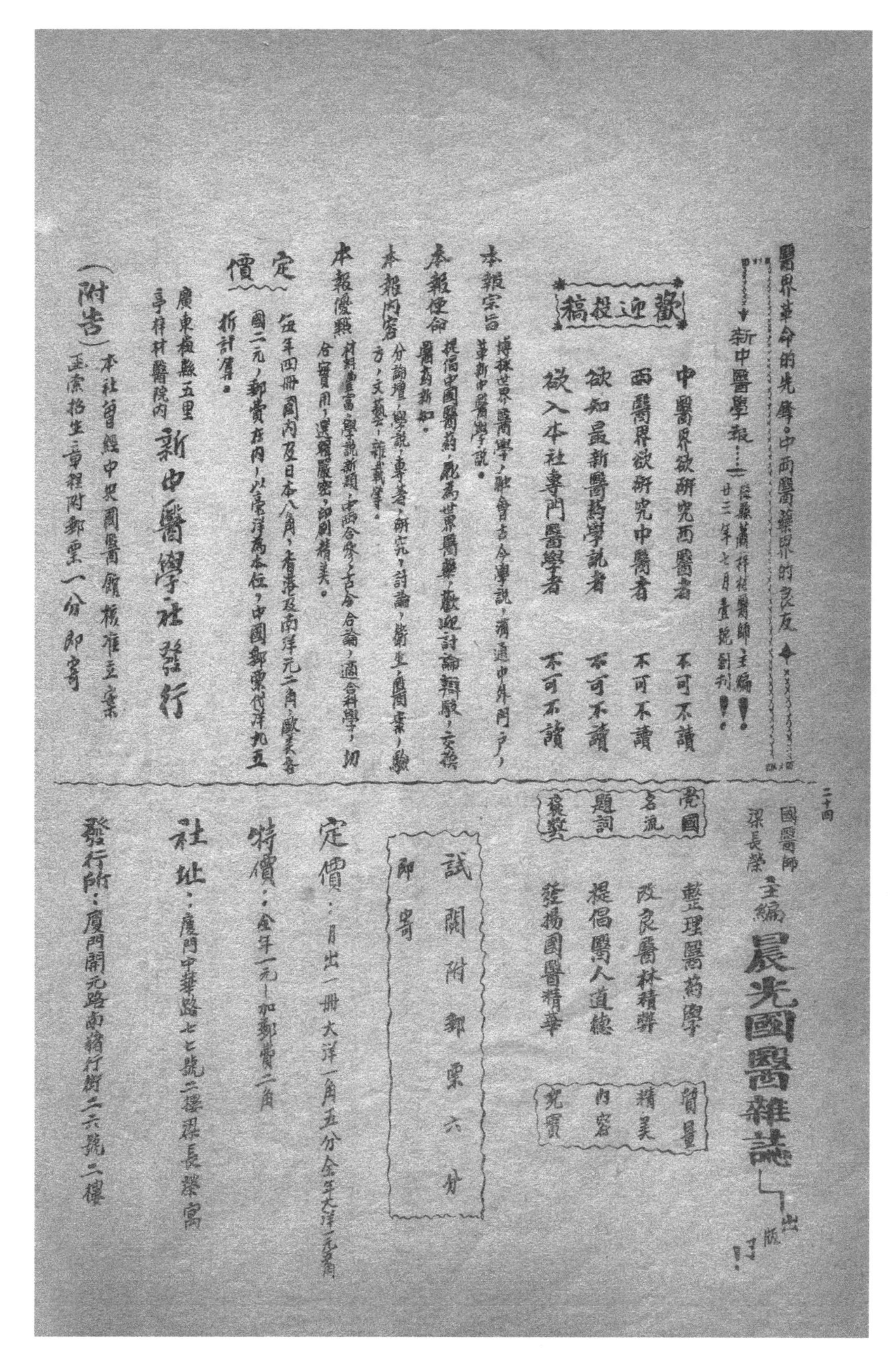

醫界革命的先聲。中西醫藥界的良友

新中醫學報……張蕭梓材醫師主編！！

廿三年七月壹號創刊！！

中醫界欲研究西醫者　不可不讀

西醫界欲研究中醫者　不可不讀

欲知最新醫藥學說者　不可不讀

欲入本社專門醫學者　不可不讀

歡迎投稿

本報宗旨　博採世界醫學，融會古今學說，溝通中外門戶，革新中醫學說。

本報使命　提倡中國醫藥，能為世界醫藥，歡迎討論辯駁，交換醫藥新知。

本報內容　分論壇，學說，專著，研究，討論，衛生，醫案，驗方，文藝，雜載等。

本報優點　材料豐富，學說新穎，中西合參，古今合論，適合科學，切合實用，選擇嚴密，印刷精美。

定價　每年四冊國內及日本八角，香港及南洋元二角，歐美各國二元，郵費在內，以大洋為本位，中國郵票代洋九五折計算。

廣東梅縣五里亭梓材醫院內　新中醫學社發行

（附告）本社曾經中央國醫館核准立案，函索招生章程附郵票一分即寄

二十四

國醫師梁長榮主編　晨光國醫雜誌出版了！

整理醫藥學

改良醫林積弊

提倡醫人道德

發揚國醫精華

黨國名流題詞褒獎

質量精美　內容充實

試閱附郵票六分即寄

定價：月出一冊大洋一角五分全年大洋一元五角

特價：全年一元，加郵費二角

社址：廈門中華路七七號二樓梁長榮寓

發行所：廈門開元路南輪行街二六號二樓

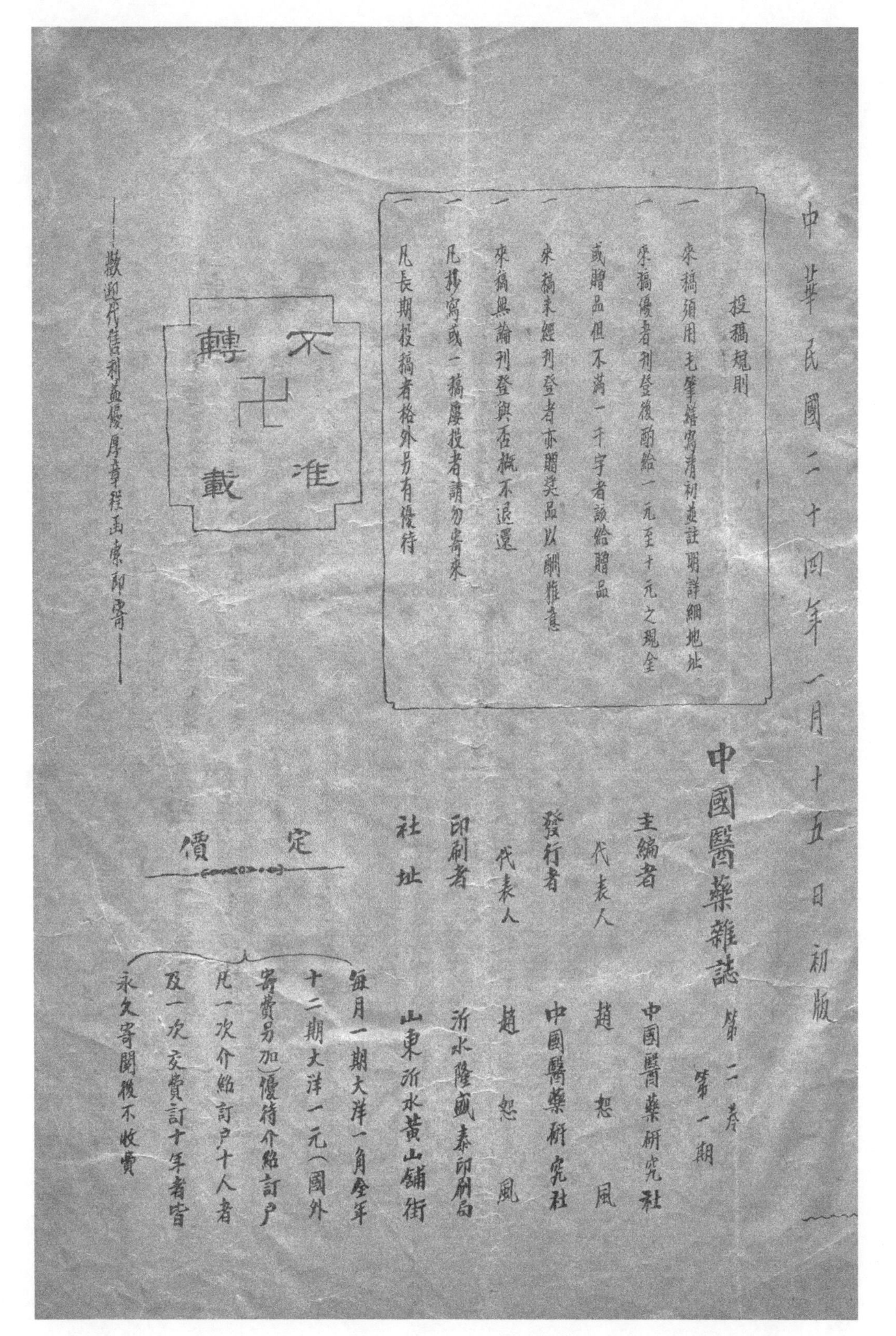

中華民國二十四年一月十五日初版

中國醫藥雜誌 第二卷 第一期

主編者 中國醫藥研究社
代表人 趙恕風
發行者 中國醫藥研究社
代表人 趙恕風
印刷者 沂水隆盛泰印刷局
社址 山東沂水黃山舖街

投稿規則

一 來稿須用毛筆繕寫清楚並註明詳細地址
一 來稿優者刊登後酬給一元至十元之現金或贈品但不滿一千字者祇給贈品
一 來稿未經刊登者亦贈獎品以酬雅意
一 來稿無論刊登與否概不退還
一 凡抄寫或一稿屢投者請勿寄來
一 凡長期投稿者格外另有優待

不准轉載 卍

——歡迎代售利益優厚章程函索即寄——

定價

每月一期大洋一角全年十二期大洋一元（國外寄費另加）
優待介紹訂戶：凡一次介紹訂戶十人者及一次交費訂十年者皆永久寄閱不收費

本會特價醫學書

本會為改進中醫服務社會普及醫
知識便利讀者研究起見特提出五種醫書特
價發售良機無多幸各注意為荷

中國急性傳染病學

此書將鼠疫霍亂痧痘瘧疾……等二十四種傳染病敘述甚詳全書上下兩卷定價二元特價六折並隨贈醫學雜誌一册

審查徵集驗方

此書集山西全省民間驗方之大成計方一千餘首二百餘頁每册定價八角特價五折

審訂良方彙

山西孟縣已故名醫郭效古先生一生經驗秘方之結晶每册特價四角折並隨贈藥物學一册

醫學雜誌

創刊於民國十年每兩月出版一期現出至八十期自一期至五十四期每期實價一角五分自五十五期至現期每期特價二角預定全年（六期）特價一元

醫學雜誌彙訂

共五集係集合醫學雜誌十九年至二十三年每年裝訂一册每册特價一元

注意　以上各書外埠郵力外加一成特價概收現洋祈各注意　二十三年十一月二十日

售書地址　山西省城新民中正街中醫改進研究會

中國醫藥研究社主編

中國醫藥雜誌

第二卷第二期

內政部登記證警字第叁柒柒伍號
中華郵政特准掛號認為新聞紙類

贈送價值拾元中醫講義二十四册

本書内容有药物、診斷、内科、外科、婦科、幼科、等，理論明顯，切合實用，全部裝訂二十四册，並附質疑證，讀書如有未明，可以通函詢問，茲為普及起見，每部只收二元介紹四部另贈一部不取分文。

贈送中國醫藥雜誌十二册

本雜誌内容豐富集全國名醫之大成凡全年定户通函問病不取分文並按病贈藥亦不收費

預訂全年十二册只收洋一元　介紹全年訂户三人另贈介紹人全年一份。

山東沂水黄山鋪街中國醫藥研究社啟

訂閱本刊之利益

一 理論明顯方法靈驗絕無虛理空談不切實用之弊

二 通函問病專函答覆不取分文並按病贈以藥品亦不收費

三 歡迎投稿無論刊登與否皆有酬贈

四 歡迎介紹訂户介紹全年訂户一二人以上者贈送介紹人一份

五 歡迎代售利益特別優厚章程函索即寄

六 自民國二十四年二月起凡訂閱本刊全年者加贈二十三年份出版醫報數册

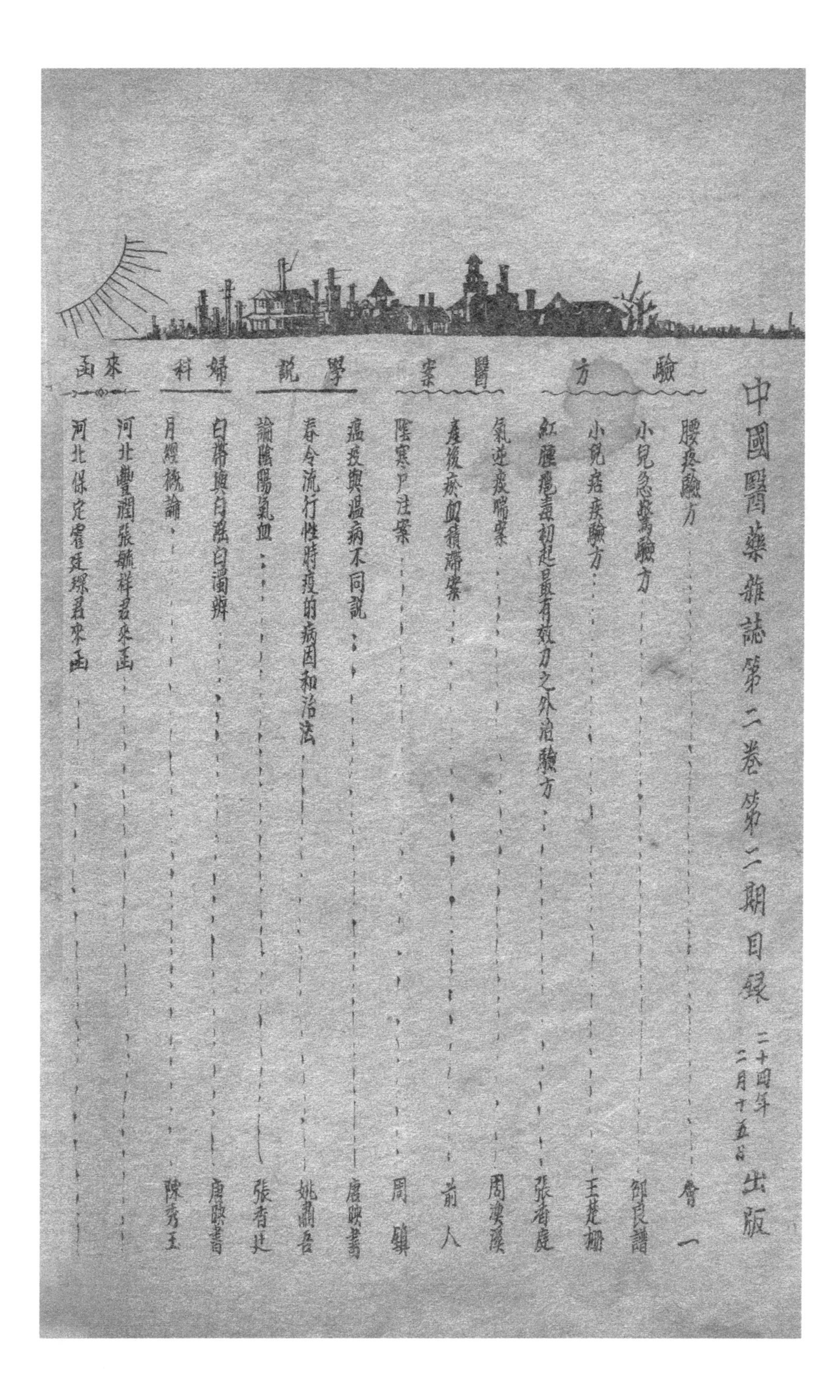

中國醫藥雜誌第二卷第二期目錄

二十四年二月十五日出版

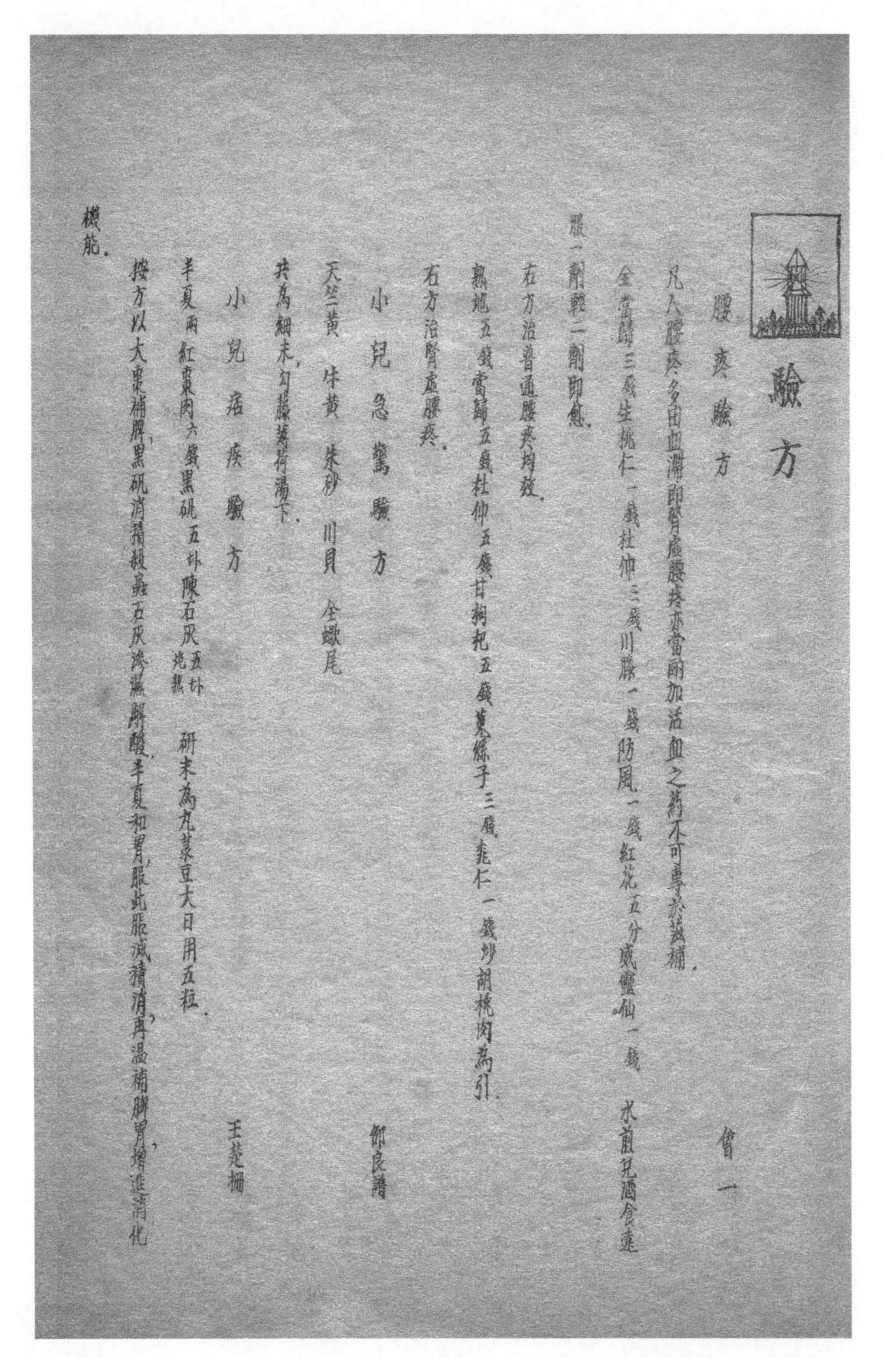

驗方

腰疼驗方

曾一

凡人腰疼，多由血滯，即腎虛腰疼，亦當酌加活血之藥，不可專於滋補.

全當歸三錢 生桃仁一錢 杜仲三錢 川膝一錢 防風一錢 紅花五分 威靈仙一錢 水煎兑酒食遠

服一劑輕，二劑即愈.

右方治普通腰疼均效.

熟地五錢 當歸五錢 杜仲五錢 甘枸杞五錢 菟絲子三錢 韭仁一錢 炒胡桃肉為引.

右方治腎虛腰疼.

小兒急驚驗方

鄧良譜

天竺黃 牛黃 朱砂 川貝 全蠍尾

共為細末，勾藤薄荷湯下.

小兒痞疾驗方

王楚栅

半夏兩 紅棗肉六錢 黑礬五錢 陳石灰五錢 炮熟 研末為丸菉豆大日用五粒.

按方以大棗補脾，黑礬消積殺蟲，石灰滲濕解酸，半夏和胃，服此服減積消，再温補脾胃，增進消化機能.

紅腫瘡毒初起最有效力之外治驗方

張香庭

瘡毒者陽症也，又兼紅腫外透，不似疽癥之猶待起發，其治法於初起之時，祇用消毒散鬱，輕者即消，重者速愈，茲將最有效力外治之二方，列之如下．

一、豆腐餅：黃大豆性本溫，寬中下氣，消腫脹瘡毒，製成腐則甘平涼潤，善解熱毒，瘡腫大瘡初起紅熱，最好即用豆腐切片，蓋瘡腫上，乾則再換，三日其腫可消，此方為吾戚友親試驗效，告余者，余錄之亦試用皆驗，故認為外治第一之效方．

二、遠志膏：遠志苦洩熱，溫行氣，辛散鬱，故用之製膏最良，其製法，用遠志肉一二兩，去心，清酒煮爛，搗如泥，敷於瘡毒初起之患處，用油紙隔布紮定，越一宿，其毒立消．

氣逆痰喘案

周漢溪

病者：陳方佐，年二十五歲，住下積田莊，業商．

原因：作商在外，飢寒飽暖，失宜，暴感風雨，猶復恃方剛體質，不知節制，後以貿易不順，因憂思而遂發寒熱，遍身疼痛，飲食艱進，延擱日久，歸里而成此症．

症候：頭痛發熱，氣喘胸痞，目直視，喉中咯咯如水雞聲，肩聳肌肉瘦瘠，奄奄待息．

診斷：按此症肌肉雖瘦　猶紅潤，目直猶有精神，舌白滑，尚能伸縮，診其脉右關微弱，左寸滑數，合前推之，是思慮傷脾症也。金匱云，昔肥而今瘦者痰也，夫痰生於脾，貯於胃，肺主氣而上升，痰隨氣升於咽喉，咯之不出，咽之不下，則胸悶氣喘，故聲如水鷄，胃被痰積，不能容納水穀，則飲食難進，故肌肉瘦瘠，濕盛則滿，身疼痛，故舌苔白滑，諸醫不斷原委，有謂春溫治之，用羌防麻桂等方服之罔效，有作熱症治之，用辛涼辛溫法亦未中肯，不知此症須用驅痰利濕法，方可獲痊。

療法：擬用雙方並治法，先用牛膝根洗淨搗碎取汁，和醋滴入咽喉，用鷄羽微微頻刷，不一時之久，頃吐頑痰數碗，許須氣喘頓平，繼用溫膽湯加竹黃、膽星、括蔞仁，煎送滾痰丸以平氣去痰，如此四五服，症瘥六七分，然痰之本在濕，若不去驅濕，無以拔本塞源，故用二陳湯加車前、木通、黑丑、石葦、蘆根以驅濕，於是四服諸症皆去，飲食漸進，而肌肉稍瘦，後以香砂六君子、補中益氣調理月餘，體質方可復原。

產後瘀血積滯案　　前人

病者：龐吳氏，年三十二歲，住上王莊。

原因：產後既毓機稍暴感風寒，水濕之氣，遂至瘀血積滯，致病之由也。

症候：瘀血不通，腹疼如錐刺，臥床不起，轉側艱難，神識昏迷，自言自語，自哭自笑，其症如狂，皆因瘀血積滯不走故也。

診斷：按婦人產後瘀血宜流通，不可積滯，否則禍不旋踵，近時醫者，多以生化湯和黑神散、還魂丹以爲產後必用良方，不易之金丹，於是數服非惟罔效，但增胸悶耳，故何也？其感風寒水濕之氣，以致瘀滯而不通，逆滯於心胞，故眼花神昏，而語言不清，今[illegible]雜施治，請斷，經傷寒論法，經云血熱則流通，寒則積滯，又云瘀血不驅則新血不生，傷寒論云小腹硬滿為蓄血也，又云其人如狂血證諦也，合此數端而推，皆因瘀血當行不行，故小腹有塊似捉挺，當時如用逐瘀散或溫熱等劑亦不至如此之棘手。

療法：擬用先攻後補分治法，先用獨參湯送華佗愈風散，以保其元氣，去風，次用失笑散煎送安神丸以安心寧神，去痰，然風驅神安，而瘀血仍未通，再用抵當湯加歸尾官桂蝱蟲逐瘀血以生新血，斷瘀血流通，諸症悉愈，飲食漸進，精神漸長，繼用調氣養血，而獲全痊。

陰寒尸注案

周鎮

病者：張右，年二十餘，住倉浜。

病名：陰寒尸注。

原因：隣人子癆病故，其家人少，搭住帮忙，見尸陳白，暫不與驗，以手撫之，涼如青石，頓覺凜寒得病。

證候：初步寒熱，瘦形寒異常，醫不見效，腹痛時作。

診斷：細問病情，無七情嗜冷及食積感冒，脈之則濡滯，憶前經言有尸注似邪氣，因屢詢在尸家留戀否，病人云病經數旬，將愈之矣，案云腹痛脹氣逆便薄，外寒不暖，脈遲苔淡黄，經事不准，作陰寒尸注論。

療法：助陽驅陰，溫經逐寒。

處方：益智仁七分，砂仁七分，烏藥三錢，桂枝八分，小茴八分，車前子二錢，細辛五分，烏蘞草二錢，紅花三錢，鬼箭羽三錢，五靈脂三錢，橘核絡一錢，娑羅子五錢，煨木香一錢，另九香蟲五分，上沉香五分，獺肝一錢，雞內金一具，研末開水冲服。

次診：腹痛大定，氣逆亦減，惟形寒依然，病由尸注，雖切不易，適值經行，再助湯宣氣辟惡通瘀。

全當歸三錢，撫芎一錢，單桃仁二錢，紅花錢半，鬼箭羽三錢，烏藥二錢，烏蘞草三錢，白蒺藜三錢，川桂枝八分，生鹿角錢半，兩頭尖五錢，瓦楞子五錢、另用明雄精一分，上沉香三分，真獺肝錢半，九香蟲五分，研末服三帖。

結果：惡寒全除，各恙均愈。

學說

瘟疫與温病不同說

江蘇青浦虞睦書

瘟疫者，病之有傳染性者也，內經刺法論曰，五疫之至，皆相染易，無問大小，病狀相似，此蓋為天地疵癘之氣，人感之而病者也，其為病也，變起倉卒，死生朝夕，一若火勢之燎原，莫可遏制，甚至比屋連村，闔門覆族而亡，如此者謂之瘟疫，或數十年而一見，或數十年而不一見，不似温病之一人獨病，而年年常有者也。蓋夫温病者，傷寒傳裏之陽明症也，仲景云太陽病發熱而渴，不惡寒者為温病，蓋熱而渴不惡寒，即傷寒之已化熱者也。又論中云服桂枝湯已而渴，服柴胡湯已而渴，不惡寒，反惡熱等等，皆為傷寒化熱之症，而為溫病之附伏邪，其病祇在一身，即同室侍疾之人，亦不傳染，其以不傳染而入獨病者謂之溫，家人相似，而同病者謂之疫，此瘟疫溫病之大分別處也，至其治法，亦有不同者焉，蓋溫疫有寒有熱，宜分溫涼以為治，不似溫病之有熱無寒，祇須涼解者比也，乃人多不察，瘟溫莫辨，與吳有可之瘟疫論，但說疫中之溫，不說疫中之寒，於是溫與瘟混，又有雖知瘟溫之不同，而竟然亂投，以治溫，則又與傷寒混矣，此皆不明其體之所致也。

春令流行性時疫症的病因和治法

淮安 姚蘭香

查瘟疫一症，為西人發明之名詞，中醫謂之疫症，乃時疫溫病之屬，其原因，為天氣反常，冬令當寒反溫，今春寒熱失時，以致內蘊之溫熱與風寒之邪遏鬱，故上下關格，表裏不通，其來勢凶猛，死亡極多，小兒氣體稚弱者尤多，此病即內經所謂冬不藏精，春必病溫是也，自顯微鏡之精進，肉眼所不能見者，至此遂物無遁形，醫家用以檢驗，得悉各種傳染病，各有細菌，故防疫必先防菌，治疫必先殺菌，或曰中醫持六氣之說，不可謂有菌之病，如謂風寒六氣決殺菌，即可盡治疫之能事，恐亦未盡然，細菌散佈於空氣土壤飲食物，及生物體中，或直接或間接傳染於人身，惟元氣（即抵抗素）壯者，能避免其繁殖，故大疫流行之際，雖同一地方之人，或病或不病，病者未嘗不染細菌，不病者亦未嘗不染細菌，可知病如不病，不繫於細菌之感染與否，而繫於其人元氣之強弱，元氣強則能消除病菌而有餘，元氣弱則予病菌之細菌得以繁殖而為病，細菌之繁殖與六氣之變化，有莫大之關係，如冬應寒而反溫，春應溫而反寒，氣不應時，是行時疫，此即某種病菌得適宜之氣候而繁殖，氣候若適宜於人體，即不利細菌之發育，反此則細菌皆能繁殖而生，腦膜炎每行於春令，霍乱盛行於夏令，即此理也。中醫用祛寒之薑附以治霍乱，用清熱之羚犀以治腦膜炎，而效者，非薑附羚犀有殺菌之力，蓋使其種病菌不得適宜之氣而發育為患也。

考腦膜炎之主因，為維克塞兒朋氏細菌之作祟，（此細菌係一八八七年維克塞兒朋氏所發見）其症發為頭痛、項強、手足痙攣，下肢多曲而不伸，其他如惡寒、狀熱、嘔吐、神昏、譫語等症狀，皆相繼而起。惲鐵樵氏，謂腦膜炎有兩種，一種症狀為目上視，徧身抽搐，昏不知人，牙關勁強，西醫謂之大腦炎，亦謂之急性腦膜炎，十餘時至二十四時便死。此症類似小兒之驚風，其病在頭腦之中樞神經，及腦前之神經節，故患此病者，於遺種種症狀外，必兼有氣喘，因神經節所統之交感神經，連肺系也。西人謂腦炎髓膜炎，其病為後腦之延髓膜緊縮，故患此者，頭必後仰，頸項彎曲如黃瓜，目亦上視，神昏搐抽，惟不如大腦炎之甚，熱不甚壯，脈不甚數，因延髓中迷走神經興奮之故，迷走神經本所以制動，故此神經緊張，脈反不速，現在流行症以此種為多。

西醫治方有用內羅脫羅永、斯爾仿那爾、抱冰格魯拉兒、瀉鹽等藥品者，及注射該病血清等，脊髓炎要行手術，將腰脊間直接出其過剩之髓液，以冀減輕其內壓。

中醫治法：用惲氏七味為主要方，（膽草、滁菊、鮮生地、犀角、歸身、川連、回天丸）但須經醫士診斷後，依病情酌量增減，方為妥當。鄙人數載之間，已試用屢效，前在江東曾治張姓孩，初起頭痛項強，發熱不壯，神昏譫語，即用惲氏七味神方，兼用回天丸，以鮮石菖蒲為引煎水和服，此險症而得救者。[illegible]

[illegible]治舍親汪姓女，初起頭痛如破，身發壯熱，肢麻，目赤，神昏譫語，唇紅，苔黃，口渴，嘔吐，初用銀翹散去荊芥豆豉，改用惲氏方三劑亦愈。客冬因戎匪亂回準，今春方設診所應診，不料近來時疫復行，其勢猖獗，有南鄉常莊郎姓孩（十三歲）患是疫七日，方來鄙處診治，見其神昏譫語，唇焦齒垢，舌苔乾黑，肢涼脉伏，危象叠生，亦用惲氏方，大見轉機，神情安靜，脉象已起，焦齒亦退，苔見生津，伊家感激，在鄉間宣傳，複介紹沙口沙姓婦人，得病三日，神識清爽，僅覺頭暈肢麻，煩躁不安，手足拘攣，後腦酸，針後腦酸雖減，肢麻不止，遂用桑菊飲加柔肝舒筋弛緩神經等藥三劑亦愈。

近十餘日來，輕重之時疫經手治愈者，約計六十餘人，兒童較多，成人不過十之一二，鄙人診視時，詳詢病前情景，所答不一，經手治者，多係鄉民，據云多數因工作脫衣受寒而發，至所飲之水，近河道者即飲河水，不靠河道者，即飲塘水井水，或有在得病前，飲缸中冷水者有之，至糖果，鄉間無從購食。有沙姓孩七八歲，午後在田中玩耍，將衣服脫去，赤身而戲，不一刻即得時疫，可知感寒觸發者，為最大原因。但治於已然，不若防於未然，爰將預防法急救法開列於後。

預防法。

(1)無論來源如何清潔的水，必煮沸，然後才可作飲料。

(2)保護體溫，勿貪涼以防觸發。

(3)注意口鼻清潔，以防病菌侵入。

(4)門窗常開，以透空氣，遊戲場所空氣混濁，以不去為妙。

(5) 平日忌食一切香燥之物。

(6) 用淡竹葉生菉豆，煎湯服之，可免此疫，或用鮮馬藍頭葉梗搗汁半盅，加陳酒釀二匙，服下極效。

(7) 如家中已有患此病者，速宜隔離，小兒尤宜遠避之。

(8) 太陽光是殺病菌利器，日用衣服卧具宜常曝晒。

急救方。

(1) 用雄鷄一隻，置病者胸際，鷄自團伏，驅之不去，未幾鷄身發熱，口吐黃水，病者漸覺神識清明，繼以醫藥，自可告痊。

(2) 或於病者發熱神昏時，飲以雪水，再用毛巾浸雪水覆額際，亦可使神識清明，不致立時告變，俾有醫治之時間。

(3) 取活鯽魚腦汁，點患者之舌上，無論急慢驚風，立即就愈，或因魚小一時不易去取，就用小鯽魚布包搗汁灌之，亦神效，鯽魚須要活的。

以上三法，係上海蔡濟平先生發明，據云已屢試屢驗，惟鄙人治此項病症，均依診斷用藥，未及試用。

論陰陽氣血

張香庭

古今醫學之法門甚煩，而註解醫學之人又甚複雜，習醫者畏其煩且複焉，往往視以為難，而無研究必要，故賦性不敏之士，或摘拾醫生常談一二，記識十數方頭，遂奮然自命為醫，而才資少聰之士，其又擇焉不精，語焉不詳，終年泛觀博採，而於醫道之源委，究竟無所發明，此二者皆不可以言醫。夫人之欲求不愧良醫，其主要在先講明醫理。醫理何在，在先明夫人之所以生，所以死。生死之道何在，在先明夫人身之陰陽，而調和之使之不失其常度，是此則生，反此則死。夫自古研究陰陽之書，莫詳於內經，合素問靈樞前後八十餘卷，幾無卷不談及陰陽，習醫者將從何處說起。蓋陰陽之在人身則有五藏六腑，四形藏，十二經絡，以及九竅百節，原無一處非陰陽二氣，流暢貫通，始終無間於其間，而二氣之流暢貫通始終無間，則實為顯見者之氣與血二者而已。夫論氣血生成之全功，發於先天之腎，化於後天之脾，權於主官之心，統屬於肺，而秘藏於肝，原無不賴五藏之互相終始，而克著其營養。而要其所主，則又專歸心腎之二臟。經曰，心生血，又曰，脉者血之舍，則知心主血也。又曰，男子二八腎氣盛，天癸至，蓋先天生陽之氣，入於胞中，名曰氣海，以為呼吸之根，則知腎主氣也。又曰營出中焦，衛氣出下焦，蓋以先天腎中之真水，合後天胃中之食液，涵濡淨化，精氣上達於肺，肺輸精氣，各藏代受，其入心臟則化為赤，是為血，衛氣雖統於肺，而其氣之化源，則在臍下丹田氣海中，故曰營出中焦，衛出下焦。經又云，營行血中，衛行血外，讀至此須知血為陰液，而色紅原本於火，又屬陽。氣為陽熱，而聚液原本於水，又屬陰，是為陰生於陽，陽生於陰，陰陽相抱，氣血相依，所以內經又曰血為營，氣為衛，相隨上下，營周不休。夫以人之陰陽所主言之，則曰氣血，以人之氣血不息言之，則曰營衛，其實直是陰陽二氣，操縱變化，為之營周內外，環轉晝夜而不休。而人也既已明此血生於心，便當愛血即命，善養心火，不使無故揚發，并善養血液，不使無端耗竭，而於腎之元精元陽，又須善為寶藏，使生生之氣，常常上下相濟，營環不休，故經又曰，營衛周行，陰陽相貫，如環無端，又曰，衛氣行於陰二十五度，行於陽二十五度，分為晝夜，太陽主外，太陰主內，平旦陰盡，而後受氣，此蓋難經所謂五十度而復大會之說。夫難經之法，仍本靈素，蓋言人之經脈運行於身，一日一夜，凡五十周，以營五藏之精神，其數則周身上下，左右前後，凡二十八脈，其長十六丈二尺，人之宗氣，積於胸中，主呼吸而行經隧，一晝一夜，一萬三千五百息，統計由寅注肺，以次相傳，至丑時終於肝，其五十周於身，脈當行八百一十六丈，而仍復大會於肺，此雖西醫長於剖割，最重實驗，詎有此精詳否。而何以經又示人曰：不應數者，命曰狂生，蓋此則深責備於人，必有以知所調攝，而後可以使氣血周行無違，否則不明醫理，縱欲無方，耗氣一味粗急，為能急應其數，數既不應，氣血將失其常，久久自有取死之道，雖曰暫生，未可必也。由此觀之，氣與血實為吾人生命之大本，營周失常，尚屬其虛，況庸醫誤治，而竟使人陰陽竭蹶乎，其不死又將何待，良可慨也！

婦科

白帶與白濁白淫辨

江蘇青浦[illegible]書

夫病情萬緒，治法千端，不明辨症，何以為醫，此醫家之所以貴能辨症也。古有之曰，先識病，後議藥，要亦教人以辨症為先耳。夫白帶與白濁白淫三症，同為婦女前陰之病，而病理治法，固自各不相同，毫厘千里，豈容混而不辨哉。白帶者，陰中黏液綿綿如帶而下也，內經曰，任脈為病，女子帶下瘕聚，任脈者主內臟自然運動之植物性神經也，起於子宮之中，為陰脈之總司，設受六淫七情之侵害，則其營運之良能，而子宮膣腔，同時黃液分泌增多，亦猶大腸受侵害物之刺激而為下痢也，其症狀腹脹腸痛，內熱晡熱，月經不調，肢體酸麻，耳鳴口乾，與白濁之由於傳染者，迥不相同，何以言之，蓋白濁之生，多由於與不潔之男子交合，白濁菌乘接觸之機會而傳佈，始初及於尿道，故患此症者，其小溲必短濇混濁，而刺痛，有如淋狀也，及後逐漸內竄，而抵子宮，則漫性之症成矣，其症狀反不甚劇烈，惟尿道略為發腫，是以此症之惟一標準，即在小溲短濇混濁而刺痛也。至於白淫一症，則由於思慮過度，及房事太甚之故，思慮過度，則傷心脾，心脾傷則先天之資生之本，房事太甚，則腎臟虧，腎臟虧，則八脉失固攝之權，於是內臟所藏之精液，遂順流而下，故患此者，其陰道中時有多量之白色液體流下，淫淫不已，此白淫之所由名也，其見症則性急善怒，面青口苦，腰膝無力，甚或寒熱往來，則漸入損途矣。考古人於帶濁淫三症，往往籠統並論，混淆不清，以致後之學者，靡所適從，又以病屬隱秘，竟至無人探究，而世之患此而欲思治療者，遂亦終無愈期，可不悲哉！因作是辨以明之，倘亦醫門之一助歟。

月經概論

福建長樂 陳秀玉女士

謹按經云、女子二七而天癸至，衝任滿盛，月事以時下，乃有子，故得其常候者，為無病，不可妄投調經之劑，苟或不及期而經先行者，或過期而後行者，或一月而經再行者，或數月而經一行者，或經閉不行者，或崩或漏下者，此皆失其常候，不可不調也。大抵調治之法，熱則清之，冷則溫之，虛則補之，滯則行之，滑則固之，陷則舉之，隨其症而治療，鮮有大效者矣，若論月經不調之原因有三，一曰脾胃虛弱，二曰衝任損傷，三曰脂痰凝塞，治病之工，不可不審脾胃虛弱，經曰二陽之病發心脾，則女子不月，夫二陽者，陽明胃也，胃主受納五穀，長養血氣，灌溉腑臟，流行經絡，乃水穀之海，血氣之母也。惟憂愁思慮則傷心心氣受傷，脾氣失養，鬱結不通，腐化不行，胃雖能受，而所為長養灌溉流行者，皆失其令矣，故脾胃虛弱，飲食減少，氣日漸耗，血日漸少，斯有血枯血閉，及血少血淡，過期始行，數月一行之病，衝任損傷者，經曰，氣以吹之，血以濡之，故氣行則血行，氣盛則血盛也。女子善懷，執拗妬忌，每多憂鬱，以傷肝氣，肝為血海，衝任係之，衝任失守，血氣妄行，為崩為漏，有一月再行，不及期而行者矣，脂痰凝塞者，因婦女之身內而腸胃開通，無所阻塞，外而經隧流行，無所凝滯，則血氣和暢，經水應期，惟彼肥碩者，膏脂充滿，玄室之户不開，挾痰者，痰涎壅塞，血海之波不流，故有過期而經始行，或數月而經一行，及為濁為帶為經閉，為無子之病也。蓋月經之病症雖多，攻婦科者，知斯三而研究之，則症候瞭如指掌，按症下藥，萬無一誤，雖不得謂為良工，則庶乎其不差矣。

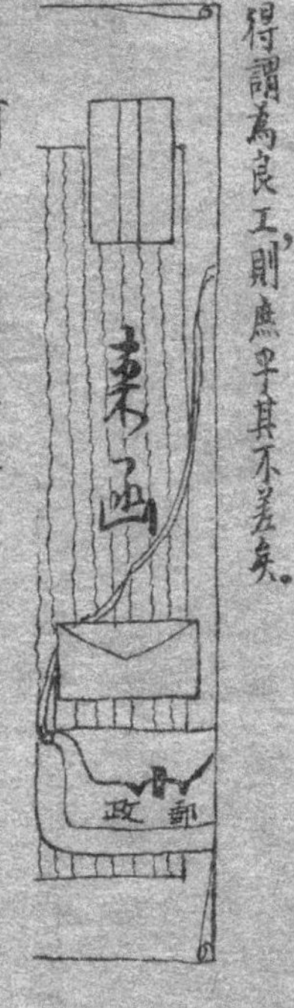

河北豐潤張顯祥君來函

社長先生鈞鑒：學生從前曾習西醫於北平西醫因號稱科學而重實際者也，但以治內科諸症每不如中法中藥之妥善且簡便也。自加入貴社得閱中醫講義以來，愈確信中醫中藥有神妙不可言喻處，尤其是內中按症註明吾師治驗各方，更使人有所遵循（下略）

河北保定霍其琛君來函

十五

社長鈞鑒前蒙發給講義適赴定縣平教會奔馳月餘回家後始寄到第二期，日夜研讀簡易之中寓高深之理，而尤以補篇之金匱斷案爲最精，之修園淺註更爲清醒，不料古方又起用於今日也！晚於中醫有極深之嗜好，凡手津之醫界著作靡不搜羅，研考雖西醫器械精良，手術巧妙，總不若中醫之根本治療也，唯獨居寡處高論者本無緣領畧，素聞貴社純粹倡導國醫，又賴社長之熱心改進，則中醫之精神行將表顯於社會矣（下畧）

十六

中華民國二十四年二月十五日初版

投稿規則

一 來稿須用毛筆繕寫清初並註明詳細地址

一 來稿優者刊登後酌給一元至十元之現金或贈品但不滿一千字者祇給贈品

一 來稿未經刊登者亦贈獎品以酬雅意

一 來稿與論刊登與否概不退還

一 凡抄寫或一稿屢投者請勿寄來

一 凡長期投稿者格外另有優待

—歡迎代售利益優厚章程函索即寄—

中國醫藥雜誌 第二卷 第二期

主編者 中國醫藥研究社

代表人 趙恕風

發行者 中國醫藥研究社

代表人 趙恕風

印刷者 沂水隆盛泰印刷局

社址 山東沂水黃山舖街

定價

每月一期大洋一角全年十二期大洋一元(國外寄費另加)優待介紹訂戶 凡一次介紹訂戶十人者及一次交費訂十年者皆永久寄閱不收費

壽山堂

贈咳嗽藥 此藥治咳嗽如神雖遠年宿病亦能除根附洋八分即贈一包多亦照加

贈胃氣疼藥 五神丸治胃氣疼立即見效永不再發每打原價二元茲附洋四角即贈一打准愈一症永不再發

贈兒科調養丹 此丹治小兒驚搐發熱嘔吐泄瀉咳嗽等症神效附木箱費郵費一元即贈三盒但每人以三盒為限多索每盒六角

贈蘇磨眼藥 治一切眼疾每瓶只收洋八分多照加如願掛號郵寄者另加掛號費八分

注意 以上贈送辦法須在國曆二十四年三月二十日以前過期無效匯款逕匯沂水郵局者用郵票代洋九折照收

地址 山東沂水黃山舖街

中國醫藥研究社主編

中國醫藥雜誌

第二卷第三期

內政部登記證警字第三七七五號
中華郵政特准掛號認為新聞紙類

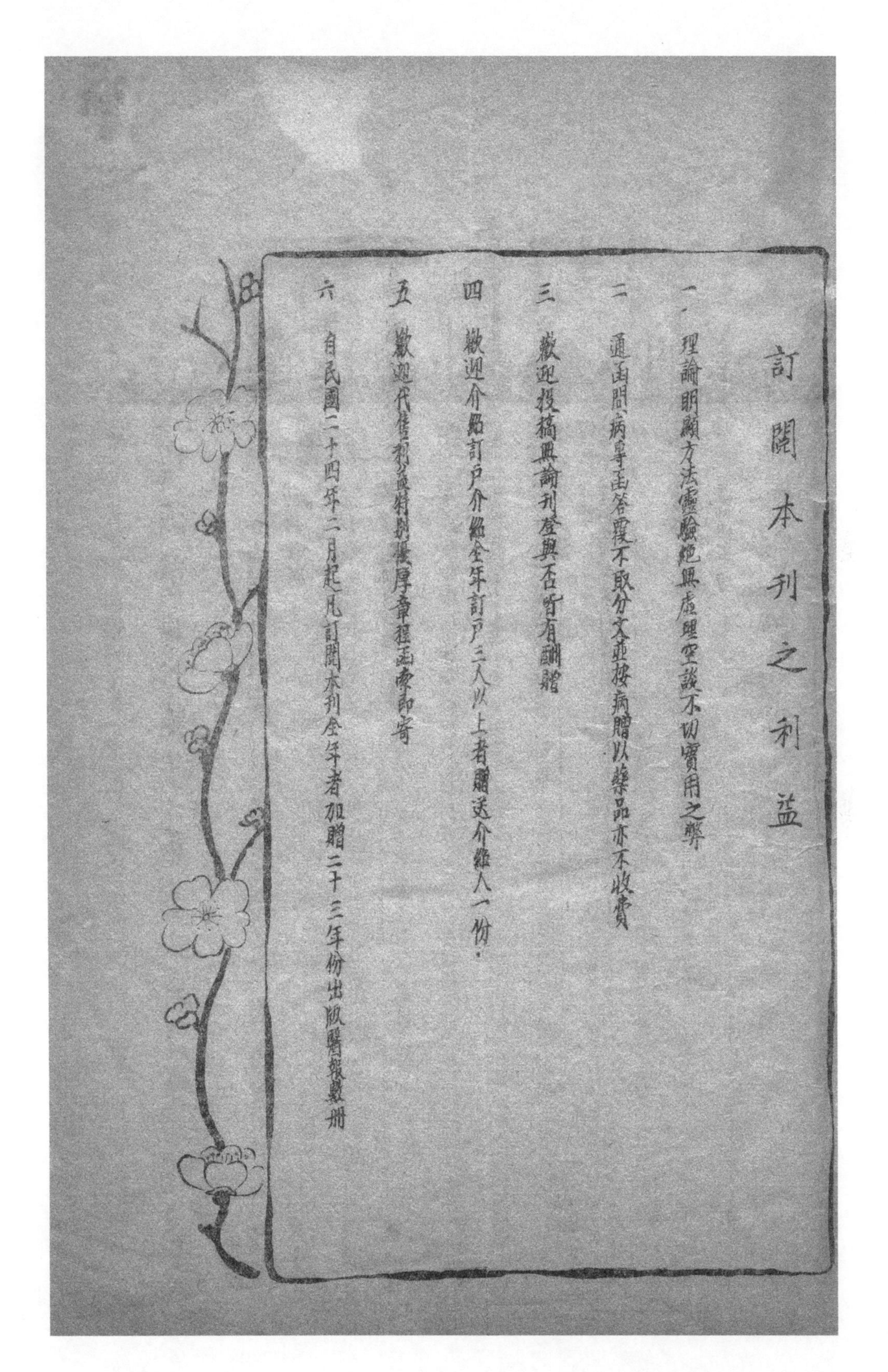

訂閱本刊之利益

一 理論明顯方法靈驗絕無虛理空談不切實用之弊

二 通函問病專函答覆不取分文並接病贈以藥品亦不收費

三 歡迎投稿無論刊登與否皆有酬贈

四 歡迎介紹訂戶介紹全年訂戶三人以上者贈送介紹人一份

五 歡迎代售刊物並特別優厚章程函索即寄

六 自民國二十四年二月起凡訂閱本刊全年者加贈二十三年份出版醫報數冊

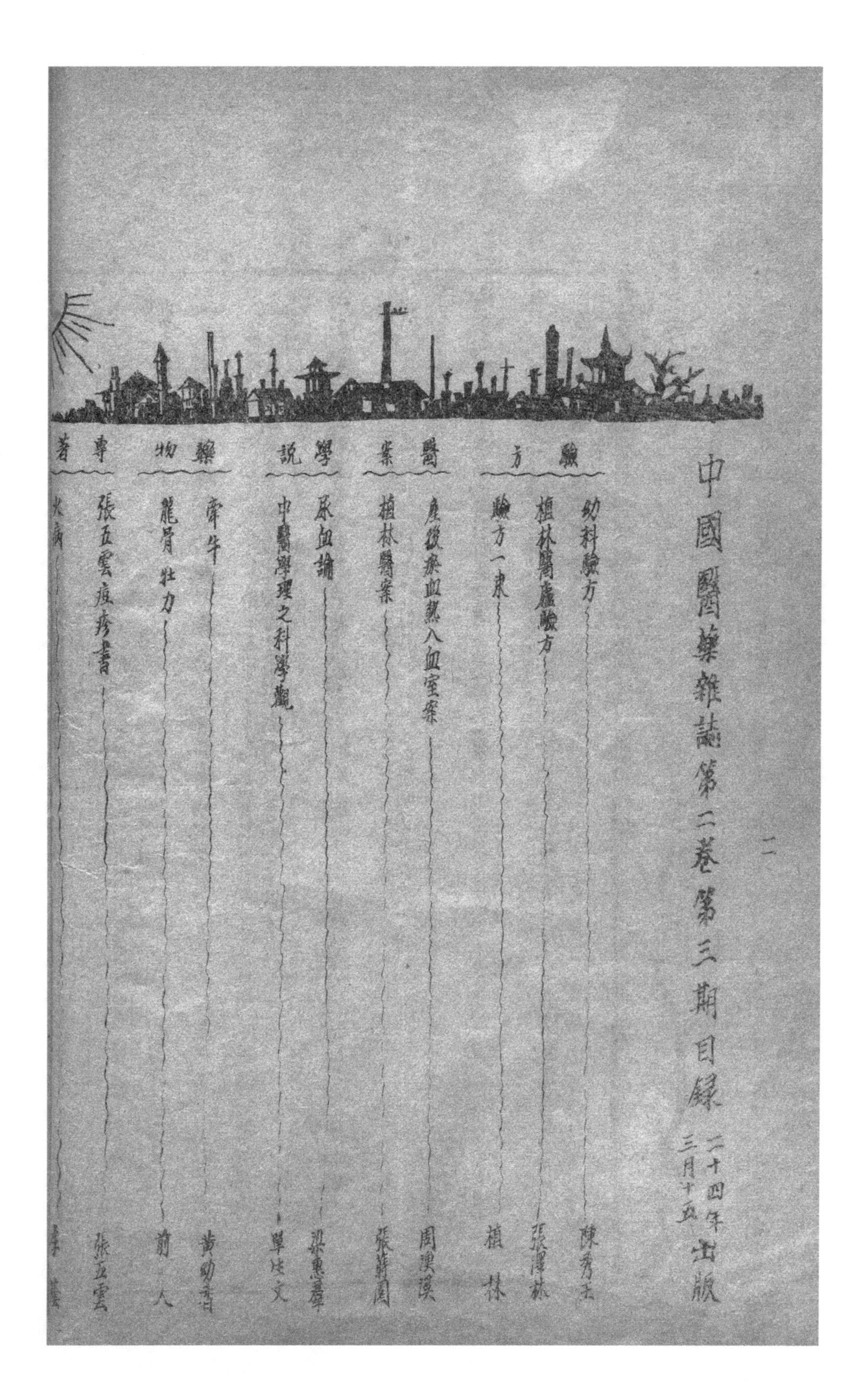

中國醫藥雜誌第二卷第三期目錄

二十四年三月十五出版

驗方

幼科驗方

陳秀玉女士

小兒月裏生退毒，遍身如生疥形狀，啼哭不休，外以綠豆粉拌麻油抹之，內服川連五分，銀花錢五，赤豆芽錢，連翹錢五分，甘草五分，牛蒡子八分，白滑石三錢，燈心草十四根，水煎一服，即愈，二服生痂，三服痂脫全愈。小兒受風，胸腹脹滿，不能吃乳，用活蝦蟆一個，腹下用刀剖開，蓋在小兒腹脹處，蝦蟆之頭，必訂在腹皮，用口吸風，吸至蝦蟆腹亦脹大，其頭仰起不吸，即用針線縫蝦蟆之腹放去，亦能生存，小兒胸腹脹滿全消，即能吃乳，百試百驗，既不費錢，又甚簡便，真妙法也。

小兒月內，口內生奶孤，如大人生口瘡，即幼科書之鵝口，輕者以京青布塊，扎在筋尾，於口內拭之，祇拭三五次即愈，多者以活桑樹，括去青皮，即有白乳出，用手指攙之，拭附盒內擠同，將此乳抹在口內，只抹二三次，消滅無有，此二方敝處由祖傳至今，有試有驗，幸勿輕視之。

植林醫廬驗方

張澤霖

▲咳喘

方名　七子兜遠湯

主治　久欬不愈，氣喘痰多。

藥品　白蘇子　甜杏仁　白芥子　萊菔子　牛蒡子　炙遠志各二錢五分　葶藶子　馬兜鈴各

三

二錢，銀杏肉連皮搗七枚，文冰三錢．

備註 病久宜多服數劑，始克見效，若陰傷吐血者，去萆薢，加五味子六分．

▲瘰癧

適應症 瘰癧及瘿瘤，血塊，馬刀，横痃等症，堅硬腫痛，用此方施治，初起能消，膿成能潰．

方藥及用量 紅芽大戟 芫花 甘遂 各等分 甘草一兩熬膏．

修製及用法 先將戟、芫、遂、三藥研極細末，用好醋調匀，搽於患頂之上，再以甘草膏敷於瘡根四圍，切勿與前藥相連，日日換之．

▲帶下

諺云十女九帶，秦越人過邯鄲，即為帶下醫，可知帶病之多，自古已然，小之妨礙生育，大之關乎性命，每見患此病之婦女，面黃體羸，肢倦食少，虚弱之象畢現，蓋皆因初起諱疾忌醫，或治不得法，延誤而成痼疾，余因臨床獲一效方，特公諸世間，列如下：

牡蠣 龍骨 烏鰂骨 各三錢五分，五味子 蓮鬚 各一錢，芡實 車前子 各三錢，白菓肉（連皮杵）七枚，水煎服．

驗方一束 植林

血淋 小薊、蒲黃、車前草、藕根、藕節、各等分煎服．

瘰癧 山慈菇，天南星各一塊，用醋磨搽．

頻飲　天師窠丈冰煎湯頻飲。

錢癬　月石研末薑汁調搽患處。

臌脹　敗鼓皮（洗淨）大蒜煎湯服

瘧疾　向日葵花五錢黑棗五枚生薑三錢，加水放飯上蒸於發日晨燉服湯棗。

醫案

產後瘀血熱入血室案

周浚溪

病者　楊吳氏年二十八歲，住大路洋莊。

原因　產婦體質素強，時值暑天，自恃強壯，出房太早，暴感風暑寒熱，更兼飲食嘈雜，不知禁忌，爲致病之由也。

症候　發熱頭痛，胸悶舌塞，語澀頻咳，咳則胸如錐刺，技覺泥，不時譫語，如見鬼狀。

診斷　脈滑數而微弦，兩尺有三五不調，脈症合參，是熱入血室也。傷寒論云：婦人中風，七八日續得寒熱，發作有時，此爲熱入血室也。又云：婦人傷寒發熱，晝日明了，暮則譫語，如見鬼狀者，熱入血室也。蓋血室者，人之一大夾室也，在男子爲精室，在婦女爲胞宮，其風寒暑熱之邪，由外入內，與血凝結，不能運動，故神識昏迷，如見鬼狀。按此症凡男子亦有之，非獨婦人也。夫婦人產後乃有餘之血，其血常行，一有不行，瘀積於夾室中，而發譫語，更兼痰聲漉漉，豈不舌蹇語澀，胸痛如錐刺乎，要門女科不明原因，惟記丹溪之言，產後大補氣血為主，遂服峻劑，惟病勢若覺甚劇，不思飲食而痰愈多，氣血得補而痰積，風寒暑熱得補而邪熱愈深，當時若用清熱去痰却病法，未嘗難治。

療法　擬先去病而後補元，法用竹葉石膏湯去人參，加荊芥、薄荷，送失笑散，竹葉石膏以去熱，五靈脂、蒲黃以去瘀，荊芥以去風，連進四服，其症稍舒三四，然非却痰安腸，竟未全瘥，仍用前方加入參，兩送滾痰丸，若非借人參五靈相干之性，不能激積瘀血之使出也，服四服，其症皆去，飲食漸進，惟本元仍衰，遵丹溪大補氣血，用十全大補湯，每日一服，十日神識漸寧，本元漸壯，改用養營湯服五日，繼以歸脾湯服五日，又服香砂六君子調養十五日，漸復原如舊。

植林醫案

張蔚園

消渴

經以二陽結為之消，蓋手足陽明經也，胃為水穀之海，大腸乃傳導之官，二經熱結，則運納倍常，傳送失度，故善消水穀，不為肌膚，渴日中消，識屬危候，謹防發疽。

生地　石膏　木通　牛膝　知母　麥冬　滑石　甘草

水火同居一窟，腎臟主之，腎水化氣，水精失於四佈，有降無升，直入膀胱，飲一溲二，名曰腎消，證屬難療，擬方挽之。

熟地　山藥　五味子　茯苓　澤瀉　遠志　丹皮　附子　巴戟天　石菖蒲　石斛　上邊桂　大麥冬　肉蓯蓉

經云，五氣上溢，名曰脾癉，夫五味入口，藏於脾胃，精氣津液在由土，故令人口甘，此肥美之所發也，肥者內熱，甘者中滿，故其氣上溢，轉為消渴，治之以蘭，除陳氣也。

佩蘭葉 白葵花 升麻 五味子 川黃柏 藕汁 西洋參 天花粉 麥冬 白知母 生地汁

善食而瘦，症屬食㑊，亦稱消中，熱結陽明胃腑，防其疽發，擬調胃承氣加減。

生廣黃 丹皮 山藥 茯苓 杞蘇 知母 川黃柏 川萆薢

大渴引飲，舌裂唇焦，又灼金傷津液涸，能食脈軟，此屬上消，慎防發背，白虎加人參主之。

知母 石膏 甘草 西洋參 粳米

善渴為上消，屬肺，善飢為中消，屬胃，飢渴交加，兩土俱病，此由中焦胃火炎上，焦肺金，失其清肅，津液為之枯槁，欲得外水相救，故大渴引飲，陽明主肌肉，雖多食而瘦，消日加，乃水穀精華不歸正化，陽消症也，經言亢則害，承乃治，擬白虎湯。

學說

尿血論

南海梁[illegible]惠群

醫宗金鑒卷三十七傷寒心法要訣有曰，熱在膀胱小便血，八正導赤利之佳，蓋以陽經之熱，下注膀胱，傷其榮分，熱多血少，熱迫血行，血不得出，蓄而走下竅，以致尿血，法重在[illegible]熱之[illegible]，[illegible]亦有此症。

清利固屬要圖，非謂凡係尿血皆應如此施治也。查前陰出血，最宜分別清晰，有從精竅出者，時時流溢，不能自為主張，在男子則為赤濁，在女子則為崩漏也。有從溺竅出者，隨溲而見，其人可以自主，則尿血也。而尿血之中，尚有兩種，溺則疼痛者，名曰血淋；溺時不疼者，乃名尿血。血淋由蓄血，尿血多屬虛，其分別有如此者。豈可以囫圇吞棗，概以通利為唯一法門耶？國曆二十三年十月間，予偕許君[illegible]為工務處科長胡夢輔先生之太夫人一症，有不能已於言者。太夫人湖孝感人，年已六十八歲，旋前曾患[illegible]學病，遂雖未發，而肝腎陰虛，已可概見。此次得病已十餘日，初流白帶，繼則專為尿血，經甲乙兩醫診療，均以濕熱主治，清利泄降之品，如[illegible]，愈治愈壞，遂致失眠，身倦體瘦，脘脹頭悶，煩急等症，環生迭起，所溺之血，鮮紅成塊，多至盈盆，且極頻數。太夫人甚以為憂，胡先生亦極焦急，輾經伊局同事陳慕唐先生介紹，邀延予診。予閱前醫方案，甲醫對於脈象一字不提；乙醫則云脈息弦數，右部尤為數實。予診之，則兩尺虛弱，與其言適成反比例，加以舌淡不渴，并無濕熱現象，遂告胡先生曰：脈證合參，其為腎虛溺血無疑。及今脈弦更張，猶未為晚，否則春秋如是之高，安能禁此清泄？恐難免日趨於危矣。胡先生極為首肯。予於是用大劑龜板、兔絲、鹿角霜、當歸、蓮子、地黃、烏梅等，而復加酒炒黃柏以清虛熱，一劑即見大效。再診後參以沈氏尊生書太極丸法，大劑頻進，甫數服即已霍然。因嘆中國醫藥，只須認證真確，無不桴鼓相應。苟其含糊影響，為害亦不旋踵。疑似真假之間，臨床者不可不再三審慎也。然而不得以全盤歌訣為藉口也。全盤固明明為熱在膀胱者言之，與腎虛尿血判然若涇渭薰蕕之不相混，先賢王孟英氏有曰：凡勘一病，有正面必有反面。言豈一端，各有所當，而豈料後人之張冠李戴，[illegible]也哉？吾願太夫人病劇時，大便常苦艱結，甲乙丙三醫不敢以瀉劑下之，予投以蓯蓉，以滋補腎臟為主，不旋踵及便秘，而大便自然通暢，此其故可深長思矣。

中醫學理之科學觀

畢生文

查科學二字，本為進步之意，蓋凡事理之逐漸進步者，即謂之科學，而中醫學理之科學觀，概可別為過去現在及將來三期，茲分別述之如次，以供醫界同人研究學理之借鏡。

(一)中醫學理過去的科學觀。

吾國醫學肇自上古，備於炎漢，中興於唐，變遷於宋元，復興於明清，故當唐漢時代，其學理之進步，有一日千里之勢，至清代王清任氏，從事於解剖，實行解剖屍體，人體臟腑之圖，並著同年間，有英人哈信氏來華，實傳西說，於是中醫學理，於無形之中，又有一時進步之科學觀焉。

(二)中醫學理現在的科學觀。

自清末民初，吾國醫學因受西醫的影響，及時代潮流之遞進，於是一般學者，極力主張學理統一，力求真確，而删弃舊說，因之中醫學理日漸進步，較諸往昔，百尺竿頭，更進一步，雖亦一般喜新厭舊者，競相趨新之流，曾以生吞活剝的西說代之，反以中醫學理之不澈底，為口頭，而又以陰陽五行為工具，此係不知中醫學理進步之沿革及科學真諦之故也，要知陰陽是指人體臟腑之實質，及驅殼之功用而言，五行為五臟之代名詞，此不過中醫學理進步過程中，簡便之科學符號，而又何害於學理哉，就科學之數理而言，因其簡便起見，無不以符號代原來之名詞，最近日本數理學專家，曾以代數學方程式代

九

出法律，然則此於事實則更遠，是以攻擊中醫者，何不退求而思之矣，不過現今有志之士，及識見高超者，力求整頓，逐漸改進，以適應時代的潮流，而避環境之垢病，其進步之速，頗有蒸蒸日上之勢！而中醫學理之科學化，其庶幾矣．

(三)中醫學理將來之科學觀．

按中醫學說現今雖為一般時尚之輩所垢病，此不過過度時期之變化而已，退一步言，吾國醫學，係由祝由而砭石，由砭石而湯藥，更就用藥方面言之，由草藥而丸散，由丸散則進而為浸劑，是學理上進步之變遷又如斯．是以國人極端主張改進國醫，此係中醫適於中國民情之故也．且為中醫進步之預言，並非復古之運動，由此以徵，中醫學理之科學觀，今後必能翻陳出新，學理簡明，更進一級，而為世界醫學之冠！此絕非無理之玄談，而有顯著之事實可證。(A)政府之提倡，且從事於建設。(B)國人之覺悟，極端擁護。(C)醫界人士，從事於改進運動。既有此種良好之現象，則又何患中醫學理不能充分發展而科學矣。蓋凡一種學理，能隨時代的潮流而演進者，即謂之科學，中醫學理，既有如斯之前進動機，則科學的樂觀，可立而待也．

藥物

牽牛

黃幼香

牽牛，求真以為苦寒，備要以為辛熱，雖經東垣辨正，謂其味辛辣，久嚼猛烈雄壯，必非苦寒之品，而後謂其乃瀉氣之峻藥，血病不可妄試，為戒與好古所說以氣藥引則入氣，以大黃引則入血，不相符合，夫牽牛漢前未入本草，故仲聖方中無此，迨別錄載之，以後用者頗多，況牽牛具有藥到病除之能力，起死回生之功效，非泛泛無有得失之川楝根黃豆卷所可比，豈敢不研究而發明其功用乎，生曾用之於兒科癇症矣，有王姓兒，生纔六月，始患吐瀉，醫用朮芍姜炭吳萸等藥治愈後，因鼻塞氣不通暢，更醫以為風火痰毒久蘊結胸之候，治以芩連竹茹瓜蔞，遂致氣急腹脹，兩目仰視，午後尤甚，再診，諉以不治，生曰，此癇症也，然癇雖是血熱肝風，而其本必由於寒，純用苦寒之劑，宜其變劇若此，甚於午後者，乃血分之病，重於氣分也，用牽牛蘇子萊菔牛膝大黃等藥，一服而平，又曾用於產科胃痛矣，有周姓婦，產後食糯米飯，而胃大痛，面目微腫，服行氣攻積藥均無效，業經月餘，生用朱振聲醫師痛症大全之心胃氣刺作痛方，加川楝根麥芽，亦一服而安，故生謂牽牛一物，實辛熱之品，以氣藥引則入氣，以大黃引則入血，乃三焦氣滯有升無降之速效藥，則後之用牽牛者，方有把柄，而牽牛之功用，庶不致湮沒弗彰耳。

龍骨牡蠣　　前人

龍骨牡蠣，世皆以為收斂固濇藥，獨施於遺洩崩帶自汗淋濁等證，殊蔑視龍牡矣，夫龍牡有鎮戢肝木清熱化痰之能力，為中風不遂驚癇癲痙之聖藥，凡病由於肝火肝風內動者，龍牡同用，輒奏奇功，且龍為天地之元陽所生，當元氣將渙散之時，重用龍骨，則能斂住，緣肝主疏泄，元氣之脫，多從肝經，龍骨之性，能入氣海以固元氣，更能入肝經以防其疏泄之氣，是龍骨直為回生妙品，豈不可貴者乎，若牡蠣之原質，為炭酸鈣化合而成，其中含有淡度沃度，乃西藥中善消瘰癧之物，故用治瘰癧，不特穩妥，實有效驗，亦非僅有收斂之能而已也。更若小兒之驚[illegible]上[illegible]遍全[illegible]不止，[illegible]如

用龍牡，以熱退而驚癇平。何者？龍牡能[illegible]水清火，[illegible]全平木，逆氣降逆，亦何[illegible]之不止，而驚癇之不平哉。

惟龍牡二藥，皆宜生用，不可煅用，煅用則失其功效，頭或反為害。其生[illegible]於女子血崩，[illegible]滑[illegible]之至危

極時，及溫熱病之泄瀉不止者，恆假[illegible]以取其斂力之暴，而收一時之功。其他[illegible]生用也。

專著

張五雲 [illegible] 書

一 治痘藥性賦

書云：方不合宜，疾病何療；藥不明性，方從何合？山查寬氣道而發痘，消食亦宜；桔梗潤肺氣而清咽喉，

藥中舟楫。蟬退發痘之必須，甘草解毒而[illegible]，前胡清風熱之痰，亦能下氣；葛根散肌膚之邪，兼能消渴。

薄荷清風痰而散驚，[illegible]利[illegible]而散濕，木通導赤而降痰，[illegible]解，牛蒡清咽解毒，邪從肌泄；只殼下氣

寬胸，青皮散結消食，[illegible]攻痰逐水，殺蟲去積；只實倍於只殼，[illegible]破堅，[illegible]利水通淋，[illegible]達於膀胱，

川芎引清陽而升頭角，毒火上炎者宜當；木香理氣滯而溫脾，[illegible]色[illegible]；大黃驅熱毒而不留，破

惡瘀而不守；今內清石膏解煩渴之火，麦通[illegible]之大熱，不使焦黑；殭蚕[illegible]定痒之一偶，白芷托頂排

膿之偏方；荆芥散風熱，而清血中之火，[illegible]上[illegible]下；防風[illegible]風邪，而乃周身之[illegible]；驅風燥濕，生地黃涼血之

聖藥，潤燥無[illegible]；熟地黃補血[illegible]，[illegible]理脾；麻黃發痘而[illegible]；宜陳皮消痰而開逆氣，燥烈則

撤，升麻升散而上提，火炎必戢，白芍歛陰而退熱，茜根血熱，山甲穿透重圍，其性滲泄，紫草當行血乾滯而不發，紅花莫失，羚羊清平肝肺，麻川解于心熱，黃芩瀉肺火而涼大腸，失血亦宜，黃連瀉諸火而解熱毒，乾嘔聖藥，赤芍藥破血中之滯氣，療毒癰之腸疼，粉丹皮退陰中之浮火，散血熱之氣結，桃仁佐大黃而退浮萍，血瘀必用，地丁君紅花而散紫血毒結，尤良，貝母治毒痰而利心肺，桑皮瀉肺火而治逆氣，滑石利六腑之澁結，溺赤尤宜，杏仁開心氣之閉塞，止嗽亦得，速白芍足濕，大花粉可以解渴，當歸補血之要劑，鹿茸振血冷之肌膚，猪尾膏透伏毒之深藏，無價散轉黑陷為紅活，胃府毒留化之無敵，珍珠毒瘀痛楚定之遲須，乳香，牛黃護心解毒，清火開痰，琥珀利水除煩，安神散血，黃芪振氣虛之不充，排膿托裡而實表，人參補真元之不足，兼助五臟而內益，猪尾為參芪之使，扶血虛冷，附為起虛脫之痾，回陽反本，白朮止吐瀉而健脾，茯苓利水道而滲濕，金銀花解痘之餘毒，地骨皮退豆後之虛熱，茯神棗仁寧志安心之心虛，訶子肉叩療脾虛之滑瀉，山藥助脾而益胃，米仁收濕而助脾，邪陷下部，必需牛夕，毒存骨節，通散無愈，羌活小柴解痘後之潮熱，引藥入肝而主升提，麥冬清心肺之煩渴，生津補液，非虛即合，木疼手浮遊之火，解咽痛而快癥，山枝去曲折之火，清肺胃而止衄，木賊退餘毒之目翳，甘菊花療餘毒之目疾，扁豆蓮肉助脾無嗔，無毒竹葉燈芯可出可入，藥品若繁，惟貴精擇，純熟其性，始為良醫。（未完）

火病

李 蔭

自序

火病之難治也久矣，夫火病之難治因於羣言淆亂而未嘗折衷故也，有大補上者，如陽滋陰篇中之論火是也，有微露端倪者，如少陽少陰厥陰諸篇中之論火是也。倘能循例以求，引而伸之，會而通之，庶幾近之。仲景以後，傷寒、金匱晦而治火之法併失其傳，雖名賢代起，著作紛陳，擇焉而不精，語焉而不詳，求其簡括美備，纖載明白，足以繼往開來者，莫之一覯。茫茫世宙，歧途錯出，異學猖狂，妄藥誤人，於斯為烈。不揣愚昧，祖述長沙，旁搜眾說，分其篇章，定其節目，提綱挈領，窮其原委，微者闡之，疑者析之，冗者汰之，訛者正之。表裏陰陽真假之判，瞭如指掌；溫清補瀉逆從之判，朗若列眉。愧未能廣為徵引，細加考訂，以慊閱者之意，負疚實深。然道本一貫，理無二致，諸可類推，方難盡錄，規矩能與，巧妙在人，是書之輯，非得已也，亦欲續墜緒於國粹，挽流弊傳治火者，洞若觀火云爾。

書在

民國元年壬子仲春李蔭書於知年堂。

跋

余自總角讀書，即攻時文帖括，而不知所以濟世利人之道者。近讀宋呂二子合撰近思錄，而後知濟世利人之道之在於醫者也。其言曰：為子不知醫，不可以為孝；為父不知醫，不可以為慈。則知醫者，非獨為濟世利人之道，抑且為衛家保身之具焉。吾鄉親友李蔭君少入藝林，蜚聲黌序，三試秋闈，薦而不第，思既不能馳驅皇途，拯生民水火之厄，乃轉而入于醫，為濟世利人之道，其用心普矣，苦矣！昔高梭之已飢已溺，成湯之解網三面，此三聖者，其利人濟物之仁一也。是以生平勤急之心，未少懈！著有火病約法一書，脫稿初就，囑吾子漢溪命其錄，余喜其書成而讀之，誠發先賢所未發，道先聖所不道，殊振奇方異術，遇症獲效，垂醫鏡而活蒼生，其功豈淺鮮哉！余知此書出發，凡世之罹火病而不治者，亦必二十九原之下大聲疾呼！李君是編之出之晚也！今李君歿矣！不知繼李君而起者更有何人也？余小子宜黽勉之！時在

民國七年戊午孟春七十叟周秉章扼昕書自由所。

（待續）

十九

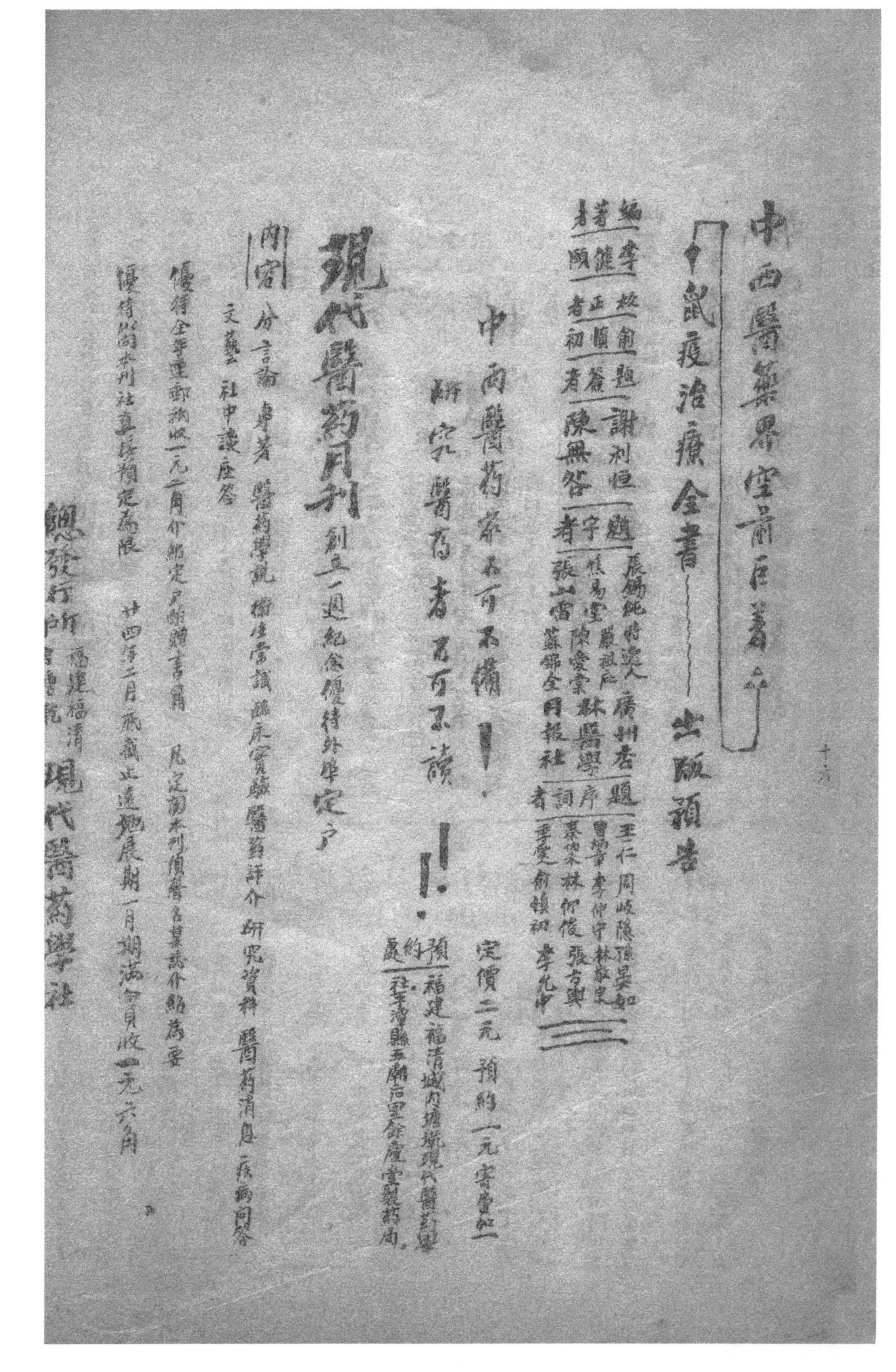

十六

中西醫藥界空前巨著

鼠疫治療全書——出版預告

編著者 李健頤
校正者 俞慎初
題簽者 謝利恒 陳無咎
題字者 張錫純 時逸人 焦易堂 嚴祖庇 陳愛棠 張山雷 蘇錦全 廣州杏林醫學月報社
題序詞者 王一仁 周岐隱 張吳如 曹炳章 李仲中 林叔寀 秦伯未 林何俊 張古輿 李愛 俞慎初 李兆中

定價二元 預約一元 寄費加一

預約處 福建福清城內塘埕現代醫藥學社 平潭縣五廟后里餘慶堂製藥局

中西醫藥家不可不備！

研究醫藥者不可不讀！

現代醫藥月刊 創立一週紀念優待外埠定戶

內容 分言論 專著 醫藥學說 衛生常識 臨床實驗 醫藥評介 研究資料 醫藥消息 疾病問答 文藝 社中談座答

優待全年連郵祇收一元二角 介紹定戶贈書籍 凡定閱本刊須署名某誌介紹為要

優待以寄本刊社直接預定為限 廿四年二月底截止 遠地展期一月 期滿全年收一元六角

總發行所 福建福清塘埕 現代醫藥學社

中華民國二十四年三月十五日 初版

投稿規則

一 來稿須用毛筆繕寫清楚並註明詳細地址

一 來稿優者刊登後酌給一元至十元之現金或贈品但不滿一千字者該給贈品

一 來稿未經刊登者亦贈獎品以酬雅意

一 來稿無論刊登與否概不退還

一 凡抄寫或一稿屢投者請勿寄來

一 凡長期投稿者格外另有優待

——歡迎代售利益優厚章程函索即寄

中國醫藥雜誌 第二卷 第三期

主編者 中國醫藥研究社

代表人 趙恕風

發行者 中國醫藥研究社

代表人 趙恕風

印刷者 沂水隆盛泰印刷局

社址 山東沂水黃山舖街

定價 每月一期大洋一角全年十二期大洋一元（國外寄費另加）優待介紹訂戶凡一次介紹訂戶十人者及一次交費訂十年者皆認為永久訂戶永久寄閱

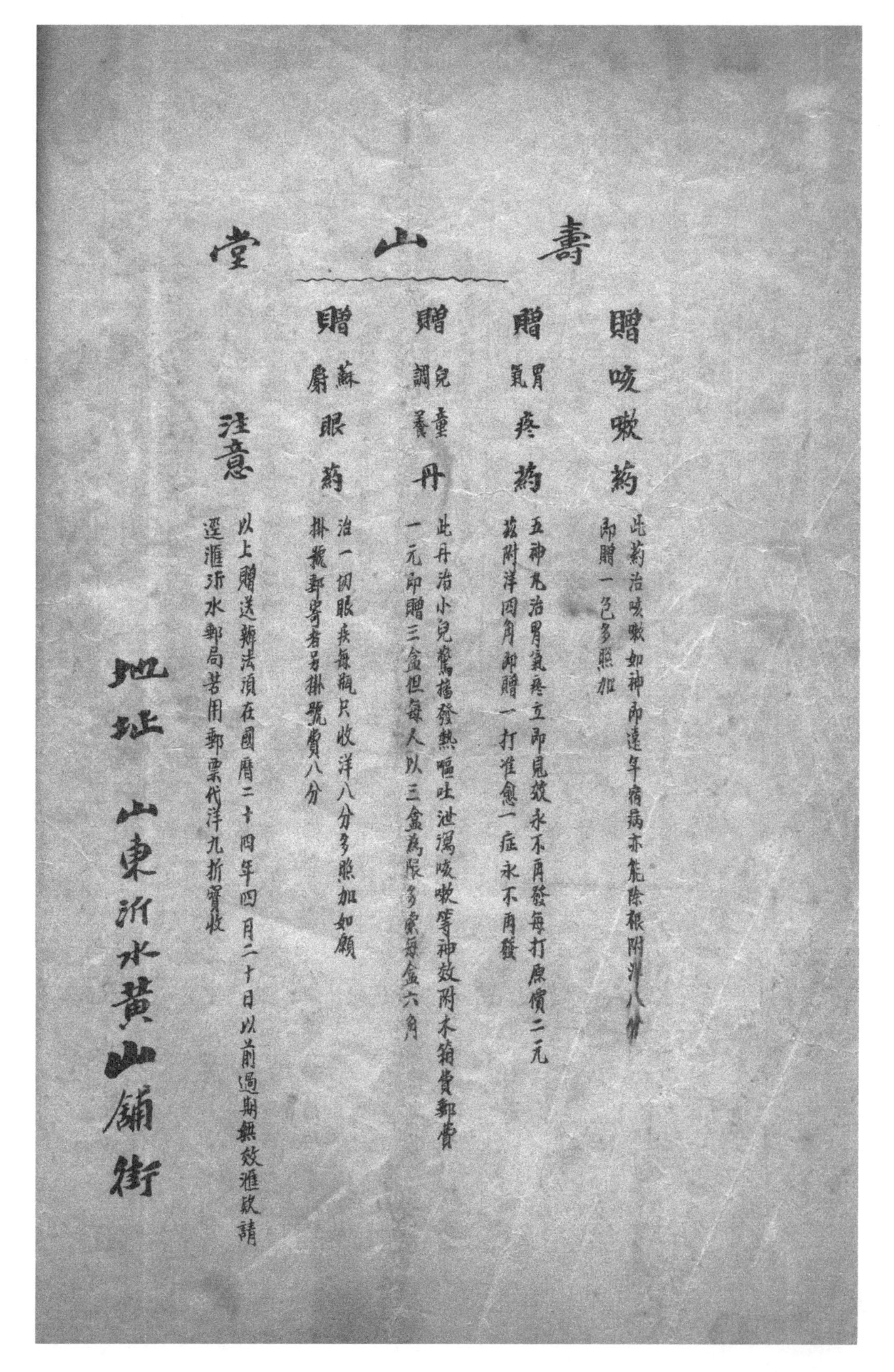

壽山堂
贈咳嗽葯 此葯治咳嗽如神即遠年宿病亦能除根附洋八分即贈一包多照加
贈胃氣疼葯 五神丸治胃氣疼立即見效永不再發每打原價二元茲附洋四角即贈一打准愈一症永不再發
贈兒童調養丹 此丹治小兒驚搐發熱嘔吐泄瀉咳嗽等神效附木箱費郵費一元即贈三盒但每人以三盒為限多索每盒六角
贈蘇廚眼葯 治一切眼疾每瓶只收洋八分多照加如願掛號郵寄者另掛號費八分
注意 以上贈送辦法須在國曆二十四年四月二十日以前過期無效滙款請逕滙沂水郵局若用郵票代洋九折實收
地址 山東沂水黃山鋪街

内政部登記證警字第三七七五號
中華郵政特准掛號認爲新聞紙類

中國醫藥雜誌

張繼堂題

贈閱中國醫藥雜誌不取分文

本雜誌材料新穎切合實用集全國名醫之大成茲為普及起見定期全年十二册只收特價大洋七角（原價一元）並贈書卷七角購買本社醫書十足通用（雜誌等於不取分文）

山東沂水黃山舖中國醫藥研究社

贈醫書

奉送價值十元之中醫講義全部二十四册

此講義係本社主任趙恕風先生所著內容有藥物診斷內科外科婦科幼科等理論明顯切合實用凡讀此書者本社認為社員發給社員證書講義如有未明可以通函詢問每部原售大洋十元茲為普及起見准洋一元八角郵寄（若用郵票代洋須二元）介紹四部另贈一部不取分文此贈送辦法自國曆四月十五起至六月十五日止過期無效

山東沂水黃山舖中國醫藥研究社

訂閱本刊之利益

一、理論明顯方法靈驗絕無虛理空談不切實用之弊

二、通函問病專函答覆不取分文並按病贈以藥品亦不收費

三、歡迎投稿無論刊登與否皆有酬贈

四、歡迎介紹訂戶介紹全年訂戶三人以上者贈送介紹人一份

五、歡迎代售利益特別優厚章程函索即寄

六、自民國二十四年二月起凡訂閱本刊全年者加贈二十三年份出版醫報數冊

本社啟事

本刊承山東省政府秘書長張紹堂先生惠題封面謹此鳴謝

一

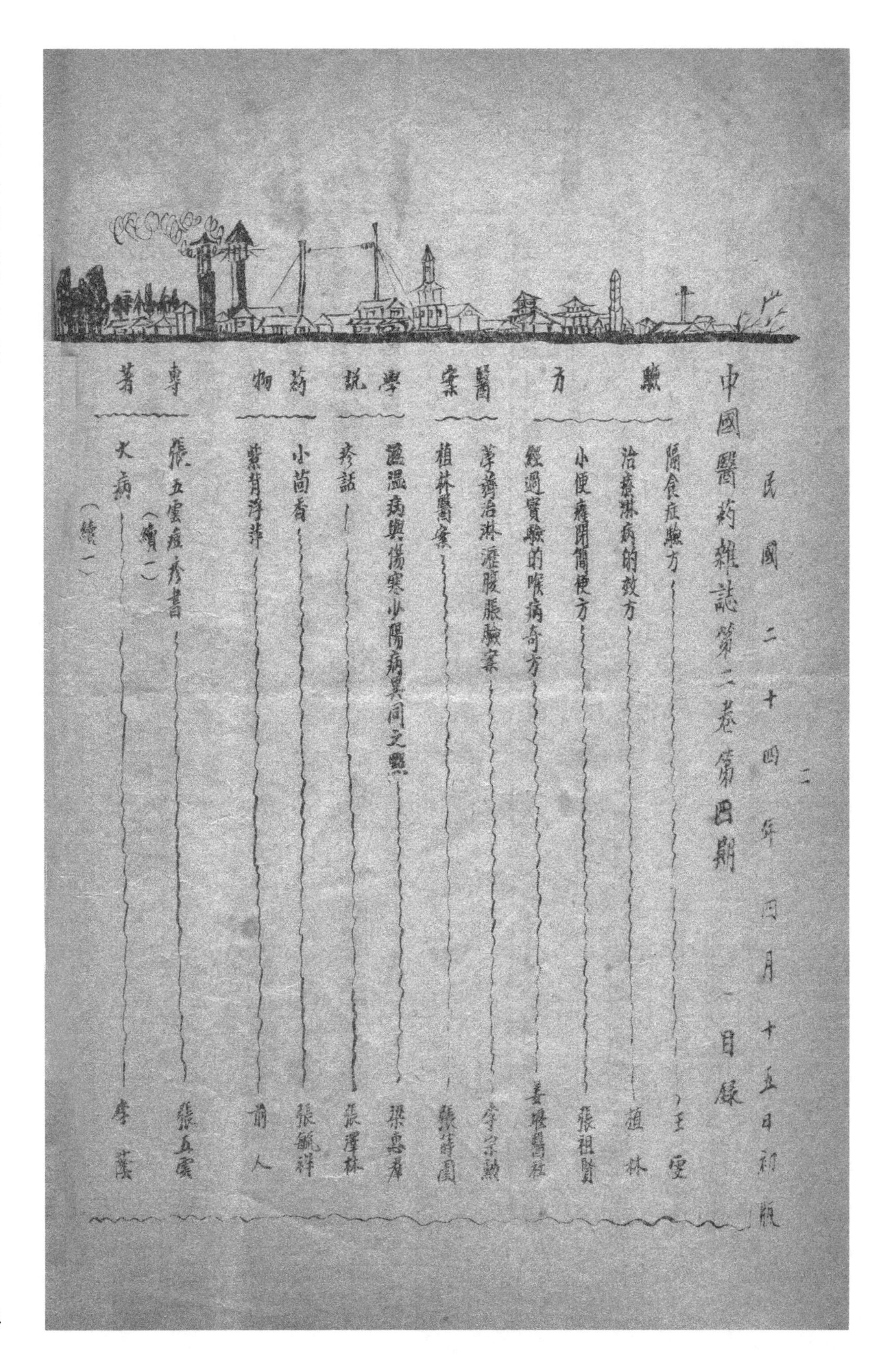

二

民國二十四年四月十五日初版

中國醫藥雜誌第二卷第四期 目録

驗方

隔食證驗方

河南王雯

方書治隔之法，效者甚鮮，患此症者往往束手無策。今得此治隔症方試之，確實有效，業經治癒數人，故特錄之。

蘇薄荷　山豆根　黃豆桿灰　大力草各四兩　白沙糖八兩

先將上四味用長流水十餘碗，煎至藥力出盡時，去滓，與白沙糖和勻。每飯後一句鐘時服半碗，一日服三次。服完未癒再作一劑。

治癃淋病的效方

江蘇　楨林

內服：生蒲黃研末，以生鷄蛋清（去黃）調和為丸，如梧桐子大，每服三錢，車前草、淡竹葉、灯心，煎湯送下。

外治：以生鷄子一枚，將一頭敲圓洞，約銅錢大，再套入生殖器上，須令龜頭全部納入，外用布帶兜住，十小時後取下，鷄蛋內必現五色毒質，日日換之，數次即可痊癒。

以上兩法表面看之平淡無奇，而其效力頗捷，值國世風日下，梅毒瀰漫大地，青年受害匪淺，特公開如上，患者幸勿忽之！

小便癃閉簡便方

張祖賢

友人張君十八歲時因貪色服壯陽藥過多，曾患癃閉之症，莖中痛甚，屢治未能，後得一方治之而痊，詢其所用之藥，係用白淨無顏色之磁器（即茶碗等細磁者）錘碎研末過羅，

用量及服法：將白磁末約二錢許放茶碗內，用白開水浸之去渣飲服，

按：白磁雖細末，亦屬砂體，其質重，其性沈，其用走而不守，能為滌尿道隨小便出，如一次未痊可再服，無不立效。

經過實驗的喉病奇方

姜堰植林醫社

（來源）此方是由江南傳來，本地藥肆皆備，民間遇有喉病，即自動向藥肆購買，故已成為家庭醫療方劑，再經本社同人試驗，結果甚良。

（方名）八卦丹　又名異功散　（主治）凡一切喉症用之皆效。

（藥品）麝香三分　冰片三分　沒藥、乳香、血竭、全蠍（炒）、玄參（焙）各六分，斑毛（去）四錢，共八味研極細末，磁罐收貯。

（用法）膏藥一張，將藥末摻上，貼於喉部外面，二十四小時後，膏藥揭去，該處必有水泡，用針刺破，流出惡血，即是病毒，俟流淨後，其病自愈。

醫案

夢蕢治淋濁腹脹驗案

湖南李家馴

余有表妹年十七，小便淋滴如膏，有月餘，而普體羸弱，飲食少進，腰腹脹刺於[illegible]病愈

烈，小便點滴如刺，母惶恐萬狀，延醫調治，醫用桃仁、紅花、莪朮、或補血之劑，而病愈烈，余援往視，遂更以女病述之，蓋膏熱也，膀胱濕熱之氣不化，決瀆之官不行，而氣停滯，故曰膏淋也，以萆薢五六劑，不數日而腰部自鬆，小便點滴而通，萆薢之功亦云偉矣。

植林醫案（續一）

時開錄

心旌上搖，相火下飆，意淫於外，精滑於內，精傷無以化氣，氣虛無以生神，形體憔悴，身肢乏力，陰不斂陽，浮火時升，寐來口燥，間有失夢，症屬腎虧，頗不易治。

熟地　丹皮　澤瀉　山藥　山萸　茯苓　石蓮肉　二至

木冕斷喪，陽升莫制，陰精下損，夢洩頻仍，背脊骨痛如刺，厥少之風擾動，當培其下

熟地　山藥　麥冬　龍骨　女貞子　元武版　沙苑子　旱蓮草　石蓮肉

心主藏神，腎司藏精，神傷於上，精滑於下，五日一遺者，非獨心腎不交，乃中土火虧之明驗也，五為土之生數，生氣不固，殊屬非宜。

熟地　於朮　遠志　歸身　黃耆　茯苓　酸棗仁、潞党參　仙鶴草　水泛為丸、

肝司疏泄，腎主封藏，二經俱有相火，其系上屬於心，心為君火，若有所動，則相火翕然而起，此遺洩之所由生，宜服荊公妙香散，安神固精

西洋參　茯神　生遠志　龍骨　茯苓　益智仁　丹砂　甘草　為末

五

二診　病原已載前方，惟心腎不交，未其所以，緣于其真陰不足，真陽失守，心有所欲，固有所慕，意有所樂，妄念方興，不遂所欲，則神不歸而志不定，二十餘年病多變態，近服歸脾獲效，是求本之功，豈複治所能奏也。心腎不能自交，必謀中土，擬媒合黃婆以交嬰姹法。

潞黨參　黃芪　於朮　酸棗仁　歸身　木香　茯苓　炙甘草　遠志　益智仁　爲末龍眼肉湯泛丸

肺司百脈之氣，腎藏五內之精，脾腎俱虧，精氣不相營運，精不化氣，氣不歸精，無故精滑，不能自禁，脈軟乏力，法當溫固三陰，擬丹溪九龍丸加味。

熟地　茯苓　山萸　當歸　柏子仁　石蓮肉　芡實　金櫻子　白朮　人參　山藥

學說

濕溫病與傷寒少陽病異同之點

梁惠彥

濕溫之名，始於難經，列為傷寒有五之一，其症最為遷延難愈，時賢謂此病如油入麵，膠出不易，最不易治，誠非虛語。嘉定張山雷氏乃謂江淮以北高燥區域，都無是病，云云，則南方不甚稀，益信近年愚寓故鄉所治濕溫病，不可枚舉，安能謂濕溫治法，僅適應於南方耶。惟是濕溫病之偏於濕重者，或經誤用溫補而致劇者，往往有神昏譫語，便閉溺赤，甚至痙厥等惡候，濕已化熱，其症狀與溫病大率相同，則其治法亦與溫病相差無幾。若夫發病之初，濕熱兩平，最易與傷寒少陽症混，而濕溫病古今醫案平議所載顧姓濕溫全案，甲醫誤用柴胡，遂致纏綿至一月之久，經戌醫竭力匡救，始克告全，差以毫釐，謬以千里，識辨之不可不早也。少陽病狀，如往來寒熱，如胸脇滿，如口苦不欲食，如心煩喜嘔，如或渴或咳，如身體微熱，如脇硬痛，如腹中痛，如小便不利等等，求之濕溫病，已往往有之，至於目眩耳聾兩症，濕溫固不少見，然少陽病亦未必畢全，以言大便，少陽病固不應便溏，然濕溫病亦常有燥結，是皆不足為兩病分判之要點也。然則兩病分別之要點奈何？曰一辨之於脈，少陽病脈必弦，濕溫病則或沉濡或細濡或伏而不起，或數而無力，鮮有但見弦象者，此其一也。一辨之於舌，少陽病舌必滑白，濕溫病則無論舌白舌黃，必兼粘厚膩，與滑白迥不相同，蓋緣今濕邪，蒙蔽清陽，有不能不形諸外，此又其一也。一辨之於胸脘，少陽病僅胸滿而已，濕溫病必胸脘窒塞，氣機阻滯，上下痞苦不適，與僅僅胸滿者要自判然各異，此又其一也。是故臨證者，能於以上三端，慎思而明辨之，庶幾察於錯綜疑似之間，不致迷於所嚮，失審察之微，如認為確係濕溫病，則非特柴葛升提，必應懸為厲禁，即甘寒涼潤，亦不可輕率亂投，始可免濁膩戀邪之弊。蓋濕與溫本係兩相對峙，過熱則有礙於溫，過涼又有礙於濕，此時用藥惟宜辛以宣之，芳以開之，苦以燥之，表症未罷，兼治其表，表退乃舉全力以清裏，此治濕溫病之大較也。若係高年陰虧而患此症，則於開宣泄導之中，間須佐以滋而不膩之品，以兼養其津液，乃可絲絲入扣，兼顧統籌，此則在乎臨床者之達便通權，不可效學趙括之讀父書，執死法以治活病耳。

疹話

張澤霖

本篇所言之疹，非指麻疹之疹，乃癮疹也，有風濕之別。風疹者，初起惡寒發熱，遍身搔癢，即現大

七

塊凸出皮外，旋又伏沒，數小時後再出，日夜五、六潮，或十餘潮不等。濕疹者，初起與風疹同，惟腹部疼痛，大便溏泄，四肢浮腫，乃濕疹所屬，有且纏綿而難速癒。

治疹之法，風疹宜防風、荊芥、蟬衣、桔梗、薄荷、赤芍、粉葛、霜桑葉、浮萍，發邪透達之品。濕疹加蒼朮、赤苓、滑石、防己、滲濕利尿之類，不可驟用苦寒，須俟表解後，方宜銀花、連翹、丹皮、茯苓、通草，泄熱解毒。

疹本易治，但忌口最難，如鮮物、海味及蔬菜之有發性者，均不可食，倘不知而犯者，後患無窮，醫家診察時，即當指示，故有因夜患疹，失於忌嘴，而成習慣性，數月一發，纏身不除，其痛苦有不堪言者，則選擇食物之不可不慎也。

疹當發時，不可亂搔，若抓破皮，易成瘡癬，須當注意，以浮萍草煎湯洗沐，或用酒精擦之，癢自可除。

藥物

小茴香

張毓祥

產地：河北各縣鄉皆有之，鄙鄉（遵化）園圃必植之，俗以其能止毒蟲之害菜蔬。

形態：菜類，一年生草，高二三尺，葉細如絲，夏日開小黃花，瓣內曲，實橢圓而微扁，子大如黍粒，黑褐色，

氣香，遜於大茴香，可以療病。

性質：辛溫無毒，入脾、胃、腎三經。

功效：補益入腎，胃寒腎冷，為治陰病之要藥。

功用：A健脾，同肉蔻淡吳萸煎服．B理氣開胃，同丁香陳皮香附入煎服之．C驅風．祛痰．催乳．

主治：A、腹疼不食 仝公丁香吳萸煎服．B寒疝 仝橘核荔枝煎服，若同荔枝核煅後散服更妙．

C兩脇痞滿屬肝氣不舒者 仝炒萸連煎服．d腸氣同陳皮香附末煎服亦效．e祛痰同陳

皮用．

用量：湯劑用量一錢至三錢．

備註：一般西醫亦知其含有揮發油，能刺戟消化黏膜，增進消化液之分泌，而不知能使腸胃蠕動強

盛，兼可驅風，且揮發油能將攣縮之平滑肌，使之弛緩，故用之於幽門攣縮，腸疝痛等，而有奇效．

日本藥房所賣之茴香水即其蒸溜液也．

紫背浮萍　同上

產地：謝鄉池內最多．

形態：春季生葉，體扁平而小，葉呈倒卵形，小者面背俱青，下有微鬚，即其根也，名水萍，其葉體較大者，

面青背紫，鬚亦長於小者，即藥用之紫浮萍也．

性質：辛寒無毒，略具腥臭，性輕質浮，入肺經而達皮膚．

特效：發汗勝於麻黃，下水捷於通草，為祛風發表之專藥．

功用：宣肺祛風，發汗行水，下氣利小便，消浮腫．

主治之病及用法：A風疹仝丹皮、紫草、黑芥穗、蟬退，製湯劑服之．B鼻衄仝鮮生地、白茅根煎滿流．

九

C 頭斷，面皰，梨膏塗之．D 身癢黑斑，鮮生鮑，全蒸食之．E 水腫搗汁服最效鮮者炒而服之最效．

用量：湯劑用量，一錢至三錢．

宜忌：虛人及表虛自汗者均忌之．

備注：此藥力猛，非大實大熱慎勿多用．此藥具特有之腥臭，用時嫌之，只可用他矯味藥佐之為不可全數浸去，蓋此藥之用，雖精熱力使人出汗，而其發生臭味之物質，大有力焉，因此物質能刺激血管神精，使之興奮，活動異常，而得醫治之效，其忘加炮製者豈不愚哉．

專著

原痘論

張五雲

人稟父母之氣血而生，人皆知之論痘之順逆，由於男女之構精，先天之淫火，恐非千古定論也，彼生痘之逆者，歸咎於先天之淫火，終身而不生痘者，獨無父母之淫火乎，又有孿生之子，一則生早而順，一則生遲而逆，亦先天之淫火不均乎，試思誰無父母，誰無人子，孰非人子，固不忍為此論，亦不屑筆之書也，以予論之，胎在母腹，即為先天，母子分娩，即為後天，生痘輕重之不同者，由於父母氣血盛衰之異也，兒當五臟百核未成時，母食好食酸辛，貪殘异物，厚味頻嘗，乍寒則偎烈火，當暑則尋清涼，復有風寒暑燥火之傷，傳之胎中，是母先受之，兒亦與之俱受也，以此為天先之毒火，或近理也，迨至能食，食母熱乳飲食無禁，驚風毒授毒火釀於氣血之中，或為泄瀉，或為瘧積，非後天之毒火而何，先天後天之毒火久蘊於中，偶遇歲氣流行相感而發，猶陽燧之取火，磁石之繫針也。元氣足而胎毒淺者，邪氣稍輕，出豆必順，元氣弱而胎毒重者，癘氣復重，出痘必逆。要知小兒患痘，胎毒蘊於何臟，則傳至何經而見痘。癘疫之感，有因風寒而發，有因風熱而發，有因內傷而起，有因驚跌而生者，又不可不精察明辨也！

痘名論

痘者豆也。以其似豆，故以名之也。似豆則順，不似豆則逆。花者華也，如花之開落，又以花名之也。如花則吉，不如花則凶。熱後見點，春氣之發生也；漸發漸起，夏氣之長養也；化水為膿，秋令之成熟；膿成結靨，冬令之潛藏也。非花而何？若初見而涵水，春行夏令也；乍起發而載漿，夏行秋令也；膿未成而收靨，秋行冬令也。此太過也，急用發表托裡解毒涼血以救之。應起而不起，夏至仍行春令也；應灌而不灌，秋至而仍行夏令也；應收而不收，冬至而仍行秋令也。急用活血助膿解毒固攝以理之。

全計賦

想夫痘之發於腑也，愈密而愈貴。痘之出於臟也，益稀而益良。熱之將發也，先於乎双足，點之將見也，恒見乎耳旁。其來也雖由乎外感，其成也終歸于內傷。春夏為順兮，時令之發育；秋冬為逆兮，節序之收藏。始而視之，喜淡紅而蒼老；繼而摸之，怕甘枯而滑光。面部先見者最吉，腰膝首出者不祥。久熱而漸出者，常美；忽熱而攤出，多殃。初見點而細微，將來稠密；乍露形而粗大，可知疏良。出之有序，雖稠密而亦可謂理來之太猛，恐稀疏而未必皆康。地貴分明兮，忌攢胸而攢背；形喜疏朗兮，惡鎖項而鎖囊。痘分風氣，於南北人有先天之弱強。不論虛實兮，達鼓者而夜步。不明五臟兮，迷聾啞於周行。有氣而無血兮，空穀可慮；有血無氣兮，發斑堪傷。氣血盛則毒順，氣血弱則毒狂。毒在血分兮，涼血解毒，而血虛；毒在氣分兮，勻氣解毒而氣昌。舍毒而補氣血兮，閉門而養盜；解毒而忘氣血兮，燃薪而無根。血熱溫補，猶油而救火；氣虛攻下，雪上而加霜。血熱宜涼，如旱苗之待雨；氣虛當補，似油盡之灯光。正氣虛者，始終而莫汗下；邪之實者，首尾而要清涼。嬌紅而當熱血未留，有痒塌之危；氣虛而認氣滯，須臾有塌陷之殃。不先透毒活血，痘何由而起發？務須涼血理氣，毒始化而成漿。由內而達外兮，先觀手面部；即外而知內兮，靜驗手何臟。肺則咳嗽噴嚏，標先見於右頰之地；肝則目直多洞，点必發於左頰之鄉；心則驚悸譫妄，起於印堂正額；脾則唇焦多睡，始於山根鼻梁；腰腿疼痛，為腎症，宜靜而不宜波陽。脾肺陰竭，則唇乾鼻燥；肺胃毒犯，則津液汪洋。目邪魂散，肝經受困；摇唇弄舌，心無主張。右顴稠密兮，難保痰變失聲之患；左顴模糊兮，終有生風損目之殃。痘見眼中，速瀉肝中之毒火；瘡生舌上，急挫心內之鋒芒。欲辨豆之順逆，須識痘之形狀。形似夫圓為貴，漿似飽滿為良。寒熱往來，神清而氣爽；調和二便，飲食而如常。地界分明，全無三五之攢聚；有盤有頂，應候毒化而成漿。膿灌足而毒解，厚痂落而身康。痘皆如此之順，症何勞醫葯之溫涼。至譫語不食，手足昏睡而厥冷；遍体紫泡，刺破黑血而無光。蛔蟲從口便而來，不食而兼吐瀉；腥臭從口鼻而出，聲喘而後嘔嗆。或舌疔而唇黑，或舌捲而縮囊。痂後生風，百無一治；痘前失血，十見九亡。蚕種蚊皮，岐黃難救；蚤斑蚊迹，扁鵲無方。又若至險之要症，理則生而棄則亡。表大熱與內症兮，毒隨熱出而自解；多內症而表微熱兮，毒共熱結而深藏。症未起而肉腫，臭毒之散漫；膿未灌而腫消，可決其亡陽。先用和解惟恐痘悶而難出，欲用妄表，又怕走泄而荒唐。氣粗熱盛，恍忽譫語，內熱已露，喘急腹脹，二便秘澁，毒壅莫當。解熱毒者，莫善于發散；逐壅毒者，莫長于寒凉。見点不快者，有風寒之因，氣血之弱，辨之宜早；起發不齊者，有氣血之滯，毒火之虐，察之要詳。腫烈口唇，脾經之將敗；耳聾腰疼，腎症之乖張。胃爛者食穀則嘔，咽病者飲水則嗆。天庭而莫抵破，兩顴亦怕損傷。頭上堆膿，孤陽獲陰而愈；足泡不乾，純陰得陽則康。未及期而早靨，帶火而攻內；已過期而不靨，邪氣留而陽亢。食茄者还元不死，抹紅者血敗無救。皮薄光亮兮似灌非灌，有頂無盤兮清水非漿。實則為鬱為痛，虛則作塌而作痒。邪熱初見兮，折萌芽而最易；火氣燎原兮，恐杯水而難當。起是速而陰絕，收太遲而無陽。膿前煩渴，瀉火而渴止；漿後津乏，滋陰而津長。漿薄者血虛，不急補而漿難濃；灌疱黑者毒盛，不速瀉而毒猖狂。歪斜还易於攢簇，平匾較輕於板黃。頂白根紅，似春花之帶露；痒塌反白，如枯草之經霜。痂落如麸，餘毒尚在；盤根如雪，氣血兩傷。此余三十年之閱歷，揮毫落紙而成章。後之學者，固不必泥乎文仲，亦不可專師乎仲陽。須知病有表裡之虛實，藥有補瀉與溫涼。按經審症，因症立方，雖未得前賢之妙訣，要可升其庭堂。

火病（續二）

李蔭

凡例

一　火病自古迄今絕少專集，群言淆亂，莫此為極。是書之能斬盡葛藤，大闢門徑，約其法於虛火實火之內，證以類從，方無泛設，雖脫略可嗤，而明晰足稱也。

一　是書於疑似之際，則必博引旁搜，反覆詳辨，不遺餘蘊，千秋晦義，一旦照然，最便世用，莫逾於此。

一　取法本宗傷寒金匱，又取晉唐以後諸家補其未備，删節削有之，杜譔則無也。

一　每節中或症異而方同者，或證同而方猶異者，或症與方微有異同者，類舉數條，俾人比例而觀，以為審證處方通權達變之一助。

一　方中分銖兩之輕重，用水之異同，煎法之先後分合久微，取汁服法之多少緩急溫冷，飲食之宜忌，俱有玄妙寓焉。因方皆習見，故闕之，闕之所以引之也，願同志者研究原本。

一　解方必與作方學問相等，斯能脗合無間，下此皆蠡測管窺耳。然有方而無解，則所以審證用藥之理不明，今於方後略為箋釋，或採自昔人，或出自心裁，不過導以先路，非敢謬讚一辭也。

一　是書集先哲之大成，延薪傳於一線，雖証千變，治道萬化，無能越其範圍云。

火病之根原

火無定體，不能孤立，必有一物相與附麗，而始能常存。當其靜也，金中有火而金不銷，木中有火而木不焚，水中有火而水不沸，土中有火而土不焦，但見有金有木有水有土而不見有火也。五行無體，即以金木水土之體為體。及其既動，肺葉痿而大腸燥，金被銷也。肝氣過而胆氣逆，木被焚也。腎陰虧而膀胱澀，水被沸也。脾津涸而胃液枯，土被焦也。火之所以致病者此也。

火之情狀

火之為物，其性升燥，其氣鬱蒸，其色赤，其聲鳴，其味苦，其始溫，其變寒，其所為害也，無所不至。

火之功用

火之為用，煉金則消而為汁，乾汞則消而為粉，熱錫則消而為丹，燔木則消而為炭，煮水則消而為湯，煎海則消而為鹽，煅礦則消而灰，焚土則消而為伏龍肝。是故得其平則烹煉飲食，糟粕去焉；不得其平則燔臟腑，津液竭焉。

龍雷之火有三

龍雷之性惡大寒，又惡大熱。大寒則激其怒而火上炎，即陰盛格陽之火也。大熱則恣其橫而上炎，即陰盛之火為陽衰與鬱火者是也。蓋肝腎之陰悉具相火，故龍雷火有三焉

火熱異同

少陰之上，熱氣治之；少陽之上，火氣治之。熱與火明分為二，然而火無有不熱，以熱氣麗於木而後為火。熱不必有火，以其徒有一團熱氣故耳。由推之，則傷寒六氣當分為二，以熱不能概火也。而是書為火病立法，言火即可以概熱也。

虛火篇

內傷之火，虛火也，先天之火，龍雷之火，無形之火也。得水則炎。若夫元陽未動，以甘溫除其大熱，保元養榮之類是也。以舒散開其鬱結，逍遙、小柴之類是已。至於既動元陽而用滋陰六味者，因其穴宅無水以濟火也。用白通四逆者，因其穴宅寒凝而火飛也。用八味真武者，因其穴宅水泛而火浮也。虛火同，而所以致之者不同，其治法亦從此懸殊耳。

火者內陰外陽，主乎動者也。故勞苦氣乏則火動焉

中西醫藥研究社理事會紀要

本年一月二十八日下午二時為上海中西醫藥研究社開理事會於北四川路永豐坊六十五號茲錄其當日開會情形如左

計到理事郭琦元、宋大仁、沈警凡、范天磬、江晦鳴、趙體如、唐景韓、劉國祥等八人，闕丁福保理事，因患感冒未到，推宋大仁主席，沈警凡記錄，開會秩序於下：（一）行禮如儀（二）選舉常務委員互推丁福保、宋大仁、郭琦元（三）選舉各部主任沈警凡當選總務部主任，朱恒璧當選學術部主任，宋大仁當選出版部主任。（四）討論修正大會交下議案宣言未盡事宜（五）沈警凡提議本社應先決定急須舉辦之事項議決先着手整理醫藥書籍及調查醫藥界情形請宋大仁沈警凡二君負責辦理（六）范天磬提議出版紀念特刊議決請總務部學術部及出版部各主任迅速籌備（七）宋大仁提議徵聘職員議決由理事会常務理事負責辦理（八）江晦鳴提議印刷正式章程宣言決議附於紀念刊中不另印（九）沈警凡提議徵求社員何時開始議決紀念刊出版後登報徵求（十）宋大仁提議本社應辦事宜由常務理事酌辦議決通過（十一）散会。

中華民國二十四年四月十五日　初版

中國醫藥雜誌　第二卷　第四期

主編者　趙恕風

發行者　趙恕風

印刷者　沂水隆盛泰印刷局

社址　山東沂水黃山鋪街　中國醫藥研究社

定價　每月一期大洋一角全年十二期大洋一元（國外寄費另加）優待介紹訂戶凡一次介紹訂戶十人者及一次交費訂十年者皆認為永久訂戶永久寄閱

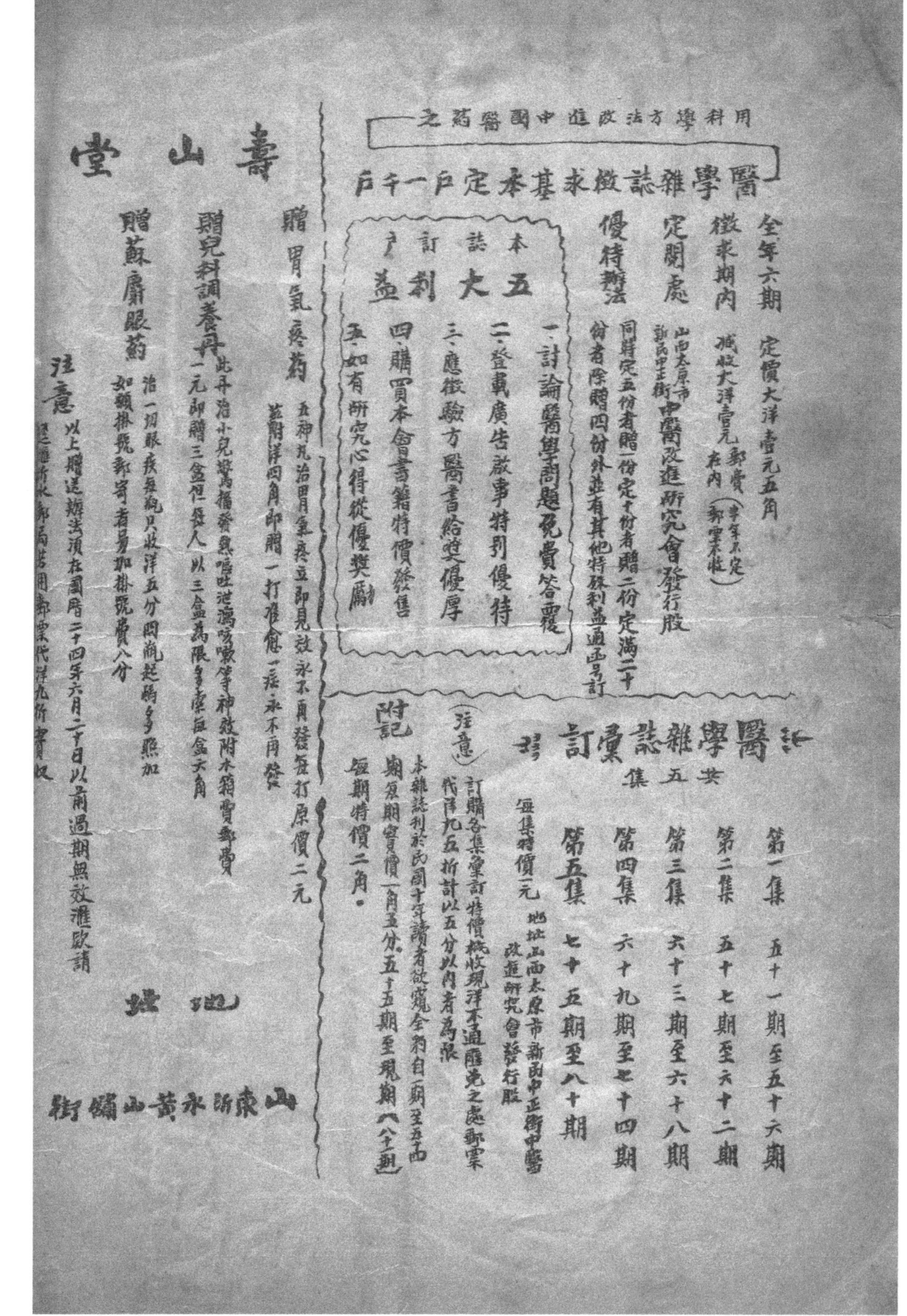

用科學方法改進中國醫藥之
醫學雜誌徵求基本定戶一千戶
全年六期 定價大洋壹元五角
徵求期內 減收大洋壹元郵費在內（半年不定 郵票不收）
定閱處 山西太原市新民中正街中醫改進研究會發行股
優待辦法 同時定五份者贈一份定十份者贈二份定滿二十份者除贈四份外並有其他特殊利益通函另訂
本誌訂戶
五大利益
一、討論醫學問題免費答覆
二、登載廣告啟事特別優待
三、應徵驗方醫書給獎優厚
四、購買本會書籍特價發售
五、如有研究心得從優獎勵
醫學雜誌彙訂
共五集
第一集 五十一期至五十六期
第二集 五十七期至六十二期
第三集 六十三期至六十八期
第四集 六十九期至七十四期
第五集 七十五期至八十期
每集特價一元 地址山西太原市新民中正街中醫改進研究會發行股
注意 訂購各集彙訂特價概收現洋不通匯兌之處郵票代洋九五折計以五分以內者為限
附記 本雜誌創於民國十年讀者欲窺全豹自一期至五十四期每期實價一角五分五十五期至現期（八十期）每期特價二角。
壽山堂
贈胃氣疼藥 五神丸治胃氣疼立即見效永不再發每打原價二元 茲附洋四角即贈一打 准愈一疼永不再發
贈兒科調養丹 此丹治小兒驚風搐發熱嘔吐泄瀉咳嗽等神效附本藥費郵費一元即贈三盒但每人以三盒為限多索每盒六角
贈蘇麝眼藥 治一切眼疾每瓶只收洋五分四瓶起碼多照加 如願掛號郵寄者另加掛號費八分
注意 以上贈送辦法須在國曆二十四年六月二十日以前過期無效 滙款請逕匯沂水郵局若用郵票代洋九折實收
地址
山東沂水黃山鋪街

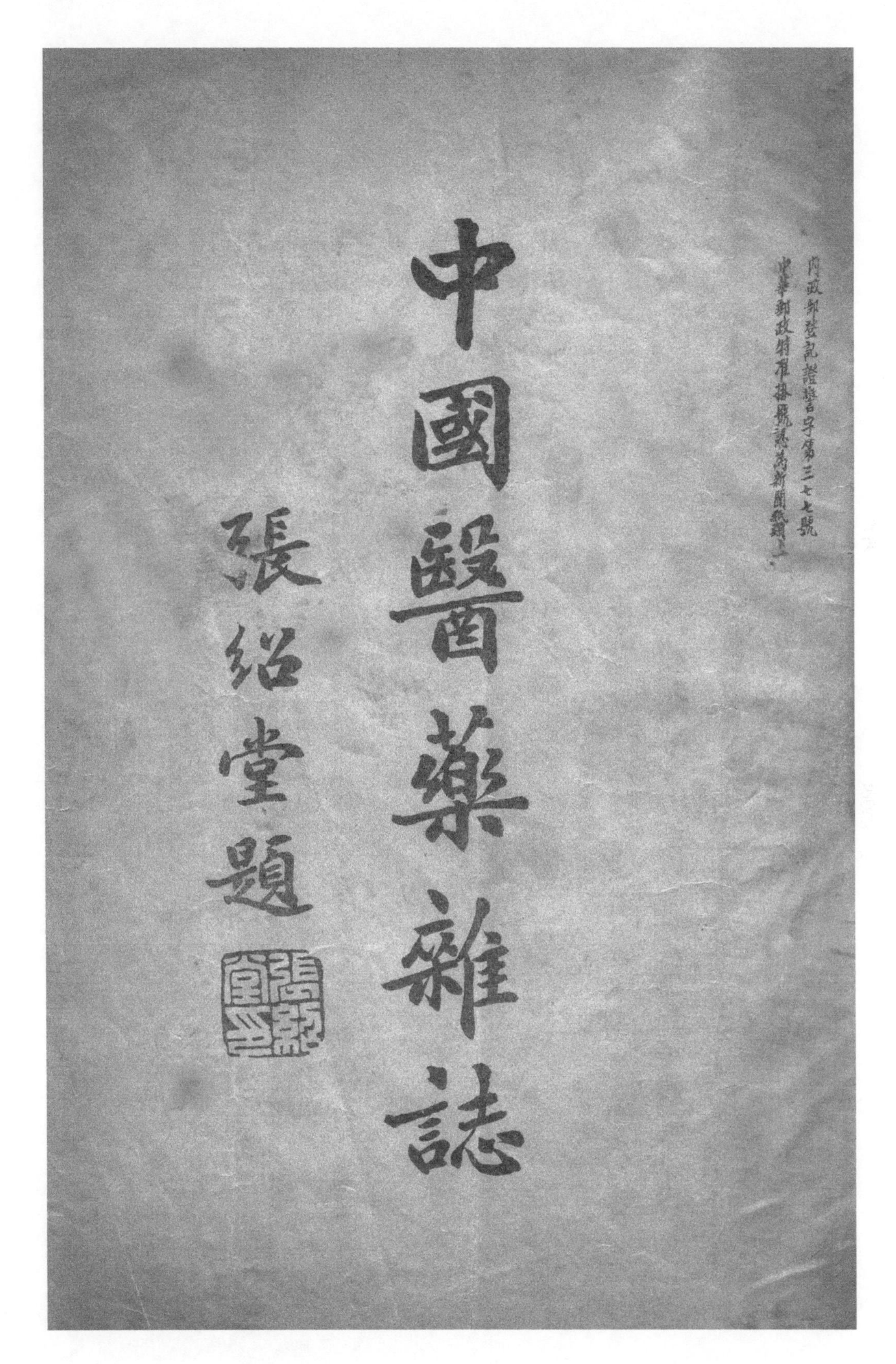

內政部登記證警字第三七七號
中華郵政特准掛號認為新聞紙類

中國醫藥雜誌

張紹堂題

介紹壽山堂名藥

贈胃氣疼藥　五神丸治胃氣寒疼立即見效永不再發每打原價二元茲為供遠地試用起見附洋四角郵購一打並贈一症永不再發

贈兒科調養丹　此丹治小兒驚搐發熱嘔吐泄瀉咳嗽等症神效蠟殼收藏永遠不壞附本角郵費一元即贈二盒每人至多以六盒為限多寄按盒六角

贈蘇磨眼藥　治一切眼疾效驗如神每二瓶只收洋一角（多照加）

贈麝香愈瘡散　治皮膚一切病症瘡疥癬癩均能相宜每包只收洋一角（多照加）

贈咳嗽藥　此藥治咳嗽如神即遠年宿病亦能除根附洋一角即贈二包（多照加）

贈衛生丹　治腹疼嘔吐泄瀉痢疾頭暈頭疼等症每二包只收洋一角（多照加）

以上諸藥均經本社試驗確有特效該堂為普及起見故僅收郵費及包紙等費廣為贈送以資試用但以本年六月三十以前為限（以發信日郵局圖戳為憑）過期原價出售恕不通融

地址　山東沂水黃山鋪街南首壽山堂郵售部

贈送

原價十元

中國醫藥學講義

全部廿四冊

內容有[illegible]婦科幼科等生理病理敘述明
顯金匱方論實驗證明誠初學所必讀醫師所當
備
著者 為本社主任趙恕風先生憑多年心得經驗而
成專重實驗不尚空談各科完備切合實用多能發
前人所未發
初學得之可以獨習成功醫師得之可以為臨診參考
凡讀此書者本社認為社員發給社員證書讀
講義如有未明可以通函詢問本社立即詳為
答覆

注意

每部原價大洋十元茲為普及起見贈送二月（本月十五日起七月十五日止）只收洋二元（郵票代洋須二元二角）
凡兼定中國醫藥雜誌全年者只收洋六角（郵票代洋六角六分）

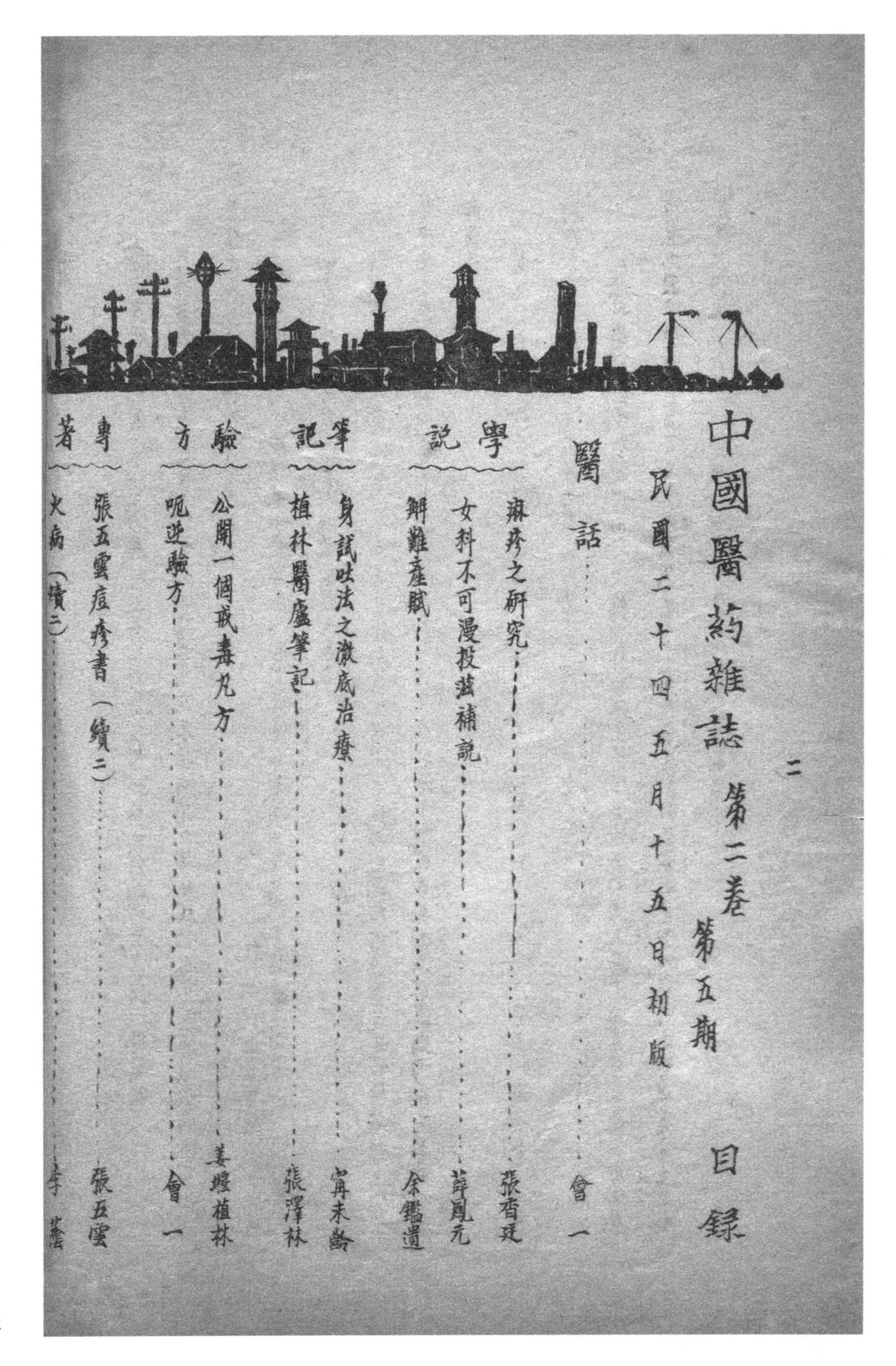

二

中國醫藥雜誌 第二卷 第五期 目録

民國二十四年五月十五日初版

醫話

會一

醫之良否，以能否愈人疾病為斷，萬不可因其祖傳秘傳世傳而輕於嘗試一味盲從。

有德者必有言，有言者不必有德，惟醫亦然，凡不學無術之輩往往拾人牙慧夸張於病家，不知者遂信為良醫聽其所措，枉死者衆矣！

一經品題聲價十倍、醫尤如是！卑無人格之醫生，奔走於富貴之門，盡其逢迎之術，萬一得權貴人之憐恤，遂夸權於鄉里，此輩心最險狠、殺人最多。

物以罕而見珍，醫亦因難求而見重、偉大醫生貴人不易接見、而聲價遂重矣！其實所謂偉大醫生者，完全不能為人愈病。嘗聞大醫生為人處方、必令人服數十劑，或百餘劑再改方，病而遲延至此輕者愈重者死矣！

醫生自己有病或其家屬有病，往往不自處方另延他醫所謂「好大夫不治自己」者也。然自己有病對於原因病狀知覺最詳，尚不能自醫可知其為人處方者欺人而已

周禮以醫巫並重，名醫神巫時有所聞，後世巫術失傳，率皆假神惑人，遂為識者所詬病，今日科學精進此種迷信更無存在之餘地，然假巫不能愈病，亦不能殺人，倘病者誠心信仰亦可收精神上之效力，假醫不能愈病却善殺人，而使幸而偶合終屬得不償失！

三

（未完）

四

麻疹之研究

北平張香廷

麻與疹為同類，疹則大者如蘇子，小者如芥子，而成粒成片者是也。痳則最細而碎，如蚊跡模糊者是也。皆由胎毒蘊於脾肺，發於皮毛肌肉之間，一時傳染大小相似，未有不因天行癘氣而發者，其為症則有咳嗽噴嚏，面腫腮紅，目胞浮腫，眼淚汪汪，鼻流清涕，呵欠煩悶，乍寒乍熱，手足俱冷，惡心嘔噦，即是出疹之候，便宜用解毒散邪等藥，不使毒留於中，庶無他患，疹將出其面必赤，中指冷而不咳，大熱五六日後遍身見紅點，此所以異於出痘與傷寒也！疹出至二三日，必兩鼻孔俱乾，待疹收完，毒輕者清涕即來，當思飲食，不必服藥，如清涕來遲，不思飲食者，須要清肺解毒，必清涕復出，方可無慮，疹毒多假嗽，故疹後旬日之內，尚有假嗽，切不可見嗽而治嗽，至於泄瀉嘔吐腹痛等，亦是疹毒使然，不得妄用補澀之藥，疹後宜謹避風寒，忌五葷五辛併生冷之物，以免遏毒入裏也。治疹初起，宜透邪煎，風寒外束，遏迴不出者，宜敗毒心血不足，疹色淡白者，宜加味四物湯，疹色帶紫，或出太甚者，宜涼血補陰湯，火毒上熏咽喉乾痛，宜加味桔梗湯，溺閉者宜導赤散，吐血衄血者宜加味犀角地黃湯，大邪下遏而痢者，宜黃芩湯，嗽甚者宜二母散，總以因症處方，不可執一，用事庶不致誤投藥物也。

女科不可漫投滋補說

薛鳳元

夫藥之療病，本屬以偏濟偏，寒者溫之，熱者清之，虛者補之，實者瀉之，調其偏而使其和平，此不易之定法也。治婦女之病，何獨不然？第觀歷來女科諸書，大都以四物八珍六味歸脾等湯，概治婦女百病，一若凡病必虛，非補不效者然，致後世醫家，率相效尤，其誤非淺，不知婦女因生理環境關係，肝臟木氣多鬱，脾氣易結，且其七情之感，六淫之侵，甚于男子，更兼經帶胎產諸病，證各異因，豈可漫投蠻補哉！

如血崩之病由血熱氣滯者居多，設遇血熱之症，誤投補攝之方，則熱愈盛而血愈下决矣！帶下之病由于瘀濕者居多，若遽進補濇之劑，必致帶仍不止，而腹脹脘悶等症蜂起矣！妊娠有氣滯腰痠者，宜理氣爲先務，若疑腎虛而然，茍服生地杜仲之品，則痠益甚而胎益不安矣！產後之病，去瘀爲主，拘朱氏大補之說，而投峻補，則瘀不去，而新不生，延成癥瘕痼疾者，比比皆是！以上關係于經帶胎產病之不可補者，畧舉其例，其他有外感似內傷，鬱症若勞瘵等，婦女患此者尤多，醫者不知疏表鬱，反用補益之劑，靡不病病隨藥進！又有病人畏攻喜補，以肝陽挾痰之頭眩頭暈，妄用龍眼之屬，濕濁阻津之口乾，頻服洋參熟地，卒至不救而數之使然，良可嘆也！

解難產賦

皖婺余鑑遺

解難產賦，前曾刊載上半篇一次，因限於篇幅，未克續刊，今因讀者要求，特全篇刊出，以便讀者得窺全豹。

編者誌

雜症易治，婦科難精，豈惟天癸一條，關乎否泰，抑知產後百病，繫乎死生，第立法之精純，前人雖具，或一時之偏見，實理難明，而且各有明言，每散於篇章之內，其中不無缺畧，遂流於茍簡之程。爰特指出路頭，正其僞而補其闕，務須循斯門徑，得其要而守其平。

夫產後血虧苦溹，陰分必戕，虛風內動，風藥難嘗，庸俗無知，妄立僞以惑世，聖賢有訓，宜遵正法而立方，是以新產之婦三病爲常，痓與鬱冒兮血虛風動，大便艱難兮胃燥津亡，然而脈若微，而嘔不食，小柴胡足責，病已解而身復熱，大承可當。此特外感一偏之症。不宜於陰虛氣弱之場，苟邪少而虛多，輕於治表，或純陰而無實，重乎陰傷，其輕者三甲復脉而取效，其重者大小定風而擅長，專翕膏大補氣血，增液湯潤滑大腸，若其風药誤投，愈使津亡液燥，還須前方挽救，庶幾陰複神藏。乃若產後元氣虧損，惡露上攻，眩暈昏悶，口噤痰蒙，或血崩而致暈，或煩亂而神憒，歸芎澤蘭，殊不知辛溫大忌。三甲複脉，斯賴其柔潤堪崇。

至瘀血停留之痛，在分別輕重之中，輕則生化湯必用，重則回生丹稱雄，病有危險，產後三沖，沖心則狂歌怒罵，踰牆上屋，治法則花蕊石散，琥珀黑龍，苟雖悶乱兮，顛狂未見，只須失笑兮玉金可同。若瘀沖胃，填阻中宮，腹滿嘔惡，脹痛不通，五積散與平胃散妙，加薑桂或來復丹工。其甚者變瘀血為水，治之者下瘀血無沖。更有沖肺堪虞，嘔逆喘急而欲死，方須人參蘇木，遲則挽救無功，最可惡者，奉生化違生為至寶，尤可笑者，推保產無憂以圖終。

至於虛實補瀉之宜講也，朱丹溪舍雜病而取於補，張景岳重實邪而輕其虛，二子之言原非柄鑿，一心之理，別有趣趣，手下所治者，明係實症，意中所注者，仍是產餘，治上犯中，豈為善法，多備少服，甚可相於，苟客邪既去，本症休疏，腹痛拒按者，化瘀為急，腹痛喜按者，補絡堪舒，臨症貴有成見，平時務讀古書。

如其外感傷寒，當遵仲景，若為溫病，宜法鞠通。或祛邪而急剿，或補瀉以兼功。酌病邪之輕重，視時日之始終，表宜速解，裡亦堪攻，俗有以白芍為產後所忌，歸芎為產後所宜，不知白芍苦辛，虛熱者收陰有效，而歸芎辛烈，陰傷者變痙難醫，邪說堅牢，根庸醫之莫悟，是非顛倒，誤生命之堪悲。

抑知產後虛症，奇經而成，麗於肝腎，關乎化生，前有孫真人之創論，後有葉天士之暢明，舍八脉而不探其本，治此症而已去其精。

倘其死胎不下，不可拘執成方，是實是虛，色脉通臨時之變，補偏救弊，溫涼酌對症之湯，世俗相習成風，祇平胃朴硝之套法，一例奉行故事，其忍心戕命之可傷！

況有難產不下，俗用催生，但体有盈虛，用藥豈可固執。症有寒熱，臨時務要經營，陽虛者補陽為急，陰虛者翕陰堪行，血滯者即通血脉，絡痺者奇脉宜乎。兔腦丸又安可恃，冬葵子不過虛名。更有症關緊要，產後心虛，驚悸脉乱，寐多不熟，怔忡神少，自汗成渠，化風可慮，致脫堪憂，蓋緣父腎母心，為小兒稟氣之藏，胎宮上系，在妊婦心胞之脈，夫水火各自為用，水上升而火乃降，而心腎互相為体，腎液虛而心弃疏，補陰配陽兮最要，取坎填離兮莫如，大定風珠其莫誤，青龍参神之可居。然而虛寒虛熱，分別當明，不怕虛寒之症，單表虛熱之並，蓋溫經之藥，多能兼補，而補虛之品，難以兼清，故立補陰諸法，以為虛熱章程，通補奇經之丸，下焦虛寒必用，天根月窟之膏，陰陽兩傷宜烹，別有類白虎之一法，惟有脉虛大而不平，李東垣之法甚妙，補血湯為用最精。緣因轉心傷，婦病每罹於產後，而學疏淺陋，世醫多誤夫蒼生，茍讀此篇，須心領而神會，能參是理，庶德備而功成。

葉記

七

身試吐法之澈底治療

八

郫陽 寗未齡

余素不病傷寒，月前終瘧疾一度，纏身未幾愈，而臀股疥瘡毒，外治已愈矣，猶欲以沐浴斷其根，因天寒，略傾桂枝油攪之，明日天晴，覺足脛寒甚，漸及身，熱火燎之而不能禁，服沖和湯不生效，於是惡寒體痛嘔逆脈浮緊之太陽傷寒見矣！——逕用麻黃湯，下咽諸症悉鬆，二次而解。但口苦小便不利，如淋狀接踵而生，即以小柴胡投之，藥下而口不苦，藥味辛平，覺腹中溫暢，不如服麻黃之腹中全無感覺也。於此足證藥味表裏經性質之不同矣！是夜倍其劑服之，冀速效，不料總只藥下數分鐘之舒，即口苦腹滿依然，明日方午，又有惡寒意，有頃，突然腹湧上逆，咯喉辣咽，苦狀難名，旋即止，余知是瘧之復來，立即以達原飲主方急煎服，下咽而口中腹中均大快，卧後半晌，覺腹中轉動，漸而攪轉生痛，幸失氣於後，未嘗閉塞為患，又頃痛止，起立，胸中似痞塞，余立思此非瀉心湯所能為！可用在上者越之之意，且有說無痰不成瘧者，遂調一白凡皂辛末——服之，立吐白沫黃水升許，少停又吐，皆為黃色而苦極之汁，意為先服之藥汁與瘧所憑藉之物，皆相裹而出也！於是胸膈頓暢，而遂知煎就之驅瘧劑不必竟劑矣！——

夫余此次之用吐，乃信於皇漢醫學所敘述而欲確驗自身，若中國羣籍所載理法簡略，則不能確然起余之信心，故知採集醫籍，不能不詳且徵也！——當吐之時，覺純為白礬之酸澀所攪，而皂辛僅乃搜痰之輔品。吐後心胃極不安，煎元棗湯飲之，三日之內，吃飯兩次，皆覺梗喉壘胸，辣味入口，亦不任受。疑是胃管壁因吐而去其附着之体之故，定為糜粥自養三日例可也。——回想吐時之黃物，與服湯上逆咯喉辣胸之苦狀，倘用藥化解，不知費幾許力量，苦幾許腸胃，而瘧每易反復不盡，則以藥衰其勢，似稍愈，再過幾日，不盡之勢復集，偶因寒熱飲食，輒復誘發，以此纏綿不斷，或有勢向外潰，發為瘡疥，無非黃物之餘毒而已！——又想吐後之口不任辣，亦可知平時需要辣物之刺戟，其腸胃附着物又何似。一般之黃面肌瘦，貪饞受辣者，其腸胃中附着物又何似！當丹溪論倒倒倉法，本清理腸胃積病之意，余此次之吐，其為兼倒倉之義也夫！

植林醫廬筆記

江蘇姜堰 張澤霖

王右年二十餘，夏間患温邪，前醫守用辛散，病日增劇，且口中流涎不止，色純清淡，不數分鐘即有一碗，諸醫以為寒象，議施温補不效，家人惶懼，來邀余診，按脈細數，苔黃舌赤，小溲短澀，夜間躁擾不安，余謂諸醫曰，此病乃心經火甚所致，古人有熱極則廉泉開，須以大劑清涼，庶能保津泄熱，諸醫唯唯，爰處鮮生地大麥冬連翹花粉象貝沙參瓜蔞丹皮通草，葦莖蔗漿等……服後安眠四小時，翌晨複診，各恙均減，涎流亦稀，仍以前方出入，不三劑即愈，續擬育陰滋腎，調理一星期，恢復如常。

西橋鎮曹姓之女，年將及笄，素病肝旺，近因感冒風邪，身熱頭痛，惡寒無汗，脈浮苔白，服辛涼透解劑二帖，表症已愈，一日偶因惱怒，突然頭搖不止，餘無他苦，祇因搖極而引起嘔吐，按脈弦勁，苔淡微燥，知屬木火上升，肝風鴟張，擾動腦部神經，處方用石決明丙伍靈磁石八錢，牡蠣石斛茯神各五錢，淅菊鈎藤丹皮山梔白芍蒺藜各二錢，甘草一錢，燈心二分，金器一具，蔗漿一杯為引，服後至夜間，頭搖始漸止，繼照原方再進一劑而安。

以上內案，頗屬尠見，特從診餘筆中錄出，用備同道參攷。

驗方

公開一個戒毒丸方

姜耀楷林

藥品：松蘿茶　甘草各二錢　川椒　楊全花各三錢（舊衡）

服法：將上藥煎濃汁，癮大者一次服完，癮淺者分三次服，服後須臥。

服後現象：服後約三四小時，即昏糊似醉，口吐臭痰，大便排泄粘腥之物，視覺滿室發赤如焚，甚則手舞足蹈，欲往外奔，故事先宜雇多人看護，癮小者四五十分後，即清醒如常，不過倦急思睡耳，其癮深者，須五六十小時方能恢復。

服後注意：服後宜將窗戶閉固，勿令外風侵入，尤須防病者外出受風，否則必生變故。

說明：去歲政府明令嚴禁毒丸，犯者軍法從事，一般癮君子驚懼非常，群思戒絕苦乏效方，後由塩阜傳來此方，試用後頗徵奇驗，因此而獲脫離苦海者甚多，余得諸身試者口述，故樂而為之介紹，深願紅精同胞速一試之。

附註：楊全花產兩廣，洋貨店烟店皆有售，且能治哮喘病。

呃逆驗方

會一

呃逆一症不善治療往往變成大症，今得簡便方，遂服遂愈，已經驗多人，方用：廣木香，沉香，各五分共為細末，清水送下。

專著

痘疹書（三續）

張五雲

發熱論

人身一天地，天地一大人，身痘瘄之發，必薰蒸而始見，亦如天地之育物，必待春暖而生也。小兒患痘初熱神清氣爽，二便調和，出痘必順，熱勢燎人，精神昏憒，譫語不食，出痘必險，形如熱痱，角弓反張，嘔噦聲啞，十有九逆，又有發熱吐衄，點未見則驚搐，自汗者，此皆毒所射消都有疏通之義，俱不可驟止，見點後倘若不止，則當按經治之，痘必因熱而出。熱甚則痘出倍難，若不論其虛實，概以掣熱之藥大發之，必有潰爛紫黑之危，驟以寒凉之藥攻下之，難免毒伏冰反之患。見點後夫圓光壯兮起脹之形，鮮明紅潤兮行漿之色。要知小兒之傷風傷食之熱，驚熱痰熱久而不退，均足致痘，亦能遏痘不出，諸熱雖可以害痘，而痘之見點起脹行漿結靨，未有不借熱以成功者，前人有云：五穀不熱難秀結，痘瘡不熱難毒散，誠至論也！

發熱見點賦

痘本先天之毒火，較諸瘄毒而不同，瘄可解毒而愈，此則終化為膿，熱之發也，恒由於傳染，而點之見也，全賴乎薰蒸，類傷寒而迥异，與痲疹而殊形，元氣虧則皮薄，血遇火則深紅，欲識痘之元妙，先分始於何經，心則面赤而譫語，肝則眼潤而發驚，肺則噴嚏而咳嗽，脾則唇乾而嗜朧，獨腎經之發越，必先腰腿而疼痛，虛則溫補以逐毒，實則清涼而兼攻，隨熱隨出兮，燒熱未透，久熱不出兮，悶痘難生。一齊擁出兮，大熱難救，數次見標兮，調理有功，鮮明紅潤兮，有醫之色，夫圓光壯兮，起脹之形，紅紫乾枯兮，血爲毒鋼而不活，歪斜平塌兮，氣因毒鮮而難充。熱重則毒重，熱輕則毒輕，亦有熱甚而毒輕者，毒已盡發於外。熱微而毒更甚者，毒乃潛伏於中。痘雖稠密兮，大毒發透而何碍。即疏朗兮，曷毒深伏而終凶。毒火透越兮，痘必易出而易長，大毒鬱遏兮，痘則難出而難成。送毒於外兮，開門而逐盜，留毒於內兮，養虎於宮中。彼倘涼熱之輩，又烏能臨痘而變通也哉！

發熱見點詩

初熱何須太苦寒，萌芽不耐雪摧殘，寒涼過度毒冰伏，只恐將來欲出難。

根發其活，寬欲其起，脚欲其固，地欲其寬。

根窠脚地要先知，三五點連總不宜，初熱血先七孔出，岐黃妙術亦難醫。

下部多兮何必憂，胸前頭面看稀稠，通身攢聚全無縫，氣血焉能盡護周。

於点焦唇黑似煤，口中穢氣逼人來，舌上芒刺毒侵胃，急用清涼滌蕩開。

諸痘三朝色向紅，非常數粒即成膿，急宜挑破急攻下，徒事清涼難奏功。

空泡通身似火湯，瘡平肉腫現青傷，胸高喘急兼聲啞，邪熱殺人指日亡。

後補先涼自古傳，豈知虛實不能然，算來逐毒真神手，純用寒涼立意偏。

理痘原無一定方，虛實溫補熱宜涼，溫補血熱增邪火，虛弱清涼元氣傷。

毒火久燒自不宜，一朝擁出又堪悲，炎炎烈火奔騰猛，盤頂全無氣血難，

蚕班蝕迹盤針頭，蚕種黏連肌肉浮，熱沸一班難起發，病端蜂起一時休。

（未完）

火病（續三）

李藻

發熱稍緩頭熱面不盡熱，手心足心熱，手背足背不熱，精神困倦，二便利者，此陽虛發熱也。

氣虛而發頃熱者保元湯主之。

人參　黃芪　甘草

金鑑云元氣者太虛之氣也，內藏於腎，為先天之氣，即所謂生氣之原，腎間動氣者是也。生化於脾，為後天之氣，即所謂水入胃，其精氣行於脈中之營氣，其悍氣行於脈外之衛氣者是也。若夫先後合而言之，即大氣之積於胸中，司呼吸，通內外，周流一身，頃刻無間之宗氣者是也。總之諸氣隨所在而得名，實一元之氣也。參耆甘草為培養元氣之妙品，元氣充而頃熱除。

氣虛而困倦無力，口渴躁熱，參麥保元湯主之。

人參　黃耆　麥冬　五味　甘草

金鑑云：人參補氣，即所以補肺，麥冬清氣，即所以清肺，五味斂氣，即所以斂肺，一補一清，養氣之道備矣。又以黃耆益衛氣，甘草培中氣，氣不虛而諸證愈。

潰瘍氣血俱虛，或病後脾胃受傷，頭熱肉熱，寒熱往來，皆虛火也。

癰疽潰後，膿血過多，變為虛勞，又服涼藥過多，喘急吐血，飲食少進，脈弦大而七八至，面青而喘促，

臥難着席，自熱汗出，涎沫不收，黄耆建中湯一服而減。

十四

虛勞裏急，悸衄腹中痛，夜夢失精，四肢痠疼，手足煩熱，咽乾口燥，諸不足，黄芪建中湯主之。

甘草　飴糖　黄耆　芍藥　桂枝　生薑　大棗

土為萬物之母，甘飴薑棗以培中土之虛，取稼穡作甘之味建其中氣也。土虛而膽火上逆，芍藥以清之。土虛而肝木下鬱，桂枝以達之。木中之氣陽氣之根也，生氣之陷原於陽根之弱，又用黄芪以扶之，此陽虛火炎之佳方也。

虛勞火動，身熱自汗，人參建中湯主之。

中氣虛煩熱自汗，宜人參建中湯。

即前方去黄耆加人參

唐容川曰，人之真氣生於腎中，全賴水陰含之，出納於肺，又藉水津濡之，故腎中水陰足，則氣足，而呼吸細，肺中水津足，則氣足而喘息平，人參柔潤甘寒，補中宮之津液，上布於肺，下輸於腎，挽回元氣於幾微之際，洵非他物所能及也。

小兒表熱去後，又發熱者，宜六神散，此表裏俱虛，氣不歸原，而陽浮於外，所以再熱，非熱證也，宜加味四君子湯。

人參　茯苓　白朮　甘草　淮藥　扁豆　粳米　生薑

諸品培補後天，和其胃氣，俾陽歸內而身涼矣。

（待續）

據郵局消息，所有全國火車輪船到達各地郵局，定於本年四月一起，開辦輕便包裹事務，凡小件商貨，封面左端上角註明「輕包」字樣，重量不逾一公斤（二市斤）者，均可作為輕便包裹，或投入郵筒寄遞，或交由郵政局所按章核覽，賦快遞，此項輕便包裹，與信函一律迅速寄遞，並由郵差送至收件人寓所，郵費起碼每件二角，但重在四百公分以上者，每重一百公分，收國幣五分，即重一公斤之輕便包裹，收郵費國幣五角，其詳細辦法，可就近詢問郵政局所云。

醫界革命的先鋒・中西醫界的良友

新中醫學報 梅縣黃梓材醫師主編!! 廿三年七月一號創刊!!

中醫界欲研究西醫者——不可不讀

西醫界欲研究中醫者——不可不讀

欲知最新醫藥學說者——不可不讀

欲入本社專門醫學者——不可不讀

本報宗旨 博採世界醫學,融會古今學說,適應中外,革新中醫.

本報使命 提倡中國醫藥,化為世界醫學,嚴正討論辯駁,交換醫藥新知.

本報內容 本報由第三期起,先將本社各科講義繼續用專號印完,取其更合實用.

本報優點 材料豐富,學說新穎,中西合參,古今合編,適合科學,切合實用,選輯嚴密,印刷精美.

定價 每年四冊,國內及日本八角,香港及南洋一元二角,歐美各國二元,郵費在內,以毫洋為本位,中國郵票代價九五折計算,發行八折計算.

廣東梅縣五里亭梓材醫院內 **新中醫學社發行**

(附告)本社曾經中央國醫館核准立案,函索指導章程附郵票一分即寄

敬送吐血肺癆指南

鄙人患吐血肺癆十餘年,百醫無效,久病知醫,得愈於茲,將經驗所得編成指南,分送同病,諸君欲函索附郵五分,寄杭州將道山十號慧航居士即奉.

醫界消息

中西醫藥研究第二屆理事会紀要

四月九日下午五時,上海中西醫藥研究社開第二屆理事会於北四川路永豐坊六十五號該社,計出席理事丁福保、郭琦元、宋大仁、范天磬、沈磬凡、趙晴如、江晦明、劉國祥、唐錫齡九人,列席職員趙大川等多人,市黨部派王龍章君列席視察,開會秩序如下,(一)行禮如儀,(二)推舉郭琦元君為臨時主席,江晦鳴君記錄,(三)主席報告開會宗旨,(四)總務主任沈磬凡君報告最近工作,略謂本社收到各界名人贈送本社紀念特刊題詞、信共計一百三十九封,本社調查醫藥刊物得悉總數共計二百二十九種,其中已停刊者六十六種,現在仍舊出版者尚有一百五十三種,最早發行者為在光緒二十一年周雪樵王問樵兩先生所辦之醫學報,其次為宣統二年丁福保先生所辦之中西醫學報,以省分言,首推江蘇最多,其次浙江(五)討論(1)社名英譯案,議決用意譯,交學術部擬草,提交下屆理事会通過使用,(2)加入文化建設協會為團体会員案,議決通過(3)本社創办學術演講会案,議決着學術部計畫進行,(4)選印西書及翻印歷代醫方案,議決着學術部與出版部計畫办理(5)增設購書服務股案,議決通過(6)提早出版成立紀念刊案,議決着學術部與出版部办理(六)攝影(七)歡宴

投稿規則

一 來稿須用毛筆繕寫清楚並註明詳細地址
一 來稿優者刊登後酌給十元以下之現金或贈品但不滿一千字者該給贈品
一 來稿即不刊登者亦贈獎品以酬雅意
一 來稿無論刊登與否概不發還
一 凡抄寫或一稿屢投者請勿寄來
一 凡長期投稿者格外另有優待

注意 如有抄稿寄來除清酬全外並登報聲明

不准轉載

——歡迎代售利益優厚章程函索即寄——

中國醫藥雜誌 第二卷 第五期

主編者 趙恕風
發行者 趙恕風
發行所 山東沂水黃山舖街 中國醫藥研究社
印刷者 沂水隆盛泰石印局

定價 每月一冊另售大洋一角全年十二冊一元(國外寄費照加)優待全年訂戶八折實收若一次納費六元或介紹十人以上訂全年者認為永久訂戶永遠贈閱不取分文

中華民國二十四年五月十五日 初版

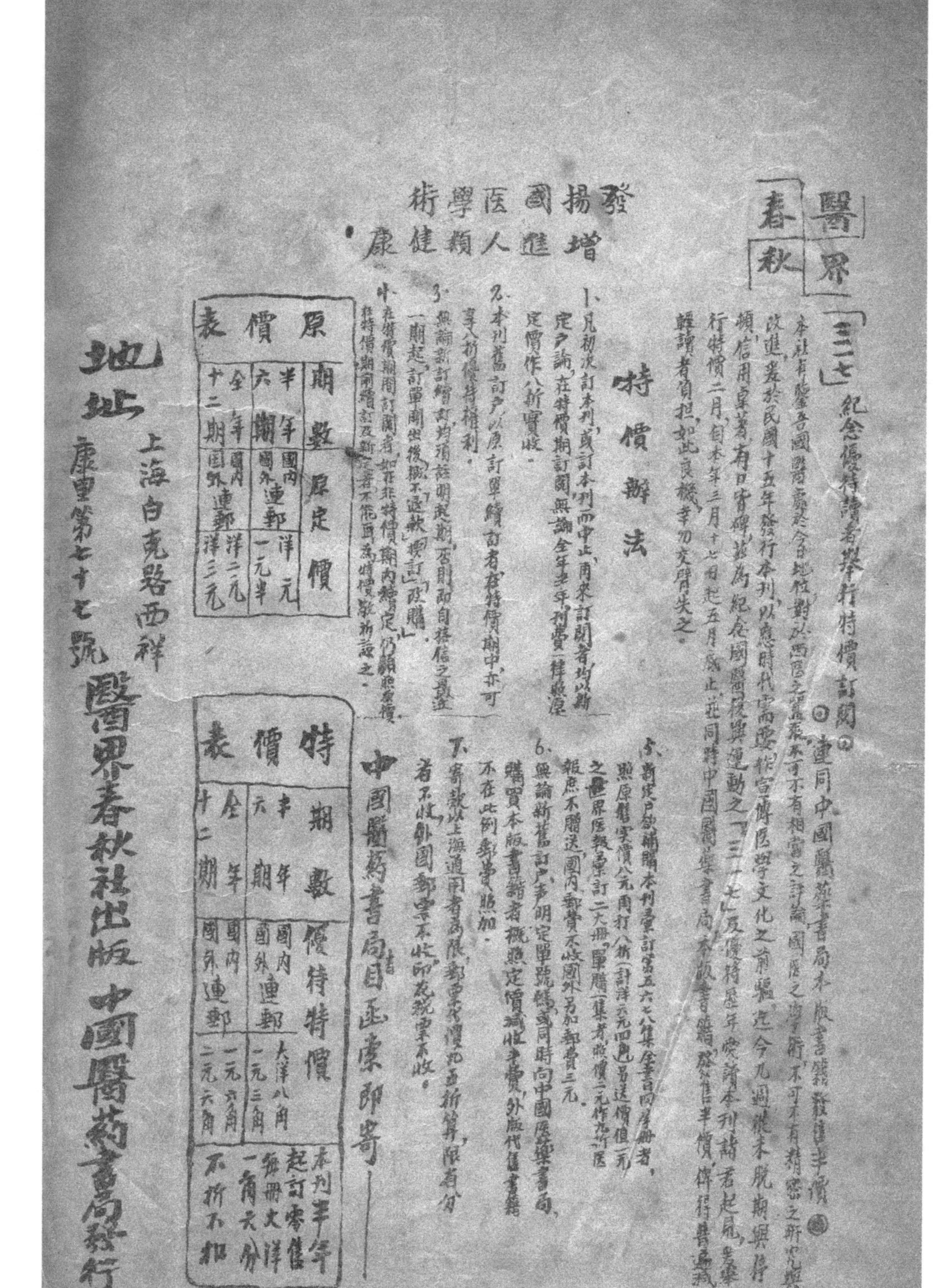

醫界春秋「三一七」紀念優待讀者舉行特價訂閱

⊙連同中國醫藥書局木版書籍發售半價⊙

本社有鑒吾國醫藥處於今日地位，對於西醫之猛進，不可不有相當之評論，國醫之學術，不可不有精密之研究與改進，爰於民國十五年發行本刊，以應時代之需要，於宣傳醫學文化之前驅，迄今九週，從未脫期，與得頌信用卓著，有口皆碑，茲為紀念國醫揚興運動之「三一七」及優待歷年愛讀本刊諸君起見，並舉行特價二月，自本年三月十七日起五月底止，並同時中國醫藥書局木版書籍發售半價，俾得普遍減輕讀者負担，如此良機，幸勿交臂失之。

發揚國医學術 增進人類健康

特價辦法

1、凡初次訂本刊，或訂本刊而中止，再來訂閱者，均以新定戶論，在特價期訂閱，無論全年半年，刊費一律照原定價作八折實收。

2、本刊舊訂戶以原訂單續訂者，在特價期中，亦可享八折優待權利。

3、無論新訂續訂，均須註明起期，否則即自接信之最近一期起，訂單開出後，概不退款換訂「改贈」。

4、在特價期間訂閱者，如在非特價期內續定，仍須照原價，在特價期前續訂及新定者，不能再為特價，敬祈諒之。

5、新定戶欲補購本刊第五六七八集全書四厚冊者，照原價實價八元，再打八折（計洋六元四角），另送價值一元之醫界医報彙訂二大冊（單購一集者，照價二元作九折），医報原不贈送，國內郵費不收，國外另加郵費三元。

6、無論新舊訂戶，聲明定單號碼，或同時向中國医藥書局購買本版書籍者，概照定價減收半費，外版代售書籍不在此例，郵費照加。

7、寄款以上海通用者為限，郵票代價九五折算，限角分者不收，外國郵票不收，印花稅票不收。

中國醫藥書局目錄函索即寄

原價表

期數	原定價
半年六期	國內 洋一元；國外連郵 一元半
全年十二期	國內 洋二元；國外連郵 洋三元

特價表

期數	優待特價
半年六期	國內 大洋八角；國外連郵 一元三角
全年十二期	國內 一元六角；國外連郵 二元六角

本刊半年起訂，零售每冊大洋一角六分，不折不扣

地址 上海白克路西祥康里第七十七號

醫界春秋社出版 中國醫藥書局發行

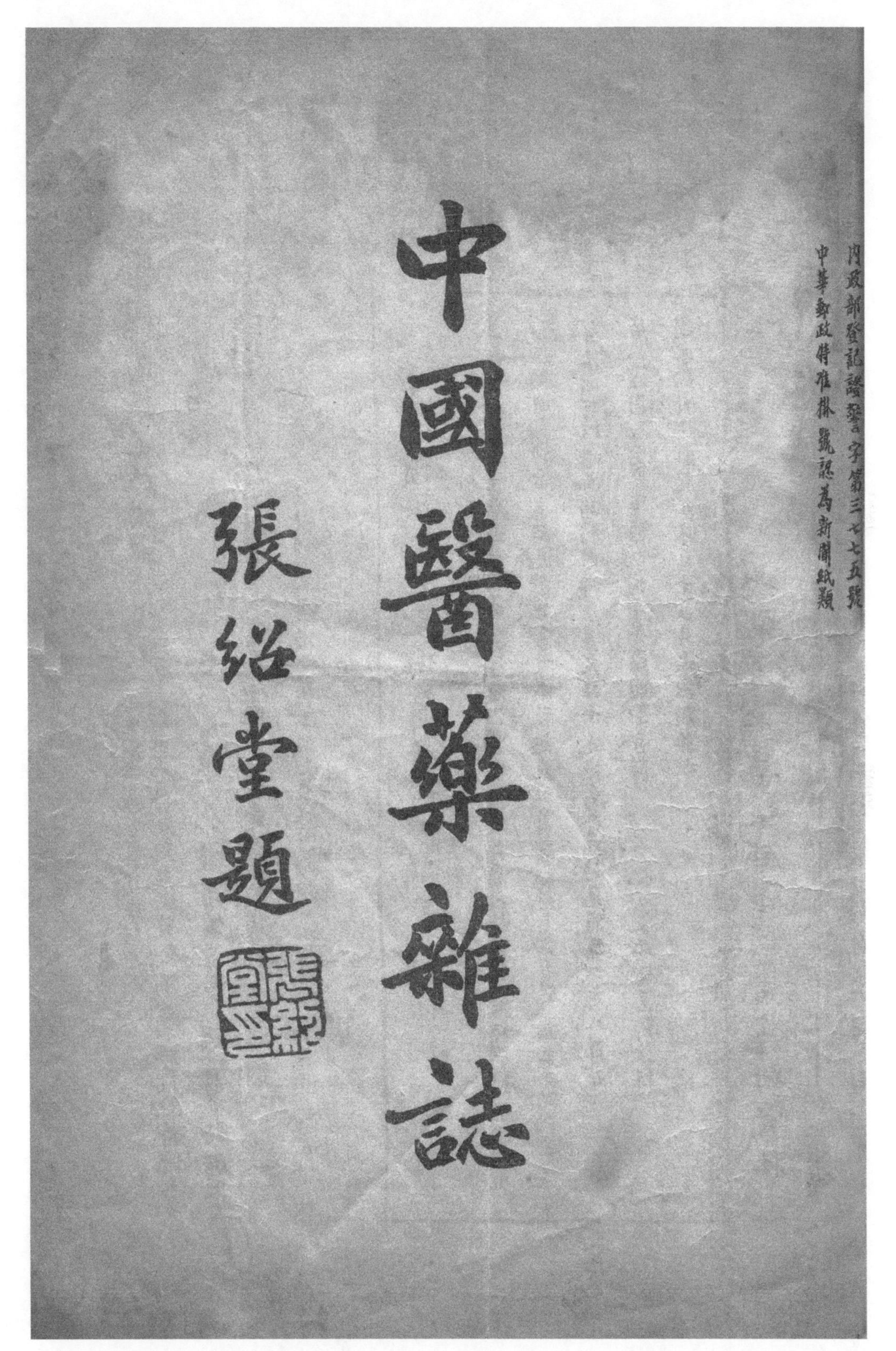
内政部登記證警字第三七七五號
中華郵政特准掛號認為新聞紙類
中國醫藥雜誌
張紹堂題

介紹壽山堂名藥

贈胃氣疼藥 五神丸治胃氣寒疼立即見效永不再發每打原價二元茲為供遠地試用起見附洋四角即贈一打准愈一病永不再發

贈兒科調養丹 此丹治小兒驚搐發熱嘔吐泄瀉咳嗽等症神效蠟殼收藏永遠不壞附木箱郵費一元即贈三盒每人至多以六盒為限多索每盒六角

贈蘇磨眼藥 治一切眼疾效驗如神每瓶只收洋一角（多照加）

贈麝香愈瘡散 治皮膚一切病症瘡疽疥癬均能相宜每包只收洋一角（多照加）

贈咳嗽藥 此藥治咳嗽如神即遠年宿病亦能除根附洋一角即贈二包（多照加）

贈衛生丹 治腹疼嘔吐泄瀉痢疾頭暈頭疼等症每包只收洋一角（多照加）

以上諸藥經本社試驗確有特效該堂為普及起見故僅收郵費及色紙等費廣為贈送以資試用但以見報一月內為限（以發信日郵局圖戳為憑）過期原價出售恕不通融

地址 山東沂水黄山舖街南首壽山堂郵售部

二

贈送

原價十元

中國醫藥學講義

全部廿四册

内容有藥物診斷内科外科婦科幼科等生理病理敘述明顯金匱方論實驗證明誠初學所必讀醫師所當備

著者　為本社主任趙恕風先生憑多年心得經驗而成專重實驗不尚空談各科完備切合實用多能發前人所未發

初學得之可以獨習成功醫師得之可以為臨診參考凡讀此書者本社認為社員發給社員證書讀講義如有未明可以通函詢問本社立即詳為答覆

每部原價大洋十元茲為普及起見贈送二月（本月十五日起七月十五日止）只收洋二元（郵票代洋須二元二角）

凡兼定中國醫藥雜誌全年者只收洋六角（郵票代洋六角六分）

注意

一

二

中國醫藥雜誌 第二卷 第六期

民國二十四年六月十五日初版

目錄

醫話（續二）

會一

昔人謂醫不叩門，蓋以醫之為道，須待人延請而後施治。若不待病家延請，而要求為人治療，不但有損人格，抑且不能得病者之信仰，而施治必感困難。今世庸醫，為擴張營業起見，竟有赴鄉村，親自包攬者，巧言媚人，竟類娼妓，亦可憐已！

高年醫士，經驗宏富，臨症自有把握，而無誤人之虞。然必行為謙遜，而無自滿之心者方可，否則愈老而殺人愈烈矣！

家業富有或貴顯之人，苟為人治病，即毫無把握，亦能獲得美名。否則縱神如緩和，亦終毀譽參半。有貴顯某，鄉人皆畏之仰之，為人治小便黃赤，竟用附子三錢，以致小便不通，大渴飲水，或以石膏等投之，杯水車薪，無濟於事，終致不救。然人或疑石膏之誤，竟不知附子之殺之也。

有屢次服藥不見效而病反亟者，或問既不效，曷改圖？曰是某醫所處之方也，焉有錯誤，服藥不輟，竟致喪生，死而不悟，殊可哀矣！

醫非小道，主張者不乏其人，誠以醫之為道，關人死生，非仁人君子，不足與議。奈今人視為利藪，仁醫殊罕，專以互相攻擊為事，此其所以終不免於小道歟！

（未完）

三

學說

論瘟疫之證治

陳一華

瘟疫之證、方書有來路兩條、去路五條之說、如春溫反寒、夏熱反涼、秋涼反熱、冬寒反溫、感受天時不正之氣、病入經絡、其症頭痛發熱、咳嗽頸腫、斯疫感之在天者也、有一人之病、染及一室、而至一鄉、及各地者、究其源則由於病人穢氣、互相傳染、邪入口鼻、其症胸膈飽悶、口吐黃涎、增寒壯熱、斯疫感之在人者也、所謂來路兩條者、此其在天之疫、由經絡入者、法當發汗以疎表、宜九味羌活湯、人參敗毒散、防風通聖散、俾邪仍從經絡而出、此發汗為去路也、其在人之疫、由口鼻入者、法當芳香以解穢、宜香薷飲、神术散、藿香正氣散、俾邪仍從口鼻而出、此解穢為去路也、復有口鼻經絡之邪、而傳經者、如傳於陽明、則見自汗大渴、大熱斑黃等症、法當清火散熱、輕則甘露飲、重則人參白虎湯、此以清火為去路也、若傳胃腑、則見譫語發狂、大便實、小便拒按等症、法當攻下去積、宜三一承氣湯、或內有實熱、外有實邪者、宜防風通聖散、此攻下為去路也、更有其人素弱、或病久變虛而患疫者、法當補養托邪、宜四君四物、補中益氣等湯、此補養托邪為去路也、所謂去路五條者、此可謂詳且備矣、若夫臭氣觸人、輕則盈於牀帳、重則蒸薰一室、且專作屍氣、不作腐氣者、此瘟疫之氣息也、面多繃急而光澤、色多鬆緩垢晦、或如油膩、如烟薰、望之可憎者、此瘟疫之望色也、舌上白胎、厚而不滑、色兼淡黃、粗如積粉者、此瘟疫之察舌也、神清異常、不知所苦、如癡如醉、擾亂驚悸、夢寐不安、閉目有所見者、此瘟疫之神昏也、模糊不清、沉遲不浮、或兼弦兼大而數無力者、此瘟疫之脉象也、至若治疫之道、首推發汗、書云、有汗則生、無汗則死、當其邪在肌表、發熱無汗、頭項強痛之症作、非汗則邪無出路、念祖所謂六法備、汗為尤者此也、然亦有當表邪兼裏而現舌黃譫語、多言煩燥等症者、法當下之、若淡胎黃微渴、大便閉、小便黃赤、潮熱、齒燥者、下之宜緩、發熱汗多、鼻如烟煤、舌生芒刺、胸腹滿痛、及沉昏如狂者、下之宜急、復有熱在營衛、熱在胸膈、熱在腸胃、法當清之者、表裏虛實寒熱相兼、法當和之者、氣血兩虛、陰陽並竭、法當補之者、此皆不可廢者也、夫瘟疫一病、論者最多、張仲景附之傷寒、鄭奠一著瘟疫明辨、劉河間詳於宣明五氣論、素問補遺有五疫之辨、而吳又可則貫古今、融以心得、著時行瘟疫一論、書中達原飲一方、治瘟疫初起、先則增寒而後發熱、繼則發熱而不惡寒、日晡更甚、脉不浮不沉而數者、方中用檳榔除瘴氣、厚朴除戾氣、草果除伏邪、知母滋陰、白芍和血、黃芩清燥、甘草和中、可直達巢穴、速離膜原、而念祖直訴其非、謂苦燥爍陰、服之先涸汗源、不能作汗而解、然今人服之多效者何也、蓋念祖多執偏見、每落筆輒謾罵、尤以景岳為最、嘗著景岳新方砭、又常於時方歌括方論中、謂須將薛立齋、張景岳、李士材、李時珍等書焚去、方可與言醫道、噫吁、何其甚矣、蓋人非堯舜、誰能盡善、凡成一書、各有發明、斷非略有不是、則任譏罵、世之覽者以為然乎、

咳嗽論治　　陳興周

夫咳嗽者、乃肺臟抵抗病邪侵襲之表徵耳、善治咳嗽者、不必斤斤止其咳嗽、而治其致咳嗽之因、則咳嗽自止焉、何謂治其致咳嗽之因、即辨其為寒熱虛實外因內因而已、蓋以咳嗽之屬於寒也、則當溫肺固衛、屬熱則當降火清痰、屬虛則當補脾斂肺、屬實則當利膈化痰、其由外因而致咳嗽者、則宜分別

六淫之邪以治之。感風者、辛平以解之。感寒者辛溫以散之。感暑者、辛涼以除之。感濕者、苦降淡滲之。感燥者、甘涼清潤之。感火者、甘寒苦辛瀉之。至於由內因而致咳嗽者、則宜詳細其病源何在、以為治法之標準。如因肝胆氣升、犯肺者宜泄木降逆。土虛不生金者胃宜用甘涼、脾宜用甘溫。腎陰虛火炎金燥者、宜滋液填精。腎陽虛水泛為痰者、宜納氣歸腎。勞心動火者、宜養心血。以上所述、乃治咳嗽犖犖大端。如能變而通之、則治咳嗽之道、思過半矣。經謂五藏六府皆令人咳、非獨肺也、其言可深長思焉。

筆記

治驗筆記四則

陳君達

腹痛

李芝芳去夏方飲食後、忽腹中絞痛、自謂著暑、調天水散一服不效、又疑停食、進山查麥芽等、其病更甚、發厥昏暈、無有休歇、中脘硬痛、手不可近、而眼露白、舌縮囁語、狀若神靈、延醫治之、或云大實、而用枳朴、又云積暑、而用芩連、諸藥雜投、病勢益劇、當事者疑懼無措、復邀愚往視、審核脈證、惟斷為虛症、力主大補之劑、蓋向日之脈弦洪兼數、且右手更旺、今已轉為遲、右手尤覺無根、應悉脈舍證、急煎附子理中湯、加陳皮半夏與服、果一劑而痛緩暈定、數劑霍然、

血臌

今春二月上浣、有衛姓婦、年三十二、自去冬產後、早服參芪、致惡露不快、兼因過於恚怒、變為臌脹青

筋環腹神闕突出、延余商治、左脈弦動、重按則濇、右手洪滑、此下焦積瘀怒氣傷肝以致是也、夫蓄血之候、小腹必硬、而手按之畏痛、且水道清長、脾虛之症、大腹柔軟、而重按不痛、必水道濇滯、以此辨之、則屬虛屬實判然明矣、愚告曰、是症爲積瘀不行無疑也、前治背脈理模糊、葯石混投、所以益增脹痛、擬方用當歸尾、赤芍、香附、青皮、澤蘭、製川朴、炒枳實、炒延胡、肉桂等、以生姜爲引、間服椒仁丸、日服一次、重一錢、用陳皮紅花湯下、數日後、脹去病瘳、

濕火

友人徐君、每至午後、無端見鬼、恐懼、昏沉、夜半發熱、黎明始醒、諸醫用安神養血之葯、継投導痰順氣之品、均無一效、乞愚診治、按兩手脈象現滑數、此因沉湎於酒、酒能生濕、濕能生火、火濕相合、則成痰、痰迷心竅、則見鬼、擬以廣橘紅、川貝母、南花粉、葛花、黄芩、麥冬、生枳椇子、山梔、竹茹、天池茶、二服而神清鬼沒、四劑而平復如初、

嘔血

金祥樓平素體弱、因年來憂鬱、忽然嘔血、自早至暮廿有餘碗、兩目緊閉、四肢冰冷、頭汗如珠、湯葯入喉、隨即吐出、舉家驚惶、迎愚診視、病勢雖危、脈幸未散、喘促有綫、一綫生機、尚可挽回、若以血葯投治、則無及矣、蓋初則血隨氣上、今則氣隨血脫、語云、有形之血、不能速生、幾微之氣、在所急固、今脈氣虛微、天真衰敗也、汗出不收、衛氣失散也、四肢冰冷、清陽不能旁達也、兩目緊閉、元氣不能上貫也、葯入即吐、斷以血者、乃嘔傷胃脘、守營之血不藏也、如再用湯葯、恐動其血、宜設計以取之、遂用老別直參一兩、白芨四

八

錢、均為細末、米飲調丸、如櫻桃大、噙化、自黄昏至一更、約用一半、湯飲乃通、血亦不吐、至明日、神思稍清、脉氣未靜、似芤似革、參伍不調、全無胃氣、盡屬血亡於中、氣散於外之象、乃速煎大劑參附、以收失散之元陽、八日間、計服党參二斤、附子五枚、而元氣頓充、脉始收歛、至今胃氣強健如常、若此時稍有疑慮、徒用輕淺之劑、焉能挽正氣於何有之鄉耶、

威靈仙治二便不通之經過

徐衍煦

上年臘月、煦返里度歲、有鄭村戴姓一女、年近二旬、身體素弱、患瘰癧症、因誤服他藥、以致二便不通、延醫調治、毫無涓瀝、服藥數劑、病輕轉加劇、晝夜呼號、令人悲慘、危險迫於目前、家人恐慌無措、延煦診治、既至、視病者周身已腫、愁眉蹙額、輾轉床上、聲達戶外、問其二便不通幾日、其言已八日矣、遂診其脉、沉滑有力、是以口渴咽乾、知是其從前素有痰熱、因誤服他藥、致受斯症、遂即取針刺其陰谷、大陵、三陰交、陰陵泉、氣海、水道、大敦諸穴、分毫無效、煦束手無策、躊躇再三、忽悟用利便之藥、可以通下、當即疏方用威靈仙三錢、鮮茅根二兩、並取長流水一瓶、以之煎藥、三四沸、令病者服之、適一時許、二便安然通下、毫無痛苦、按此百藥罔效之危症、只投此劑、二便通下、真令聞者生疑、按威靈仙之性溫、具走竄之力、味苦微甘、化三焦之凝滯、以達膀胱、即化膀胱之凝滯、以達溺管、且善入大腸、以化大腸之滯、通利大便也、茅根形象中空、頗相葦根、故用鮮者、取其汁稠厚、則其性微涼、其味甘、而且淡、為其涼、故能去實火、為其甘、故能清虛熱、為其淡也、故能利二便、且其根不但中空、周遭月上有十二小孔、用顯微鏡細察、可辨、象人身之十經也、故又能通臟腑、暢達經絡、兼治外感之熱、而利周身之水也、用長流水者、取其走而不守之

義、故用之治此、其理同也、本草謂利二便、須用長流水、故取此義也、

驗方

植林醫廬驗方 蔣園

鼻衄 鮮生地搗飲之並以其渣塞鼻竅 白茅根煮汁頻頻飲之 梔子燒炭存性調服 蘿蔔自然汁牛膝搗汁和無灰酒飲之

舌腫 生蒲黄研極細末摻之 萆麻子油蘸紙燃燒薰舌

骨鯁 新鮮橄欖汁飲之即化 貫衆煎湯飲之即時吐出

腫脹 用田螺大蒜車前共搗為餅貼於臍上

鼻淵 以黄魚頭骨火煅研末吹入鼻中

偏頭痛 生萊菔汁注入鼻中左痛注右右痛注左

汗斑 輕粉研極細末谷樹汁調勻用生薑蘸藥擦

白帶 烏鰂骨龜版鱉甲煎湯頻服

痰喘 參鬚胡桃肉煎服 款冬花銀杏肉煎服

心腹熱痛驗方 會一

心腹疼痛、多由於寒、兼亦有熱者、心胃必疎、用左方服之即愈、

九

梔子二錢　川楝子二錢　滑石三錢　白芍三錢　砂仁二錢　玄胡索二錢　廣木香一錢

甘草一錢

專著

張丘雲痘疹書（續四）　張丘雲

起脹行漿賦

蓋聞小兒之患痘也。膿成則毒解。毒化則安康。氣滯血凝兮。毒錮而難化。氣薄血附兮。毒化而成漿。風寒外束兮。毒難透發。飲食內消兮。毒易發揚。有色而無形兮。終歸於散漫。有形而無色兮。徒設乎空囊。結實高聳兮。毒解乎氣分。紅腫歸附兮。毒化於血鄉。氣血兩虛兮。急於溫補。毒火猛烈兮。速於清涼。氣血不振兮。決無熾熱之態。度火毒燎人兮。寧有潤澤之形。彰氣虛而起脹兮。痒塌早慮。血熱而漿行兮。火爍須防。密得充肥而可喜。疏多內症而堪慌。氣滯而難領毒兮。氣為毒困。血淤而難載毒兮。血遭毒殃。元氣充足兮。撓無塌陷之患。血分融和兮。斷無毒火之傷。血熱氣虛兮。補氣涼血而毒化。氣滯血凝兮。活血調氣而可漿。漿之將行也。紅變為白。膿之將成也。白化為黃。其足也。彷彿葡萄之含綠。將靨也。依稀蜂臘之老蒼。盤紅兮胭脂之可愛。頂白兮珍珠之輝煌。適時變化而無定。死生立判為神奇。此乃一身氣血之適周。天施地生而成漿者也。

餘毒癰瘍論

膿足毒化者生、無膿毒伏者死、行漿不足者必生癰癤、然癰癤之發、發於漿前者恒少、發於漿後者恒多、發於皮薄漿清者有之、發於膿漿飽滿者無之、發於痂薄落速者有之、發於痂厚落遲者未之有也、每見時師治痘、不能逐毒於外、而反留毒於中、令毒內攻、若不發為癰癤、有不殘害其五臟者乎、因知痂後瘡癤、正膿成毒化之吉兆也、須當按經解之、從解無功、詩曰、

痘瘡最忌是漿清、臟內毒留有病成、癰癤發來何用懼、分明絕處又逢生、

結靨餘毒賦

原夫痘之初發也、如春花之新放、痘之將靨也、似落花之將殘、手足而當靨後、面部而宜收先、靨後無神兮、元氣之盡脫、漿收微熱兮、餘毒之燒盤、膿已足而不靨、清解莫緩、膿未足而倒靨、參芪速煎、痂落淡白者、補氣養榮而自愈、疤色紫黑者、清涼解毒而可安、痂皮不脫、不食悶亂者必死、痂落如麩、餘毒尚在而熬煎、結後色無白梅之落地、靨來紅腫烈火之燒天、莫言收靨而可喜、變症百出而多端、走馬牙甘兮、毒留於胃、目生雲翳兮、毒遺於肝、晝夜昏睡兮、脾經遭困、咳嗽嘈嘈兮、肺經之派連、靨之太遲、濱爛而不結、靨之太驟、毒火之燒乾、膿初成而臭兮、卻為凶兆、痘將靨而臭兮、乃作吉看、漿未起而肉腫、痘毒之橫逆、膿未滿而目閉、太脫乎真元、毒歸乎大腸、忽下鮮血而可懼、毒入乎肺經、靨後音啞而難言、瘢亦作痒兮、血虛而有熱、痂落作痛兮、餘毒之纏綿、因知癰癤之發於後、皆因膿未足於前也、詩曰、

春夏秋冬痘變遷、人身天地一般般、秋花不比春花老、莫把秋花一樣看、

結靨餘毒詩

十一

十二

莫言收靨已成功、惟恐毒留臟腑中、養虎害人遺大患、豈知來路一場空、

靨來堅硬善痕高、不疾不徐毒自消、說向醫家真妙訣、好留餘熱把盤燒、

莫把虛花認作漿、落落清水是空囊、氣難血散毒猶伏、靨後依然邪勢張、

氣難血散不成漿、應是兼蒸氣血傷、陽亢陰虛難結靨、觀形察色要精詳、

結實從高漸落痂、盤紅色似淡紅霞、腹滿毒解渾無事、飲食如常始可誇、

痘少毒輕眼不封、瘡平肉腫告來凶、漿水行未足先關脹、虧損真元反內攻、

眼中生瘡皆無端、護目先吹移痘丹、雲翳遮睛淚似雨、養榮清毒急平肝、

痂落如麩見黑痕、豈知臟內毒猶存、將來靨後邪侵胃、腹脹嘔噦神氣昏、

痘後生癰清補良、寒涼過度未成漿、毒留臟內終為患、半補真元半理瘡、

痂脫盤痕白似霜、須知氣血已先傷、時師若不急清補、祇恐嬰兒依舊亡、（未完）

火病（續四）

李蔭

脾胃虛弱、飲食少思、欬嗽喘促、虛火時炎、六君子湯加炮薑主之、

人參　茯苓　白朮　甘草　半夏　陳皮　炮薑

脾胃虛弱、飲食少思、以四君子補之、欬嗽喘促、以夏陳降之、虛火時炎、以炮薑引浮陽歸根、

脈極大而無力者、須防陽氣浮散於外、

大虛之證、內真不足、外似有餘、脈浮大而濇、面赤、火炎、頭眩、煩燥、此為出汗暈脫之機、更有精神浮散、

徹皮不寐、其禍尤速、人參養榮湯主之、

人參　黃耆　甘草　白朮　大棗　當歸　地黃　茯苓　陳皮　肉桂
遠志　五味　芍藥　生薑

參耆甘朮大棗補中焦之氣、當歸地黃滋中焦之汁、中焦氣停、則水不化、故以薑苓行水、中焦氣滯、則汁不生、故以理氣用陳皮、中焦受氣取汁、變化而赤、是爲血、故以肉桂遠志啟導心火、助其化赤、五味芍藥斂養血液、使營行脉中、而不外散、此益氣生血之方、氣血足而虛火清、諸證平、補中者開血之源也、導心者化血之功也、斂脉者成血用也、悟得此旨、而益氣生血之法、左右逢源矣、

男子婦人諸虛不足、五勞七傷、不進飲食、久病虛損、時發潮熱、氣攻骨脊、拘急疼痛、夜夢遺精、面色萎黃、脚膝無力、十全大補湯主之、

真陰内竭、虛陽外彰、諸證蜂起、十全大補湯主之、

人參　茯苓　白朮　甘草　黃耆　地黃　芍藥　當歸　川芎　肉桂

四君黃耆以補氣、四物以調血、又得肉桂化氣溫血、而諸藥皆靈動矣、用治虛損火浮、最爲妥切、

右第一章、或勞苦氣乏、或中土虛弱、或氣血不足、以致虛火上炎、惟甘溫除其大熱、所謂虛火可補、參耆之屬、指此陽虛之火而言也、

肝氣上行則下、順行則鬱、鬱則火動、而諸病生焉、發於上、則頭眩耳鳴、發於中、則胸滿脇痛、吞酸、發於

十三

下則少腹疼痛成淋溺不利、發於外則寒熱往來、似瘧非瘧、

膽木逆衝、相火不歸、則在上之熱生、肝木內遏、溫氣不揚、則在下之熱作、

肝家血虛火旺、頭痛目眩、頰赤口苦、倦怠煩渴、抑鬱不樂、兩脇痛、寒熱時發、少腹重墜、婦人經水不調、脈弦大而虛、逍遙散主之、

肝有鬱火、胸脇刺痛、頭眩心悸、頰赤口苦、寒熱盜汗、少食嗜臥、逍遙散主之、若火甚而血不和者、加丹皮山梔、清其心包火、

白朮 甘草 茯苓 當歸 白芍 柴胡 薄荷 生薑

木鬱因於土濕、朮甘苓培土泄濕、木鬱而血必燥、當歸芍藥養血潤燥、木之為性、鬱則上升、柴胡薄荷生薑舒散以遂其性、故曰逍遙、

往來寒熱、胸脇苦滿、嘿嘿不欲飲食、心煩喜嘔、口苦耳聾、脈弦數者、小柴胡湯主之、

血室者肝所司也、衝脈起於血室、故屬於肝、治肝即是治衝、血室在男子為丹田、在女子為胞宮、其根繫於右腎、腎中真陽寄於胞中、為生氣之根、乃陰中之陽、肝木得之發育條達、是為相火、其火如不歸根則為龍雷之火、

衝氣挾肝經相火上乘肺金、其證目眩口苦、喘欬數十聲不止、致牽少腹作痛、發熱頰赤、小柴胡加龍骨牡蠣五味丹皮骨皮青皮

相火上炎 小柴胡加龍牡蠣

（未完）

中醫改進研究會懸獎徵文

徵文緣起

本會自民國八年創設以來為鼓勵學者研究起見規定每星期徵文一次因時間短促應徵者寥寥本市同道而各地醫界名流雖有鴻文傑構終以時間所限率多埋沒本會鑒於此種辦法殊多缺點特自民國二十四年二月份起延長徵文期限擴大徵文範圍凡我各地同志其各不吝珠玉發抒高見則集腋成裘眾擎易舉改進中醫實利賴之

獎勵辦法

來稿如經錄取即按內容之優劣分別予以下列之獎勵

甲五元　乙三元　丙一元　丁五角　戊獎本會雜誌一冊

同時作數題者照此類推

應徵須知

一，每次徵文自公布之日起限五十天以內完全交卷過期無效（外埠稿件以郵局戳記為憑　二，來稿文言語體均可但須用毛筆楷書自加句讀　三，來稿如經錄取概於下期徵文時刊登本會雜誌一律發表　四，來稿如經錄取版權即歸本會應徵人不得干涉　五，來稿本會有刪改權無論錄取與否原稿概不退還　六，來稿如係抄襲一經查覺概不給獎　七，應徵者須注明姓名住址及匯兌處以便通信　八，來稿寄山西太原市新民中正街中醫改進研究會

十五

徵文辦法 本會此次規定每兩月徵文一次由本會理事會担任命題及閱卷事務每次徵文題目共計八則完全刊發本會雜誌徵文專欄由應徵者任意選作毫不限制

地址・・山西太原市新民中正街中醫改進研究會

江蘇醫藥界・・異軍突起

常熟國醫雜誌——國醫士趙子剛先生主編

醫界訂閱・・・・如得良友互相切磋

家庭訂閱・・・・如聘常年醫藥顧問

黨國名流・・・題詞 闡揚醫藥真理

醫界聞人・・・撰稿 保障民族健康

內容充實 立論純正 著述豐富 學說精詳

定價・・・每季一冊零售大洋二角全年大洋六角郵費在內試閱附郵一角即寄

社址・・・・江蘇常熟小河下二十二號常熟國醫雜誌社

社長趙子琴啟

投稿規則

一 來稿須用毛筆繕寫清初並註明詳細地址

一 來稿優者刊登後酌給十元以下之現金或贈品但不滿一千字者祇給贈品

一 來稿即不刊登者亦贈獎品以酬雅意

一 來稿無論刊登與否概不發還

一 凡抄寫或一稿屡投者請勿寄來

一 凡長期投稿者格外另有優待

注意 如有抄稿寄來除取銷酬金外並登報聲明

不准轉載

—歡迎代售利益優厚章程函索即寄—

中國醫藥雜誌 第二卷第六期

主編者 趙恕風

發行者 趙恕風

發行所 山東沂水黃山舖街 中國醫藥研究社

印刷者 沂水隆盛泰印刷局

定價 每月一冊另售大洋一角全年十二冊一元（國外寄費照加）優待全年訂户八折實收若一次納費六元或介紹十人以上訂全年者認為永久訂户永遠贈閱不取分文

中華民國二十四年六月十五日 初版

中國醫藥書局……廉價書目表

本局為宣傳國醫文化 普及醫學知識 便利讀者研究 減輕負担起見 特提出重要醫書數種 發售特價 並優待「醫界春秋」讀者 本版書籍減收半價

本版書籍減收半價

書名	編著者	冊數	原定價	減收半價	內容提要
中國歷代醫學史略	張贊臣	一冊	六角	三角	內容敘述分縱橫二大綱 醫事之沿革學說的變遷 引徵書籍 分析詳明
中國診斷學綱要	張贊臣	一冊	一元	五角	本書分望聞問切四大綱 闡發[illegible]因 切脈辨苔 診斷為內
春溫伏暑合刊	宋愛人	一冊	八角	四角	本書敘述證狀 分初病變病兩外 又辨別證之輕重 治之得失 重要直書無所隱諱
咽喉病新鏡	張贊臣	一冊	伍角	二角五分	內容分生理總論 預防法 治療 以及老鋼 吹藥救藥驗方 制方等等
血證與肺癆全書	張騰蛟	一冊	八角	四角	內容分吐血 咳血 唾血 嘔血 及肺癆見血所 肺癆 肺癰 癆蟲 貧血等症之原因 症狀 治療 預防 衛生 休養 諸項
中國痳痘學	朱壽朋	一冊	六角	三角	內容分痳痘為上下二編 有中西對照之名稱 及原因 症候 預防 治療 簡便方 附錄等等
天痘與牛痘	黃渭卿	一冊	二角	一角	內容對天痘與牛痘之歷史原因 病因 預防 症狀 診斷治療等等
方藥考論類編	張贊臣	一冊	六角	三角	本書分方劑之評論 藥物之考正 為二大類 全書一百二十餘面 四萬餘言
青年男女衛生指南	張贊臣	一冊	一元	五角	指導青年男女良善之攝生 及病後之自療 全書分上下兩卷
廢止中醫案抗爭經過	張贊臣	一冊	三角	一角五分	

書名	編著者	冊數	原價	特價
混合外科學總論	余無言	一冊	原價一元八角	特價一元
和漢醫學真髓	沈石頑譯	一冊	原價三元	特價一元八角
和漢醫學實驗集	張仲任譯	一冊	原價四元	特價二元四角
梅氏驗方新編	梅啟照	七冊	原價三元二角	特價二元
中醫基礎學	葉勁秋	一冊	原價六角	特價四角二分
如皋醫報彙選	陳棠棠	一冊		實價洋一元四角
最新婦科學全書	蔡百星	一冊	原價一元二角	特價一元
成方便讀	張秉成	二冊	原價六角	特價四角八分
中國生理學補正	徐相任	一冊		實價洋八角
在醫言醫	徐相任	一冊	原價一元	特價八角
腦膜炎自療集	嚴蒼山	一冊		實價洋八角
皇漢醫學	劉泗橋譯	二冊	原價十元	特價八元

以上各書外埠郵購，寄費照價加一。國外加五。有餘退還。不足請補。郵票代價。九五折算。

總發行所 上海白克路西祥康里第七十七號 中國醫藥書局

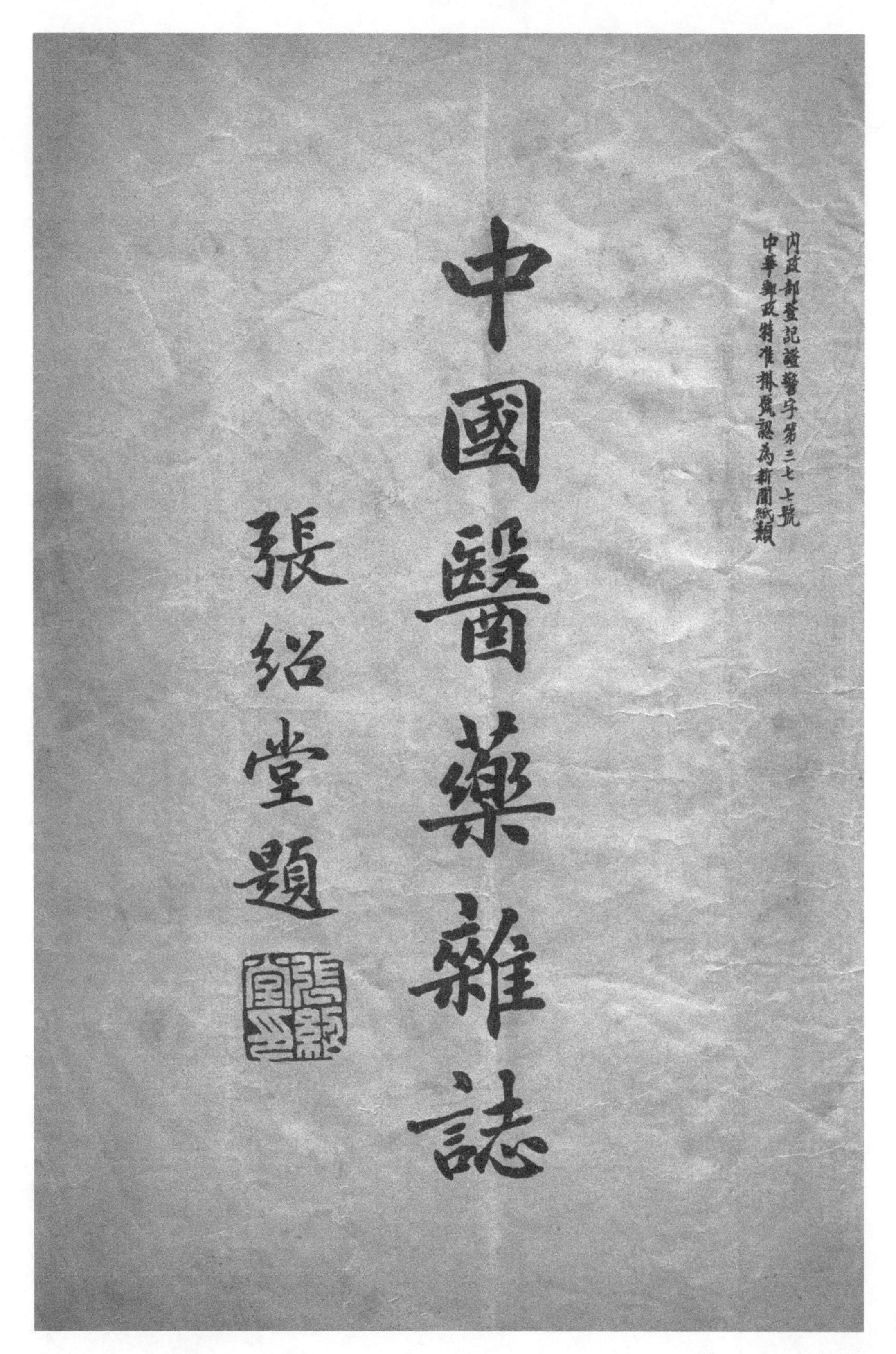

內政部登記證警字第三七七號
中華郵政特准掛號認為新聞紙類
中國醫藥雜誌
張紹堂題

介紹壽山堂名藥

贈胃氣疼藥 五神丸治胃氣寒疼立即見效永不再發，每打原價二元茲為供遠地試用起見附洋四角即贈一打准愈一病永不再發

贈兒科調養丹 此丹治小兒驚搐發熱嘔吐泄瀉咳嗽等症神效蠟殼收藏永遠不壞附木箱郵費一元即贈三盒每人至多以六盒為限多索每盒六角

贈蘇麝眼藥 治一切眼疾效驗如神每瓶只收洋一角（多照加）

贈麝香愈瘡散 治皮膚一切病症癰疽瘡瘍均能相宜每包只收洋一角（多照加）

贈咳嗽藥 此藥治咳嗽如神即遠年宿病亦能除根附洋一角即贈二包（多照加）

贈衛生丹 治腹疼嘔吐泄瀉痢疾頭暈頭疼等症每二包只收洋一角（多照加）

以上諸藥經本社試驗確有特效該堂為普及起見故僅收郵費及包紮等費廣為贈送以資試用但以見報一月內為限（以發信日郵局圖戳為憑）過期原價出售恕不通融

地址　山東沂水黃鋪街南首壽山堂郵售部

贈送

原價十元之

中國醫藥學講義

全部二十四冊

內容有藥物診斷內科外科婦科幼科等生理病理敘述明顯金匱方論實驗證明誠初學所必讀醫師所當備.

著者為本社主任趙恕風先生憑多年心得經驗而成專重實驗不尚空談各科完備切合實用多能發人前所未發.

初學得之可以獨習成功醫師得之可以為臨診參考凡讀此書者本社認為社員發給社員證書讀本講義如有未明可以通函詢問本社立為詳細解答.

每部原價大洋十元茲為普及起見贈送二月只收洋二元(郵票代洋須二元二角)

注意 凡兼定中國醫藥雜誌全年者只收洋六角(郵票代洋六角六分)

一

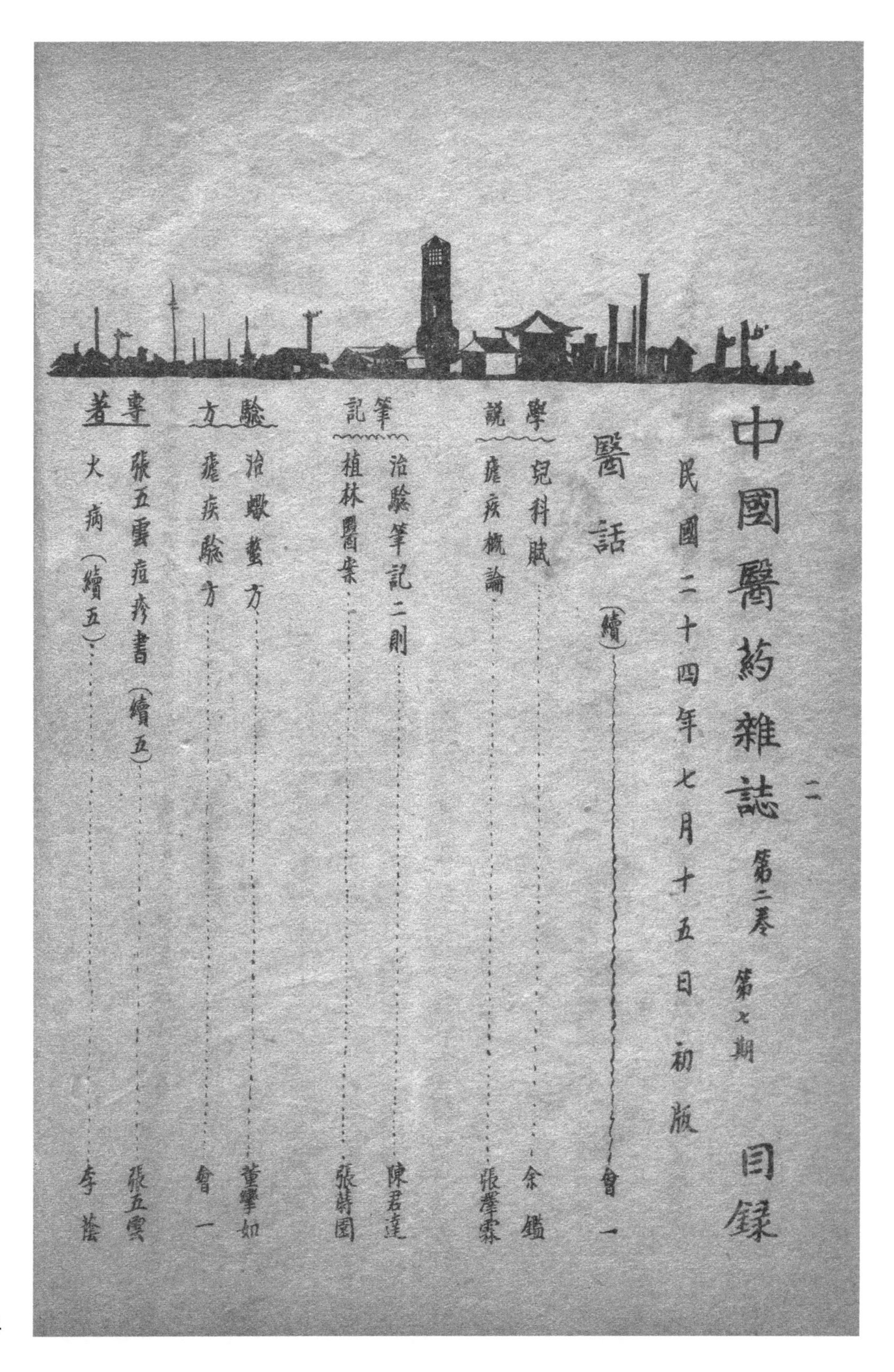

中國醫藥雜誌 第二卷 第七期 目録

民國二十四年七月十五日初版

二

醫話

含一

方以秘而見重，藥以貴而見珍，秘方貴藥非必確有益於病人也，好奇心使之然耳。愚夫愚婦獲一尋常之方，視同珍寶，遂以為奇貨可居，秘不告人，以之為人治病，往往求者甚多，即治而不愈，亦不怨藥之殺人，可憫也夫！

有以治婦科為常業者，遠近求者極多，嘗為某人治虛寒經遲未終劑而不起，盡劑而殁，病家以為不治之症，固不怨醫者之誤之也。後該醫以方傳其子，適子婦有疾，照方服藥，血崩不止而亡，始悟方藥之未能盡善，而以配合之藥示人，蓋即金匱下瘀血湯也。

猛烈之藥收效速，誤服傷人亦速，此固人之所盡知，鄉村之人每以藥之不能速效，怨醫生之不良，醫生為迎合病家起見，猛藥亂投，枉死無算。

或以大黃牽牛合為丸而稱牛黃丸者，以治小兒急驚喘急等症，當然效力極大，名遂大馳，富人某中風痰購牛黃數分服無效，以為牛黃之不真也，購牛黃丸服之而愈，後聞其為牽牛大黃所造，並無牛黃，疑心頓生，症遂復發。

有瘋人某，愚而詐，自稱修道之士，以之惑人，除堪輿外並謂精醫術，先密探病人之情狀，偽稱不知，診斷後不須病者開口，每多言而有中。（堪輿惑人之法亦然）受其惑者竟有其人，殊可笑已。

醫為仁術，業此道者必具有仁心，若輩行詐之人往往求其診而故為遷延，不求其診而自稱真能。

三

以便探人之隱秘,使奸行詐,無仁心可知矣.

醫某,清之生員也,雖無瘋症,亦擅瘋技,以故逐臭之輩,皆信仰之,一日診病,密探得病家隱事,診後直言之,謂病必不愈,病家以為彼非有神技,何以知其隱事,固請處方,某認症未確,大乖病情.嚴從嚴痛大作,接服數劑,病遂不起.

學說

兒科賦

余鑑

嘗思小兒之病,異於大方,俗謂啞科,疾痛不能自達,醫非明眼診斷,何以相當,蓋其臟府薄而藩籬疎,傳變莫測,肌肉嫩而神氣怯,感觸難防,用藥稍呆則滯,處方稍重則傷,苟或不對其症,遂爾莫知其鄉.七情之中,惟無色慾憂愁之擾,六淫而外,偏多胎毒乳食之殃,然因原身未破,故爾俗謂純陽,以發熱作從事,每致痙厥而亡,夫稚陽未充,豈可伐生化之氣,稚陰未長,還須防津液之殘,故苦寒有敗胃之嫌,雖壯火止可稍減,酸甘有化陰之妙,而六味獨擅其長,詎時俗之庸醫,不論風寒暑濕,守風藥之套方,一概柴葛羌防,或消導以耗其津液,或辛溫以動其真陽,不知發汗有禁,仲景最詳,風家與濕家最忌,瘡家與亡血宜商,非前賢之過慎,防痙厥之難匡.況痙有寒熱之異,又有虛實之分,六淫所致,寒症相聞,若產後血虛,化風屢屢,亡血液耗,致痙紛紛,病久與風家之誤下,生歧指日,溫病與瘡家之誤汗,變症如雲.以上數般之痙,皆為虛症之羣,風寒風濕,寒痙妖氛,風溫熱暑兮燥火,熱甚而痙兮如焚,俗謂慢脾,應作虛寒而

治，本藏自病，當從虛實而云。第小兒之痙有九大綱也。寒痙者，太陽為病，脈見沉遲，有汗為柔，桂枝湯可
用，無汗為剛，葛根湯堪施，熟讀傷寒之論，可探寒痙之奇。風溫痙者，陽氣發泄之候，君火主氣之時，辛涼
足用，甘潤亦宜，輕者銀翹為主，重者白虎堪施，玉女煎氣血均治，冬地湯津液可滋，若神昏如醉，譫語如
癡，主芳香而清宮足取，用牛黃而紫雪可推，善其後，三才更兼六味，益其陰，復脈可以培。風熱痙者，致病
先夏至之際，主方同風溫之儀。第風溫之痙輕而且少，溫熱之痙重而且危，務作淺深之識，莫屑輕重之
觀。暑痙者，經云溼熱相兼，值令於夏至之後，俗謂急驚風症，故多炎夏之期，但小兒易感，症亦多歧，由於
氣体薄怯，與夫藏經嬌嫩，一經有感，便覺難支，其來也如奔馬之速，其變也如掣雷之馳，又豈粗疎之輩，
可當重任之司。外感無汗而頭痛，新加香薷而可施，有汗主銀翹而桑菊足貴，咳嗽主桑菊，或清絡無疑
用白虎，口渴汗多均止，加人參脉芤氣喘堪醫，身重汗淋，蒼朮白虎宜備，喘渴欲脫，人參生脈堪維，神志
不清，分清營鈎丹，羚羊角，貴本糊，不省分安宮牛黃，紫雪丹資。溼痙者，中溼則痙也，第風性剛升，痙為多
見之病，溼性柔降，痙乃少見之疵，其間有兼風而亂作，須知溼痙為何，其吐乳欲瀾，五苓與三仁並美，邪
入包絡，清宮湯與紫雪不移，銀翹為劾之可取，茸茎杏滑之堪為，寒溼為殃，桂枝薑附湯有效，方法求備，
溼門中下篇可垂。至瘧久痢久而痙生，當於本門細玩，酌陰陽虛實而施，治悉遵古訓所貽。燥痙者，時值
正秋，因燥火而灼液，法循燥証，須清熱以填髓，辛涼有著，甘潤休離，若有暑邪之伏，必兼溼濁之彌，輕則
苦辛涼也，重則辛苦寒之，更有燥氣化寒，見脇痛兼嘔吐欲絕，自異於燥氣化火，當苦溫佐甘辛以炊內
傷飲食痙者，吐瀉之後，俗為慢脾，或脾陽殘敗，或胃陽凌夷，或脾胃俱困，或腎陽為衰，參苓白朮分必用，

補中益氣兮相隨，四君子與六君子可矣。異功與理中已而，若屬虛寒之已極，或因凉藥之所戕，須丁桂入理中而勿懈，加訶子與肉蔻而堪羈。葉氏案中，有陸風膶絡之語，吐瀉門內，玩指南分別之詞。華岫雲辨數最妙，爲後學體察須知，更於立齋仲陽而細展，再於東垣景岳而勤搜披，但此証最爲險要，奈世風訛謬難追，雖方中行深斥其弊，諸君子暢論其非，至今譌風不息，誤世堪悲，然觀葉君之運用，全憑未痙之維持，客忤痙者，驚嚇之謂也，耳目遇非常之觸覺，跌仆有意外之傾敧，勿爾四肢蠕動，幾看面色參差，夢中囈語，熱熾柔肌，宜復脉去生薑桂棗，加犀角與丹參丹皮入玄參，清大腸之秘結，益牡蠣濇溏泄之淋漓，神志不寧，龍骨硃砂同琥珀，心虛太甚，人參補氣救懸絲，然必雖由驚恐，臨時務須細咨，本藏自病痙者，椿萱過愛，顧護太慈，令其熱蒸汗泄，以致本虛陰虧，故養血熄風，爲此舍育陰柔肝其誰，六味三甲可善其後，定風專翁有取於斯。六淫誤發其汗，治法不外乎茲，若於是參越人之所訓，亦可以補仲景之所遺。

至於疳疾之症也，飲食過度，脾胃受戕，樞轉失職，運化不常，溼濁停於胸腹，津液聚於府腹，腸血枯則肌膚不潤，衛虛則毛竅不藏，是以疳生於乾，乾又生於溼，溼生於土，土又生於食傷，治疳妙法古有良方，一宜宣通中焦爲要，二宜升降胃氣爲良，三甘淡養埀亡之胃汁，四升提舉下陷之脾陽，五調營衛其可用，六擊腹鼓而稱長，七節飲食而務謹，八化蚘蟲而休忘，第九妙法，丸藥爲當，緩運脾陽之困頓，緩宣胃氣於中央，或用金蟾合以牛肉，或用大棗納入大黃，一通一補，半柔半剛，雞肫皮炙研細末，飲食內隨意頻嘗，此吳公之妙法，誠後學之津梁，苟能臨證存心，曲體保赤，其於立方有準，好對寫着。

疳疾概論

張澤霖

瘧疾之原因，由於感染六淫不正之氣，及消化障礙，而尤以濕為主要原因，故多發生在暑溼交蒸之令，濕能生蟲，西醫認瘧為麻拉利亞菌所成，不知六淫實細菌之母，先受溼而後有菌，如溼地之生蟲然，彼西醫知其然，而昧於所以然也，濕最傷脾，雖先哲氣化之理想，驗之事實，確切無疑，觀乎初患瘧疾者，即有面黃體倦，腹脹肢冷種種現象，俱是脾病之徵，蓋脾為統血之臟，能製造白血球，若脾被濕困，則機能發生障礙，而白血球不生，故面色萎黃，四肢屬脾，血液運行失暢，而隨意筋功用亦減退，故肢體乏力而冷也。濕蘊中焦，則消化力不足，運行阻滯，於是食物停留而腹脹也。瘧邪久羈，脾臟愈傷，心臟衰弱，循環障碍，血乃栓塞，脾之組織內部鬱血，而變腫大，左脇下堅硬成塊，按之疼痛，是名瘧母，治當用仲師鱉甲煎丸，清痞疏肝，化痰導濁，瘧病初起，惡寒身痛，為風寒外束，先以透解之劑，如豆卷葛根荊芥蘆樸等，不可驟施小柴胡湯，蓋近時正瘧不多，大都時瘧流行，用小柴胡反引邪深入，而致纏綿，若在下日外吸暑邪，內有濕蘊，壯熱汗少，則宜香薷飲，溫病化瘧，乃屬佳徵，肅清餘邪，宣化上焦，數劑即愈。瘧久化熱口渴心煩，苔黃脈數，銀翹散加滑石，通草，苡仁滲利之品，深秋瘧久不愈，當用截法，如草菓常山祛柳柴胡黃芩青蒿之類。以上治法，不過就經驗上略述一二，至若探究病理，精研方劑，仍當求之古籍，參考近著，庶臨床時得應付裕如也。

筆記

治驗筆記二則

江蘇陳君達

一 冬溫兼外症

張某之兒，病冬溫，壯熱神迷，兼患右足腫痛，內症稍愈，外症加劇，延醫割治，膿血俱無，服和營藥，得膿水如油花脂水，自膝流至足背，敗壞無完膚，大便燥難，小溲澀赤，延今十月，凡壯水退熱潤腸之藥，均服過無效，脉弦細而數，舌白糙，延愚診視，愚謂其症，初起似屬流火，本宜清化，但不當用刀割，膿血俱無，服和營藥而得膿，氣血之虛可知矣，肌肉敗壞，急宜生肌，藥內服黃芪歸朮以補之，壯水之藥，似嫌凝滯，脉弦細而數，不盡屬於陰虛，凡脉數當辨有力無力，舌白糙當問其口之渴與不渴，便難溲赤，中氣虛亦現此症，核此脉證，似宜溫化藥，氣血方可充長，寒劑不宜再進也，醫治匝月，大便潤而小溲清，外症亦漸斂矣。

二 燈下不能視物

周君家母，年已古稀，向無他病，惟每逢夏秋之交，則患目疾，其患時毫無紅腫癢痛，見象日間看物光明，至傍晚則昏暗不見物，雖有灯火，仍不知也，待至秋末冬初，則目復明如初。如是者已三載，百般調治，迄無一效，請問治法於愚，愚曰此症乃目為肝竅，賴血以養，肝陰不足，血虛有熱之故，夏時日陽焦灼，火旺水虧之候，人身之氣通於天，故病每發在此時耳，宜明目地黃丸主之，暨服鮮羊肝一具，清水煎熟切片，早晚服，如嫌淡釀，末醋少許亦可，忌鹽，按法調治，服完羊肝一具，三日後，夜視稍明，繼用羊肝一具，如前服法，及地黃丸等，服至半月，其病霽失，夜視如常。　附明目地黃丸方　生熟地黃各一斤，懷牛夕三兩，金石斛、只殼、杏仁、防風各四兩，甘枸杞五兩，共為細末，水泛為丸，每服三四錢，清水下，按此方養血為重，泄熱次之，久服自可全愈。

植林醫案

張詩園

△疝

經以任脉為病，男子内結七疝，衝任同源，為十二經之海，起於腎下，出于氣街，夾臍上行，至胸中而散，症因思慮煩勞，傷乎中氣，病及衝任，任虛失其擔任之職，衝虛則血少不能榮筋，肝主一身之筋，與腎同歸一體，前陰為宗筋之會，會於氣街，以致睪丸下墜，不知痛痒，病名癩疝，先哲治法，效者甚鮮，暫從中治。

柴胡　升麻　冬朮　淮山药　大熟地　半夏　黨參　雲苓　炙甘草　廣皮

蜜丸每早晚各服三錢，二天不振，八脉有虧，睪丸下隊，偏於肝位，腎氣通於耳竅，水不濟火，則耳嘯，火熾陰消則精洩，六脉虛數無神，脾腎雙補為主。

熟地　酸棗仁　遠志　黨參　當歸　炙甘草　雲苓　廣木香　山药　橘皮　山萸肉　蜜丸

△溲血

素來善飲，濕盛中虛，五志不和，俱從火化，壯火蝕氣，不能攝血，濕熱相乘，致成溺血之患，初服五苓導赤而愈，後又屢發，服知柏八味，化陰中之濕，理路頗好，未能獲效者，情志所傷也，第情志之病，雖有五臟之分，總不外乎心腎，議六養心複方加減。

大生地　丹皮　柏子仁　茯苓　麥冬　澤瀉　酸棗仁　山药　當歸身　西洋參

九

脈來弦大，兩尺不靜，濕熱傷陰，心相不寧，慾火凝結，濕鬱不化，必得清心絕色，方能有濟。十

太子參　山梔　萹蓄　木通　琥珀　草稍　石斛　竹葉

心動為意，意有所歸，心相不靜，慾色難除，弱痛洩血，陽強不倒，寐則尤甚，治之非易，心如鉄石，耳目清寧，意志不動，庶幾有效。

生地　山梔　扁蓄　琥珀　木通　草稍　竹葉　蓮心

淋病三載，或發或止，日晡尤甚，胃之陰虧，精關不健，心勞神損，七情所致。

太子參　生熟地黄　阿膠　當歸　茯苓　遠志　炙甘草　酸棗仁　木香　龍眼肉

驗方

河北董學如

治蠍螫方

此方可多配贈戚友以備夏日不時之需

雄黄　巴豆　白礬　白砒等分，為末用黄蠟化開入藥和勻搓成長四指粗如筆管之條，用時以火烤炙點處痛立止。

瘧疾驗方

曾一

瘧疾一症治不得法往往多日不愈，雖瘧疾方法甚多，然往往有效有不效者，左方雖不能盡愈瘧疾，然准十愈八九。

生川軍五錢　生甘草二錢五分　鷄子油（以鷄子黃熬之即得）二錢五分，　真常山三錢五分
桂枝尖二錢五分　共為細末以鷄子油加煉蜜為丸桐子大每服十丸
此藥方勝於西藥金鷄那霜且愈後永不再發

專著

張五雲痘疹書（續五）

張五雲

順險逆論

痘之發也，俱本於五藏，而五臟之順險逆人每省而不察也，余嘗按其經而細分之，痘以血為色，而心則主乎血，傳至心經而見痘，而色有不滋潤紅活者，乎色既紅活則血淤紫枯之患無有矣，即稍有不順，醫藥無難，故以心經之痘為順也。痘以氣為形，而肺則司乎氣，傳至肺經而見痘，而形有不高聳尖圓者乎，形既尖圓，則氣滯氣虛平陷之危，無有矣！即偶有變症，治之仍順，故又以肺經之痘為順也。肝為血海，一身之血皆由於肝，肝經本難容毒火，毒火之焚燎，肝熱則血熱，血熱則血柔，欲血之活，必先行肝之氣，欲毒之解，必先清肝之熱，不知凡經藥劑，而始無害於痘也，險何如也！胃為氣府，五內之氣皆出於胃，胃屬陽土，亦難容毒火之熬煎，胃熱則氣熱，氣熱則痘亢，胃清則火清，火清則毒散，不知凡費調理，始云無傷於痘也。險又何如也，脾也者陰土也，傳至脾經而發痘，陰土被痘毒熏蒸，則陰土必亢，陰土亢則血不上潮，胃心肝三經，皆敗矣。要知藥有醒脾健脾之能，醫無平脾攻脾之術，有不坐視其死者乎。脾痘之逆顯

而易見矣。腎與膀胱為表裏者也，痘本先天毒火，始於腎而傳於各經，前人尚有變黑腎之說，痘自腎經發越，毒攻本位，急攻橫逆，腰腿疼痛，痘顯焦黑，氣散血難，百病皆作，謂之曰逆，誰曰不可，故諺言曰順曰治而多事，逆若治而招謗，險居可生可死之界，得生失死之傷，誠格言也。

表裏虛實論

視兒之強弱，可別其飲食，觀兒之飲食，可別其虛實也。表實熱則形必枯乾，表虛寒則毒火冰伏，裏虛則泄瀉不已，裏實則寒結難當。瘡勢焮腫，煩渴昏譫，二便秘結，表裏俱實也，當清涼而兼解毒，瘡形慘淡，吐利不食，肌肉皆涼，表裏俱虛也，當溫補而調血氣，昔濟陽艾子啟源，當世之名宦，痘疹之經手也。余有半子之分，時常求訓痘疹要訣，曾有十六字之心傳曰：紅紫腫痛，熱渴燥結，灰陷淡白，嘔吐瀉利，則痘疹之表裏虛實盡乎此矣。

五陷論

痘有五陷，須要分明，辨別不能，非小兒之多夭，皆冗醫奪其算也。何謂五陷，白陷灰陷紫陷黑陷血陷是也。白陷之痘形必稠密，其色淡白，根無紅暈，而頂陷者白陷也。後必變為灰陷，此氣血虛寒，不能化毒成漿，當用千金內托散主之。紫陷之豆形必稠密，紅變為紫，而頂陷者，紫陷也，後必變為黑，此毒火熾烈，亦難化毒成漿，當用清毒活血湯主之。血泡不治，則氣虛而成血陷也。時師以血陷為紫陷，謬矣。血陷雖紅，其色正淡，比之紫陷之形有別，紫陷者熱症也，身必熱，而氣必粗，血陷者虛症也，氣必微而身必涼，當用參芪湯主之。

補氣虛論

氣虛之症乍凉乍熱，神倦懶，言語飲食減少，面青䀹白便溏吐四肢時熱時冷氣虛之症顯而易見，矣。使當毒氣正猛之時而驟以補益投之扶正而反歸邪也，初見紅點補劑固不可驟施，即色變為白而補藥亦不可輕進祇可養血活血微補其氣兼用托裏俟其漸有微黃色覺有行漿之勢然後用參芪大補，異不神效若待其元氣脫而始極力補之則晚矣。

詩曰

痘分虛實始為良，偏瀉偏溫氣血傷溫手常言攻手短好攻不信補溫良。

火病（續五）

李蔭

勞熱者小柴胡去半夏加花粉

柴胡、黃芩、半夏、人參、大棗、生薑、甘草、

柴薑升其清陽黃芩解其鬱火然濁氣不降則清陽不升鬱火不解故以半夏降逆且木氣之發榮端賴土氣以滋養故以參甘大棗培其中土，此從胃中引衝氣上行使火不下鬱之法，胃中之津本足而肺金鬱滯不能散布以致水結為痰咽乾口渴而小柴故通上焦之津使肺氣通調水津四佈故曰上焦得通津液得下胃氣因和。

當肝寄相火肝氣即相火也，相火內行三焦外行腠理肌肉不寒冷相火溫之也而亦不發熱相火暢達也，若血分滯而肝氣鬱必發熱骨蒸勞歎.

肝膽血虛火旺顴赤口渴脇刺痛煩躁淋閉發熱盜汗魂夢不安此相火內熾欲作骨蒸癆瘵柴胡清骨散主之。

骨皮　知母　枯芩　胡連　柴胡　青蒿　秦艽　丹皮　鱉甲　白芍　甘草　童便

唐容川曰：肝為藏血之臟，又司相火血足則火溫而烈遊行三焦達於腠理，莫不得其溫養之功，若血虛火旺內則煩渴淋閉外則骨蒸汗出皆肝經相火之為病也，骨皮知芩胡連童便，大清相火，特恐外有所鬱火不能清以柴蒿秦艽達其鬱又恐內有所結火不能清以丹皮鱉甲破其結，更佐芍藥甘草以收養陰之清火也。

血鬱氣鬱火鬱痰鬱以致骨蒸癆嗽團魚丸主之。

團魚　柴胡　貝母　知母　麥冬　湯送下

唐容川曰團魚乃甲蟲之長能破肝之癥結肉赤帶酸入肝養陰合二胡二母疏理凝滯清利痰火凡因鬱而致骨蒸勞欬皆能治之。

火邪鬱於腠理而四肢厥逆在臂脛之下者四逆散主之。

柴胡　白芍　枳殼　甘草

腠理居肌肉之裏，中有孔隙為血氣往來之路柴胡達其腠理俾火邪不鬱而四肢不逆火邪內鬱。而血必傷白芍以滋之，火邪內鬱而氣必滯枳殼以行之火邪內鬱而中土必弱甘草以培之。此厥熱之輕者。

朱壽朋實驗靈藥一覽表

天台黃藥 治多年胃氣肝氣諸痛一服立效數盒除根詳細說明索即寄 每盒五角

獨靈草 治心痛胃痛風痛偏頭痛等症神效 每瓶洋一元

救血六神丹 咯血吐血鼻血尿血便血子宫出血特效製劑 每盒二元

寗坤寶 婦科聖藥痛經白帶一瓶立效 每瓶一元二角

痢獨靈 由天台山夷齊草提製中國空前痢疾聖藥 每盒四角

小兒疳積草 治小兒疳積至多不出三服立效 每盒五角

小兒保命丹 治小兒急驚痰厥頃刻即效 每盒三丸洋三角

十五

上海白克路西祥康里七十七號萬善堂發行

外埠函購加郵費一成一打以上郵費免收

招請外埠經理處折扣從優

醫界消息

中西醫藥研究社近訊

贈送一覽 函索即寄

上海中西醫藥研究社，自呈准黨政機關立案以來，對於工作異常努力，聞該社業於四月二十日領得上海市黨部證明組織健全訓令矣。

現在該社繼續調查醫藥界情況，並出版月刊，編印醫學圖書，近又協助政府，扑滅文盲，附設識字學校，於五月二十六日在該社禮堂舉行開學典禮，計到學生九十餘人，男女老幼，齊集一堂、雖年齡參差，長短不等，然而秩序整然，首由教務主任沈警凡氏報告開會宗旨，繼由上海市教育局代表嚴滄帆先生訓話，復由校長宋大仁氏訓話，指導各學生無不留心靜聽，皆明識字之要義，該校原定是開課因書籍尚未領到，故開課須再遲數日矣。

又該社為欲社會人士及醫界明瞭該社概況及內容起見，特編中西醫藥研究社一覽一冊，內載該社宣言章程黨政商學各界題詞百餘件，社員專著論文數十篇，函索付郵票三分即寄，地址上海北四川路永豐坊六十五號該社。

投稿規則

一　來稿須用毛筆繕寫清初並註明詳細地址

一　來稿優者刊登後酬給十元以下之現金或贈品但不滿一千字者該給贈品

一　來稿即不刊登者亦贈獎品以酬雅意

一　來稿無論刊登與否概不發還

一　稿件經刊登後板權即歸本社所有

一　凡長期投稿者格外另有優待

注意　如有抄稿寄來除取銷酬金外並登報聲明

不准轉載

——歡迎代售利益優厚章程函索即寄——

中華民國二十四年七月十五日

中國醫藥雜誌

第二卷　第七期

主編者　趙恕風

發行者　趙恕風

發行所　山東沂水黃山鋪街　中國醫藥研究社

印刷者　沂水隆盛泰印刷局

定價　每月一冊另售大洋一角全年十二冊一元（國外寄費照加）優待全年訂户八折實收若一次納費六元或介紹十人以上訂全年者認為永久訂户永遠贈閱不取分文

初版

醫界春秋

發揚國醫學術　增進人類健康

徵求九周百期紀念定戶

第一百期紀念優待讀者舉行特價訂閱

連同中國醫藥書局本版書籍發售半價

本社有鑒吾國醫處於今日地位，對於西醫之囂張，不可不有相當之評論；國醫之學術，不可不有精密之研究與改進；爰於民國十五年發行本刊，以應時代需要，作宣傳醫化之前驅。迄今九週，從未脫期，與信用卓著，有口皆碑。茲為第一百冊紀念，優待歷年愛讀本刊諸君起見，爰舉行特價二月，自本年六月一日起至七月底止，並同時中國醫藥書局本版書籍發售半價，俾得普遍減輕讀者負擔，如此良機，幸勿失之。

特價辦法

1. 凡初次訂本刊或訂本刊而中止再來訂閱者，均以新定戶論，在特價期訂閱，無論全年半年，刊費一律照原定價作八折實收。
2. 本刊舊定戶以原訂單續定者，在特價期中亦可享八折優待權利。
3. 無論新定續訂，均須註明起期，否則即自接信之最近一期訂單開出，以後概不退款換訂改贈。
4. 在特價期中訂閱者，如在非特價期內續訂，仍照原價，在特價期前續訂及新訂者，不能改為特價，概祈諒之。
5. 新定戶欲補購本刊彙訂第五、六、七、八集全書四厚冊者，照原售實價八元再打八折（計洋六元四角），另送價值一元之世界醫報彙訂二大冊；單購一集者照原價二元作九折，醫報亦不贈送。國內郵費不收，國外另加郵費三元。
6. 無論新舊定戶，聲明定閱本報同時向中國醫藥書局購買本版書籍者，概照定價減收半價，外版代售書籍不在此例，郵費照加。
7. 寄款以上海通用者為限，郵票代價九五折，僅限角分者，外國郵票不收，印花稅票不收。

中國醫藥書局書目函索即寄

評論西醫囂張　傳遞醫界消息

原價與特價之比較

原價表

期數	國內連郵	國外連郵
半年六期	洋一元	一元半
全年十二期	洋二元	洋三元

特價表

期數	國內連郵	國外連郵
半年六期	大洋八角	一元三角
全年十二期	一元六角	二元六角

本刊半年起訂，零售每冊大洋一角六分，不折不扣。

地址　上海白克路西祥康里第七十七號

醫界春秋社出版　中國醫藥書局發行

內政部登記證警字第三七七五號
中華郵政特准掛號認為新聞紙類

中國醫藥雜誌

張紹堂題

中國醫藥研究社徵求基本社員簡章

一 凡有志研究醫學品行端正粗通文字者不分性別均得為本社基本社員

二 基本社員有左列權利

一發給精美社員證書

二長期贈閱中國醫藥雜誌（本雜誌內容豐富集現代名醫之大成每月出版一冊已經國民政府內政部登記預訂全年大洋一元社員長期白送不取分文）

三贈送中國醫藥學講義一部（該講義分訂二十四冊大字石印非常清楚內容有藥物診斷內科外科婦科幼科生理病理及全體驗案等原價大洋十元每社員贈送一部亦不收費）

四解答醫藥問題（凡本社社員通函研究醫藥問題或請求解釋者本社立即答覆）

五投稿有特別優待（凡社員投稿與論優秀均有獎勵）

六通函論症不收費用，（社員如為人治病遇有疑難者可來函詢問不收費用）

七購本社書籍只收成本（凡本社出版醫書社員購買只收成本如託本社代辦其他書籍者該照原局實價不受酬報）

八介紹社員現金獎勵（凡介紹基本社員或介紹購中醫講義者及預訂雜誌者概給以二成獎金。）

九可得優美獎品。（社員入社後由本社發題若干社員解答後寄交本社佳者可得十元以下之獎品。）

三 基本社員每人收入社費五元郵費證書費雜費等五元但在民國二十四年十月一日以前報名入社者入社費免收只收郵費等五元以示優待

四 如有熱心好學而暫時不能納全費者照左列辦法分期交費

第一次交費二元（與報名單同時寄去）以後每年交五角。

五 分期交費與一次交費者受同等待遇中醫講義全部亦一次寄去

六 交納各費須購郵局匯票，萬無一失若用郵票代洋九折實收（即郵票一元作實洋九角）但須密封掛號並蓋大漆圖章或黏郵票於封口以免意外

左為報名單式樣報名時可照式另紙填寫

報名單

姓名　性別　年歲　職業

履歷

通信處

本社啟事

醫話等因篇幅關係暫停一期下期仍繼續刊登

本刊下期擬出版特大號特此預告

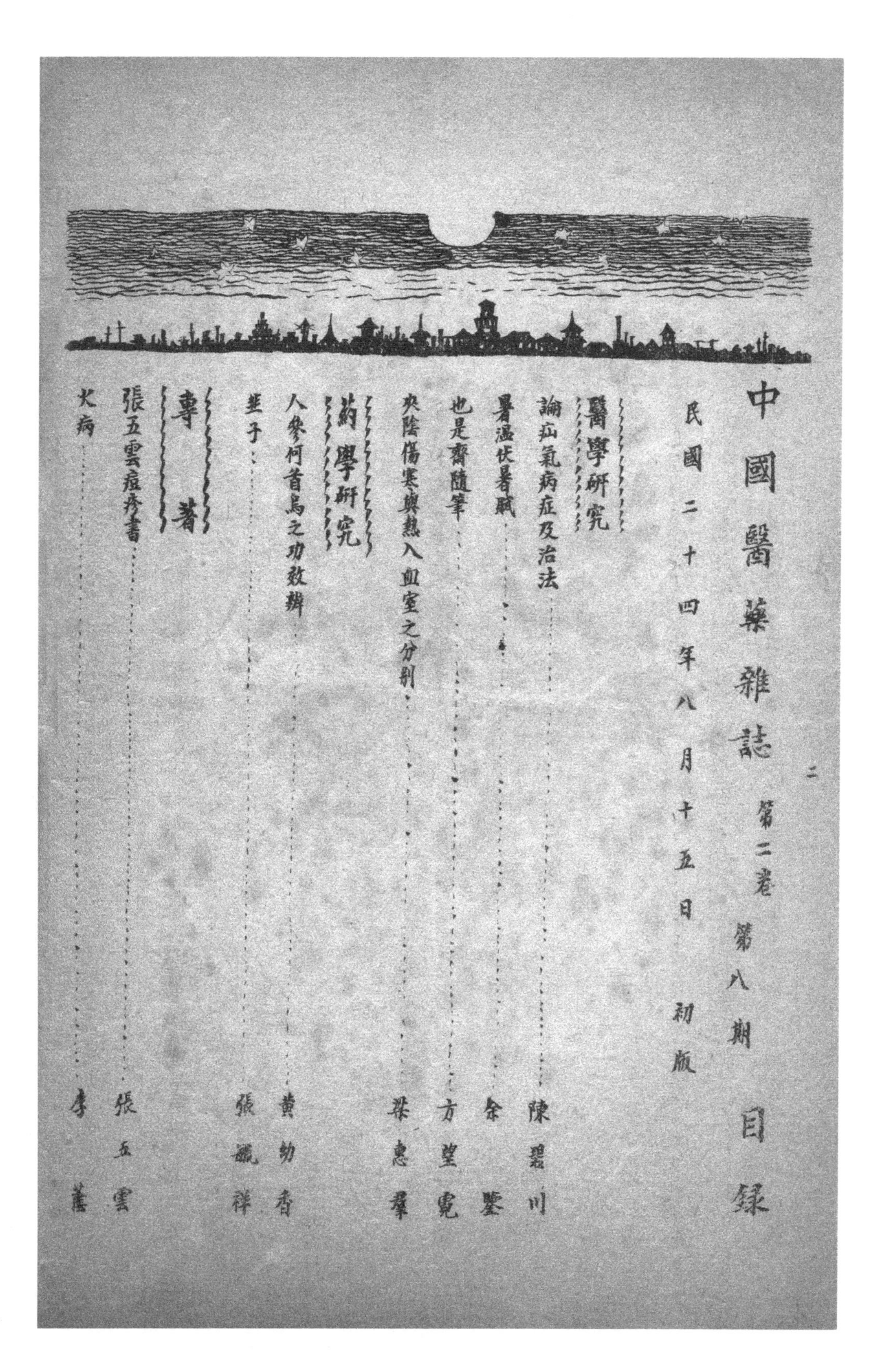

二

中國醫藥雜誌　第二卷　第八期　目録

民國二十四年八月十五日　初版

醫學研究

論疝氣病症及治法

陳碧川

疝者痛也，小腹痛引睪丸也。所謂疝氣，非僅言睪丸腫痛為疝，即腹中攻衝作痛，牽引上下者，亦名為疝。論此症者甚多，有專主任脈者，有專主厥陰經者，有兼言五臟者，然其病根雖起於各臟，而歸并於足厥陰肝經為病。經云：任脈為病，男子外結七疝，女子帶下瘕聚。蓋任為陰脈之海，其脈同足厥陰並行腹裏，故任之脈實為疝之源也。其名有七，有以厥疝、癥疝、寒疝、氣疝、盤疝、胕疝、狼疝為七疝者，有以寒疝、筋疝、水疝、氣疝、血疝、狐疝、㿗疝為七疝者，其名雖各有異，然其治法病源實歸於一，蓋知其一則三隅反。茲所論者，乃寒筋水氣血狐㿗之七症也。然何謂寒疝，蓋寒疝者囊冷結硬如石，陰莖不舉，牽連睪丸而作痛，由於久坐濕地所致，法宜溫劑，烏頭桂枝湯主之。筋疝者，陰莖腫脹，或潰或膿，或裏急筋縮，或出白物如精，由於房室勞傷所致，加味通心散主之。水疝者，腎囊腫痛，陰汗時出，或腫狀如水晶，或囊癢而外出黃水，或小腹按之作水聲，由於飲水太多，或醉酒過勞所致，法宜逐水，宣胞丸主之。氣疝者，上連腎區，下及陰囊，或因號哭忿怒則脹，罷則氣散，由於積氣上逆所致，法宜散氣，青木香丸主之。血疝者，狀如黃瓜，在小腹兩旁橫骨兩端約中，俗名便癰，由於氣血流溢，滲入脬囊，留而不去，結成癰腫，法宜理血，桃仁當歸湯主之。狐疝者，臥則入腹，行立則出腹而入囊中，法宜理氣，天台烏藥散主之。㿗疝者，陰囊腫縋，大如升斗，頑麻不痛，由於地氣卑濕所生，法宜去濕，元戎加味五苓散主之。更有三層茴香丸，統治一切久

三

年病氣，效如桴鼓。若陰腫核痛，可用千金翼洗方治之如神。張景岳云：疝氣病在氣，蓋寒有寒氣，熱有熱氣，濕有濕氣，逆有逆氣，陷有陷氣，俱當兼用氣藥也。概以五苓散合陳湯，佐以行氣之藥，統治諸疝。致其變症百端，則在臨症時之靈機活變，審其寒熱虛實而治之。

附方

烏頭桂枝湯方：即桂枝湯加烏頭。

加味通心散方：瞿麥 木通 梔仁 黃芩 連翹 甘草 只殼 川楝

宣胞丸方：黑牽牛 木通 青木香

青木香丸方：黑牽牛 補骨脂 蓽澄茄 木香 檳榔

桃仁當歸湯方：桃仁 當歸梢 元胡 川芎 生地 赤芍 吳萸 青皮 丹皮

天台烏藥散方：烏藥 木香 茴香 青皮 良姜 檳榔 川楝 巴豆

元戎加味五苓散方：白朮 茯苓 豬苓 澤瀉 肉桂 川楝

三層茴香丸方：大茴香 川楝 沙參 木香

千金翼洗方：雄黃 白礬 甘草 煎水洗之。

暑溫伏暑賦

皖 余鑑

暑溫爲病，夏令之痾，乃暑病兮熱甚，較溫病兮濕多，形似傷寒，右脈洪而數大，大渴面赤，遍身汗若滂沱。解氣分之邪，何方足貴，清上焦之熱，白虎堪哦。若見脈芤，白虎人參然否？苟無汗泄，新加香薷如何？

中暍兮惡寒，益氣湯理亦可與，暑温兮得汗，香薷飲又不可過，身重者濕蔵之由，蒼朮白虎為是。欲脱者氣虛之故，人參生脈非訛，汗後餘邪，宜用清絡而自退，逆傳中下，又非淺藥所能廢，欬無痰而聲清高，清絡加降火清金而效。欬不渴而聲重濁，小半夏加清涇利肺而和。一入厥陰之營血，生來包絡之風波，舌赤時譫，心煩渴而清營可取，昏狂欲閉，牛黃丸與紫雪當前。知暑瘵之難醫，清絡杏苡而滑石並主，豈暑癎之易治，清營鈎丹而羚角可磨，惟小兒之真陰未足，得暑癎之變症，如稷俗為急驚，混與發散消攻，而取禍，理行清氣，急以清營紫雪而息之，更有伏暑一症，當參暑濕二温，葉氏推原精妙，共名家之論，吳氏引路規模，啟後學之門，偏熱偏濕兮，絮綱要語，傷手傷足兮，挹要良言，病輕者霜前即發，病重者霜後難存，頭痛惡寒兮，面赤背白，脉濡而數兮，口渴心煩，雖在隆冬之候，猶為伏暑之稱，若在氣分而表實之病，銀翹散去牛玄加杏滑而可選，在氣分而表虛之症，銀翹散或白虎加人參而堪救。在血分而表實不開，用銀翹有丹地芍冬之偶，在血分而表虛大泄，用生脉有生地丹皮之尊。此伏暑與暑温初類，傷上焦在肺金而先，二症之入中焦也，頭眩惡寒面赤目紅，舌苔黃滑兮，渴飲嘔水，胸脘作痛兮，便閉發癃，此邪傳到胃而水結於中，小陷胸湯清痰除水，加枳實苦降辛通，苟濕痰凝聚於胸中，則飲食與便圊俱阻，用半夏瀉心加枳杏去參草棗，雖同濕邪化而熱結，獨存諸下症若然俱備，脉沉實而苔黃已燥，小承氣等分堪攻，原夫諸温治法，診舌為先，痞滿若形，見黃燥始堪攻下，但黃未燥，宜苦温或用疎宣。白膩遠已見純黃，苦寒泄熱為主，黃白兼而或灰白，芳香開提當然。治傷寒為熱邪相侵，急攻表致，治温病乃濕邪內搏，急下猶緩，傷寒便若溏，邪已盡而攻消莫過，溼温便不硬，邪未盡而攻下宜速，除三焦混處之邪，否

五

仁滑石湯主去三焦氣分之病，惟有三石湯專加味清宮，除血分久留之厄，清營紫雪，救熱深欲閉之偏。至邪傳於下焦也，挾心陽而共亢灼腎水以幾窮，少陰有消渴之府，連梅湯瀉火生津救水。厥陰有麻痺之症，用前方育陰清熱熄風，心熱甚則煩燥神迷，紫雪出而連梅入，木氣拒則嘔渴利血，酸苦泄而椒梅通，胃口誤傷，心躁亂而邪結踞內，清濁交混，口燥渴而氣阻中宮，病因中下久延，乃補瀉難施之危症，藥須來復急用，收旋轉清濁之奇功，若陰液與元氣兩傷，三才足貴，苟傷陰較傷胃重，麥冬堪崇，香附旋覆之湯，治支飲初留於脇下，無撐控涎之法，治病深久痼於絡中，緣二症已過夏至之時，暑溼交混，非全與溫熱之症，氣候相同，總之暑濕未清，當求之暑溫伏暑之盛，暑溼若去，要不離溫熱溫疫之隆，此所謂大匠誨人，立法有如斯之規矩，而解人可索，臨時有無限之廓充。

六

也是齋隨筆

方望霓

1 陶君業農，弱冠時欲性發作，愛好風流，以致真陰素虧，甲戌冬，夫婦口角，而悲動太過，致內火燔灼，腎水就涸，咳嗽膿痰，腥穢異常，邀余診治，診得六脈洪大，重按空豁，右寸獨數，此係上盛下虛之候。夫上盛者，赫曦過旺，肺中之假陽旺也，下虛者，涸流衰竭，腎家之真陰虧也。陰虧則火毒發於坎宮，津液上騰，不能榮養，反被燔灼，而成濁痰膠結肺臟，日久肺熱葉焦，腐化為癰，病家曰肺癰重症，恐防不起，余曰症象雖重，尚有一些之望，若不推本求治，則腎陰愈虛，而邪火愈旺，肺癰將何時而愈耶？隨為疏方，用鮮蘆葦，麥冬，沙參，百合，紫菀，貝母，橘紅，茯苓，甘草，桔梗，婁霜，桑皮等藥，夜以六味湯加麥冬五味大劑，數服濁痰略薄，膿血較少，而咳嗽亦緩，撥以前藥出入，調理月餘而愈。

2 大圍鎮東楊某，務農為業，忽於今春偶患便閉證，初因小便閉濇，近如癃閉，醫者疏以五苓散益元散俱不效，一醫作下元陰虛，而用八味丸治之，服後大便亦閉，反增口渴咽乾，煩滿不睡，二便連閉八九日，腹滿難堪，衆議用三一承氣湯下之，服後微利隨閉，又加小腹連臍滿痛，復用舟車丸日利三五次，裡急後重，糞雜赤白，如此半月，日夜呻吟，急邀余診，診得兩寸沈伏有力，兩關洪緩無力，兩尺不見，余曰其病源在上焦氣閉，下竅不通，氣鬱不行，則升降失職，是以下竅祕結，二便不順也，若再誤認滯下，而用承氣舟車攻下之藥，則元氣為之大傷，而病愈增矣，余再三躊躇，而用越鞠丸治之，服後噯氣連出，汗出通身，二便均解，後以調理氣血而安。

按香附之辛以快滯氣，蘇梗通表裏之竅，連翹散六經之鬱火，蒼朮神麯建脾導氣，甘草以和中，少加桔梗，引黃芩枳殼以蕩滌大腸之積，山梔去三焦屈曲之火，而利小腸，撫芎以暢達上下，使上竅一通，則下竅隨開，裏氣一順，則表氣自暢，是以上為汗出，下為二便俱利，正所謂一竅通百竅也。

3 柴場鎮西陳君，久患下血，招余調治，診其六脈安靜，惟右尺沈弱，知其命門火衰，不能生土，土虛，脾弱，精微下陷，而成便血之候，蓋土為生化之母，提防下泄者也，經曰營出中焦，又曰氣出於中，中者脾胃也，為生血生氣之鄉，升清降濁之職，故胃盛則循經之血，灑陳于外，脾強則守營之血，滋養于中，皆賴少火生氣耳，今元陽既虧，脾胃衰殘，清陽不升，轉輸失化，當用甘溫之劑，培補中宮之虛，升陽之品，提舉下陷之氣，庶生長合行，而陰血歸藏也，方以補中益氣湯加阿膠、蒲炒荊芥，數劑而安。

七

嘩 南邑顏某之妻，年三十，夙患胃脘痛，治者先以氣治，次以食治，継以火治，投劑雖多，而功效甚少，甚至昏憒良久復甦，延余診治，曰尊恙非氣非食非火也，乃由勞役過度，中氣受傷，脾陰弱而不能胃陽衰而不布，脾陽既虛，倉廩凝滯，轉輸既弱，氣道失行，所以清濁相干，氣血相搏，而作痛也，若用消導，則至高之氣愈耗，誤投苦寒，則胃脘之陽愈傷，為今之計，非補不可，古語雖云痛無補法，此指邪氣方銳者言也，今病勢雖甚，而手按稍止，脈其雖大，而重按稍鬆，審症論脈，均屬虛象，故用補無疑也，即以香砂六君子湯，一劑而昏憒定，痛亦止。

夾陰傷寒與熱入精室之分別

南海梁惠群

夾陰傷寒，與熱入精室，同是入房感冒，而治法則迥不相同，差以毫厘，謬以千里，識辨之不可不早也。原夫兩症相差之故，實以氣體之偏勝，及所藏之寒熱，為其重要之原因，分別之法，陰症則尺脈必微細如絲，熱症則尺脈必弦數有力，所見症候，除腰背酸痛，少腹拘急，二病相同外，陰症必冷汗淋漓，睪丸縮小，熱症則眼花面黑，眉毛交加，此其黎然分明，若黑白之不相掩矣，至於治法，陰症宜四逆湯，燒裩散，合方加減，熱症則於清解方內，加入滑石韭白竹茹棟實土茯苓等，引入精室之品，庶幾合拍，近來男女社交公開，接觸機會較前為易，而此等症候亦日多，行道者不能不詳加探討也。

藥學研究

人參何首烏之功效辨

福建 黃幼香

考本經人參，味甘微寒，未曾言苦，今之黨參甘而不苦，遼人參甘而微苦，是古方所用之人參，殆為黨參無疑爾，惟黨參之性，雖不如遼人參之熱，而其性實溫而不涼，後人因本經有微寒之說，多以其性果為微寒，凡古方之用人參者，莫不以微寒兩意詮解，其甚者若遼人參之燥熱，固人所共知，亦敢穿鑿附會，指為微寒，殊不知年湮代遠，古經字句，能無差訛，吾人生今之世，當實行試驗，與古為新，豈可耳食盲從，以誤人之生命乎，別錄謂其能療腸胃中冷，東人謂其過服之，可使腦有充血之病，則其性之為寒為熱，可知矣，人參為補肺之要品，仲聖傷寒論咳者必去人參，蓋咳者多肺熱，肺有熱則溫熱之品，即不可入，此肺熱還傷肺之說所由來也，化學家實驗參之成分，謂中有灰色糖質，其能補益之力在此，須知參之所以能滋陰補血，即在此灰色糖質耶，故善用人參者，輒以涼潤之藥，平其熱性，實可收氣血雙補之功也，然後世有誤稱其為陰凝之品者，殆以此歟？何首烏本經未載，別錄謂其益血氣，益精髓，長筋骨，黑鬚髮，悅顏色，致後人奉為滋陰補腎之妙藥，陳修園闢之誠是也，惟以其味濇質劣，謂其全無補性，則以貌視人，失之子與矣，李時珍稱其功居地黃之上，是更不知何首烏者，夫首烏之為物，固性多而補性少者也，與地黃之功用，大不相同，故施於久瘧久痢之疾，以及婦人之帶下，輒奏奇功，東人抽出其一種有效成分，名之曰巴利鉤寧，以治糖尿病，謂其雖有減少糖質作用，然糖尿病，帶下病，皆由體弱而生，瘧痢而至於久，亦未有不虛者，首烏能治愈斯疾，則首烏亦有補益之功効也，安得謂其全無補性哉，故列首烏於補藥中，與人參同為補品，誰曰不宜。

韭子 十

張瓢祥

產地：敝鄉（遵化）園圃內多種之

形態：多年生草，高可尺許，地內有鱗莖，葉細長，而扁，柔軟多肉。夏日抽無枝花，頂端開數朵白花。為繖形花序，雄蕊六枚，子黑色而扁，可以療病。

性質：辛甘溫，無毒，性升屬陽，入肝腎二經。

特效：專補肝命門之不足，治夜精溺血之要藥，同龍骨桑螵蛸，善治前陰諸病。

功用：補肝腎，充肺氣，助命門，暖腰膝。

主治：筋痿，同菟絲子川杜仲金狗脊製湯劑服之。

用量：湯劑用量一錢至三錢。

製法：揀淨蒸熟曝乾，簸去黑皮，炒黃用。

宜忌：此藥能損齒，不宜多服，凡下部有火，而陰氣不固者，均當慎用。

備注：此藥含一種灼熱及辛辣味之物質，能刺激消化器黏膜，自不待言，其能刺激肝腎，使其機能活潑，允奮，則筋肉及臟器廢質除矣。

專著

張五雲痘疹書（續六）

張五雲

寒戰咬牙論

古來醫家有言，氣虛則寒戰，血虛則咬牙者非也。有言火勝則寒戰，胃熱則咬牙者，亦非也。又有謂六日以前火勝則寒戰，胃熱則咬牙，六日以後氣虛則寒戰，血虛則咬牙者，亦非也。以余愚見，不如觀其形色，定其虛實者善，即如灰白頂陷而寒戰者，氣虛寒戰也，根脚色淡而咬牙者，血虛咬牙也。表熱痘毒而寒戰者，火勝寒戰也。艷紅唇烈而咬牙者，胃熱而咬牙也。學者其詳辨之。

飲食論

人所賴以生者水穀也，運化氣血而成痘者，亦水穀也。故患痘小兒痘形稠密，飲食如常，二便調和，痘雖重亦可轉為輕也。稀疏之痘，飲食俱絕，入水則嗆，入食則吐，痘雖輕亦可轉為重也。亦有不食而生者，必有舊穀以養其胃，蕩滌其積滯，毒得宣暢，胃氣漸開，飲食稍進，雖賴食亦可保其生也。彼能食而死者何也？邪熱殺穀，愈食愈飢，愈飲愈渴，易毒攻胃，烈火橫逆，固死症也。又有聲啞色暗，昏昏如醉，胃氣頹絕，亦死症也。飲食難者，咽喉腫疼者也，甘桔湯加牛蒡射干主之。食乾物而不嗆，飲清水而反嗆者，喉中有痘也，待之收靨，自無恙矣，不必使治。

眼目論

天所不以照物者日月也，人所恃以睹物者，兩目也。天無日月，明不著，人無兩目則難睹，由是觀之，目亦甚切於人矣。氣不清則目睛不白，血不足則視物不明，毒未盡則靨後而目合，毒內收則朦未成而眼開，心經蘊熱則暗閉而明開，眼中移潤，目中有痘須防損目，急用殺痘丹以移痘，丹以救之。或磨赤芽

十一

汁以洗之，見其左腮稠密，兩目紅腫，漿行發驚，則當平肝解毒，待收靨而始調理，恐難轉移矣。

室女孕婦生痘論

治痘莫難於室女之痘與孕婦之痘，室女十三歲後而經水發動，治法與小兒不同。初發熱時未至天癸正發而經水突來，此毒火內迫，擾亂血海，逼血妄行，以元參地黃湯合四物湯，黃連解毒湯，以凉血為主，急令血止，若久而不止，氣血有損，必有陷伏之危，經水大行之後，血室虛而毒火乘虛而入，痘必不起發，不光壯，不紅活，不充肥，頂平陷，色灰白，多生變化，要知疹有形而無汗，痘有形而有漿，呼云室女生疹被輕於痘者是也。孕婦生痘，痘科所大忌也。熱則動胎，胎落則氣血衰敗，難以起壯者也，凡遇孕婦出痘，勿論輕重，始終以清熱安胎為主，用如聖散為主方，隨症加減用之，胎動者安胎飲加砂仁主之，時節止知清熱以安胎，不思毒未盡出而過用寒凉，則毒反伏而內熱益熾，是安胎而反傷胎元也。只宜輕揚表托毒出而熱解，胃不安胎而胎自安矣。最可慮者正當行漿之候而母子分娩，此氣血俱虛之時，宜十全大補湯加附子以助氣血，固表裏，如產後小腹急痛者，惡露未盡也，宜微行之，若寒戰咬牙，腹脹作渴足凉，身熱者，內虛作假熱也，以四君子湯加歸芪陳皮木香服之。十朝半月後雖無腹脹之累，而雜症加添，亦當辨其表裡虛實，酌而用之，不可過用寒凉也。詩曰：

室女經行患痘瘡，氣虛血弱甚難禁。若逢產後須溫補，莫遣寒凉元氣傷。

火病（續六）

李藴

右第二章言鬱怒傷肝，肝氣不能舒暢，以致相火內熾，消耗血液，故用凉潤升發之品，順其性而疏達之，此名鬱火，即是虛火，其治法又別樹一幟也。

腎為水藏，水中含陽，化生元氣，根結丹田，內主呼吸，達於膀胱，運行於外，則為衛氣，是水中之陽，名為命火。腎水充足，則火藏水中，韜光匿彩，龍雷不升，是以氣足而鼻息細微。若水虧，無以濟火，則火不歸原，喘咳、虛勞諸証作。

冬令屬水，腎氣主之，此時陰氣堅凝，則陽氣潛藏，龍雷不作。陰氣不足，則陽氣不潛，而為陰虛火熾矣。

水陰之氣虛，則火熱之氣亢，喘嗽、蒸灼、痰血、癆瘵均作。

陰虛火旺，癆瘵骨蒸，潮熱盜汗，肺痿咳血，咯血吐血，大補陰丸主之。

知母　黃蘗　龜板　豬脊髓　白蜜

腎中之陰，所以涵養陽氣者也。水陰內虧，則孤陽妄行，發為骨蒸潮熱，盜汗咳嗽，咯血吐血等證。知母、黃柏之苦，足以制其亢陽，而不能培根本，故用地黃之滋以救陰，龜板之介以潛陽，陰足陽秘，而諸證愈。

水竭火炎，肺痿聲嘶，喉痹咳血，煩躁不安，滋腎丸主之。

炒黃柏　知母　肉桂

羅東逸曰：此丸為腎家水竭火炎而設。夫水竭則腎涸，腎涸則下泉不鍾，而陽獨盛於上，斯喉痹痰結、煩躁之證作。火炎則肺傷，肺傷則下源不澤，無以蒸昫布濩，斯聲嘶咳血、焦痿之證生。此時以六味滋水，水不能遽滋也；以生脈保金，金不免猶燥也。惟急用黃柏之苦以堅腎，則能伏龍家沸火，是

十五

謂濬其源而安其流，繼用知母之寒以清肺，則能全破傷之燥，全是霑沛之雨而藹之露，然猶恐水火之不相入而射相也，反佐肉桂導龍歸海，於是坎盈窞而流漸長矣，此滋之旨也。

一切虛火上沖，牙爽喉痺，欬嗽喘促，面腫耳腫，目赤鼻塞，遺尿滑精，封髓丹主之。

黃柏　甘草　砂仁

黃蘗性味苦寒，苦能堅腎，腎職得堅，則水不虞其泛，益苦寒能清肅秋令，一至則龍火不至於奮揚，甘草和平清火，砂仁納氣歸腎，腎家之氣納，腎中之水藏，而諸證立瘳。

真陰虧損，精血枯竭，憔悴羸瘦，腰痛脚弱，自汗盜汗，水泛為痰，發熱欬嗽，頭暈目眩，耳鳴耳聾，遺精便血，消渴淋瀝，失血失音，舌燥喉痛，虛火牙痛，下部瘡瘍等症，皆由腎水不足，虛火上炎，六味地黃湯主之。

腎中陰虛而消渴者，六味地黃湯大劑進之。

陰虛火動，骨痿水枯，尺脉旺者，六味加知蘗，壯水之主，以制陽光。

腎中之水不足，不能升達上焦，是以渴欲飲水，六味加參麥訶子，斂下焦之陰，以滋津液。

腎經陰虛，陽無所附，龍雷之火上騰，麥味地黃湯主之。

地黃　山茱萸　淮山藥　丹皮　茯苓　澤瀉

地黃滋潤腎經，以為壯水之主，泄水者木也，故用山萸肉以斂之，制水者土也，故用淮山以補之，仉水者火也，故用丹皮清之，尤妙苓澤化氣行水，有形之質下洩，則無形之津水上騰，而虛火於以平，諸證於以痊。

（未完）

中醫改進研究會為普及醫學發售

特價醫書

共三集第一集係山西盂縣名醫郭效古先生一生經驗之秘方特價三角第二集係村政處派員在各縣徵集之驗方特價五角第三集係本會派員在各縣以重金收買之特效良方特價八角同時合購三集者實收大洋一元六角另贈醫學雜誌一冊

審查徵集驗方

中醫傳染病學

全書上下兩卷共列二十四種傳染病特價一元二角並隨贈醫學雜誌一冊

醫學雜誌

現出至第八十二期自第一期至第五十四期每期一角五分五十五期至現期每期二角預定全年（六期）特價一元

醫學雜誌彙訂

共五集自五十一期起八十期止每六期裝訂一厚冊每集定價一元五角特價一元

以上各書統售現洋郵票代價九五折計以分以內者為限外埠酌加郵費特價期以二十四年六月底為限過期無效

售書地址

山西太原市新民中正街中醫改進研究會

十六

中國醫藥書局·廉價書目表

▲▲本局為宣傳國醫文化普及醫學知識便利讀者研究減輕負擔起見特提出重要醫書數種發售特價並優待國醫界暨各讀者本版書籍減收半價▼▼

本版書籍減收半價

書名	編著者	冊數	原定價	減收半價	內容提要
中國歷代醫學史略	張贊臣	一冊	六角	三角	內容敘述分縱橫二大綱，醫事之沿革學說的變遷引徵考核分析詳明。
中國診斷學綱要	張贊臣	一冊	一元	五角	本書分望色察舌聞聲問病因切脈搏等診法為四大綱。
春溫伏暑合刊	宋愛人	一冊	八角	四角	本書敘述證狀分析病變而外又辨別證之輕重治之得失實學真書無所隱避。
咽喉病新鏡	張贊臣	一冊	伍角	二角五分	內容分為生理總論預防法治療以及表解吹藥敷藥驗方內容等
血證與肺癆全書	張騰蛟	一冊	八角	四角	內容分吐血咯血咳血唾血嘔血及肺癆見血肺癰肺痿肺脹鼻衄貧血等症之原因症狀治療預防衛生學休養法調攝
中國痳症學	朱壽朋	一冊	七角	三角半	內容分痳疹為上下二編有中西對照之名稱及原因症候預防治療簡便方附錄等
天痘與牛痘	黃胥鄰	一冊	二角	一角	內容分天痘與牛痘兩大編詳述天痘與牛痘之歷史原因誘因預兆症狀變症診斷治療等
方藥考論類編	張贊臣	一冊	六角	三角	本書分劑之評論藥物之考正為二大類全書一百二十餘面四萬餘言
青年男女衛生指南	張贊臣	一冊	一元	五角	指導青年男女衛生之知識及病症之自療全書分上下兩卷
禁止中醫案抗爭彙選	張贊臣	一冊	三角	一角半	

總發行所 上海白克路西祥康里第七十七號 中國醫藥書局

投稿規則

一 來稿須用毛筆繕寫清初並註明詳細地址

一 來稿優者刊登後酬給十元以下之現金或贈品但不滿千字者該給贈品

一 來稿如不刊登者以贈獎品以酬雅意

一 來稿無論刊登與否概不發還

一 稿件經刊登後版權即歸本社所有

一 凡長期投稿者格外並有優待

注意 如有抄稿寄來除取銷酬金外並登報聲明

不准轉載

——歡迎代售利益優厚章程函索即寄——

中華民國二十四年八月十五日 初版

中國醫藥雜誌 第二卷 第八期

主編者 趙恕風

發行者 趙恕風

發行所 中國醫藥研究社（山東沂水黃山鋪街）

印刷所 沂水隆盛泰印刷局

定價

每月一冊另售大洋一角全年十二冊一元(國外寄費照加)優待全年訂戶八折實收若一次納費大元或介紹十人以上訂全年者認為永久訂戶永遠贈閱不取分文

東西醫藥報

東西醫藥報是東洋唯一中西醫藥報 醫師藥業之最好伴侶

每部四六倍版 六十四頁以上

全年十二大冊 售價大洋三元

現為優遇中國之中西醫藥界諸君起見只售原價

全年十二冊 收洋壹元八角

本刊內容分為十欄

1 卷頭言論欄
2 論說研究欄
3 講義專著欄
4 醫案醫話欄
5 驗案驗方欄
6 消息通訊欄
7 學術問答欄
8 衛生問答欄
9 日文特輯欄
10 西醫藥學欄

本報聘有中西醫師顧問十餘名

內容充實勿論 且富有中西參學說

本報發行至第八十一號 每期發刊四千部

不但是證明本報續刊七年有餘

亦是證明讀者至少擁有三千名

推而知本報基礎之堅固信用之深厚

非他報所能追及也 欲購從速 誌費前納

五分郵票代用無妨 試閱附資壹角

臺灣臺北市永樂町二丁目九十四番地

發行所 臺灣漢醫藥研究室

一、凡公設機關（如民衆圖書館等）欲請寄贈者須惠下五分郵票三角為送費即寄。

一、凡私設團体（如學校研究社中醫公會等）欲請寄贈者須下五分郵票一元為送費與紙費即寄 否則不得如命奉贈

一、凡敝報讀者或非敝報讀者倘有已閱過而不要用之中西醫藥書籍者不拘該書新舊好歹或日文漢文中文等若該書不缺頁污損者請即以郵惠下而依其原價之六折當作現洋特交換敝報或敝室所發售之藥書籍且得任惠書者自由指定書名而敝室所發行之醫藥書籍如左

敝室發售書目

傷寒學講義洋三元　溫熱學講義洋六角

虛勞學講義洋三角　疹痲學講義洋五角

診腹學講義洋六角　實用漢藥便覽二角

脉法學講義洋八角　東西醫藥報全年三元

一、凡有中西醫藥書籍欲委託敝室代售者須依其售價給敝室五折乃至三折之報酬而惟款費及送書費均由售主負擔

一、凡有中西醫藥書籍欲在敝報上廣告者現洋可六折若欲以所廣告之書籍代洋者亦可但須依廣告原價作算不得如現洋作六折算

本報廣告價目

全面洋拾二元　四分之一洋四元

半面洋七元　三分之一面洋五元

臺灣漢醫藥研究室 附告

內政部登記證警字第三七七五號
中華郵政特准掛號認為新聞紙類

中國醫藥雜誌

張紹堂題

中國醫藥研究社徵求基本社員簡章

一　凡有志研究醫學品行端正粗通文字者不分性別均得為本社基本社員

二　基本社員有左列權利

一發給精美之社員証書

二長期贈閱中國醫學雜誌（本雜誌內容豐富集現代名醫之大成每月出版一冊已經國民政府內政部登記預定全年大洋一元社員長期白送不取分文）

三贈送中國醫藥學講義一部（該講義分訂二十四冊大字石印非常清晰內容有藥物診斷內科外科婦科幼科生理病理及金匱驗方等原價大洋十元每社員贈送一部亦不收費）

四解答醫藥問題（凡本社社員通函研究醫藥問題或請求解釋者本社立即答覆）

五投稿有特別優待（凡社員投稿無論優劣均有獎勵）

六通函論症不收費用（社員如有為人治病遇有疑難者可來函詢問不收費用）

七購本社書籍只收成本（凡本社出版醫書社員購買只收成本如託本社代辦其他書籍者亦照原價不受酬報）

八介紹社員現金獎勵（凡介紹基本社員或介紹購中醫講義者及預定雜誌者概給以二成獎金）

九可得優美獎品（社員入社後由本社發題若干社員解答後寄交本社佳者可得十元以下之獎品）

三　基本社員每人收入社費五元郵費證書費等五元但在民國二十四年十月一日以前（外省展期一月）報名入社者入社費免收只收郵費等五元以示優待

四　如有熱心好學而暫時不能納全費者照左列辦法分期交費

第一次交費二元（與報名單同時寄去）以後每年交五角

五　分期交費與一次交費者受同等待遇中醫講義全部亦一次寄去

六　交納各費須購郵局滙票萬無一失若用郵票代洋九折實收（即郵票一元作實洋九角）但須密封掛號並蓋火漆圖章或黏郵票於封口以免意外

左為報名單式樣報名時可照式另紙填寫

報名單

姓名　性別　年歲　職業

履歷

通信處

本社啟事

中國醫藥學講義現所存無多非加入本社基本社員者概不贈送亦不另售基本社員優待免費辦法十月一日截止外省展期一月過期決不通融

一

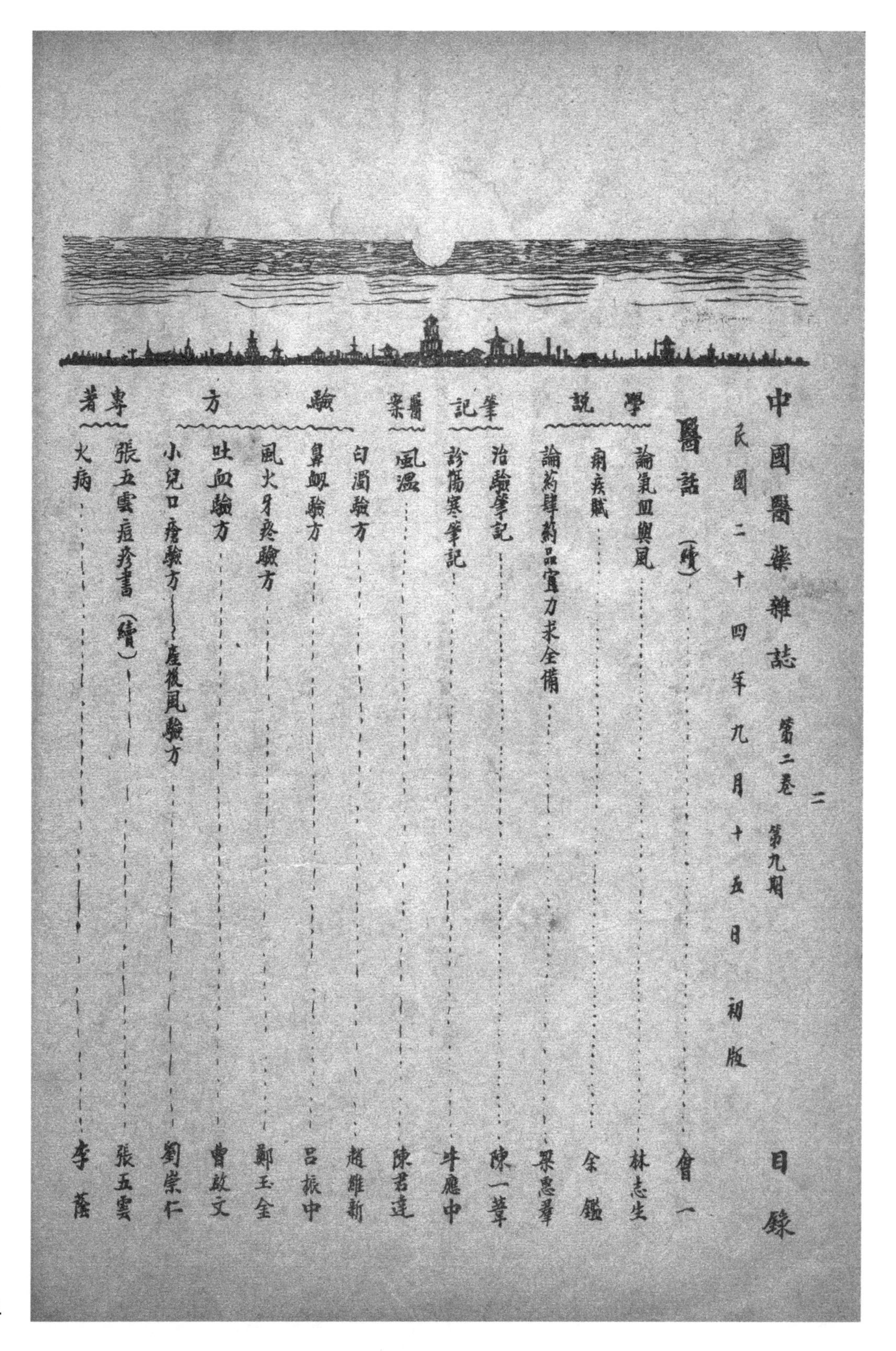

中國醫藥雜誌 第二卷 第九期 二 目錄

民國二十四年九月十五日初版

醫話（續）

會一

醫者無論良否，治病均願治愈，所謂有職官職吏無職大夫者是也。然醫術未精，經驗未足，而自高其能，不須病家詳述病情，即妄為人處方，殺人之烈，甚於職官之草菅人命！

庸醫殺人雖非故意，但自知學術未精，即應早自袖手，若竟大言欺人，公然開業，是不但有過失殺人之罪，亦應負詐術騙財之責！

現國醫條例雖經立法院制定，然尚未公佈施行，故各省每多自訂例條檢定中醫，淘汰庸劣，國醫甚佳，但當此國醫提倡乏人之際，除通都大邑外，良醫極少，過嚴則醫不敷用，過寬則與不檢定等，辦理極感困難，為減少庸醫殺人計，應先取締毫無學識之醫，蓋毫無學識之醫，但強記一二藥名，亂湊方藥，顛倒錯誤，殺人最烈，若限令醫生於處方時，非方案完全詳載立方之意者不可，否則予以懲辦，如此則不識字之醫生自不能處方，而庸醫亦必漸少。

醫學最重經驗，故有行醫五年以上即為醫師資格之規定，但亦殊不盡然，庸醫行醫愈久，其庸愈甚，愈老愈昏，殺人愈烈。

國醫未受檢選，間有庸劣份子，自然不免，至於西醫，政府已明定條例，大學設有專科，未合法之醫生，自應禁止，乃近來失業遊民，稍識一二藥名，假西醫以為騙錢之具，每治一症，非數十元數百元不可，違法詐財，實屬已極！

疾病日久不治，亦能自愈，傷科外科更然，騙財之輩，每利用包治以惑人，鄉人之墮其術者多矣。西醫之最捷效而為人所最信仰者，為傷科外科，但槍彈入肉，西醫非割出不可，中醫敷以藥則可自出，跌打傷骨，西醫非鋸去不可，中醫內服外敷則可自續，至於陰疽大毒，更有非服中藥不能除根者，是則中國醫藥未必無勝於西醫之處，特在人之善用耳。

中西醫藥各有特長，均應提倡，但於中醫可能範圍內，宜提倡中醫，是不但保護固有之學術，亦免使國產藥材因之廢棄。

藥材以治病為主，故炮製藥材，以不失其本性為標準，不可但求美觀而失藥之本性，如黃芩水煮，萸肉酒製，色雖美觀，效力盡失。（未完）

學說

論氣血與風

廈門 林志生

溯自遜清失敗以來，舉凡一切宗教文化經濟等，均多受外人侵畧，國醫尤甚，國人迷於洋化，竟有斥國醫藥不入科學，摧殘而蹂躪之者，故俛近之談國醫藥者，皆採証科學理，以塞俟人之口，然亦潮流所趨，不得不為當務之急。茲但就國醫之氣血與風言之。

國醫之氣血說佔國醫病理學上之大部分，氣無形而血有形，氣之名目最多，有營氣，有衛氣，又有胃氣，心氣，肝氣，腎氣，風氣等名目，究竟氣係何物？此為新追求中不可或忽之問題。

以志管見，窃以國醫之所謂氣，大半似西醫之所謂神經，如國醫之言胃氣痛，西醫稱為胃神經痛，國醫之言腳氣，西醫即指謂腳知覺神經障碍。

風為百病之長，故國醫之言病理，大都以風立論，如風邪，頭風，中風，風痛，風溫等，靜心思之，國醫之言風可分二類。

(一)風字中有蟲字，易云：「山風蠱」，謂山風所犯，可以生蟲蠱，故國醫之言風邪，與西醫之微菌說相同。

(二)風字又可代表指神經变態，如國醫之言中風，則西醫之腦神經斷推之，如國醫之所謂驚風，風痛，風濕，風癲，皆為西醫之神經變態。

神經興奮用藥宜鎮止，神經沉滯用藥宜興奮，中西醫者之用藥莫不相同。

痢疾賦

[illegible]鑑

暑濕內蘊，痢疾斯成，經作腸澼之號，古稱滯下之名，飲食停腸胃之流通失職，氣血凝滯，臟腑之運化不行，初起脹痛者易治，日久不痛者難愈，脉數大者為重，脉小弱者為輕，年老氣衰，大小俱忌，病輕氣壯，調和為平，日數十行，病家怯懼，日二三次，醫士輒驚，面色與便色鮮明，易徵功效，面色與便色黃暗，徒費經營，噤口熱甚易奏，虛噤口報捷難成，先瀉後痢者，腎傳脾為微邪，有先痢後瀉者，為脾傳腎，賊邪無藥，痢轉瘧者喜信，瘧轉痢者悲慼，病發本年，其憂危重，邪竊隔歲，難定章程，酒客與積濕陽虛人功不展，腸痛與疝瘕，動氣藥力難爭，其初起也，自利不爽，拘急難通，小溲短濇而不利，四苓芩芍以為功，汗利攻補，雖有禁於倪氏，虛實寒熱，宜奉法於吳公，表裡俱急者，活人敗毒散有驗，為腹脹痛者，加減芩芍湯成功，溼熱蘊而痞結昏蒙，借黃連瀉心之妙，舌灰黃而假渴溲澀，須滑石藿香之隆，濕溫下利脫肛，寒水五苓足用，久痢陽明不和，人參石脂堪充，口不渴而噦逆頻來，救土敗必須附子粳米，溲清長而腹中脹滿，溫脾土加附子理中，瘧疾內陷者，裡急腹膨，加減小柴胡妙，春溫內陷者，易於厥脫，加減阿膠湯工，氣下陷而門戶不藏，用補中益氣之法，熱下陷而腹痛後重，須加味白頭之翁，其病之入下焦也，酒客久痢，飲食如常，茵陳白芷去濕升陽，若年高病久，脾陽必傷，固屬虛多邪少，偏加食滑便瀉，是脾傷及腎，用復補之湯，苟利久而小便不通，又厭食而泉嘔噁，必加減手理陰煎法，參通守而合柔剛，如其未傷陽氣，又宜刪去剛強，或則瘀痰肛墜而腹中不痛，斷下滲濕化瘀而濇血為良，苟傷陽明陽分，以致闔闢不藏，脉微兮下利無度，腹厥兮陽脫須防，用堵截而分解，煎桃花而有方，如傷少陰陰氣，是以氣陷大腸，症必見尻瘦肛墜，藥又須地黃餘糧，使腎陽傷而下不固，腸臟下而穀道姑開，先生何方是貴，三神丸此症專長，若已無淫熱之邪，口渴舌乾而痰微，是乃傷陰之極，人參烏梅而急巨。祇液涸而脾胃無病，去連芍而麥冬堪嘗。其有陰陽兩傷，少腹與肛門沉墜欲絕，以致奇經亦病，腰胯與髀脊，痠痛難當，温補休緩，參茸宜商，若氣墜而腰脊不痛，去附子而補骨休忘，更有傷及厥陰，氣逆撞陽明之府，飢不欲食，乾嘔寒厥痛之常，烏梅圓在所必用，張仲景論之最詳。乃剛柔之並濟，正寒熱之相將，自葉氏化裁之妙，去桂心黃柏之相，柔則有白芍木瓜之用，剛則有吳萸香附之襄，是又純乎用柔之妙法，乃為厥陰久痢之金聚寶。休息用緩攻，通絡中之積滯，虛休息用參苓，補中下之陰陽。獨是噤口一症，虛實宜分，實症而備於熱重者，白頭翁湯其可取，實症而備於濕甚者，加減瀉心其為君，中焦之邪少，虛多，服加味參苓之提，下焦之虛多邪少，表肉蓯蓉湯之勳，餘痢疾由暑濕而起，其方法與濕同羣，臨證處方，可相參於此賦，靜心展卷宜細按乎吉文

論藥肆藥品宜力求全備　　南海　梁惠羣

既名藥肆，則一切藥物，均宜盡量蒐集，以應醫士之取求，牛溲馬勃，皆不可缺也。乃今之藥肆，則所備皆通用之品，應用稍罕，及價值太賤者，悉在闕如之外，窮鄉僻壤無論矣，北平曾為數百年首都，其繁盛高出尋常都會之上，乃藥物不備，與各處同，僕懸壺于此，偶用半硫丸、鼠矢、青箸、杵頭糠等物，均無以應，意謂此藥雖缺，不妨取性味類似者代之，不知昔賢製方，抉擇至當，一物有一物之用，焉有可以假亂替代之理，然既各肆皆然，尋覓不得，則醫師亦無如之何，其貽誤誠不尠矣，竊願操此業者，一變方針，力求齊備，俾醫師悉心選藥，擇取自如，勿謂賤值之物，不易獲利也，假使有一藥焉，各肆皆無，而此肆獨有

七

買藥者因其有即知其美，自必群焉趨之，生意興隆，翹足可待，似此有益無損之事，又何樂而不為乎，而有益於醫師，有造於病者，更不待言矣。

筆記

治驗筆記

陳一葦

叙言

余世居江西雩都縣，因遭兵禍，避難廣東梅縣，荏苒光陰，倏忽七年，幸家父精青烏術，得以維持生活，而余亦得就於新中醫學社者三年矣。茲幸赤匪消沉，故鄉平靖，遊子思歸，已刻不容緩矣。第以連旋火，屍骸遍野，以致疫病四起，而吾鄉老學醫生，多半亡故，即有一二，亦奔走不暇，鄉人有知余習醫者，聞余歸而登門求醫者，日不乏人，茲因請假期滿，乃復回新中醫學社，課餘之暇，因錄治驗幾則，藉登貴刊，以誌不忘，尚望海內外高見同志指政，則幸甚矣。

時乙亥年六月中旬序於新中醫學社二層樓

瘧疾

吾地遭共黨經八載，其中大小戰爭，不下數千次，火藥氣味，屍骸腐毒，感染於人，以致患瘧者頗衆，其症寒熱往來，口渴劇吐，心煩口苦，舌滑脈弦，其為少陽瘧疾無疑矣。蓋少陽為半表半裏，邪居其界，入與陰爭則寒，出與陽爭則熱，爭則病作，息則病止，景岳云：病有寒熱者，由陰陽之有偏勝也，陰勝則寒，陽勝則熱」。內經云：「先寒後熱者，先傷於寒，後傷於風也。先熱後寒者，先傷於風，後傷於寒也。」初起余以小柴胡湯加減治之，或愈或不愈。因憶陳修園三字經註云：「常山為驅邪外出之品」，乃重加常山、草菓，遂效如桴鼓。執是方愈數十人。而余亦因回家時途中感山嵐瘴氣，至家後半月而患是症，亦以是方一劑而愈。

按常山祛老痰積飲，專治諸瘧，仲景用其苗，名曰蜀漆。草菓溫脾胃，治吐瘧，所以見效神速也。

黃疸

患者為家姊，現年二十餘歲，聞余歸而來歸寧，常謂四肢倦怠，口渴嗜臥。余見其面深黃，按其脉浮數，乃曰此黃疸症也。病經二年，而伊猶不自覺。推其原，則由於數年避匪，餐風宿露，感濕熱，久鬱而成。初擬茵陳、白朮、梔子、大黃等味，服之二劑而渴稍止，黃稍減，但其体已虛，脉轉沉遲，腰痛頻頻，時值霪雨霏霏，連日不開，而倦怠嗜臥則尤甚。乃囑伊每日以穀殼炒熱，放諸席下，頻頻眠之，冷而復炒。書云：黃疸皆由濕熱，或即此所以去其水濕也。乃更進以茵陳理中湯，三劑而病減半，約半月許，共服藥十劑，則霍然全愈矣。

驚癇

王謝氏生女三歲，在腹時即患瘧，經年且常避匪於深山窮谷中，近日伊女忽發生手足搐搦，不省人事，面色純青，形如死人之症，日或數次，掐人中，灌姜汁，數刻則愈，經數醫皆斷為不治，伊母倉惶不已，請診於余。觀其面色微青而黃，体雖肥而虛，脉紋隱隱不可辨。余斷為在腹受驚而成癇也。此症委實難治，然幸初起，服余藥或可冀十中之二三。方用補中益氣湯：潞黨參、當歸、白朮、陳皮、黃耆、銀柴、白芍、鈎藤，

十

面黄体虚，實為脾弱，故以諸味補脾，手足搐搦，其原於肝，經云，肝主筋，諸筋收引，皆屬於肝。故重用蠍[illegible]白芍，以平肝，果服五劑而愈，此誠出乎意外者也。

眼疾

陳李氏年四十餘，因産後不檢，至風濕傷肝，肝開竅於目，因而目部風濕，血縷風輪，眼昏紅腫，淚流不止，患已二年，經醫多人，或作虛治，或作寒看，寒熱並用，攻補妄施，或不愈，或愈而複作，迫延余診，已屬半虛實之候，處方歸尾赤芍川芎生地決明蒺藜密蒙花菟絲，紅花荊芥等味，更以冰片洗之，四劑而病愈半，但體虛已極，乃更進以大劑四物湯，加諸明目藥，未半月服藥十餘劑，則愈，而身体亦復元矣。按此症全屬肝經，風輪屬肝，淚為肝液，故以決明密蒙花和肝，歸芍紅花破血，川芎菟絲補虛，生地涼血，荊芥止癢，治病者治經，故愈速，俗醫不知所屬何經，徒以平淡之藥治之，無怪其不效也。

經期過多

王家婦年三十，常患伯道之憂，延余診治，見其面色痿黄，按其脉浮數，自云身体倦怠，嗜茶嗜卧，憶傅青主女科經水過多條，甚類此症，乃斷為經水過多，以致血不歸經，行後複行，虛弱之極也。方用四物湯加减，熟地白芍當歸川芎白朮黑芥穗山萸續斷炙甘草，囑伊服十餘劑，嗣因吾社請假期滿，乃於次日動身來梅甫一月，接家書，則謂該婦諸症悉除，而身体健旺多矣。

診傷寒筆記

河北新城 牛應中

今春客居異鄉，忽接家中來電，言賤內偶感傷寒，促速歸，抵家後，見病勢沉重，曾有名醫處方，業服三四次，不過皆為辛溫表散之劑，終未見果，診其脈沉數，消渴不得飲，氣能上不得下，喘促之狀，不得[illegible]臥，接傷寒六七日，邪傳太陰，治宜清涼攻下，遂以大承氣湯加蘇子、括蔞等，降其辛金與大腸之邪熱，越小時之久，腹如雷鳴，震震有聲，立見特效，次日又以平胃散加紫菀等，以和其胃氣，三日後飲食如常，無稍痛苦，但脾胃虛弱，飲食不節，不數日即複發，診其脈寸數關伏，病頭疼寒熱往來異常速烈，始知飲食弗消，變症似瘧，乃下消導之劑，以下其宿食，又服健脾丸數次，始幸全愈，此余今春診傷寒特驗之一者，茲略述始末，以備同志之參考。

醫案

風溫醫案

陳君達　江蘇奉賢

吳右　民二三八月二日初診，風溫秋燥之邪，蘊襲肺胃兩經，肺主一身之氣，胃為十二經之長，肺病則氣機窒塞，清肅之令不行，胃病則輸納無權，通降失職，以致肌熱不退，葉經旬餘，咳嗆痰多，脇肋牽痛，口渴唇焦，數食無味，十餘日未更衣，至夜半咳尤甚，不能安臥，象似迷睡，脈象左尺細數，右寸關浮滑而弦，右尺軟滑，左寸關滑數不揚，舌苔黃厚，津少，乃陰分素虧，邪火充斥，顯然可見，據述起病至今，未曾得汗，一因邪鬱氣閉，一因陰液虧耗，無蒸汗之資料，脈證參合，症非輕淺，若僅用汗法，則陰液愈傷，若不用汗法，則邪無出路，顧此失彼，棘手之至，輾轉思維，用藥如用兵，無糧之師，利在速戰，急宜生津達邪，清肺化痰，去邪所以養正，除暴所以安良，然乎否乎，質之高明。

生石羔打細兩五錢，天花粉四錢 光杏仁三錢，金銀花三錢 霜桑葉錢五分 生甘草六分 象貝母三錢 建連翹三錢 豆豉三錢 粉前胡二錢 薄荷尖錢 生山梔三錢 冬瓜子三錢 廣鬱金錢五分 活芦根一尺 枇杷葉刷毛一張 露一杯代茶

八月三日二診。病情已載前則，唇焦口燥，舌不紅絳，但乾而膩，脈象兩尺濡數，兩寸關滑數無力，此係風燥外受，溫從內發，穀食不進，大便不行，乃胃內空虛，腸中乾燥可知，經云：尺膚熱甚為病溫，脈數者曰溫，皆是伏溫蒸蒸之見象，平素陰液虧耗，溫病最易傷陰，蓋陰液愈傷，而風溫燥痰為患愈烈也，欲清其熱，必解其溫，欲化其痰，必清其火，昨進生津化溫，清肺化痰之劑，骨痛潮熱較為減退，餘恙依然，尚不足恃，頗慮喘逆變遷，今仍原意去表加清，清其溫乃餘其陰，清其燥即救其肺之意，未識能出險入夷否，鄙見若斯，擬方於後，仍候尊家裁酌。

天花粉五錢 建連翹三錢 光杏仁三錢 甘菊花三錢 霜桑葉錢五分 象貝母五分二厘 生山梔三錢 淨銀花三錢 絲瓜絡錢五分 竹瀝另沖服 冬瓜子三錢 生甘草六分 鮮芦根一尺 枇杷葉刷毛一張 露一杯代茶 生石羔打細兩

八月四日三診。兩進清解伏溫，清化燥痰之品，昨日申刻得汗不暢，伏邪有外達之勢，肌熱稍輕，而未盡退，咳嗆骨痛氣逆亦覺輕減二三，固屬佳兆，無如陰液虧耗之體，木火易熾，津少上承，肺失輸化之權，燥痰膠結難解，口渴欲飲，唇焦便赤，脈象寸關滑數略靜，尺部無力，方既效，仍守舊章出入。

天花粉四錢 薄荷尖錢 光杏仁三錢 象貝母三錢 竹茹一團 梗通草錢 桑葉錢五分

連翹殼三錢　冬瓜子二錢　淨銀花二錢　生山梔三錢　生甘草六分　枇杷葉刷盡毛一張

蘆根一尺。

八月六日四診：連投清解伏溫，清燥化痰之法，午後申刻得汗兩次，伏溫有外解之象，仲景云：陽明病欲解時，從申至戌上是也。溫熱已去其七，咳嗽氣逆亦去其半，惟形神衰弱，唇燥口乾，睡則驚悸，小溲未清，右脈滑數較和，左脈弦數未靜，苔膩化而未盡，此陰液素虧，肝熱內熾，肺胃兩經受其摧殘，安能化津液灌溉于五臟，而源于六腑哉。按此脈症，陰關已通，循序漸進，勢能入於坦途，再議清餘焰，以化痰熱，生津液，以滋化源，雖不更衣多日不食，胃中空虛，腸内乾燥，雖燥屎勿亟於下也。

天花粉四錢　光杏仁三錢　淨銀花三錢　生山梔三錢　知母三錢　淡竹油一盅沖服　生甘草五分　辰木神三錢　連連翹三錢　象貝母三錢　竹茹一團　梗通艸錢　鮮蘆根一尺

枇杷葉刷盡毛一張

八月八日五診：身熱已去七八，咳嗆亦減五六，咳時喉有燥癢，鼻孔烘熱，口乾唇燥，舌苔化而微，肺金之風燥尚未清淨，餘熱留戀，燥字從火，火灼津液為痰，書所謂火為痰之本，痰為火之標也。右脈滑數漸和，惟左脈弦數仍屬未靜，陰液虧耗，肝火易熾，胃氣未甦，納穀衷少，審症參脈，漸有轉機之象，俾得不生枝節，可望漸入平境。若早進滋陰，恐有留邪之弊耳。

淨蟬衣錢五分　光杏仁三錢　淨銀花三錢　南花粉四錢　兜鈴錢五分　馬勃錢　連連翹三錢、生甘艸六分　瓜蔞三錢　竹茹一團　黑山梔三錢　貝母三錢　鮮蘆根一尺　枇杷

十三

葉一張去毛 桑葉錢

八月十日六診・病有標本之分，治有先後之别，病生於本者，治其本，病生於標者，治其標，今治標本以來，伏邪已解，肺炎亦清，咳嗽痰喘亦減八九，惟陰分本虧，津少上承，餘焰留戀氣分，肺經輸布無權，厥陽易于上升，口燥唇乾，頭弦且痛，形神衰弱，小溲帶黃，舌苔化盡而蒞少津，惟根間略帶白膩未清，皆係餘邪為患，燥從火化，火灼津液為痰，有一分之燥，則有一分之痰，不能清澈也，左脈弦數已緩，右脈滑數已和，恙已轉機，循序漸進，自能恢復原狀，仍清餘燥以化痰熱，生津液以滋化源，俾得津液來復，則燥去，陰生矣．

鮮金斛四錢 鮮沙參五錢 淨蟬衣錢五分 生石決四錢打細 桑葉錢 瓜蔞全四錢 象貝三錢，冬瓜子二錢 竹茹一團 生甘草八分 鮮蘆根一尺 杏仁三錢 鈎藤三錢 枇杷葉一張去毛

此方連服四劑，飲食旺而腑氣通，諸恙霍然，元神漸漸而復矣．

驗方

白濁驗方

北平趙維新

白濁症治不得法，往往積年累月不能全愈，余擬一方，效驗最捷，已經治愈數人，名曰清濁飲．

熟地三錢九蒸 杜仲炭錢 川羌活五分 獨活五分 蓁艽錢 枸杞二錢 牛夕錢 澤瀉錢

濕加、蒼朮五分 廣皮 厚朴各錢。熱加，銀花 滑石各二錢。赤濁加，銀花七錢。水煎服。

鼻衄驗方

河北唐山 呂振中

余遇一王姓孀婦，年五旬許，晨起盥面，鼻忽出血，塞鼻則血從口出，掩口則血從鼻流，家人驚惶，召余視之，服生地等藥涼血止衄，外聞以燈心灰，毫不見效，又用西法注射止血藥針，前頂拍涼水，止血棉塞鼻，仍不止，斯時面色發黃，頭迷眼黑，血流已盈盆矣。適其子至，曰可用猪甲燒灰聞之，果然血止。余問汝何知此物能止血，答云在濱江時，曾得此症，一鄉人告之，誠奇方也。

風火牙經驗良方

河北楊村 鄭玉全

余父常患牙疼病，經好多醫生診治，服了無數之湯藥，及丸藥，總不能治愈。年前有一位同鄉，告訴一法，始痊愈。其方於左。

防風，良薑，地骨皮，各三錢。，煎湯後，含在口裡嗽，嗽一會兒吐出，再含再嗽，每天不拘次數，即可漸愈。

吐血驗方

安徽 曹啟文

凡患吐血，不拘何因，宜將血揩在紙上，焙乾燒灰。用陳墨磨汁和之，用藕節煎湯，旋將灰汁湯三樣冲和飲下，繼備馬蘭菜四兩，去根洗淨，茅草根四兩，搗碎去芯洗淨，武火煎湯去渣，另用蓮子四兩，去芯皮，紅棗四兩，二種加入馬蘭湯，文火燉熟，每夜睡前，晨起，各食一餐。以七日至二十日為度，誠有回春之效力。

小兒口瘡驗方

劉崇仁

白礬一兩將礬枯畢用黃連三錢大黃二錢麻黃二錢紅花一錢黃芩三錢梔子三錢以上數藥熬水去楂用藥水將枯礬炒至五遍藥水炒乾候冷用硼砂三分五棓子三分微炒甘草二分另研細末硃砂分冰片分共研極細末吹敷患處數次立愈。

產後風驗方

前人

鄙人行醫以來尚重實驗對於產後風病研究細心立方治愈者不記其數，今將產後症一方公開濟世，救濟產婦之危症也。

當歸一兩　川芎片三錢　茯神三錢　防風二錢　桂枝二錢　紫丹參三錢　潞參三錢　陳皮二錢　益母草五錢　羌活錢半　桃仁泥二錢　紅花錢半　甘草二錢　連服三劑立愈。

專著

張五雲痘疹書

張五雲

芽兒長年生瘡論

月內嬰兒初生人世，未食五味未受風寒暑濕之傷，微感癘疫而生瘡，故藉者常多，密者長少，即捎有不順，不可驟投寒涼致傷嫩弱胃口也。余治此瘡用蟬蛻五個全蝎五個蜜炙乾再用酒炒芍藥共研細末，沙糖調服奇効，若長年生瘡，彼其人元氣損傷已非一日，深感癘疫而生瘡則咽痛而煩渴衄血腰疼皆水不能制火之故耳醫遇此不知氣血不能制毒之由，而顧用寒涼攻伐，氣血愈虧，又烏能成膿而結痂哉，水勝火息，火勝水沸自然之理也，此症當以參麥清補湯主之，服至六七日可望成漿，漿若不行急服參歸鹿茸酒托之，鹿茸難得，即服千金內托散亦可也，詩曰，

少年公子好輕狂，酒色先將腎氣傷，涼藥攻來虧血氣，麥參清補始為良。

虛實相似論

痘有實症似虛，虛症似實者，當觀形色以別之，譬如毒勝壅遏之痘，嘔吐泄瀉不食似虛也。而非真虛也，內毒不得發越，則攻上竅而嘔吐。邪熱不能外達則尋下竅而泄瀉。毒火內藏則腹脹而不食，誤用溫補，火愈熾而邪愈盛，變症蜂起，救無及矣。急宜解熱毒清邪火而諸症悉平矣。又若氣虛之痘，每多泄瀉，泄瀉則津液下陷，而渴，虛陽上壅而喘，渴與喘似實也，亦非真實也。渴喘發於泄瀉之後。渴因津亡而生，宜人參白朮湯主之。喘因氣虛而生，宜人參定喘湯主之。斷不可臨症而狐疑也。（未完）

火病（續七）

李蔭

滋陰之法，不可不利水，利水反以傷陰，惟利水於地黃之內，正取其利以行其潤，之之功也。

火灼肺金，則煎熬水液而為痰。水液傷，則肺葉不能敷潤，下垂，其在下肝腎之氣又熏之，肺葉焦痿失其制節，故氣逆而咳，氣愈逆欬愈不止也。

虛勞乾欬瓊玉膏主之

地黃汁　人參　茯苓　白蜜

地黃滋陰所為壯水之主以制陽光也，人參生津所謂損其肺者益其氣也，白蜜潤燥茯苓化氣皆為脾之正藥虛則補母也，此虛勞乾欬之佳方也。

肺為五臟華蓋經云穀氣入胃以傳於肺五臟六腑皆以受氣其清者為營濁者為衛，是臟腑皆取精於肺，肺病不能輸精於臟腑，一年而臟腑枯，三年而臟腑竭矣，故欬嗽為勞不治之疾。

火逆上氣咽喉不利上逆下氣湯主之。

人參　甘草　麥冬　半夏　粳米　大棗

唐容川曰參甘粳棗大建中氣，大生津液上輸於肺，肺清而火自平，肺調而氣自順，未逆未上之火氣此固足以安之，而已逆已上之火氣不可任其遲留也，故重用麥冬清火佐半夏利氣，火氣降則津液愈生，津液生則火氣自降并主燥痰欬嗽，此從胃中降衝氣下行使火不干之法。

右第三章因於陰精枯竭孤陽無依或用寒涼以折亢陽，或用滋潤以養真陰，而滋化源此際盡之

火之治法。

陰寒在下逼其無根失守之火浮游於上肌膚大熱欲臥涼地其表似熱而裏實寒

陰盛隔陽其證面赤戴陽除中能食，手足躁擾欲入泥水中坐白通湯大辛大熱以破之。

乾薑　生附子　葱白

薑附回陽葱白通陽陰盛隔陽之證服之立消。

下利厥逆下真寒也，乾嘔而煩上假熱也，白通加豬膽汁湯主之。

生附子　乾薑　葱白　猪膽汁　人尿汁

下利厥逆，陰盛於下也，乾嘔而煩，格陽於上也。附子乾薑純是一團烈火，火旺而陰自消，又用葱白通其陽氣，膽汁人尿以為反佐，宜無格拒之患矣。

少陰病下利清穀，手足厥冷，脈微欲絕，身反不惡寒，面赤色，通脈四逆湯加葱

生附子　乾薑　甘草　葱白

少陰病下利清穀，手足厥冷，脈微欲絕，裏真寒也。身反不惡寒，面色赤，外假熱也。附子補先天真陽，以為主藥，猶慮寒陰阻塞，不能直入根蒂，取乾薑之烈，以為前驅，蕩盡陰邪，迎陽歸舍，陽氣既回，若無土以覆之，光焰易熄，雖盛不永，更以甘草之甘，伏藏真火，真火即真陽也。然此但能益陽，故加葱白招引浮陽，此陰盛於內，格陽於外之治法也。

真寒假熱虛陽上浮，二加龍骨牡蠣湯主之

附子　甘草　大棗　芍藥　龍骨　生牡蠣　白薇　生薑

附子辛熱補水中之真陽，甘棗培土封水中之真陽，芍藥潤木養水中之真陽，龍牡收斂引真陽以歸根，薇薑舒散解上焦之餘火，此真寒假熱虛陽上浮之治法。

陽衰陰盛，而陰中一線之元陽，勢必隨陰氣上行，而為牙疼腮腫耳腫喉痛諸證

平人忽喉痛甚，上身大熱，下身冰冷，人事昏沉，此陰盛於下，真陽上越也。潛陽丹主之

附子　砂仁　龜板　甘草

附子補先天真火者水中之火也特慮羣陰障蔽真火，不能歸原故用砂仁以為嚮導龜板得水之精氣用以伏真火同氣相求也甘草得土之厚味用以養真火有備無患也。從此韜光匿彩龍雷不升諸證悉平。（未完）

外埠社員題名

本刊屢承讀者函詢社員姓名人數茲錄如左

姓名	地址	姓名	地址	姓名	地址	姓名	地址	姓名	地址
史作偉	豐城	吳醒迷	九江	李鶴棠	綏定	陳高安	霞浦	王聘賢	貴陽
林瑞華	汕頭	陳典周	佛山	賈有信	開封	徐在民	漢口	林書丹	烟台
楊子九	濟寧	李炳良	杭州	朱道元	天津	楊俊才	上海	陳月三	蚌埠
果憲章	豐潤	李沛霖	豐潤	孫敘成	如皋	程北光	萬縣	黃幼香	福州
凌覺蒸	長沙	趙遂良	石泉	邵良譜	泰州	吳居蘭	蘭谿	繆慎	青島
艾樹桂	武進	戴公甫	北平	韋郁甫	東陽	夏青雲	南漳	程春波	漢王
么震東	天津	陸致敬	川沙	郭國勛	漢口	蓬萊山樵	濟南	韋漢卿	柳州
袁壽廷	柳州	胡有之	運江	韋恭	柳州	李景記	柳州	周寶蓮	柳州

王占五　淄川　屈飛卿　同官　魏文水　同安　陳　震　萬載　易子邦　江西
周清萍　寧夏　杜鍾英　北平　夏書華　武昌　王伯謀　東平　曹香源　磁縣
張聖之　桐柏　程繼曾　高苑　馬光源　高苑　馬爾達　高苑　周仲龢　天津
郝寶珊　天津　楊韻聲　石家莊　鄭福齋　薊縣　陳鴻才　天津　馮漢三　濮陽
秋　贇　宣化　劉抒瀾　渭南　徐德存　北平　劉世安　淅川　朱壽芝　濟寧
徐廷琛　泰安　董竹之　高邑　張維翰　大名　李繼祺　薊縣　梁積堂　北平
劉其賢　岳口　王濟民　北平　王緝光　北平　勾維賢　北平　劉有三　高苑
鄭美村　高苑　張孝正　高苑　劉希賢　高苑　鄭自峴　高苑　許源清　分宜
晁士元　北平　梁鳳岐　北平　溫錦江　東莞　汪志翔　常州　周漢溪　天台
印康法　天台　蕭鶴翔　天台　趙世龍　北平　趙清溪　泰安　呂鶴鳴　天津
吳鐵民　北平　李文捷　寧津　李驚美　台山　李仲齊　天津　朱琢清　臨安
溫卓英　北平　王俊山　烟台　張毓祥　豐潤　郭海蓮　聞喜　陳繩樞　永春
王和甫　松陽　蔡樸華　宜豐　莊蔭聰　永春　杜跨灶　永春　陳杏亭　臨武
張子靜　長葛　陳素希　樂清　張鵬翼　道縣　張錫鑫　慶雲　杜劍溪　東安
湯　斌　長山　高汝曾　烟台　王疏瀛　烟台　曲祖貽　烟台　徐衍煦　烟台
鄒立益　烟台　秦子三　烟台　王法義　青島　饒　昶　城步　陳德友　永春

未完

廿一

國醫界唯一之集團

醫界春秋社擴大組織徵求新社員啟事

中國醫之於今日，衰敝凌夷，亦云極矣，而醫之侵略，政府之摧殘，而吾中醫仍安之若素，閴然無聞，豈學術之不敵人耶，抑亦少對外正式團体作有力之宣傳耳，嗚乎，際此存亡危絕之交，苟不急起直追，而為救亡之計，勢必至於淪亡而後已，同仁等關懷利害，不得不設法維持，爰特組織斯社，發行月刊，大聲疾呼，力挽狂瀾，亡羊補牢，猶未為晚，惟事關中醫存亡，端賴群策群力，互相維持，尚希海內同志相率加入，庶幾眾擎易舉，眾志成城，則不僅本社之幸，抑亦吾中醫界之幸也，茲將本社之略歷與信用及入社手續等等列左，如蒙贊同，參加共扶危局，則中醫前途其庶幾乎。

（一）歷史悠久 本社創辦於民國十五年四月二十六日，迄今九載，月刊已出至第一百零二期，久為社會人士所稱道，內而喚醒中醫之迷夢，外而抵禦西醫之侵略，對於歷年之中醫事業（如力爭中醫加入學校系統及反對廢止中醫案、參加中央國醫館等）貢獻不少，前後奮鬥事實俱在，班班可考。

（二）信用卓著 本社出版「醫界春秋」月刊，自發行以來，從未脫期與停頓，且內容豐富，加增數倍而有餘，因之定戶日多，銷數驟增，歐美南洋各地為數亦不少，信用卓著，早為有口皆碑也。

（三）註冊團體 本社於民國十七年二月三日蒙上海市衛生局發給第二號註冊執照，民國二十年十一月二十一日復蒙國民政府內政部發給警字第二十七號登記證，及上海市政府第一五府九號之批示等，概認為正式醫學團体研究學術之機關。

（四）入社手續 凡有志研究醫學者，不分男女，不限年齡，不論醫界非醫界，均可加入，惟初次入社者，須填寫志願書，並同時繳納入社費洋二元，常年費洋一元五角，又證書費洋五角（共計四元），以後每年祇須繳納常年費洋一元五角。

（五）優美證書 凡初次加入本社者，經本社執行委員會審查合格後，即給予入社證書一紙，認為正式社員（證書優美異常）。

（六）贈閱月刊 凡一經入社認為正式社員後，即常年贈閱「醫界春秋」月刊一份，以資研究，而示優待（非社員定閱每年連郵大洋二元）。

（七）名譽社員 凡已經入社之社員（或同時入社者亦可）能介紹十人以上入社者，本社另行給予名譽證書，以資鼓勵（入社志願書函索即奉）。

社址 上海白克路西祥康里七七號 醫界春秋社

中西醫藥界空前巨著

鼠疫治療全書

現已出版

編著者	校正者	題簽者	題字者	題序者
李健頤	俞慎初	謝利恒 陳無咎	張錫純 趾延人 廣州老 佳昌堂 嚴祖庇 林醫学 張山雷 陳愛棠 蘇錦全 日報社	王一仁 李濬人 林仰侍 林蔚宗 曾煙章 周岐隱 俞慎初 張方輿 秦伯未 李子俊 孫崇如 李元中

中西醫藥家不可不備

研究醫藥者不可不備

閩平潭李健頤先生研究鼠疫垂二十年所著鼠疫論文曾刊登于中西各醫藥什誌早已膾炙人口茲本生平研究中西醫學經驗之結晶編著此書集中西學說古今驗方參其新發明之良方並研究國藥注射液製法，注射手術法判斷生死法預防法辨症法診斷法鍼刺法衛生法治療法病後調養法，及西醫之治療法西藥簡處方西藥注射新法中西醫案等參考中外醫書雜誌數十種歷時十載凡五易稿，始克殺青分為上下二篇計十章一百餘目都六萬餘言理論新穎分析詳明誠治鼠疫之津梁衛生之寶筏也。

（價目） 定價大洋二元 特價一元二角寄費加一

發行所 福建福清城內官塘境現代醫藥學社

平潭縣五福启里餘慶堂製藥局

廿三

最新出版醫藥叢書

本所張錫臣先生以醫為濟世四十餘年活人無算且勤於著述備極精密前輯丸散真方彙屢印行問世不期年而初版告罄遠近識者莫不交口稱贊謂集吾國丸散良方之大成茲特重加修訂再版藉廣流傳實為醫界壽家社會家庭之至寶今將張先生所著各書併列於後以便選購

- ▲修正丸散真方彙錄　二巨冊　二元四角
- ▲尊翼軒經驗良方　一冊　三角
- ▲原本加按亟齋達生篇　一冊　二角
- ▲理教張景甫先生朝岐山日記　一冊　二角
- ▲醫藥衛生格言　一冊　三角
- ▲白喉忌表抉微駁議
- ▲白喉問答　合刊一冊　三角
- ▲李勇慈先生理教問答　一冊　四角

■發售處～天津法租界同善里二十一號張氏施診所

■代售處～天津法租界綠牌電車道世界圖書局　天津估衣街京都萬全堂藥鋪

～外埠購書郵費照書價加一外國加五～

贈痢疾藥　此藥治一切紅白痢疾效驗如神一包即愈原價每包二角茲為普及起見贈送試用如寄大洋四角即掛號寄奉五包

贈胃氣疼藥　五神丸治胃氣疼立即見效永不再發每打原價二元爲此廣告附包裝郵費洋四角即贈一打准愈一症永不再發

贈兒科調養丹　此丹治小兒驚風搐搦發熱嘔吐泄瀉咳嗽等症神效附本館費郵費一元即贈三盒但每人以盒為限多索每盒六角

贈蘇廣眼藥　治一切眼疾神效每二瓶只收洋一角（多類推）如願掛號寄遞者另加掛號費八分

贈麝香瘡癬散　治皮膚一切病症每包只收洋一角（多類推）如願掛號寄遞另加掛號費八分

贈衛生丹　治霍亂腹痛嘔吐泄瀉痢疾頭暈頭疼等症每包只收洋一角（百包三元）

贈咳嗽藥　此藥治咳嗽如神即遠年宿疾亦能除根附洋三角即掛號寄贈半打（大包）

贈送處　山東沂　黃山鋪街壽山堂

投稿規則

一 來稿須用毛筆繕寫清楚並註明詳細地址

一 來稿優者刊登後酬給十元以下之現金或贈品但不滿千字者該給贈品

一 來稿即不刊登者以贈獎品以酬雅意

一 來稿無論刊登與否概不發還

一 稿件經刊登後版權即歸本社所有

一 凡長期投稿者格外另有優待

注意 如有抄稿寄來除取銷酬金外並登報聲明

不准轉載

—歡迎代售利益優厚章程函索即寄—

中國醫藥雜誌 第二卷 第九期

主編者 趙恕風

發行者 趙恕風

發行所 山東沂水黃山鋪街 中國醫藥研究社

印刷所 沂水隆盛泰印刷局

定價 每月一冊零售大洋一角全年十二冊一元(國外寄費照加)優待全年訂户八折實收若一次繳費大元或介紹十人以上訂全年者誌為永久訂户永遠贈閱不取分文

中華民國二十四年九月十五日 初版

▲介紹 黜 赤盧山人～批命

赤盧山人·當世星學大家·淵源四代·寢饋功深·子平之秘術皆明·神峯之心傳盡得·文章·道德·品格·經驗·俱臻上乘·問世於今·已垂二十餘年·同人等皆經天運先生指擇有驗·如響斯應·故敢介紹·並代訂潤例如左·

細批終身一厚冊 祇取筆資兩元

附批內容如下

（一）細看命中有無天醫星照命醫星·應利何方懸壺可以門庭若市應作何種事業可以發達與家一一批清

（二）細查妻財子祿有何優點有何缺點批露無遺

（三）對於終身之命運何時吉何時凶以及大吉大凶之流年提示明白

凡我同志·欲知終身得失者·請將年月日時·以及生養地址開明·連郵寄下·五日寄覆·郵匯不通之處·郵票十足代用·

▲收信處 上海法租界環龍路三三四弄二號

▲介紹人 趙恕風 李裕之 武斯三 趙明吏

內政部登記證警字第三七七五號
中華郵政特准掛號認為新聞紙類

中國醫藥雜誌

張紹堂題

最新出版醫藥叢書

本所張相臣先生以醫藥濟世四十餘年活人無算且勤於著述備極精審前輯丸散真方彙錄印行問世不期年而初版告罄遠近識者莫不交口稱贊謂集吾國丸散良方之大成茲特重加修訂再版藉廣流傳實為醫界專家社會家庭之至寶今將張先生所著各書併列於後以備選購

▲修正丸散真方彙錄　二巨冊　二元四角

▲蕙莫軒經驗良方　一冊　三角

▲原本加按亟齋達生篇　一冊　二角

▲理教張景南先生朝岐山記　一冊　二角

▲醫藥衛生格言　一冊　三角

▲白喉忌表抉微駁議
▲白喉問答　合刊一冊　三角

▲李勇慈先生理教問答　一冊　四角

■發售處～天津法租界同善里二十一號張氏施診所

■代售處～天津法租界綠牌電車道世界圖書局
天津估衣街京都萬全堂藥舖

～外埠購書郵費照書價加一成外國加五成～

贈痢疾藥　此藥治一切紅白痢疾效驗如神一包即愈原價每包二角茲為普及起見贈送試用如寄大洋四角即掛號寄奉五包

贈胃氣疼藥　五神丸治胃氣疼立即見效永不再發每打原價二元茲為此廣告附丸藥費洋四角即贈一打准愈一症永不再發

贈兒科調養丹　此丹治小兒驚搐發熱嘔吐泄瀉咳嗽等症神效附木箱費郵費一元即贈三盒但每人一盒為限多索每盒六角

贈蘇麝眼藥　治一切眼疾神效每二瓶只收洋一角（多類推）如願掛號寄遞者另加掛號費[illegible]分

贈麝香愈瘡散　治皮膚一切病症每包只收洋一角（多類推）如願掛號寄遞者加掛號費八分

贈衛生丹　治霍亂腹痛嘔吐泄瀉痢疾頭暈頭疼等症每包只收洋一角（百包三元）

贈咳嗽藥　此藥治咳嗽如神即遠年宿疾亦能除根附洋三角即掛號寄贈半打（大包）

贈送處　山東沂水黃山舖街壽山堂

中國醫藥學三版發售預約啟事

中國醫藥學一書理論顯明切合實用内容有生理病理藥物診斷内科外科婦科幼科及全體驗案等由淺入深循序漸進初學得之可以無師自通醫師得之可供臨診參考現二版僅存百餘部除贈送社員外暫不出售今三版已付印約舊曆十月底即出版全部合訂上下兩巨册内容已較原本增加校對非常精確定價實洋三元預約只收一元限舊曆十月底截止過期實價出售不折不扣

本社啟事

本刊因係石印寫版費時往往恐悞出版倉卒付印以致差字甚多殊深抱歉自本期起校對設有負責專人詳細校閱諒不致再有差訛謹此奉告

敬告投稿諸君

本社歡迎投稿無論刊登與否均有酬贈但以非抄襲者為限詳載投稿規則(見底封内面)望讀者注意勿以抄稿寄下為荷

一

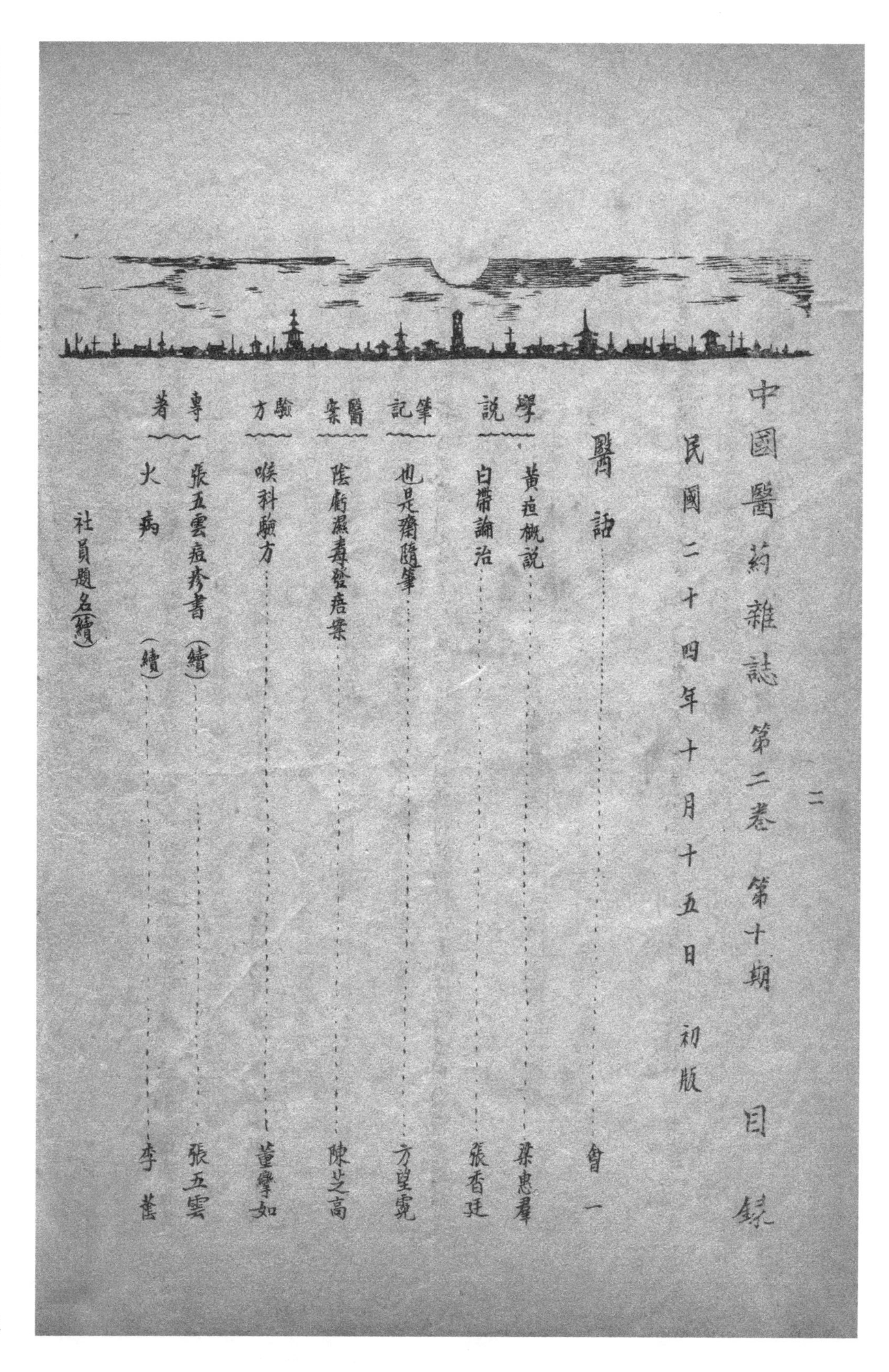

中國醫藥雜誌 第二卷 第十期 目錄

民國二十四年十月十五日 初版

二

醫話（一）

飲食宜注意清潔，藥尤宜然，今藥店製藥往往毫不注意，甚或以污水浸藥，酸臭皆不計較，且有以浸此藥之水復浸他藥者，害人匪淺！

藥之枝葉，往往有蟲類之蛹卵，藥久置不動，往往為蟲類所棲處，藥肆多不關心，被人誤服，必致中毒．

藥有沙土，用於煎劑尚能澄清，若用於丸散，令人服之臟腑何堪．食物腐臭尚能害人，藥而腐臭害人可知．今藥店皆以藥渣子腐臭之品為丸散，名存實亡，效力全非．

煎劑丸散各有所宜，施用得當方能見功，凡病之宜丸藥者，不得以求速效而改用湯劑；宜湯劑者，亦不得因簡便而改用丸散．

丸散之配製，宜較湯藥尤須精選，炮製更應精當，有一味不當，其效力亦必偏而無功矣．

六味地黃丸為滋補肝腎之品，人所盡知，但藥店所賣者，決不能有效，體弱之人，久服必生胃病，醫者不知藥之不良，以為虛不受補，誤人多矣！

考熟地萸肉為六味地黃丸中之主藥，熟地必須蒸爛搗膏，方不失其滋潤之性，炒之使焦，則等於灰炭，豈能滋補，山茱萸本草謂其核能滑精，故今人皆用萸肉，藥店以萸肉已應煎劑，餘核棄之可惜，遂配於六味地黃丸內，藥性全非，功效何有！

三

黃疸概論

北平潘惠羣

輸膽管粘膜腫脹以致膽汁外溢，侵入血液，全身皮膚眼目均呈黃色，名曰黃疸．有食思不振皮膚瘙痒大便必為灰白色，而發惡臭，尤以小便為暗褐色，振盪之則生多量之黃色泡沫，為此病之特徵．總以腸胃之受濕熱為其原因．大別分陰陽二種，陽黃患者頗多，以其發暴而愈亦易，又稱急性黃疸，夏日天氣炎熱，與地氣之濕交蒸，人感二氣，內結不散，發為黃疸，身黃色明，煩渴頭汗，小水赤澀，大便秘結，脈必滑數，病由濕熱，藥宜清化，如茵蔯茯苓梔子大黃黃柏赤豆之屬．陰黃症與陽黃症完全相反，以其起也緩，而治亦難，又稱慢性黃疸病，原屬於寒濕，乃脾陽虧弱，不能運化，身黃色黯，身寒胸痞，腹滿倦臥，自汗自利，渴不欲飲，藥須溫化，如附子乾薑白朮陳皮茵蔯人參山藥之屬．蓋貪食寒涼生冷水菓為莫大之病因也．

白帶論治

北平張香庭

婦人病症之大者，莫若崩帶，然崩症為病迅速且猛，人多防治之亦力，其為患也雖大猶輕．白帶則不然，其病之來也甚漸，人多不以為意，且羞顯與人言，故帶之症有遷至十數年，或二三十年，甚至四五十年，而始治者，則晚矣！夫帶原為腰間之總脈，名帶病，常兼五色，而白色為多，故統稱婦人之帶病曰白帶，蓋白色原屬於肺，而此之受病，實本於脾．特兼肺耳，何也？因脾間濕勝，有傷於帶，帶病不能統制脾氣，而濕膩漸下之也，然何獨婦人始得此症哉？蓋婦人之帶下，猶男子之精遺，吾嘗論帶雖不同於精，而所傷要皆不外夫脾腎，受病之原雖在於濕，而發病之機，斷在婦人之邪念太甚，妒嫉心重，并男女牀第之不法，久必暗傷帶脈，數年前有友人引一隣婦來治病，年三十許，叩之則為帶症，問病幾何，曰八九年矣。問服藥否，曰已服十餘方，皆不愈，余視其方，皆健脾理肺滲濕開鬱之品，而重思其不效之由，非盡在藥，當是邪欲太甚所致，而然余遂大開忠告，不顧俗忌，輕聲以示之曰，此病單恃用藥，不能早愈，惟節少邪念，獨宿靜養一年，而仍用此方，即可以愈，友人强予方，予不獲已，照原方少為進退與之，俟後逾年許，再詢予友，曰果如君言，已愈矣，方治於下。

白朮三錢　白茯苓八錢　薏苡仁八錢　黑山枝三錢　柴胡五分　陳皮五分　酒白芍三錢　水煎溫服。

筆記

也是齋隨筆（續）

江蘇方望霓

5. 王姓婦產後發痙，口歪不語，角弓反張，時或稍愈，而頃刻復作，諸醫皆用風藥治之，余曰肝為藏血之鄉，風木之司也，肝氣為風，肝血為水，水流則風息，而筋脈自舒，古人云，治風先治血，信有謂矣，況新產之後，氣衰於表，血耗於裏，氣衰則腠理疏，而外風易襲，血衰則肝木枯，而內風易動，故血不榮筋，則角弓反張，風淫胃脈，則唇口引動，當用滋潤之品，內養肝血，少佐驅風之劑，同氣相求，乃用四物湯，加羌活、炒荊芥、鈎藤兩劑而愈，若以風藥治表，則風能燥血，辛能散氣，適足以滋其困矣。

6. 趙君患吞酸已歷數載，後加意怒，遂致胸膈痞塞，狀若兩截，食入反出，形瘦肉削，治者非破氣消導，即清痰降火，服藥累年，未得一效，急邀余診，診得左手三部弦大空虛，右手寸關沉而帶濇，乃知苦寒傷胃，胃陽式微之症也。蓋胃司納受，脾主健運，胃虛則三陽不行，脾弱則三陰不化，致倉廩閉塞，賁門阻滯，奚能化導糟粕，轉輸出入乎，况氣者升於脾，而布於胃，運用不息，流行上下者也。今胸膈氣噎，乃氣虛而滯，非氣實而滿，如誤認有餘之象，妄施攻伐之方，不獨無益於脾，而反重損於胃，此所以投劑愈多而病勢愈極也。遂為立方，用六君子湯，加炮薑，桂木，莫茱，先將代赭石三兩搥末，和入清泉，取水煎藥，服後覺胸宇不寧，俄而漉漉有聲，膈塞遂通，食亦不吐。或云胃虛而用六君子湯，此千古正治，毋庸贅論，加代赭石者，其意若何，乞道其詳，余曰醫者意也，代赭石係代絕域土，稟南離之色，能鎮虛氣之上逆，又能生養中州，中州者脾胃也，脾胃屬土，土虛即以補土，乃同氣相求之義耳。

7. 沈某久瀉肉脫，少腹疼痛，飲食下咽，汩汩有聲，治者或以湯藥厚脾，或以丸散實腸，毫無成效，幾瀕於危，求余診治，望其色，印堂壽夭而不澤，切其脈，氣口六部細弱無神，則知清陽不升，元陽下陷，命門火衰，丹田氣冷，使脾土不能運行精微，腸胃不能傳化水穀，三焦無出納之權，元陽之敷布之能，升騰精華，反趨下陷，故曰瀉久亡陰，下久亡陽，陰陽根本，悉歸腎中，若徒知補脾，而不能補腎，是未明標本之治也，宜用辛熱之品，援補下焦，甘溫之劑，資培中土，譬之炉中加火，而丹易成，燈內添油，而燃不息，真有水中火發，雪裏開花之妙，何慮寒水之不能回春也。遂用人參，土炒廣朮，炮薑炭，炙甘草，熟附子，煨肉菓煎成，調赤石脂三錢與服，漸覺平安，十劑而痛止瀉減，面色潤澤，飲食增進，不一月而愈矣。

醫案

陰虧濕毒發瘖案

陳芝高 東莞茶山墟

病者：王坤乃即阿華三十二歲住東邑石崗鍾坑鄉．

病名：陰虧濕毒發瘖（一名白疹即世俗所謂白瘖是也）

原因：病已匝月，初延某醫診治，用桂心沙苑犀羚等物，不效．危在旦夕，始延余診．

症候：兩耳重聽，壯熱不休，時或譫語，口渴引飲，溲赤欬嗽．

診斷：脈右弦緩滑，肺胃熱痰，兼感時毒，左弦細無力，陰虧濕盛，苔黃底絳，熱盛津傷，夫胃脉上通於心，今痰熱挾毒，內伏胃經，循靜脈上擾心主之神明，故發譫語，陽明主肌肉，邪熱外蒸，故壯熱不休，熱盛傷津，而欲求救於水，故口渴引飲，夫肺為水之上源，在聲為欬，今為濕阻，而肺失其清肅之權，故溺赤欬嗽，耳為腎竅，腎陰虧損，不能上灌於耳，故耳聾而無聞，脈症合參，是陰虧為本，痰熱濕毒為標，將出白疹之候．

療法：牡蠣鱉甲，蛤殼洋參桑寄生等甘寒之品，能壯水育陰，故以為君，陷胸菖蘇等苦辛之品，能開肺除痰，解毒透疹，故以為臣，沸草雲苓，味淡氣平，能利濕泄熱，故以為佐，本標兼治，若服後痰除陰復，不生他變，乃可無虞．

處方：川牡蠣一兩　生鱉甲八錢　生蛤殼八錢　以上三味先煎．　川黃連八分　旋覆花二錢

七

瓜蔞實二錢半　蘇半夏二錢　外菖蒲錢　紫蘇子錢半　雲茯苓五錢　桑寄生四錢

加西洋參二錢後煎．

再診：脉沉取弦滑，苔仍黄膩，口渴喜飲，欬嗽壯熱，疹仍未出，是痰濕尚盛，陰液尚虧，肺未清肅所致，仍主前法加減．

再方：川牡蠣一兩　生鱉甲一兩　小龜板一兩　以上三味先煎．雲茯苓五錢　紫蘇子錢半

瓜蔞皮錢半　葶藶子錢半　鮮竹芯　冬瓜仁八錢　旋覆花二錢　蘇半夏二錢　加鮮茅根二兩先煎代水煮葯　花旗參二錢後煎．

三診：脉左部細耎，右尚弦緩滑，苔黄底白，口渴喜飲，欬嗽潮熱，胸腹白疹，是陰液未復，濕毒未清之候，與育陰化濕解毒透絡以善後，（小龜板兩　生鱉甲兩　川牡蠣兩　花旗參二錢半　南杏仁三錢　淅貝母二錢　人中黄三錢　旋覆花二錢　石天葵錢半　甜桔梗二錢　絲瓜絡二錢

飛海石三錢）

效果：一劑知，二劑已，三劑痊．

喉科驗方

河北董學如

喉科（深縣南溪村候君士居口述　溪村喉科得自祖傳，衹此數方，因證加減治之）

咽喉紅腫身冷

元參五錢 銀花四錢 桔梗三錢 麥冬三錢 花粉三錢 豆根二錢 桑白皮三錢 射干錢半

黃芩三錢 梔子炒二錢 升麻三分 柴胡八分 荊芥錢半 防風一錢 甘草一錢 小兒減少劑

防紫約只一服

咽喉紅腫身不冷

大元參 銀花 桔梗 寸冬 花粉 豆根 射干 桑皮 枯黃芩 梔子 升麻 柴胡 甘草

分量同前方.

咽喉有白身冷

元參五錢 銀花五錢 桔梗三錢 寸冬三錢 花粉三錢 豆根二錢 射干錢半 桑皮三錢

黃芩三錢 梔子炒二錢 升麻三分 柴胡一錢 荊芥錢半 防風一錢 牛子炒三錢 殭蚕炒三錢

連翹錢半 甘草一錢

冷則散，不冷則不必散.

有白舌苔黃

川軍五錢 枳實炒二錢 薑朴二錢 榔片錢半 木通二錢 車前子各包三錢 芒硝一錢 麥芽一錢半

焦查錢半 當歸五錢 郁李仁三錢 元參五錢 銀花五錢 牛子炒三錢 殭蚕炒三錢 甘草錢

雖瀉亦可用.

九

十

陰證（晝輕夜重脈沉細）

熟地一兩　枳實三錢　寸冬三錢　五味子三錢　牛夕錢半　茯苓三錢　肉桂一錢　乾薑五分

附子五分　山葯三錢　甘草一錢

咽喉有白帶疹

元參五錢　銀花五錢　桔梗三錢　豆根二錢　寸冬三錢　花粉三錢　射干錢半　桑皮三錢

黃芩三錢　梔子炒二錢　升麻三分　牛子三錢　殭蚕三錢　連翹錢半　薄荷錢半　荊芥八分

甘草一錢

咽乾音啞

熟地一兩　寸冬一兩　五味二錢　茯苓三錢　威靈仙八分　丹皮二錢　蔗蕎一錢　杷果錢半

寸菖二錢　元參三錢　巴戟天二錢　甘草一錢

凡喉症先紅後紫而白而黃而灰而黑　腳前腫者不治。

兩邊疙瘩右肺左肝　小舌有白胃火加石膏　疙瘩有白不動針　吐痰有半邊白圈者不治

紅腫葯脫不下者可針刺。

專著

張五雲痘疹書

張五雲

實實虛虛貴分明，用藥當如將用兵。臨陣不知埋伏計，如何麟閣得先題。

黑痘詩十一則

撮釜　小兒撮釜最難當，塗抹胭脂服大黃，為毒真參陽地位，眼中未見幾成漿。精神清爽諸症顯者，可治，元參為君，發表攻伐，毒勢鬆活，可望生機，遲則臟腑壞矣。

斷橋　上下獨分橋斷空，明分氣血陷中宮，空中透點回生意，攻破重圍毒不雄。此為毒結脾之兆，山查赤芍為主，佐大黃枳實，重用透發之藥，務令斷處見點為妙，腹脹堅硬者不治。

蒙頭　毒參陽位是蒙頭，火熱通身命必休，塗後升天散急服，古人原向死中求。此毒發六陽位也，以通發中劑大加攻伐，為毒鬆活可生，神氣迷昏，一身無縫者不治。

鎖口　單雙鎖口屬脾經，獨大無盈週不同，須向銀針先刺破，胭脂化毒急塗紅。此脾經毒熱呈象於口兩角也，攻伐劑中極力透發，急急挑塗，遲則無及，乾嘔不食者逆。

托腮　胃毒發兮献托腮，瘡攢一片最難開，清金攻毒及時服，猶恐痰氣易喘來。此以攻毒為主，多用山查破氣，再加發表，面目鬆活，生機可望。

鎖項　毒纏項下最為雄，比較托腮一樣攻，水穀往來真要路，漫將為腫遏咽封。食氣通達之門，兩胃升發之路，犯此症者慎之，伐表劑中多加牛蒡為主。

攢背　背發毒兮生死關，中宮逼迫莫輕攢，鬆肌透毒散先用，豬尾膏調化毒丹

十一

火病（續）

李蔭

諸水皆腎之所主，腎氣化上下內外之水俱化。

真陽衰微不能化，則泛而火逆。

腎為水臟，內含陽氣謂之命火，此火上升則為龍雷之火，下斂則為元陽之氣，八味丸引龍雷之火歸根，則上熱而不下寒頭暈喘促腰痛癃閉之證不作。

火浮於上下焦無熱，小便不利，八味丸導龍入海，引火歸原，上盛下虛，尺脈微弱，寸脈浮大，八味地黃湯主之。

地黃　山茱萸　丹皮　淮山　茯苓　澤瀉　桂心　炮附子

地黃性味甘寒，大滋腎水，特恐肝木盜水之氣，用山萸之酸以養心火為木之仇，用丹皮之苦以清之，淮山培土制水，苓澤化氣利水，此壯水之法也。然腎為水臟，內含陽氣，真陽一衰，水質必停，又用桂附之辛溫以補真陽，俾腎水賴陽以化，腎陽賴水以封，水足陽秘，龍雷之火歸根，則上不熱而下不寒，凡水泛火浮諸證立瘳，真火隨氣而行，遇水即蒸為氣，以充周身，此火不寒不烈，故稱少火，乃人身生氣之源，八味為少火生氣之方，若火氣過亢即為壯火食氣。

腎中之真陽，達於肝則木溫而血和，達於脾則土敦而穀化。

北方玄武坐鎮水邪，迎陽破陰，導龍歸海，治陰火也。

水邪泛溢，真陽上浮，真武湯主之。

炮附子　白朮　白芍　生薑　茯苓

附子辛熱以壯陽，則水有所主，白朮溫燥以建中氣，則水有所制，芍藥柔潤以養肝木，則水不妄殘。生薑辛溫散水，茯苓平淡利水，則水邪不至泛溢，又何真陽上浮之患乎。

胞中之水內動，衝氣挾水飲上逆，而致其證上熱下寒，龍雷火升，面赤浮腫，頭暈咽痛，發熱心悸，大便反溏，腹痛遺溺，桂苓味甘湯主之。

氣從少腹上衝胸咽，面熱如醉，或熱流兩股，或小便難而昏冒，忽上忽下，如雷光之閃灼無定，是陰盛格陽，陽氣飛騰之證，桂苓味甘湯，辛溫化之。

衝氣挾水飲上逆，鬱於咽中而為梅核，頰赤氣喘，桂苓味甘湯治其氣衝。

桂枝　茯苓　甘草　五味

諸證乃上熱下寒，龍雷火升，苓桂化水抑衝氣之下行，氣逆非斂不降，故以五味之酸斂其氣，土厚而火自伏，故以甘草之甘培其土也。

（未完）

外埠社員題名（續一）

裘華侯　紹興　徐拯民　宜興　彭運昌　晉縣　謝鎮南　晉縣　林棠宸　福清

滕忠科　天台　王欽墻　天台　李鴻亭　淄川　薛玉英　和政　劉化五　北寧

唐季玉　新寧
張春芳　沁陽
朱景喜　香港
郭容川　歙縣
胡靜齋　開封

梁化民　唐山
鄧廣生　唐山
劉廣文　唐山
翟憲章　唐山
賀紹先　唐山

余濟生　顏鎮
林奮修　惠陽
陳秀玉　福州
陳定之　海門
劉湖山　合浦

陳夢齊　海門
嚴承岐　泰安
張廷起　和順
張敬堂　桓台
葛晉福　蘇州

李文簡　莒縣
張培良　濟南
許道卿　曲沃
邱丘山　廣東
岳開謀　仙遊

岳開水　仙遊
岳興照　仙遊
岳金瑛　仙遊
張潘泉　廣州
龔同爵　天台

唐質清　大邑
王立夫　膠州
汪齊安　無為
毛崇禮　荷澤
湯玉書　杭州

吳錫根　松江
蔣醒園　溫嶺
張香廷　北平
喬俊良　清源
王德永　平西

王元華　濰縣
王元瑜　濰縣
王楚珊　汾陽
申培光　陽泉
袁德文　懷來

齊鑫鎔　完縣
梁惠華　北平
王謝詩　高邑
郭華光　諸城
高碧岑　井陘

霍廷琛　保定
張名南　高邑
李秀岑　懷安
徐南樞　南昌
李信卿　利津

蔚明光　豐鎮
劉劍波　綏遠
范南賓　棲霞
徐化民　杭州
蔣仲珊　開封

李耀光　任邱
乾相吉　高邑
康曉峰　宣化
申世明　保定
褚建民　常熟

于宣忱　蓬萊
索伯仁　開封
李家勳　祁陽
黃漢臣　新野
武子通　高密

雷鳴霖　定州
梅橫舟　北平
閻桐坡　石家庄
劉文伯　宣化
劉乙青　新化

陳家煥　瓊州
羅滋時　瓊州
覃勵鷹　瓊州
康　年　延慶

（未完）

陳公素先生編

內科診療醫典

大增訂 第二版 發售預約

內容豐富 記述明瞭 印刷鮮明 攜帶便利 印有樣本函索即寄

定價三元 預約二元 寄費二角 十冊以上免收寄費

預約本年八月三十日止 九月十日出書

北平醫刊社出版 北平西四磚塔胡同二十六號

本書初版未閱三月掃數售盡而購者仍絡繹不絕本應早日出版以饗讀者惟著者陳公素先生仍欲精益求精又費數月光陰詳加校閱全書澈底增改，又加入彩色圖數幅附錄一部對於裝訂印刷本社亦更加考究力求精進只以成本增大定價不得不略為提高，茲特發售短期預約以酬讀者出書後即售實價。

本書內容（一）內科疾患計包括內科疾患二百四十餘種每病之下各述其原因症候診斷療法預後并附以中西對照之處方（二）診斷要項凡內科之診斷法檢查法搜羅殆盡（三）治療技術如注射穿刺輸血瀉血人工氣胸日光療法氣管切開術等取材宏富而新穎（四）救急療法如各種突發疾患及中毒之應急處置敘述極詳（五）附錄：藥用極量表配合禁忌表，小兒藥量表醫事法規等計十餘種此外有白喉霍亂菌子宮猩紅熱血球等彩色圖數幅極其精緻暨本色插圖數十幅按圖索解一目瞭然。

總計全書約五十萬言用道林紙四十開六號鉛字排精印軟布面金字精裝袖珍本一厚冊約四百六十餘頁得此一書一切疑問無迎刃而解誠醫家日常必備之書也。

中醫改進研究會出版及代售醫書

以下各書均照實價發售不再折扣外埠另加郵費郵票代價九五折計

名稱	編者姓名	冊數	實價	備考
中國急性傳染病學	時逸人	二	一元二角	
清代名醫醫學案	本會	一	七角	
審查徵集驗方第二集	本會	一	五角	
溫熱經解	沈麟	一	三角	
霍亂	時逸人	一	五分	
喉症方論	本會	一	三分	
春溫伏暑合刊	宋愛人	一	八角	
中國痲痘學	朱壽朋	一	五角	
難經彙注箋正	張山雷	四	四元	
秦氏內經學	秦伯未	二	一元四角	
溫病條辨	吳鞠通	二	一元四角	
分經藥性賦	潘宗元	一	一角四分	

十六

投稿規則

一　來稿須用毛筆繕寫清楚並註明詳細地址

一　來稿優者刊登後酬給十元以下之現金或贈品但不滿千字者該給贈品

一　來稿即不刊登者亦贈獎品以酬雅意

一　來稿無論刊登與否概不發還

一　稿件經刊登後板權即歸本社所有

一　凡長期投稿者格外另有優待

▲注意　如有抄稿寄來除取消酬金外並登報聲明

不准轉載

——歡迎代售利益優厚章程函索即寄——

中國醫藥雜誌　第二卷　第十期

主編者　趙恕風

發行者　趙恕風

發行所　山東沂水黃山舖街　中國醫藥研究社

印刷所　沂水隆盛泰印刷局

定價　每月一冊零售大洋一角全年十二冊一元（國外寄費照加）優待全年訂户八折實收若一次納費六元或介紹十人以上訂全年者認為永久訂户永遠贈閱不取分文

中華民國二十四年十月十五日　初版

上海市 神州醫學會 國醫公會 中華國醫學會 國醫學會 家庭醫藥顧問社 醫界春秋社 新中醫研究社 中醫指導社 中國醫學研究社 聯名介紹

△海內外中西醫藥界第一流名家合作撰稿△

昌明醫刊

王震叔署 （印）

是中西醫學名著集合之總匯，是中西醫學文獻之寶庫，是現代國醫學術改進之急先鋒，是國內醫藥出版界富有革命性最完全最偉大空前未有權威之定期刊物

昌明醫刊 創刊號目次

昌明醫刊 第二期目次

定閱價目

月出一期全年十二期二元四角 半年六期一元二角 國內本埠郵費每年一角二分 外埠三角國外加郵費半年七角五分全年一元五角 本國郵票作價九折計算以一分二分五分為限本刊為統制出版數起見恕不另贈索閱樣本附郵一角不得指定期數

昌明醫學書局 上海法租界辣斐德路八十六號

昌明醫刊編輯部

內政部登記證警字第二七七五號
中華郵政特准掛號認為新聞紙類

中國醫藥雜誌

張紹堂題

本所張相臣先生以醫藥濟世四十餘年活人無算且勤於著述備校精審葯輯丸散真方彙錄印行問世下期年而初版告罄遠近識者莫不交口稱贊謂集吾國丸散良方之大成茲特重加修訂再版藉廣流傳實為醫界專家社會家庭之至寶今將張先生所出各書目併列於後以備選購

最新出版醫藥叢書

▲修正丸散真方彙錄 二巨冊 二元四角

▲蘡薁軒經驗良方 一冊 三角

▲原本加按亟齋達生篇 一冊 二角

▲理教張昌甫先生朝嶽山日記 一冊 二角

▲醫藥衛生格言 一冊 三角

▲白喉忌表抉微駁議

▲白喉問答 合刊一冊 三角

▲李勇慈先生理教問答 一冊 四角

□發售處——天津法租界同善里二十一號張氏施診所

□代售處——天津法租界綠牌電車道世界圖書局

天津估衣街京都萬全堂藥舖

——外埠購書郵費照書價加一成外國加五成——

贈痢疾藥 此藥治一切紅白痢疾效驗如神一包即愈原價每包二角茲為普及起見贈送試用如寄大洋四角即掛號寄奉五包

贈胃疼藥 五神丸治胃氣疼立即見效永不再發每打原價二元剪此廣告附郵費洋四角即贈一打准愈一症永不再發

贈兒科調養丹 此丹治小兒驚搐發熱嘔吐泄瀉咳嗽等症神效附木箱費郵費一元即贈三盒但每人一盒為限多索每盒六角

贈蘇廚眼藥 治一切眼疾神效每二瓶只收洋一角(多類推)如願掛號寄遞者另加掛號費八分

贈癬者愈瘡散 治皮膚一切病症每包只收洋一角(多類推)如願掛號寄遞者加掛號費八分

贈衛生丹 治霍亂腹痛嘔吐泄瀉痢疾頭暈頭疼等症每包只收洋一角(百包三元)

贈咳嗽藥 此藥治咳嗽如神而遠年宿疾亦能除根附洋三角即掛號寄贈半打(大包)

贈送處 山東沂水黃山舖街壽山堂

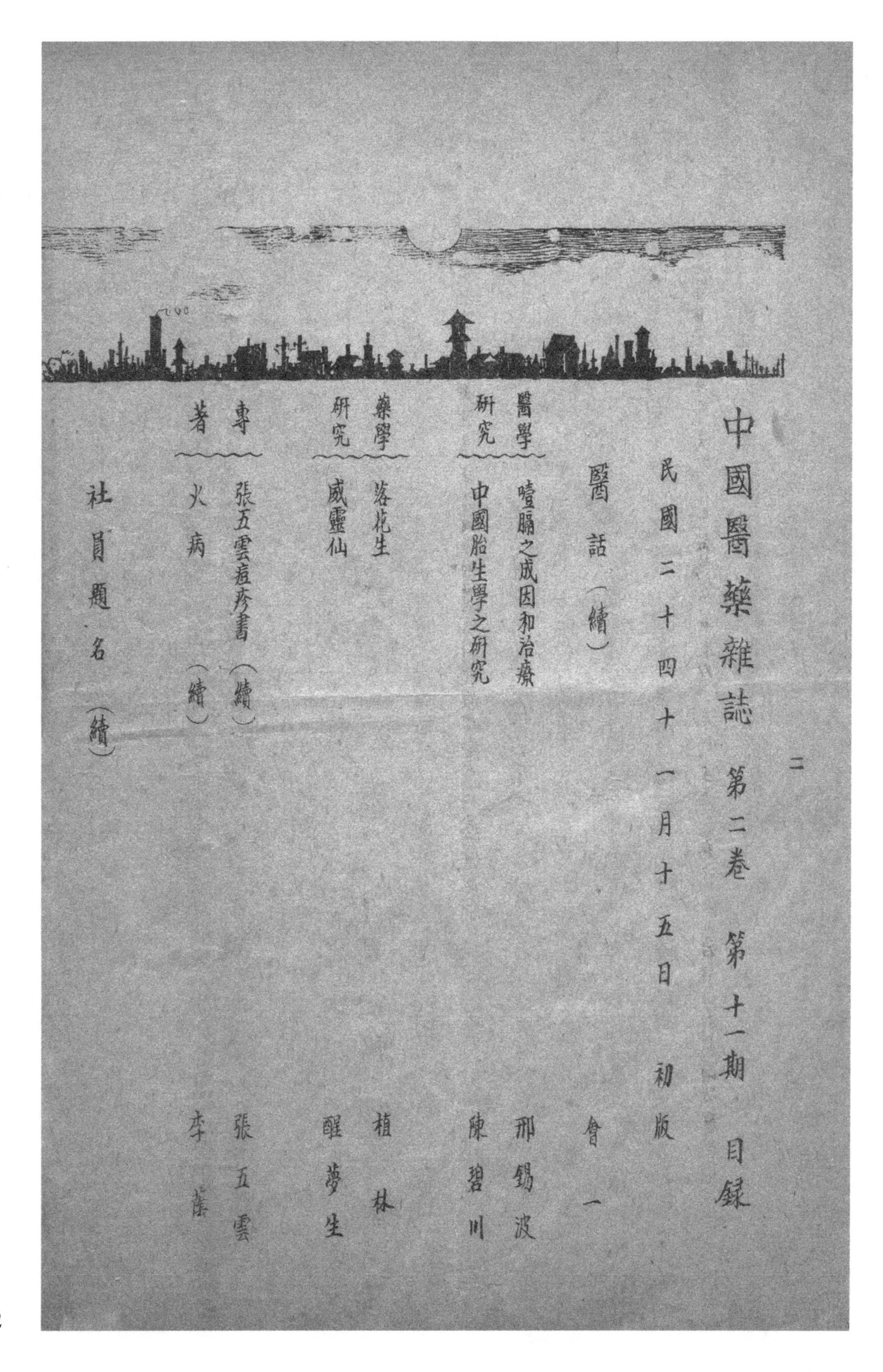

二

中國醫藥雜誌 第二卷 第十一期 目錄

民國二十四年十一月十五日 初版

丸散之力，有時較湯劑為優，症之宜丸散者，若改用湯劑，往往不能奏效。

有患呃逆者，或以小降節煎水服之，不效，以為藥之偽也，然藥肆別無他種，不得已用降節末服之，一服而愈。

匠人某患飲水嘔吐，或以五苓散煎服之，不效，重劑服之，尤不效，渴益甚，以詢余，余令其服五苓散末一錢，暖水調下，症遂大減。

考理中丸，仲景以為丸不如湯，因丸緩而湯速也，然亦當因症斟酌，不能概以丸不如湯論，嘗治患寒泄者，服以理中湯，症雖減，而胸滿不利，改服理中丸而痊癒，是以丸散在藥物治療上占重要之位置，惜藥店往往製不合法，甚或以偽亂真，任意添減，以致效力全非，失人信仰，殊堪痛惜。

然藥店之所以以偽亂真，亦不能盡咎於藥店，良以同一丸散，在二藥店即有二種價目，購者不問良否，即取價之賤者購之，藥店為保持營業計，不得不用偽亂真，減輕成本，以迎合購者心理。

且丸散製造費時，必須預先預備，藥店所備者有限，亦殊不足以應用，且用途之少者，備之往往積年不售，於營業上大有不利，故藥店喜配以一丸而主治萬病者，蓋所治既多，則銷路必廣，豈知一病必有一病之主方，若以一種藥而兼治之，安能有效耶？

近來市上售丸散者多矣，考其實效者無多，所謂祖傳秘方，新發明秘方，亦不過古方改其名目

而已

醫學研究

噎膈症之成因和治療

高陽 邢錫波

縱觀我國數千年醫籍，於噎膈一症，多委為不治，雖先賢有所發明，類皆憑空立論，而無實驗之結果，若朱丹溪謂為胃脘枯槁，薛立齋謂為怫鬱傷肝，觀其立言，鑿鑿近理，而按法施治，功效毫無，是以後之醫者，於噎膈一症，望影生畏，莫敢着手，厥後吳鞠通出，謂為陰衰於下，陽結於上，徐洄溪謂為頑痰瘀血，迨後王清任直謂為瘀血聚諂，紛紜莫衷一是，致使後之學者，望洋興嘆，莫所適從，迨僕臨症體驗以來，方稔前賢論症，各有獨造，將其立方審慎，藥力綿薄，未能與病機息息相融合，所以照方服食，不易收功．今綜先賢論症，及僕多年實驗之方劑，與治驗之結果，彙為一編，以供醫界之郢政，茲將噎膈一症，分為虛實兩途論治，謹列於左．

(一) 噎膈之關於虛者：虛症以胃脘枯槁，賁門斂縮而成，推厥成因，良由情志怫鬱所致，夫怫鬱則傷肝，肝性條達，傷則失其條達之性，不能分泌膽汁，助脾胃以消食，則脾胃衰弱，脾為中州之官，司承上輸下之令，若肝木失調，則累及脾胃升降之職，胃即改其息息下行之常，而反衝逆於上；兼之衝脈麗於陽明，胃病必及於衝脈，衝動則厥氣上逆，更加胃逆，相挾作勢，乘虛上干，將胃囊含蓄之津液，衝逆湧騰，由口鼻嘔出，而為黏涎，夫人之胃中，疊積如膏脂者，謂之胃陰，胃陰之用，上藉以吸引食物，下藉以輸運糟粕中可以涵潤胃囊。今胃液以嘔逆而出，胃囊無所涵潤，撑懸而賁門勢必斂縮，再為痰迫之痰涎壅閟，焉能使食物而下達乎。此薛立齋所謂憂鬱傷肝，丹溪所謂胃脘枯槁而成膈者也。

或有怒鬱日久，肝氣横恣，或嗜酒中虛，土衰木旺，木侮土則下泄傷陰，嗜酒則中虛熱鬱，皆足以暗吸真陰，真陰虧損，則孤陽獨亢，陰陽之氣原相維繫，若陰虧不能維陽，則陽自陽，不能下行以濟陰，是陰陽不相和協也。若值陰陽不暢之機，再遇憂鬱思慮恚怒等事，拂逆情志，則在上有餘之陽，結而不伸，即成吳鞠通所謂陰衰於下，陽結於上之病因也。陽結於上，不能下行以濟陰，則胃氣因之失降，衝氣因之上干，此又噎膈之成因者一也。

故張石頑謂此症為衝氣上逆，誠為千古內見。僕於臨症每於膈症關於虛者之治法，輒師石頑老人之意，合大半夏湯覆花代赭湯二方加減，重用鎮衝養陰之藥，體驗以來，莫不隨手奏效，應如桴鼓，茲將錄之如左：

野党參五錢　清半夏四錢　旋覆花二錢　代赭石軋細一兩　淮山葯四錢　當歸身三錢

天門冬四錢　蜂蜜一兩

（方劑詮解）此證以中氣不足，胃陰枯散，故主以大補中氣，大滋陰液之人參，使中氣充足，可以撑懸賁門，津液富饒，則胃脘之枯槁有所涵潤，恐人參之力有所不濟，僕以當歸天冬之黏膩多液者以濟之，赭石體重質純，上可制人參之升越，下可鎮衝氣之滂騰，半夏覆花既善於理痰，尤擅於降逆，山藥之性，取其質之黏膩，可以滋陰潤枯，取其味澀，可以緩逆斂衝，蜂蜜所以防半夏之燥，兼可通便潤腸，以患此證者多腸燥便難故也。

治驗二則

賈虎峯年五十八歲，以過勞好飲，劇膺此証，初起覺食物下咽，食管刺痛，不待食物入胃，即呃逆痰涎，食物亦夾雜嘔出，後寖加劇，每日祇進稀糜數杯，乾食下咽，旋即嘔出，延遲月餘，服藥罔效，延余診視，按其脉弦細無力，兩關微有濇象，此因操勞過飲，中氣先傷，營血暗吸，更兼好剛使氣，肝氣偏勝，是以脉弦細而濇也，余投以此湯，加桃仁泥三錢，紅花二錢，山藥改用一兩，連服二十餘劑而愈。

歙縣碩望楚克巖先生，年四十七歲，以鄭桂林義勇軍駐防歙地，公推楚君辦理臨時支應，而該軍素無訓練，強蠻性成，周旋稍不如意，即辱加謾罵，楚君以恚怒憂鬱，無所發洩，致釀此病，延醫服藥，功效毫無，遷延三四月，病勢加劇，漸至飲水下咽，旋即嘔吐，後經友人介紹，邀余診視，按其脉弦長有力，左部尤甚，知其衝氣上逆過甚，迫其胃氣不得下降也，因投此湯，半夏加至兩，服數劑後，漸進稀糜，因照方加茯苓、陳皮、生牡蠣、芡實，以理痰斂衝，八劑之後，食少量之乾飯，亦不呃逆作嘔，惟覺消化力弱，進食無多，又照方加於朮、雞內金，健脾運胃以進食，又連服十八劑而愈。

（二）膈証之關於實者　實症由於頑痰瘀血，壅閉賁門，阻遏食物下行之路，甚或壅鬱既久，釀成瘤贅，皆能阻食而成噎膈，其所以痰血壅閉者，皆肝氣不舒之為祟，黃坤載曰，肝氣主升，肺氣主降，若因恚怒憂鬱過甚，肝木失其條達之常，則肝過於升，肺失於降，氣為血之率，氣既過升，則血亦隨之過升，其暴者則為吐衄，其緩者則逗遛於胸膈，歷時既久，遂成有形之瘀，此痰血之所由來也，肝氣上逆，再為心胆之火，被逆氣阻膈不能下濟，而返上爍肺，為火爍失其下降之能，不能通調水道，則水津上溢，再為心胆之火薰蒸，則凝滯成痰，此痰之所由來也。頑痰死血壅遏賁門，食物梗塞難以下咽，遂成徐洄溪所謂頑痰瘀血之膈症也。其方得之初，胃液尚充，猶能免強吸食，下達腸胃，迨至病久，胃脘枯竭，瘀滯堅牢，閉食物下行之路，故食物入咽，旋即嘔出，此乃頑痰瘀血壅閉賁門而成。若食物下咽，為時稍久，復呃逆而嘔出者，多係痰血壅閉幽門，或因幽門腺管漲大所致，故食入胃後，下行於腸，因幽門瘀滯，梗阻氣機，不能下達，而反上衝，是以挾食物而嘔出，惟其阻於幽門，故須歷時稍久而始嘔出也。此外如食時受大驚大怒而成食膈，誤食銅鐵而成瘀膈，此雖外症似膈，而實非真膈也。食膈之治法，觀其在上脘者可吐之，在下脘者可下之；誤食銅物者，可以荸薺韭汁以化之，總由審證疏方，隨病加減，若能息息於病機相合，自可隨手奏效。至於頑瘀血釀成之膈症，余恒用前方送服仲師䗪蟲丸或壽南變質化瘀丸，每多奇效，二方見金匱和衷中參西錄，茲不贅。

驗案一則

病者王振華，經設有洋有商店，因生意失利，憂慮過甚，遂得此症。其初起每日祇進流質數杯，稍進乾食則食管肇刺作痛，旋即挾痰涎沸湧出，若是月餘，服藥罔效，後經余診治，為擬半夏覆花湯加減，服三劑後，病勢畧有轉機，再服即甚不見效，過數日忽嘔出膿血數口，按其脈絃濇，知其為瘀血壅閉食管也，遂令送服消瘀丸一錢，外加山甲、乳香、没藥、花粉等藥，以排消其未盡之膿血，服十餘日已能進食而不作嘔，後服二十餘劑，以收全效。

七

中國胎生學之研究

手遠陳碧川

胎生學者乃研究人類從何而來，從何而生之科學也，生有胎生卵生之分，由胎本孕育而產生者為胎生，如人類豕犬等是也，由卵類而化生者為卵生，如鷄鳥等是也，茲除卵生不論，而論人類發生之理焉，考人類之發生，由男精女血交媾變化而成，其生殖能力，則素問通天論有云女子二七，天癸至，任脉通，太衝脉盛，月事以時下，故能有子，丈夫二八腎氣盛，天癸至，精氣溢瀉，陰陽和，故能有子，所謂天癸者，即是腎中一陽之元氣，亦即係內分泌作用，促進精血發育之要素，男子至十六歲，女子至十四歲，為青春時期，男女各自發育，男子則由內分泌腦胎腺之作用，使睾丸中之精液細胞，分化精液，精液中有動物形如蝌蚪，名曰精蟲，為人類之萌芽，女子則由卵巢製造卵珠，乃女性生殖之要素，所以受精而成胎者也，精有陽精陰精二種，陽精簡稱精，內含精蟲，故靈樞本神篇云：生之本謂之精，西洋以精為精蟲又名精子，我國古時亦知精為精蟲，且有解說，莊子秋水篇云：夫精小之微者也，漢書刑法志註，精者細也，陰精西洋名為卵子或卵珠，卵珠分前卵熟卵二種，發育規定之大者名曰前卵，成熟而能受精成孕者名曰熟卵，再由陰精陽精相會合而受精，受精又分規則受精與不規則受精二種，一個卵子祗有一個精子入內，是為規則之受精，二三個精子進入一個卵子內者，是為不規則之受精，西人名為精子多發

再考精蟲與卵子之化生結合，男子由睾丸造成精液，由輸精管送至精囊存貯，以備交合時之放射，女子由卵巢化生卵珠，由輸卵管送入於子宮，每月一次，以備受精，及至交接時，男子則由輸管射精管將精液精蟲由精囊提出，射入子宮，精蟲之頭尖銳，與成熟之卵珠相遇，則攢入卵珠之內，互相結合，而得

滋養發育，逐以成胎，精蟲攢入卵珠者，普通僅有一枚，如二枚攢入，則成雙胎，二精已結合後，乃互相交換成分，逐漸發育，三月始分男女，十月乃生，論胎體發育之次序，古時已多解釋，茲舉數端言之，淮南子精神訓說，一月而膏，二月而胅，三月而胎，四月而肌，五月而筋，六月而骨，七月而成，八月而動，九月而躁，十月而生，文子十守篇說，生一月而膏，二月而脈，三月而胚，四月而胎，五月而筋，六月而骨，七月而成，八月而動，九月而躁，十月而生，形骸已成，五藏乃分，所論大致相同，又巢氏病源說，懷姙三月，名曰始胎，當此之時，血不流動，形像始化，未有定儀，見物而變，故產出之胎兒，有畸形及其他種種之不同者，皆是胎內所變成者也，又陳飛霞說，胎兒在腹，與母同呼吸，其安危在母之飢飽食飲，莫不相為休戚，蓋胎兒在母腹中，自不飲食，亦不營呼吸，全賴母之營養而生，五臟六腑肌肉骨節，母飽則胎亦飽，母飢則胎亦飢，凡健康與疾病，皆與胎兒有密切之關係也，由此觀之，我國古時研究之胎生學，與現在之胎生學比較，亦是大同小異，可見古人研究之精深，近代高思潛君所編之中國胎生學，筆法簡明，說理周詳，為一種哲理而成為科學之研究品，為中醫界開一新紀元也。

藥學研究

落花生與欬嗽

植林

花生屬豆科植物，味芳香而性和平，先醫之論本品功用，有謂為止咳藥，有謂其能生痰，二說大相逕庭，蓋痰附着肺部，呼吸即不利，吾人患傷風時，每覺喉部有物粘着，聲音嘶啞，若一欬則痰向外排泄，而喉癢與音瘖，俱恢復如常，故欬乃肺臟自然之驅除外物作用，今以花生一物，而具鎮欬生痰兩種效用，豈非諸說，以余觀之，二說皆是也，亦皆非也。夫欬病有因風寒外感者，有因內傷肺燥者，致花生之主要成分，為脂肪油，蛋白質，纖維等，可知其為滋潤品矣，以之治後者之欬，則有養肺清金功能，若以之治前者風欬，則有補邪生痰之弊，余嘗用本品去其嘴尖，研末，文水煎湯調服，治久欬不愈，及秋燥小兒百日欬，均獲良效，先賢之學說，合則為美，偏執則謬誤，余以研究所得，再徵諸實驗，故敢告我同志焉。

俚島醒夢生

十

專著

威靈仙

產地　敝縣山中有之。

形狀　葉似夜合而大，莖略似苦參，鬚根，根入藥。

性質　辛泄氣，鹹泄水，氣溫，屬木，其性善走。

功用　宣臟，通經絡，去宿膿，治風痺，癥瘕，腸秘，痰濕等症。

主治　骨硬……砂仁　沙糖　醋煎，又治麻瘋有奇效，嘗經驗多人。

用量　三錢或五錢。

宜忌　氣弱者慎用。

注意　忌茶。

張五雲痘疹書（續）

張五雲

堅硬之處銀針重挑，放出黑血，再以丸代劑中大發表之。

攢胸：小兒最苦是攢胸，五内相違攢背同，赤服黝肌透毒散，霎時症变入宫中。

此以酒炒大黄為主，君前胡佐桔壳以攻之，外用塗法。

囊毬：赤子腸球腫似囊，下墜上開最難當，急將化毒丹煎服，熾热还須蕩滌方。

此腎經部位氣血交會地也，元参為主，重加赤芍攻散小腸膀胱之絡。

鎖唇：鎖唇原係毒攻脾，煎服瀉黄散最宜，猪尾膏調是要藥，通身壯熱莫攻遲。

此脾經之毒勝也，當與鎖口同治，撥唇鐵唇者逆。

抱鼻：面部皆稀聚鼻深，分明脾肺毒猖狂，肺清毒解胭脂抹，起發通身可化漿。

此脾肺兩經毒也，以上數症俱宜内用攻伐，外用油胭脂化毒丹賍之。

異症詩九首

賊痘：凶悪賊痘色金黄，竊盗通身氣血漿，急用銀針挑毒散，小兒諸症始鷹揚。

報痘：漫將報痘視為輕，未熱先將數痘生，速用針挑急透毒，通身化發自峥嵘。

疔痘：疔痘依稀芳扎茵，形堅色黄必針挑，小兒吐瀉生疔驗，截斷疔根毒自消。

凡諸痘中其形獨大，或白或黑，或紫脹硬有核者，皆疔痘也。

蛆痘：痘潰蟲生細絲長，形成濕熱痒難當，香油引得濕蟲出，丹把蓮荷作浴湯。

十一

用霜桑葉同薄荷煎湯浴更妙，用蕉葉鋪身下其蛆盡化，神驗！

嬌紅痘：何曾血分大來燒，皮薄漿清色最嬌，惡候不知溫補早，將來痒塌恐難調。

悶痘：腎經黃痘仍歸腎，紫點腰疼勢最凶，攻毒鬆肌總枉然，迅雷掩耳真可哂。

板黃痘：血氣乾枯痘色黃，鬆肌活血急清涼，五朝猶可求生意，已過七天決斷醫。

旱痘：狀元旱痘本無膿，最怕催漿藥妄攻，原是寰中罕見痘，庸醫補助反為凶。

臭痘：先賢皆云臭痘生，豈知臭痒亦非輕，臭如爛肉人難近，痂脫依然禍患萌。

火病（續）

李蔭

腎水因寒而動，上淩心火，心悸喘欬，虛陽上浮，咽痛，面熱，苓桂朮甘湯加細辛五味。

桂枝　茯苓　白朮　甘草　細辛　五味

桂枝色赤氣溫具木火之性質，茯苓不根不苗，得氣化之最盛，二物大能化氣利水，朮甘辛味補土，散水而降衝逆，凡下焦寒水攻發衝陽上浮諸證，皆能治之。

右第四章下焦寒極而火浮，則以辛熱化其凝寒，下焦水逆而火飛，又以辛熱化其邪水，寒水既化，而火自歸原，此名陰盛於下，格陽於上，亦虛火也。

陰盛格陽辨

龍雷之火不燔草木，得雨而熾，即陰盛格陽之火，經云重陰必陽，火之最大者也。

陰盛於內，陽格於外，其證喜寒惡熱，揭去衣被，欲卧涼處，其人必躁，其脈沉細，或虛浮而亂，其舌必滑，其面色必青或赤浮於外其膚必涼或發熱者必先涼而後熱以手按之始覺壯熱久之反涼。

陰盛格陽其人面赤狂躁欲坐臥泥水中數日不大便，或舌黑而潤，或脈反洪大崢崢然鼓於指下按之豁空者或渴欲飲冷而不能飲或因下元虛冷頻飲熱湯以自救此真寒假熱之證誤投涼藥下咽即死。

有面赤如硃而似實火者元陽外越也有脈極大堅勁如石者元陽暴脫也，有身大熱者一為血虛陽無所附有滿口齒縫流血者陽虛不能統血血盛而上溢也，有喘促欬嗽痰涌者因心肺之陽不足不能制膈上之陰邪有二便不利者陽不足以化陰也。

實火篇

外感之火實火也，後天之火有形之火人火也，得水則滅，故以苦寒諸品折之用黃連解毒三黃涼膈者因其火邪蔓漫於內外也。用八正三承者因其火邪入裏而結聚也。厥深熱亦深大承急下以救之厥微熱亦微大劑清涼以解之此實火輕重緩急之治法其互異有如是者。

人身之火無處不有無時不在但喜通達耳凡臟腑經絡表裏上下苟有邪氣阻正氣之運行即便發熱是為實火，火邪熾盛既不在表又未入裏而結聚汗下皆非其時所謂實火可瀉芩連之屬此類是也。

實火上炎咽喉痛閉苦甘草湯以清之。

苦甘草一味煎服。

外埠社員題名（續二）

十四

徐步伯 辛店　楊鳴鶴 威縣　李書旗 聊城　張世澤 平定　喬亞月 安徽

康智勤 靈壽　張文漳 豐潤　顏錫忱 霑化　蕭卓左 棲霞　李錫春 柏鄉

吳辛明 滄縣　郝雅和 高邑　馮月亭 廣饒　王永同 高邑　康景全 北平

時子興 泰安　孫立庚 泰安　姜東海 威縣　王丙申 北平　聶九如 豐城

趙惠亭 泰安　張子武 杭州　顧曉珊 東臺　錢亞坤 東臺　方文甫 咸寧

王緣亭 密縣　胡惕心 永康　沙書文 上海　張庭桂 彰德　郭寶幹 佛山

陳師悅 福州　袁科華 新化　連宗善 任邱　李山農 日照　王鳳山 蘇州

陳觀福 福清　李馥 金谿　李劍奇 梧州　傅鶴書 酆都　張善守 江西

涂用之 樂至　甯會雰 新寧　李壽軍 賀縣　劉凝瑞 絳縣　黃榮芳 香港

王子喬 孝頭　楊維周 安陵　劉化豁 南皮　蔣文幹 洛陽　劉家棣 六河

姜忱一 掖縣　于成立 蓬萊　王雯 伊川　侯仙島 武強　郭錦忠 蓬萊

祁潤田 東鹿　李時庸 廈門　桂秋園 江西　龐鏡如 昌邑　林步逸 福州

鄭淑德 福州　吉秋芳 天津　王心原 杭州　徐榮光 河南　張葆田 陝西

呂子華 陽高　徐慶達 黎川　蕭齋如 信陽　董肇如 東鹿　張叔泉 河北

董現符 博山　臧西嶽 淇縣　王希三 荊門　韓聘之 通縣　張春灣 北平

侯錦綾 南京　馬斌庭 新鄭　郭恩民 北平　常煥辰 宣化　（未完）

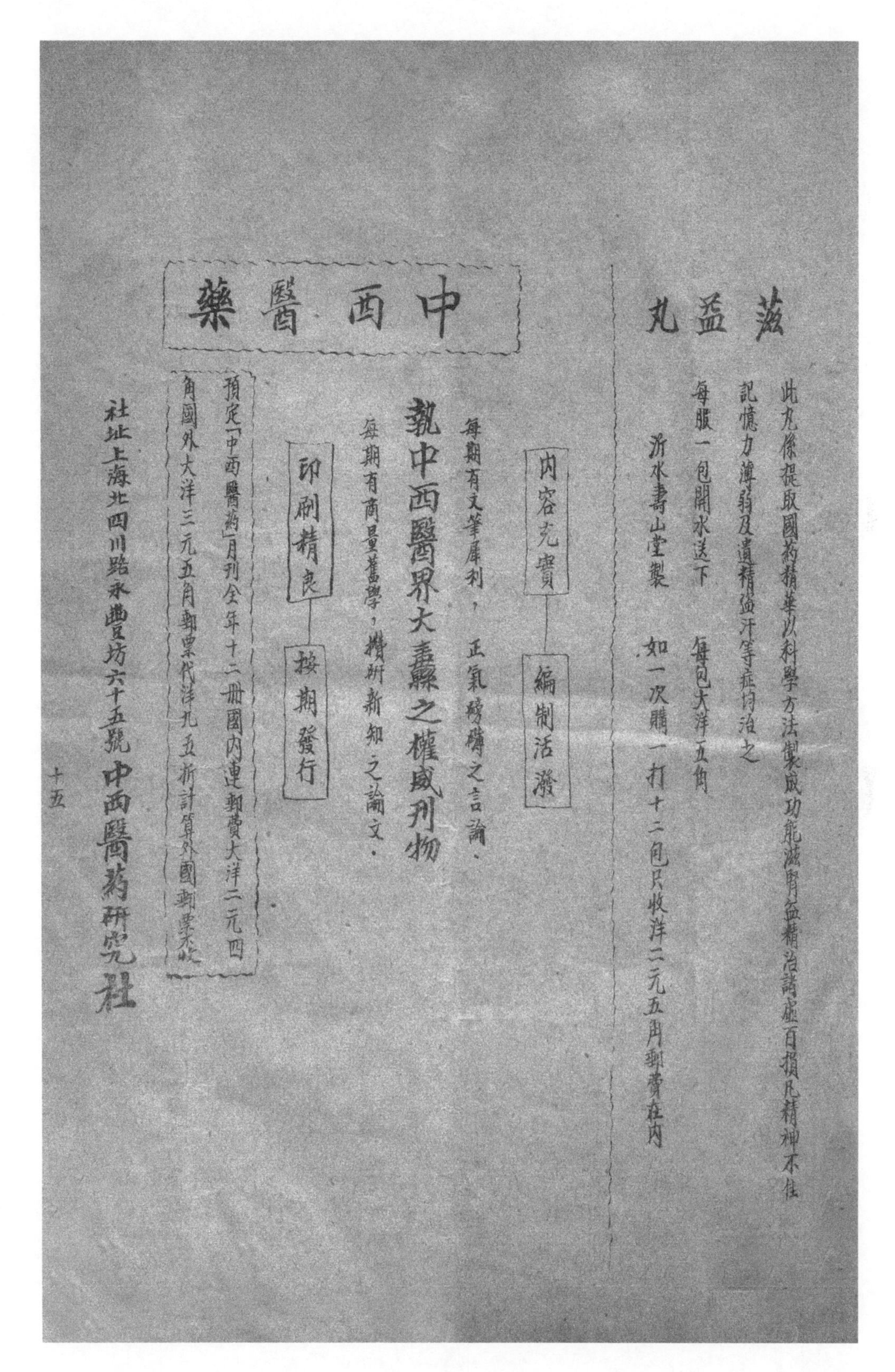

滋益丸

此丸係提取國藥精華以科學方法製成功能滋胃益精治諸虛百損凡精神不佳記憶力薄弱及遺精盜汗等症均治之

每服一包開水送下　每包大洋五角

浙水壽山堂製　如一次購一打十二包只收洋二元五角郵費在內

中西醫藥

內容充實　編制活潑

每期有文筆犀利，正氣磅礴之言論．

執中西醫界大纛之權威刊物

每期有商量舊學，攅研新知之論文．

印刷精良　按期發行

預定「中西醫藥」月刊全年十二冊國內連郵費大洋二元四角國外大洋三元五角郵票代洋九五折計算外國郵票不收

社址上海北四川路永豐坊六十五號　中西醫藥研究社

十五

投稿規則

一 來稿須用毛筆繕寫清初並註明詳細地址
一 來稿優者刊登後酌給十元以下之現金或贈品但不滿千字者該給贈品
一 來稿即不刊登者亦贈獎品以酬雅意
一 來稿無論刊登與否概不發還
一 稿件經刊登後板權即歸本社所有
一 凡長期投稿者格外另有優待

▲注意 如有抄稿寄來除取消酬金外並登報聲明

不准轉載

——歡迎代售利益優厚章程函索即寄——

中華民國二十四年十一月十五日

中國醫藥雜誌 第二卷 第十一期

主編者 趙恕風

發行者 趙恕風

發行所 中國醫藥研究社（山東沂水黃山鋪街）

印刷所 沂水隆盛泰印刷局

定價 每月一冊零售大洋一角全年十二冊一元(國外郵費照加)優待全年訂戶八折實收若一次納費六元或介紹十人以上訂全年者認為永久訂戶永遠贈閱不取分文

國醫藥界最切實用之刊物

中醫改進研究會出版
常務理事時逸人主編

醫學雜誌

風行中外 信用昭著
全年六期 特價一元

宗旨
發揚中國醫學之精粹
促進中國醫學之建設

內容
蒐羅宏富取材嚴謹
注重實用不尚空談

優待特價

本雜誌自民國十年發行。為國醫藥界歷史最久之刊物。兩月一期，全年六期，現出至第八十五期。首尾齊全，優待讀者特價發售：自第一期至第五十四期，每期一角五分，五十五期至現期，每期二角。預定全年，特價一元。郵費在外，郵票九五折算，以一分至五分為限。

發行處 山西太原市新民中正街 中醫改進研究會

內政部登記證警字第三七七五號
中華郵政特准掛號認為新聞紙類

中國醫藥雜誌

張绍堂題

中國醫藥研究社徵求基本社員簡章

一 凡有志研究醫學品行端正粗通文字者不分性別均得為本社基本社員

二 基本社員有左列權利

一 發給精美社員證書

一 長期贈閱中國醫藥雜誌(本雜誌內容豐富集現代名醫之大成每月出版一册已經國民政府內政部登記預定全年一元社員長期白送不取分文)

一 贈送中國醫藥學講義一部(該講義原係分訂二十四册三版合訂為六册現已出版大字印刷非常清楚內容有生理病理藥物診斷內科外科婦科幼科及全體驗案等原價大洋十元每社員贈送一部亦不收費)

一 解答醫藥問題(凡本社社員通函研究醫藥問題或請求解釋者本社立即答覆)

一 投稿有特別優待(凡社員投稿無論優劣均有獎勵)

一 通函論症不收費用(社員如為人治病遇有疑難者可來函詢問不收費用)

一 購本社書籍只收成本(凡本社出版醫書社員只應成本如託本社代購其他醫書者該照本局實價不受酬報)

一 介紹社員現金獎勵(凡介紹基本社員或介紹購中醫講義及預訂雜誌者概給以二成獎金)

一 可得優美獎品(社員入社後由本社發題若干社員解答後寄交本社佳者可獲十元以下之獎金)

三 基本社員每人收費五元郵費證書費雜費等五元茲因三版講義現已出版候待一個月入社費

暫免收只收郵費雜費等五元

四 如有熱心好學而暫時不能納全費者可照左列辦法分期交費

一第一次交費二元(與報名單同時寄去)以後每年交五角

五 分期交費與一次交費者受同等待遇中醫講義亦一次寄去

六 交納各費須購郵局滙票萬無一失若用郵票代洋九折實收(即郵票一元作實洋九角)但須密封

掛號蓋大漆圖章或粘郵票於封口以免意外否則如有遺失無從查究

七 報名處 山東沂水黃山舖街中國醫藥研究社

左為報名單式樣報名時可照式另紙填寫不必剪下

報名單

姓名　　性別　　年齡　　職業　　籍貫

履歷

通信處

民國二十四年　　月　　日　　簽字或蓋章　填具

投稿諸君注意

本刊自本期起對於外來稿件除照投稿規則(見底封面)辦理外凡未經刊登之稿如願

退還者投稿人須先聲名即可照辦投稿獎勵一律贈以書籍或本刊如願受現金獎勵

者亦可照辦但亦須預先聲明

一

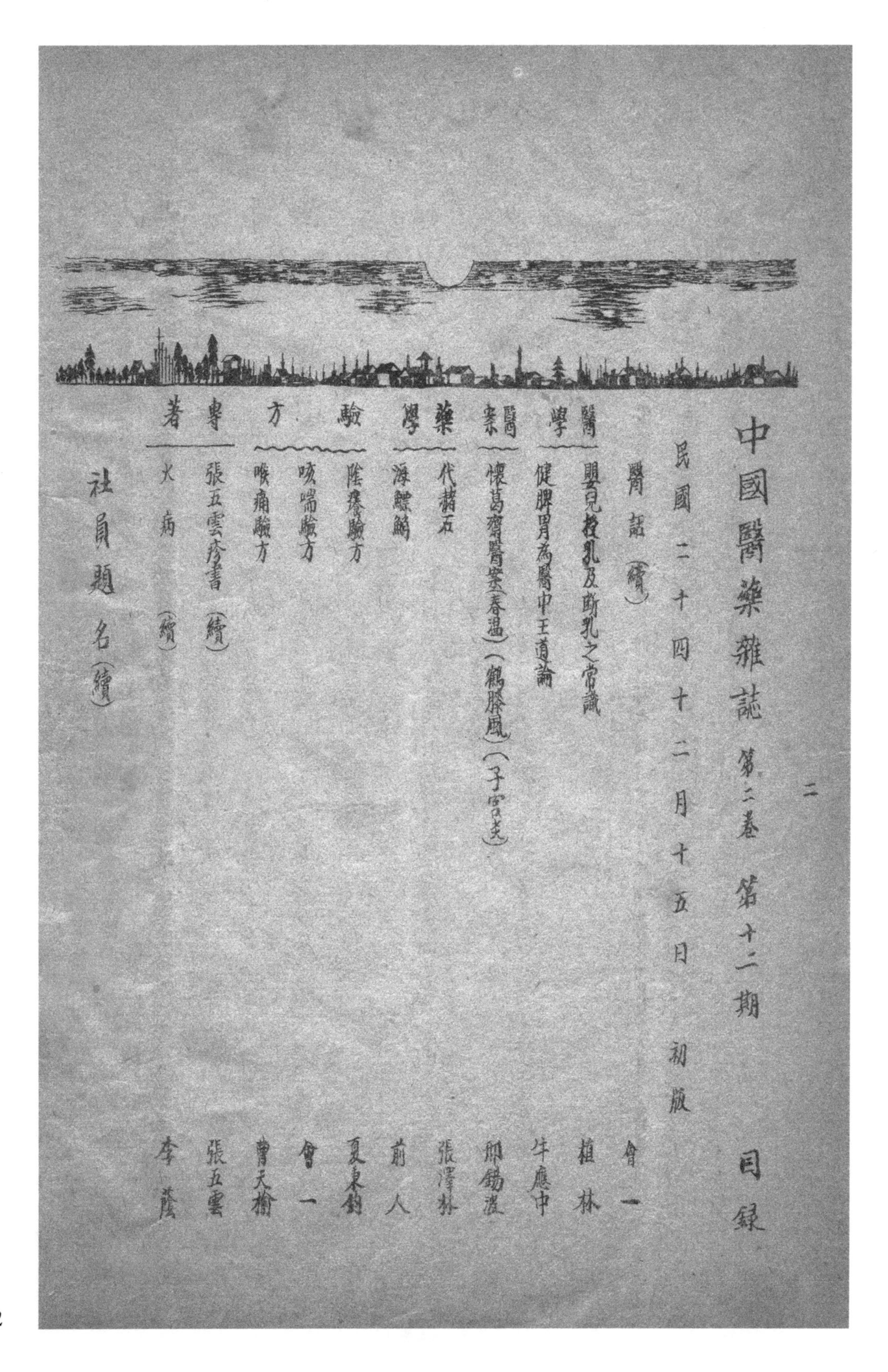

中國醫藥雜誌 第二卷 第十二期 目録

民國二十四年十二月十五日 初版

二

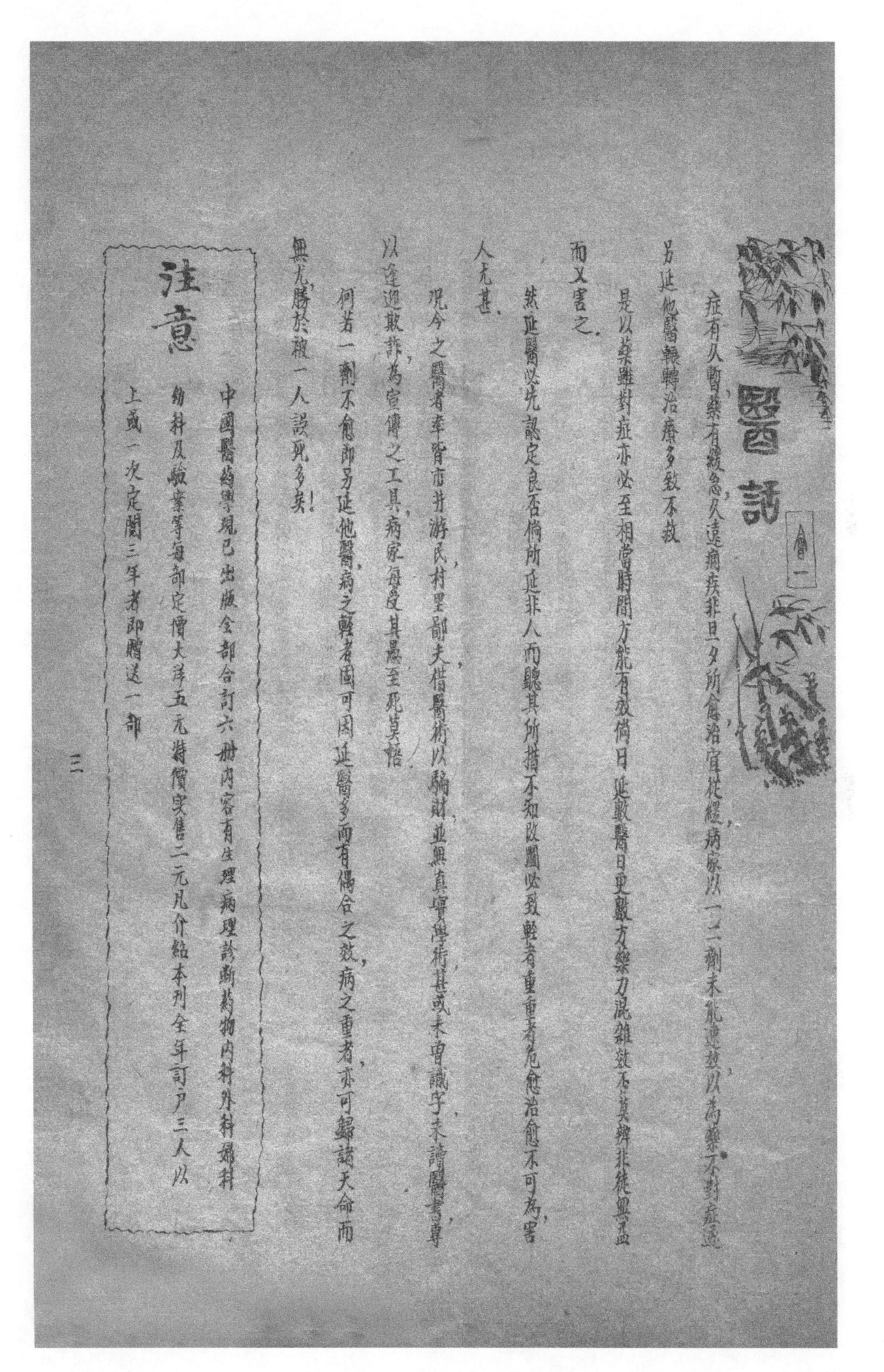

醫話

症有久暫，藥有緩急，久遠痼疾非旦夕所能治，宜從緩，病家以一二劑未能速效，以為藥不對症，遂另延他醫，輾轉治療，多致不救。

是以藥雖對症，亦必至相當時間方能有效，倘日延數醫，日更數方，藥力混雜，效不奏，弊非徒無益而又害之。

然延醫必先認定良否，倘所延非人，而聽其所措，不知改圖，必致輕者重，重者危，愈治愈不可為，害人尤甚。

況今之醫者率皆市井游民，村里鄙夫，借醫術以騙財，並無真實學術，甚或未曾識字，未讀醫書，專以逢迎欺詐，為宣傳之工具，病家每受其愚，至死莫悟，

何若一劑不愈即另延他醫，病之輕者固可因延醫多而有偶合之效，病之重者，亦可歸諸天命而無尤，勝於被一人誤死多矣！

醫學研究

嬰兒授乳及斷乳之常識

姜㨗植林

小兒初生，通俗習慣每先服以苦寒藥如大黃川連等，謂能解除胎毒，實則並無理由可言，夫苦寒之品，最戕腸胃，稚體嫩弱，何克當此峻劑，所謂胎毒，不過母體積熱遺傳，祇須用銀花甘草菉豆煎湯給飲數次，況且母體初次所分泌之乳汁，有天然祛毒通便功能，更不必妄施藥餌，戕伐以貽後患，恆見幼時服連軍過度，及長多患胃寒中滿等症，其為脾胃受傷之明證毋疑，即生後雖用解毒方，而遇時疫流行時，亦不能避免，可知此種理想預防，不能成立，為父母者反認為重要問題，而於哺乳技術與斷乳方法漫不注意，曷深浩歎，今當兒童年全國關心小國民保育健康之時，爰將斯種常識分述於下

(1)生後四十八小時，即須開始授乳，不可過遲.

(2)每次哺乳時間，最長不得過十五分鐘，二乳輪流替換，不可偏於一乳，致發育畸形.

(3)哺乳前後，均須先用開水清潔乳頭.

(4)哺乳時，母兒雙方，應求位置舒適，勿使乳房壓塞嬰兒鼻竅，阻碍呼吸.

(5)哺畢即將嬰兒輕輕抱起，使其頭部略靠母之右肩，用手微拍其背，俾胃中濁氣，得以排出，以免嗆乳，片刻後即讓其靜臥，保姆宜唱催眠曲，以誘嬰兒入睡.

(6)任何物件切勿置兒口內，以防微菌傳染，嬰兒每喜吮吸手指，尤須設法糾正.

(7)授乳宜遵守一定時間，一週以內之嬰兒每四小時授乳一次，日夜約六次，以後逐漸替減次數，若不按時亂給，則有種種弊害，如消化不良，易患泄瀉，養成不良習慣，終日煩躁啼哭，抗病能力薄弱，易染流行疾患等．

(8)斷乳宜在八九月後，不可過早，倘發育欠佳，則宜在週歲以後．

(9)斷乳方法，極其簡單，祇須逐漸減少授乳次數，用玩具以轉移其思想．

(10)斷乳後食物宜選用易於消化而富有營養之品，如牛乳稀粥等，亦宜規定時刻，不可零食，堅硬粘膩之物，不可令食，否則有傷腸胃，致成疳疾．

健脾胃為醫中王道論

河北新城 牛應中

脾為倉廩之官，胃為水穀之海，胃主司納，而脾主消導，一表一裏，一納一消，運行不息，生養氣血，滋榮經絡，是以四肢百骸，五臟六腑，皆籍此以生養，其形屬土，四季皆有土，故四時俱以脾胃為本，而醫家咸以健脾養胃為醫中之王道也．夫凡人病，多由於飲食不節，飢飽不勻，寒暑不調，喜怒失常，勞役無度．未有不損其脾胃，而病者也．經云飲食勞倦則傷脾胃，脾土既傷，不能運輸，則氣血精神，由此而日虧，臟腑由此而日損，是以百病藉處生焉．而庸醫不察其本，但治其標，妄投藥餌，終弗見效，是以醫家調理脾胃乃醫中之王道，亦為養生家之大法也．

醫案

五

懷葛齋驗案

春溫壞證

馬廠 邢錫波

馮達民年二十四歲，以冬傷於寒，潛不即發，伏於肌膚，鬱而生熱，迨至春陽司令，感觸新邪而發，初起即發熱惡寒，頭痛無汗，醫者不審病情，妄與以麻桂杏防等辛溫開泄之品，服後旋即汗出，而寒熱不撤，反增頭目眩暈，舌乾咽燥等症，另更他醫，復以辛溫疏風之品與之，服後汗泄不止，熱亦不退，起坐憎寒，神疲氣索，顴紅，苔焦，齒垢，目闔寐則譫語鄭聲，有時尋衣摸牀，遂現一派陰液就亡，正氣將脫之危象，按其脈細數無力，宛若游絲，察此證起，法宜辛涼清解，撤透其邪，該醫不知，過用辛燥之品，耗陰劫液，陰弱之體，勢不能支，以致險証叢生，危機環迫，所幸真陰雖拙，肝風未動，若內風煽動，抽搐一作，則挽迴不及救，雖扁和複生，無所措手，為今之治，宜壯陰救水，先賢云「存得一分陰，退得一分熱」，增陰即所以救本，本團再作滋苗潤莖之策，疏方：

懷熟地八錢　懷山藥五錢　潤元參五錢　甘枸杞五錢　真阿膠三錢　鮮石斛三錢

花龍骨四錢　左牡蠣四錢　別直參二錢　代赭石三錢

〔方劑詮解〕本方以熟地玄枸大潤之品，峻補其真陰，復以真參補氣以配陽，惟參之性，補而兼升，以治陰虛上脫，喻氏謂有氣高不返之虞，故以赭石之質重者以鎮之，龍骨牡蠣存陰止汗，阿膠滋坎填離，石斛秉水石之菁，滋胃腎而益脾陰，使陰復風熄，病勢方入坦途，

一日夜連進二劑，夜分稍靜，譫語鄭聲均減，汗亦漸斂，惟津液未復，周身均熱，焦苔略退，舌絳依然，

是病勢已見轉機，不過補陰難期驟功，若泊泊浸淫，諒可水到渠成，復與前方加潛滋肝腎之品：

潤元參四錢　懷生地五錢　女貞子四錢　生山藥四錢　粉丹皮三錢　鮮石斛三錢

生鱉甲三錢　生龜板四錢　花龍骨四錢　左牡蠣四錢

連服二劑，已汗斂熱退，諸恙均減，惟是虛體遽難復元，常覺精神萎靡不堪，心旌搖搖欲脫，此皆元真大虛，精神不固之為患耳。復加別直參三錢，赭石三錢，山藥改用一兩，二劑之後，精神漸復，胃納已展，後以滋養法調理而痊。

鶴膝風

張學堯，年二十五歲，以操勞過度，汗腺弛張，驟冒風寒，遂乘機襲入，初起惟覺兩足麻木，繼則膝蓋疼痛，漸發紅腫，上下脛股日漸枯細，醫者遵方書風寒濕痺等方論治，而病益加劇，患部赤熱，掀腫，左膝彎曲如弓，不能履地，夜間骨疼筋跳，鷄後始能安枕，診其脈左右俱形弦數，舌苔微黃，據證鑑脈，厥為鶴膝風無疑矣。致此證原係勞作生熱，汗腺弛張，汗液得以盡量排散，若當汗液盛出之際，偶為外界風寒所搏，則汗腺立即緊縮，排出之汗液，既不得外透於皮膚，復不得內返於經絡，停蓄腠膝，浸淫關節，關節為人身曲伸之處，其裝置淋巴腺為最密，風濕停蓄，不但有礙排泄廢物，抑且不能分泌營養，關節曲伸動作，揮擦生熱，濕邪鬱遏，亦能生熱，兩熱煎熬，致將附節之淋巴液灼爍枯竭，淋巴腺因之成炎，故膝蓋日漸腫大，上下脛股失於營養，故脛股日漸枯細也。今病者舌苔微黃，兩脈弦數，風濕釀熱，已屬顯然，決非陰性痛痺可比，醫者不知憑脈辨證，誤以辛燥之劑，助桀為虐，故症益加劇也。為今之治，宜內服疏風

七

逐濕涼血活絡之劑，以爾其本，外於患部施行肌肉注射，以治其標，標本同治，則收效較速耳。

〔湯劑〕右綦艽三錢　杜蒼朮三錢　川牛膝三錢　川黃柏三錢　全當歸三錢　生地黃三錢

宣木瓜二錢　絲瓜絡三錢　漢防已二錢　羌獨活各一錢　生甘草二錢　白蚯蚓二錢

另用松節一兩　嫩桑枝一兩　煎湯代水。

〔注射〕鹽酸喜那美寧3%液一·○○於患處，隔日注射一次。

注射二次，服藥三劑後，即有奇效，膝蓋不痛，紅腫亦漸退，後改用柔潤熄風活血宣絡之品，拾餘劑而痊。

子宫炎

王雲閣之夫人，年二十八歲，以月事適來，胞宮空虛，偶觸寒邪，遂乘虛深入，初起即寒熱往來，熱多寒少，少腹及腨下牽引作痛，狀如被杖，手不可捫，醫者此時不知以桃仁承氣及小柴胡等方加減論治，因循兼旬，寢至小腹痛不可忍，周身灼熱，前陰下有膿狀之臭液，或雜以腥血，曆時月餘，醫藥罔效，及余診視，按其脈弦而有力，尺脈尤甚，脈症合參，此西醫所謂之子宮炎也。按此證以熱入血室，因循失治，阻塞氣化，遏鬱生熱，以致子宮熱聚成炎，燻灼既久，寢至潰爛，故有膿狀之臭液下注也。為今之治，宜清解子宮之毒熱，排除已潰之膿血，疏方：

銀花四錢　土茯苓三錢　天花粉四錢　潤元參四錢　肥知母三錢　明乳香錢半

明沒藥錢半　生苡薏米三錢　赤小豆二錢　三七末二錢　桔梗錢半　粉甘草二錢

服二劑後，疼稍減而熱不退，因思此証，原係外感之邪鬱遏生熱，非宣透外出，熱必不退，遂於此方加薄荷葉三錢，生石膏六錢，連服二劑，熱退而痛亦大減，後除石膏薄荷及他寒涼之品，復加理脾健胃等藥，服六劑而愈。

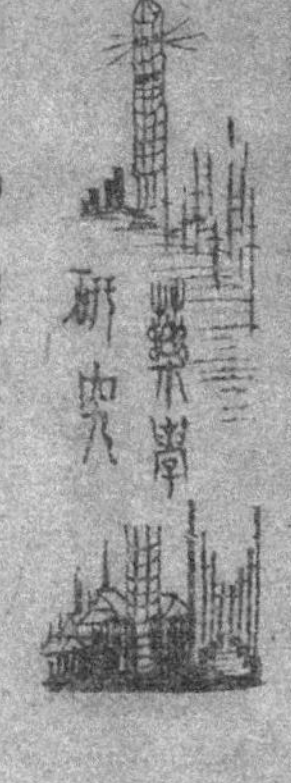

代赭石

姜堰 張澤霖

名稱：〡須丸 〢血師 〣土朱 〤鐵朱

釋名：以其出代郡而色赤故名，又以其山上赭，山下有鐵，故有鐵朱之名，其稱土朱血師者，皆以色名也、出姑幕者，則名須丸。

產地：雁門，及北方諸山皆產之。

形態：為塊狀纖維之礦石，質硬，碎之則為赤褐色之粉末、其礦物表面為疣瘤狀者，名丁頭赭石，近時多用此種。

性味：苦寒無毒。

成分：酸化鐵及粘土。

功用：收斂、健胃、止血、降氣、鎮驚、平肝、固脫、生肌。

主治：帶下崩漏，反胃噫逆，吐衄便血，小兒疳癇，胸痞脘痛，噯氣吞酸。

禁忌：孕婦及久虛者禁用。

九

（修治）生用力大，煅用力緩，生者以水研細，用茶煮之，煅者炭上燒赤，以醋淬三次，研細。

（著名方劑）旋覆代赭湯（仲景）治傷汗吐下後，心下痞硬，噫氣，用赭石配旋覆參草生姜大棗等。

著者按：赭石之功用，為降逆鎮肝，故凡氣血之上逆者，赭石能使之下行，蓋氣與血皆以下行為順，著者於暴喘嘔血噯氣不已等症，施用本品，效如桴鼓，惟必佐以旋覆甘草奏功，始速，古醫之謂肝，實統神經而言，故本品對於痙病腦充血，耳鳴諸症，皆能治之，且又有固濇作用，而於崩帶便血之日久者，亦有特效，近賢張壽甫先生之論赭石甚詳，閱者可參攷之。

十

海螵蛸

張澤霖

異名：小烏賊魚骨　（又）烏鰂骨

類別：禽化鱗類。

產地：東海濱邊。

形態：魚形如革囊，口在腹下，八足聚於口旁周圍，背上有骨，即入藥部分，厚若四五分，狀如小舟，與綦潔白，表面為革質狀，一面稍凹，他面則突出。係由石灰鹽類之結晶纖所組成，極其脆弱，若溶解於酸類，則僅殘留膜樣之物質。

性味：鹹溫。

成分：為燐酸石灰炭酸石灰及少量膠質等。

功用：消炎鎮痛殺菌，收斂通血脈排毒素。

主治：赤白帶下，陰中腫瘍，瘰疽久不收口，小兒瘧痢，痔疾，崩漏，經閉血枯，癥瘕，目翳，聤耳，火傷，跌仆。

修製 酥炙微黃色用。

著名方劑：四烏鰂骨一蘆茹丸，(素問經)治血枯月事衰少。

禁忌：不可與白芨附子白斂等配伍。

用量：小量三錢，中量六錢，極量兩餘(新衡)

著者按：本品應用頗廣，尤為外科專家所樂用，其生肌化腐功能，有勝他藥，因含有膠質，炭酸鈣也。余嘗用治久不收口之頑瘍，及陰挺下墜症，研末外施，內服補中益氣湯，頗著成效，且於婦女子宮內膜炎，及男子遺洩，皆有特殊療能，吸烟人之牙齒及手指，皆有黃黑色污垢，雖日以肥皂牙粉洗刷，均不能使其反白，若用本品研極細末，以牙刷擦之，便可瑩白如常，用整塊磨擦亦照，其色甚爽，卸去，癮君子類能道之。

驗方

陰癢驗方

夏秉鈞

芦薈 蛇床子 明凡 川椒 荆芥 防風 苦參 川黃柏各三錢

以上八味水煎濾清趁熱燻之，候溫再洗之，數次即愈。

痰喘驗方

竹茹　蘇子炒研各五錢　　水煎服一劑即愈

喉痛驗方

曹天摘

凡牙根紅腫口內瘡瘡舌破風火喉痛者用此方或擦或吮立效

上枚片一錢　西月石二錢　人中白一錢煅　青果炭三錢　雄黃二錢　熊胆五分　漂青黛一錢　煅石膏二錢　共研細末

此方是吾皋名世醫蔣蓮西家傳秘方余母於拾年前得喉痛症幾命危家父化割錢二十千獲得此方母病乃愈後家父將葯配和施之於人無不立效救人以千計今藏家無益特此公開．

專著

張五雲痘疹書(續)

張五雲

逆痘秘訣

湯泡通身似火燒，縮囊捲舌四肢搖，醫家縱有回生術，難保小兒壽不夭．

頂陷瘡平連肌紅，九朝終是一場空，黑紋秀發青班見，赤子存亡旦夕中．

鮮血奔騰出目中，十三四日見蛆生，腰疼胃爛七朝症，妙葯仙丹難奏功．

痘起粘連如錫面，肌浮頭腫形容變，小兒能食却無防，乾嘔昏迷作死斷．

目閉昏昏總不開，血如泉湧糞如煤，通身浮腫冷双膝，聲啞痰壅喘急來。

通身紫點似蚊傷，兩手尋衣兼摸床，顱板天庭提不起，勸君不用問岐黄。

努力胸高手撮空，瘡如痘殼耳流孔，口中無物常空嚼，背折搓喉班後風。

手足有無皆不祥，乾枯之症號空倉，屢來睛中如魚目，妄見鬼神指日亡。

手足獨有者，四實也。手足全無者，四虛也。皆毒結於臟難治之症。

火病（續）

李蔭

上焦火旺，頭面大腫，目赤腫痛，心胸咽喉口舌耳鼻熱盛而生瘡毒者，二黄湯主之。

黄芩　黄連　甘草

諸證皆是上焦實火，故以黄連芩草清心肺而解火毒。

當一切陽熱火盛，面赤口乾狂躁心煩錯語不眠大熱乾嘔，吐血衂血，及下後而大便大實，熱仍不已者，黄連解毒湯主之。

黄芩　黄連　黄蘗　山梔

汪訒菴曰黄芩瀉肺經之火毒，黄連瀉心經之火毒，黄蘗瀉腎經之毒火，山梔瀉三焦之毒火，使火毒俱從膀胱而出，諸證皆係火盛，火盛則水衰，故用大苦大寒之藥瀉其亢甚之火而救欲絕之水也。

風寒疫邪一有所著，氣壅火積而為實火。

外埠社員題名（續三）

楊修文 寧武　王武卿 密雲　蔡九如 新保安　高學謙 新保安　李寶峯 宣化
華連升 宣化　葛一田 浦鎮　田佩勛 束鹿　張寶桂 平度　孫守純 烟台
劉岐山 懷來　劉道寬 北京　楊子雲 唐河　許區 臨武　康雅民 北平
薛宏華 上海　劉遵聖 懷來　靳叔裕 勛陽　徐文煥 安陽　王表真 昔陽
曾曙新 高沙　智瑞卿 寧波　石筱珊 井陘　鄭康樂 宣化　劉景仁 菏澤
李闓宸 西安　李永清 海澄　馮靜之 六河　李漢臣 菏澤　方望霓 奉賢
曾星階 高沙　范潤生 濰縣　劉尊康 濰縣　劉滙川 順義　王旭東 南京
王宇安 北平　李朗軒 汝南　陳友畊 奉賢　孫轉斌 濟南　戴少洲 涿縣
張稱堯 孔家庄　李蕓甫 膠縣　郭官平 林縣　盧冠三 宣化　廖孟培 廣州
陳鐘 河北　于鴻魁 平原　羅金聲 河北　張子祥 西安　吳子宏 周村
王少臣 天津　馮華甫 河南　高逸生 江都　竇曉如 四川　王植蓿 曲陽
王逸亭 烟台　陸文表 江蘇　韓雲千 安邱　封連珠 高陽　白鳳鳴 固陽
劉馨園 蠻山　薛瑋堂 北平　楊仲義 四川　鄭仲英 望亭　姜贊文 景德
張樹楠 河北　戚白留 廣州　李鴻年 濟南　趙星橋 河北　（未完）

明日醫藥

第一卷　第二期

要目

定價　全年六冊定價一元五角（國內及日本郵費在內）
（郵票代洋匯款請註明北平安定門內郵局兌付）

社址　北平鼓樓東法通寺甲十六號

明日醫藥雜誌社出版

醫學家張贊臣主編

醫界春秋

是國醫界倡導革新之唯一的月刊

〓出版九年·風行中外 資望最老·信用最著〓以科學的方法來整理我國固有之醫藥 以真正的態度來評判中西學說之優劣

彙訂 △第五集 △第六集 △第七集 △第八集 全書四厚冊 發售特價合購四冊 另送月刊全年一份

本刊始創於民國十五年四月·迄今九載·發行以來·從未脫期與停頓·信用卓著·有口皆碑·且對於歷年之國醫運動事業·（如力爭中醫列入學校系統及反對廢止中醫案參加中央國醫館等）莫不首先奮鬪·故久為社會人士所稱道·銷數遂為之日增。回憶昔年第一集彙選·及第二·三·四·集彙訂等·出版未久·即告售罄·茲因各地同志之需求·特將第五·六·七·八·年之月刊復集彙訂·分裝成冊·共計四集·分列如下·

（第五集）係集合第四十九期起·至第六十期止·即第五年份所出版者·

（第六集）係集合第六十一期起·至第七十二期止·即第六年份所出版者·

（第七集）係集合第七十三期起·至第八十四期止·即第七年份所出版者·

（第八集）係集合第八十五期起·至第九十六期止。即第八年份所出版者·

內容舉要 論壇·學說·專著·藥物·研究·討論·筆記·醫案·特載·治療·實用驗方·醫藥雜錄·問答·通訊·醫訊·餘興·附錄·文苑·等欄·

發售特價 凡購買以上各彙訂·不論何集·概照原售實價（每集六）洋二元·再打九折·郵費奉贈不收·以示優待·

贈送月刊全年一份 如能同時合購各彙訂四全集者·祇收實價大洋六元四角·另行送閱第九份月刊全年十二冊一份·（自第九十七期起至第一〇八期止）又價值大洋一元之「世界醫藥雜誌彙訂」二大冊·若單購一集者·月刊醫報概不贈送·合購全書四冊者國內須另加郵費六角·國外郵費三元·如單行定閱月刊全年一月份者·連郵大洋二元·不折不扣·如此良機·幸勿失之·

總發行所 上海白克路西祥康里第七十七號 中國醫藥書局

投稿規則

一 來稿須用毛筆繕寫清楚並註明詳細地址

一 來稿優者刊登後酌給十元以下之現金或贈品但不滿千字者酌給贈品

一 來稿即不刊登者亦贈獎品以酬雅意

一 來稿無論刊登與否概不發還

一 稿件經刊登後板權即歸本社所有

一 凡長期投稿者格外另有優待

△注意 如有抄稿寄來除取消酬金外並登報聲明

不准轉載

—歡迎代售 利益優厚章程函索即寄—

中華民國二十四年十二月十五日 出版

中國醫藥雜誌 第二卷 第十二期

主編者 趙恕風

發行者 趙恕風

發行所 山東沂水黃山舖街 中國醫藥研究社

印刷所 沂水隆盛泰印刷局

定價

每月一冊零售大洋一角全年十二冊一元（國外寄費照加）優待全年訂户八折實收若一次納費六元或介紹十人以上訂全年者認為永久訂户永遠贈閱不取分文

北平同濟堂經理劉君翰臣編輯之藥物學備考

全部分上下兩巨册　現已出書　定價二元　六折實收一元二角　其中要点有四　一社會各界不可不人手一編　文字簡明　人人可了　遇症參考　對於醫生方脈　寒溫有所準的　看功用一門　即可知藥之所治何病　一醫家不可不借鑒　因為醫者能用藥　多不知藥之形狀及類似至價值則更茫然　此書載列明顯　足資考證　一藥業亦可執此　互相參稽　優劣高下　何者為假　何者為真　以視自己所備　是否合於用途　且本書有五百餘圖　印工精細　如果設備標本　添加藥中小票　不必遠求　俯拾即是　一是書最合於醫藥學校之課本　我國醫藥力求改良　將來學校　定然林立　得此為高小之課本　將前後之附録删去　專取原書之二十三章再加以別本　略作參考　足供兩學年之用　此書優處　尤在簡而不繁　與輾轉抄録　毫無歸索　今人自尋者　真有事半功倍之效　閱者當自知之　北平藥物傳習所謹啟

長沙衛生報社擴大組織徵求基本社員

充當本社社員有五種利益

(一)優美證書　(二)贈閱刊物　(三)通函研究　(四)銀質徽章　(五)銀質獎屏

(不分界限性別均可照章加入)　詳細辦法及入社志願書函索即寄

社址　湖南長沙新安巷一號

中国近现代中医药期刊续编·第三辑

医药改进月刊

內政部登記證警字五五五六號

醫藥改進月刊

中華郵政掛號認為新聞紙類

（民國三十年三月一日出版）

第一卷第一期

目錄

言論

發刊詞

國醫學術由來已久，其支派源流，詳於中國醫學史，茲不贅述。述其大者，夫我國醫家由漢迄清，代有名人，著述之富，汗牛充棟，治療效能，不可思議，據此而言，則當風行宇內，雄表八荒，何至於今日反如此，髮繫千鈞，危於累卵，日受國人之詬議焉？嘗一探其原，所得有二，蓋自歐風東漸，西學日興，自歐洲來者，設醫院於通都大邑，且廣肆宣傳，而不明醫理者，見其設備之精，使疾病者得所安頓，即認西醫之高於國醫者一也。我國醫藥，因歷史悠久，已通實驗解剖，而入神化，且每有議論，又多近於哲學，不若西醫之實驗形態，深入標本，明白易曉之餘，所謂中醫不如西醫之藝，組織者二也，各取於執學之餘，固不之努力，探討大義，滲以科學，務使中外匯通，是而其長者，固不乏人，然一味頑固，不求改進者，則彼是而此非。若長此以往，而欲一二智者為中流之砥柱，挽既倒之狂瀾，恐百年而後，我中國醫學，則將漸滅無餘也已。本社有鑒於此，乃聯合同志，創辦社刊，特闢學術論文，研究整理，珍聞等各欄，意在以科學之方法，發皇古醫之奧義，且整齊同步調，一致向前，務使古聖之遺意無餘，中西之各美兼備，而我國醫之偉蹟長留於萬世，始可稍盡本社同人之素志，至於抗建期中，吾儕之職責，則早有鑒明之事實，無容再贅也，尚望國內開達醫學先進，鑒本社之微忱，不吝賜教，不徒本社幸甚，我國醫前途亦幸甚焉。

醫藥改進月刊

言論

我們對於國醫科學化的意見

蘇友農

自從中央國醫館公佈整理學術大綱。載以採科學方式整理國醫藥學術，這個原則後。國醫科學化已成爲醫學爭論中的一個重要問題。歸納各方對於這個問題的意見重要的不外兩點。

第一．有部份人，以爲除了西洋醫學，牠是以理化學爲基礎，醫稱科學醫學外，中國醫學是玄學爲出發點，所說的事理，根本不是可以用理化法則來實證的，鄙視中國醫學之科學運動，是幻想，是拾西洋醫學的唾餘，根本不能把中國醫學走上科學的道路。

第二．有部份人以爲西洋醫學，雖能對於身體解剖詳盡．並以物理化學之理來說明一切這只偏於形質中國醫學基於哲理，在形而上學的領域原則中不是形質之理，所能說明．因此中國醫學之科學化，去採用理化的法則來實證明，無異喪失中國醫學自己的特殊精神而去附庸於西洋醫學、這是反對中國醫學科學化的理由，同時在一部份皇漢醫學者已是這種一樣的意見。

「現在我們就這兩個意見如下討論」

第一點．以爲中國醫學是玄學所談的事理．不是根據理化科學的原則．可以實證說明的，我們平心靜氣的說．宇宙間一切事物現象，分析到最微細的結果，自然都不能脫離物理作用和化學作用範圍因此一切事物最終不脫離物理化學原則的支配，故不免須用物理化學的原則來解釋，人是宇宙間的物體．當然不能逃出這個原則．醫學之應以物理化學來實證說明亦是一定不易的，不過在近世科學的發達史上，除了物理化學被稱爲科學外，旁的學術、都各有牠的特殊精神．各自獨立而爲系統的科學，就是各種事理，除同具有物理化學的共通法則外，還具有他的特殊法則，換句話說，越複雜的事實現象，越需要有關的特殊法則，才能說明，不是物理化學的法則，可以應用來完全說明宇宙的一切事物現象．若是以爲中國醫學不是理化法則可以完全實證說明，就認爲其不科學化，這是沒有了解醫學這門科學，是要各種有實證的各種特殊法則根本不是單純的物理化學法則可能實證說明的，由此我們在西洋醫學裏面時常可以發現有些還不能說明的問題．這在中國醫學裏面若有僅憑理化的法則來說明，不能解答的問題當然是特別多了，其實在這些中國醫學應用物理化學法則所不能說明的問題．如何謂「五運六氣」與「五行生剋制化」內中一包括的謎在我們若採用生物學和行爲學這兩種科學的法則．很多問題，是可以得到科學根據的解釋和實證這種應用的法則．我們另爲詳細討論．總結的說，我們之相信中國醫學科學之能夠發揚牠的特殊精神，而不說是拾西洋醫學的唾餘，就是要能除物理化學外、還要利用生物學和行爲學的法則，其次就是不完全說明的問題，實際宇宙的事物現象，都各有牠的自然法則。科學雖被稱爲萬能，但對各種事物自然

一

現象的法則，而不能說明的，還非常之多。科學家的態度，牠并不以不能說明事物現象，爲不合理，把牠屏除。而反以爲這是科學能力的幼稚，努力發明科學的工具。再來了解這些事物現象。或者對這些現象，設自假說，逐漸的加以實證。這就是科學家存疑與求眞的精神。中國醫學牠對於人們疾病治療，是有一定的法則，人人按照這些法則，確實做去，是可以達到預期的效果，這是事實，是我們不能否認的。我們用礦物理化學生物學行爲學的法則去理解，完不能理解說明，我們能武斷的否認那些人人可以實驗而達到預期效果的法則。是幻術嗎？不是事實嗎？如果我們眞怕難而不去努力的求理解牠。那是自己違反科學家的態度，違反科學精神，我們已用不着和牠討論。

第二點。以爲西洋醫學長於形質。中國醫學長於哲理，哲理的醫學：是不形質的科學所說明。我們要知道，所謂哲學，就是玄學，牠是爲科學不能實證的學術的領域，所以稱爲非科學的。這個領域，因科學的發達，很多學術，都脫離這個範圍，而到科學的領域，換句話說。就是現在學術發達的一切理說，都是在求着事實根據的實證，而不是以虛玄不可實證的過程，可以應用的，因此醫學是研事實的科學，牠是應該以事實來做根據，而建立來明牠的法則。如果當事實的根據，而憑虛玄雜論，使人不易了解，這是失去醫學的存在性，在中國醫學，牠的法則，是人人可實驗的事實，這些理由，在物理化學法則外，如以生物學和行爲學的法則即可以到有證據的說明，我們相信，即可把形質的醫學和哲理的醫學，得到一個密切的合作，化去彼此壁壘森嚴的鴻溝，而產生光華燦爛中華民族的本位醫學，同時已完成建設世界醫學的使命，我們誠懇希望熱心的西洋醫學者和中國醫學者，努力的向這光明大道邁進。（完）

（讀衛生署審查中醫藥圖書暫行辦法感想） 薛照東

衛生署於本年十二月十一日，公佈審查中醫藥圖書暫行辦法十四條，規定極爲詳悉，惟對於審查之標準，迄無明白表示，非若出版法之具體指示，可資遵循，頃在某處得見中央國醫館轉來衛生署公函，內有：「近時坊間及私人發行之中醫藥圖書頗多，專以玄渺之說爲理論根據，」等語，始悉衛生署公佈此種辦法之意，專在取締玄渺之說，但「玄渺」二字，極爲空泛，究竟定義如何，範圍如何，殊難懸測，既已定訂專法，從事取締，似不宜只以此種含渾空泛之詞爲標準，先自陷於玄渺之域，該辦法可疑之點甚多，姑舉數端於後，質之當世之醫藥界同人。

一．衛生署關於醫藥行政，固有發佈單行辦法之權，但關於人民權利義務，載在約法，「人民有刊行著作之自由，非依法律，不得限制或停止之」，所謂法律者，須經立法院通過，由國府公佈，始有法律之拘束力，今衛生署率爾公佈一暫行辦法。限制人民之著作權，誠有違憲之嫌，中醫藥學者，亦國民一份子，似不應於出版法以外，時受此種苛細之箝制。

二．關於著作之取締，國家自有出版法在，又嘗以爲出版法自有其立法之精神，夫百家學說，各有奧窔，論著譯述，自當有得失工拙之殊，該法對於著作之內容，是否得失，抑或工拙，略而不論，惟就節關目，標明「違背三民主義，妨害善良風俗……」爲取締之標準，原其立法之意，蓋以學說之得失工拙，應一聽舉世學者之批評，不欲由政府一一干涉，以致妨碍學術進化之機，秦政極端專制，以吏爲師，共和國家，當然不同，今衛生署所佈審查中醫藥圖書辦法，對於此義，似未措意，實亦有背出版法之精神。

三、「玄」之一字，本爲哲學上名詞，故近人遂譯哲學爲玄學者，道德經所謂「玄之又玄衆妙之門」是也，今衛生署取締中醫藥圖書，而其取締之標準，則以是否「玄渺」爲斷，究竟玄渺是否即公罪狀，似極滑稽，況所謂「近日坊間及私人發行之中醫藥圖書，亦不知其何所指而云然，實屬無從揣測，倘若以陰陽虛實之說爲玄渺，則上自靈樞素問，下至陳修園諸人之書，皆在取締之列矣。

四、衛生署所公佈辦法，極爲苛細，且多難行，如第三條，「中醫藥圖書，在本辦法施行前，業已發行者，應於本辦法施行後一年內，補送審查」所謂「施行前」者，并無時間限制，是否靈樞素問，皆在送審之列，又政府平價，自爲對於人民生活必要之物，乃加過問，今對於中醫圖書，定價稍高者，亦得令其低減，洵屬無微不至，又學術進化，自屬公例，但審訂有效期限，僅爲十年，十年屆滿，又須重送審查，何至變化如此其速，誠有不勝其擾者。

五、現在學說爭鳴，各本專家，凡著作者，所造皆有深淺之殊，所論必有得失之點，若對於中醫，須特訂辦法以取締之，則其他學說，恐亦必將各訂一法以取締之，蓋各種學術，皆足影響於人類生活以及社會之進化，不獨中醫爲然，若謂中醫厠於各種學術之林，最爲腐敗，譬之盜賊充斥，故不得不於普通刑法之外，特定懲治盜匪法以繩之，斯則侮辱中醫已甚，吾人誠有難於緘默者。總之衛生署公佈此種辦法，吾人倘認其無此必要，茲亦不願多所費辭，祇願取回成命，否則已經公佈，暫緩施行，是所企盼（完）

爲什麼要改進中醫　三

（一）緒言

這是一個極重要的問題—改進中醫—這問題的重要性，差不多和創造新中國的意義，一併重大：中醫學術，有着幾千年來的悠久歷史，它在中國文化學術上，是佔有極重要的一環，凡是中華民族的兒女們，無不在它底孕育下，得以生長繁殖，迄到今朝，它的功勛勞績，誰能將它磨滅，然而事實却又不盡然，我們試看它現在的命運怎樣呢？不但沒有得着人類的同情和優待，反而被人們擯棄在九霄之外，成爲一般人眼中障碍物，我相信凡是稍有理性的人，他總不肯甘心，這幾千年的悠久文化，無情的消逝下去，事實上當然也不會如此。

那末，我們應當如何保存舊有文化——中醫呢？那就非改進中醫不可，如認爲只有下面三句話，便是——中醫應自我的改進，用科學方法來整理，堅定信仰埋頭苦幹：

（二）中醫應自我的改進

這是中國人最易犯的毛病，凡對一種事業只知墨守成法，不求自我的改進，這就是中國落後的最要因素，也就是中醫學術不前進的主要原因，今後我們要想改進着手。

在這優勝劣敗，適者生存的大時代，不管是人物，或一種學術，要想不爲時代的巨潮所冲毀淘汰，無疑地要具有生存的條件，換句話說，就是對環境，要具備適應性的條件，如中國要具備抗戰建國的條件，才能生存，不然終難免於淘汰。（未完）

關於夜盲症的我見

徐先彬

夜盲症就是白天視物如故，一到黃昏，便昏暗不辨物體，同時眼容睛光，並無變見，所以又稱做雞盲，若日久失治，即有變成青盲的危險，這在眼科學中，確也是未可忽視的咧！

本病的原因，古人有認為元陽不足的，有認識為肝腎衰憊的，議論紛紜，莫衷一是，德國醫學家華爾特博士，則認為係甲種維他命缺乏，而日本醫學家木庄俊篤士雄，又認為係膽管閉塞膽汁逆流，及胃中濁液汁混入血中所致，在我國古時，因無科學的證明，所論自多意測，即今德日二醫，亦各執一詞，究竟誰是誰非，是否二者均有存在的價值，自然要靠今後事實的證明了。

不過本病的原因，在個人對於日德二醫家的說法，都不敢表示贊同，何以故呢？若據德醫的說法，缺乏了甲種維他命的營養，便要成夜盲，那麼家禽類的雞，終日食的糠粃，所含甲種維他命極富，何以終成雞盲呢？若據日醫所說的膽汁逆流，怎麼又不成黃疸病而成本症呢？據鄙意則認為係網膜裏的圓柱不發達，及視紫的缺乏，還要較為症確些，因為眼之所以能視自然是眼球各部的一種綜合作用，但在網膜裏面，必先有一個地方能夠接受光波的刺激，然後始能喚起各種動作，經生理學家多方證明的結果，知道這接受光波刺激的地方，便是網膜裏的圓柱和圓錐（Rads and Cones）倘使圓柱或圓錐有了損壞，則光波雖能由瞳孔射入，經過折光器的屈折而到達網膜上時，即不能喚起感應，自然也就不能發生視覺了。

圓柱和圓錐，雖然都能接受光波的刺激，但二者中間所含感光的物質，又各不同，圓錐裏面所含何物，現在尚不十分清楚，而圓柱的外端與色素細胞相接觸的地方，却含有一種色素，叫做視紫（Rhodonsin）是一種感光的重要物質，若將動物置於暗處殺之，即可見其網膜圓柱的外端，有一種暫存的紅紫色質，這就是視紫質了。

視紫對於紅光不起作用，對於綠而帶黃色的光，其作用極強，在解剖上，若人之目，已適合於視弱光時，則光譜內諸色之亮度，便有顯著的變更，即紅端慢慢短縮而塗晦，藍端更亮，而最亮的便是綠色，此種現象，叫做浦頓野氏現象，（Purkinge's Phenomenon）中央小窩（Fovea Centralis）沒有圓柱，所以也就沒有這種現象。

根據上面的學說，我們便可推測到當弱光刺激時而喚起感應的，實在是由於圓柱內所含視紫的作用，那嗎，在尋常光度之下，而能喚起感應的，自然便祇有圓錐了。當黃昏時候，光度由尋常而降到極低的地步，圓錐的感應已失却效能，此時正是圓柱內所含視紫發生作用的時候，倘使因種種關係，使圓柱損壞，視紫缺乏，則其結果，自然不能辨別物體而成為夜盲症！

現在再拿一個很普通的事實來證明他吧：許多夜盲的動物，如家禽，飛鳥等，他們簡直沒有視紫，而鵂鶹，蝙蝠等夜視日盲的動物，他們的視紫和圓柱則特別的發達，這豈不是更證明了上面所說的不差嗎？

綜上所說，不過是一管之見，究竟是否確實，自然還要待今後的研究及海內先進的指導，倘能抛磚引玉使本病真相早日大白，那纔是個人所極希望的呢！（完）

一九四〇、一、二、寫於成都

溫病研究

陳特思

本病！

說明：此病為素有內熱之人，平時熱鬱體內不散。一旦感受寒氣，體溫起而抵抗，於是誘發成為外寒裹熱之病狀，此內熱即所謂伏氣也，外受寒邪，即所謂新感也。內熱之成，原因不一，古人謂冬傷於寒與冬不藏精，此二語謂為邪熱內蘊原因之一，則可謂為溫病必然之原因則不可，吾人不可執一也，且肌表受寒，汗腺阻滯，體內老廢物成分留積，發生熱病，其理極是，然亦不能留伏許久，始發為病，又失精亦不必限於冬日。凡勞逸不勻，飢飽不適，酒色過度，思慮傷神，足以動搖其心者必搖其精，均可致之，故此二語，當反復考察，不可率然過信也。再此病與內傷病之由藏器傷損者不同，與傳染病之由細菌傳染者亦異，世人往往紊混，亦應嚴格分界。本病原因，直謂為氣候影響的溫之變病。再溫病與暑濕燥寒亦有特殊鑑別處，溫為有內熱復感外寒，暑為感受天地氣鬱醞熱之氣也。凡內熱及陰虛之人均易感之，寒病患於虛寒之體，——因體溫不高，氣虛難以備外故寒氣侵之，若有內熱，——體溫過高，即成溫病，溫病雖類似寒病，但因濕氣醞發酵故其過程最多不若寒病之為單純也、燥與溫之鑑別，溫為感受寒冷空氣而誘發。燥則為空氣乾燥之直接發生病，若以內津液素虧者，尤易患得此病。其詳細鑑別處，留在各論中辯論之、昔時以溫病括入傷寒之內，不知何所根據，以溫病包括暑病燥病，且包括瘟疫，瘧疾……亦未免分際不分！

五

製三仙丹的化學探討

余仲權

古之三仙丹，即今之氧化汞，亦名袞汞，實驗室的製法，是把水銀放在曲頸甑裏加熱，使與空氣中之氧化合而成，但古時，醫者製法卻異，俗名煉丹，茲將其製法經過及化學變化，分別，寫在後面！

(一)原料：水銀一兩，明礬一兩，火硝一兩。

(二)操作：先將明礬及火硝用研鉢研細，乃入水銀研至星散為度，移入鍋中，上蓋磁碗，用濕桑皮紙封閉碗縫，紙上撒石膏，細末一層，再用細砂覆上，碗底置白米少許以作指標，此時即可於鍋底加熱，約一小時，視米呈焦黑為度，去火源稍冷，除去砂土，取起磁碗，氧化物即已升華滿碗矣。

(三)化學變化：依上裝置，其碗內所容空氣不過二竏左右，即只有氧四百分公左右，重約〇・五七八公分(註一)。但是水銀一兩，有三一・二五公分(註二)必須有純氧二・五公分，始能令其氧化完全(註三)，故知上法能令汞完全氧化者，其氧實由火硝及明礬分解所供給、蓋當加熱至攝氏二百度時，藥品即已互相溶合，及熱度升至四百度左右，火硝遂起分解，明礬中之結晶水已成蒸氣，同時汞亦極形活躍而易於氧化，此時容積未變，而體積大增，壓力因而加大，遂促進火硝分解新生之氧化與氮水化合成不安定之硝酸，旋即分解游離出氧，而與汞化合，昇華於碗上矣。其反應式列次了：

$$K_2SO_4 \cdot Al_2(SO_4)_3 \cdot 24H_2O + 48KNO_3 + 24Hg$$
$$\rightarrow 48HNO_3 + 24Hg + K_2SO_4 \cdot Al_2(SO_4)_3 + 24K_2O$$
$$\rightarrow 24HgO + 24H_2O + 48NO_2$$

附註：(1)依後列公式計算 $\frac{32}{22400} \times 400 = 0.57$ 公分

(2)依後列公式計算 $\frac{500}{16} = 31.25$ 公分

(3)依後列公式計算 $\frac{31.25 \times 16}{200} = 2.5$ 公分

小兒哮喘病之病理及療法

劉元善

內經云：諸氣膹鬱皆屬於肺，蓋肺主氣，其合皮毛，每易因外界時令氣溫之變遷，致肺氣不得發越影響呼吸，而哮喘生焉，然小兒之哮喘症除上述原因及大病久病或久服寒涼剋伐之藥而傷及宗氣發現哮喘之敗症外，餘皆因痰飲食熱四者而成，茲將四者所現症狀脈象及療法列論如左：

A 痰積哮喘症

證狀：喉間作拽鋸聲，息急搖肩，唇口及鼻尖發生紫藍色，並時時咳嗽痰壅則止，靜脈怒張甚者驚風搐搦。

原因：由於小兒喜嚥辛燥之品或嗜食生冷瓜果之物內釀成痰又復加感外邪而成斯疾。

病理：小兒五臟六腑之組織異常脆弱，感受外邪加以平素飲食不節，內釀成痰，停聚於中一遇外邪所觸痰即隨之上壅，但小兒不知吐出痰往往壅塞喉間阻礙呼吸之出入，以致病作。

診斷：脈現弦滑大舌苔白潤面色蒼白呼吸中雜有痰聲。

治法及處方：本金匱痰飲篇，熱痰清之濕痰宜燥之之法擬方如左：

(1)涼膈散加減(治熱痰)

梔子　連翹　萊菔　黃芩　竹瀝　大黃　枳實

(2)導痰湯治濕痰。

半夏　南星　陳皮　茯苓　枳實　生姜　甘草

B 飲停哮喘症。

證狀：喘急咳嗽面浮腫，眼下如臥蠶渴而飲水水入即吐。

原因：積水不散留而為飲。

病理：人身呼吸與循環有密切之關係若循環發生障礙則血中之水分必多量滲透出於血管壁外而停滯於各組織中以呈現各種各樣不同之症：

診斷：脈浮滑或沉弦苔白灰白。

治法及處方：飲在上焦者宜汗之在中焦及下焦者，宜分利之。

(1)香蘇飲加減治飲停上焦。

陳皮　防風　川芎　荊芥　甘草　葶藶子　厚朴

(2)四苓散治中下焦水飲。

茯苓　澤瀉　豬苓　白朮　木通　車前

C 飲食宿積之哮喘症。

證狀：胸脘痞塞嘔逆而兼哮喘口渴汗出。

原因：暴食之後當風納涼過甚，或暴食炙煿辛熱之物後又多飲冷水所傷。

病理：由因小兒本日胃陽素衰（即胃之運動衰弱）又暴食之後食物與水分停滯胃中不能下降，胃氣本主通降今忽阻滯必

原因：向上逆而現哮喘。

診斷：脈沉滑或滑數脘腹拒按，腹中雷鳴。

治法及處方：治宜消導推蕩。

（1）枳實理中湯治胃寒宿食。

茯苓 人參 白朮 乾姜 枳實 甘草 神麴

（2）保和丸治寒熱物所傷之宿疾。

萊菔 連翹 山查 麥芽 茯苓 神麴 厚朴 陳皮

D 肺熱過甚之哮喘症。

證狀：哮喘咳逆時，面紅目赤，痰如稠膿粘附於氣管壁，欲吐而不暢達。

原因：由肺臟熱極，消爍津液，致組織缺少濡潤，即有少數之津液亦因熱勢之熏蒸而成膿痰矣。

病理：肺為嬌嫩之臟，無論受寒受熱皆易為病，大概肺一熱極必使肺部之血管充血，而延及於氣管，發生炎症而腫大，此種哮喘亦為氣管腫脹而發現痙攣之現象也。

診斷：象滑綫式沉滑而有力。

治法及處方：宜本清熱降氣之法。

（1）劉氏清熱降氣湯。

百部 梓子 連翹 杏仁 款冬花 法夏 甘草 陳皮

仿讀書記

尤在涇先生，俞嘉言氏入室弟子也，所著醫學讀書記，將岐軒奧義，長沙微言，暨歷代醫哲之名論，或疏明其義，或闡發其理，辭不必煩，而意已盡，語不必深，而旨已傳，洵醫林名著矣，爰仿其意於讀書之暇，隨筆紀錄，得若干段，間附芻蕘，此篇因慕尤在涇醫學讀書記而作，故曰仿讀書記，自愧抄來文章，不妨求政大雅。

勝利年二月 戴佛延誌

（一）肝陽與肝陰

古人云，肝為剛臟，能受柔藥，又謂肝及木臟，治喜條達，蓋血液之實質，即所謂肝陰也，血液之作用，則所謂肝陽也，頭目劇痛，原因由腦充血眼充血所致，中醫稱為肝陽升，虛羸黃瘦，原因及營養不良，中醫稱為肝陰不足，以肝為藏血之器官，血液之上升太過，與血量減少，皆為病徵也。

又云，肝無補法，謂肝陽言之也，後人創補肝之法，則補肝陰也，所謂柔藥，如山萸、白芍、女貞、蒺藜、旱蓮、阿膠、熟地、雞子黃之類，皆滋營液以息風，亦以柔潤剛藏，所謂治喜條達者，乃助其循環，使無瘀滯，如當歸鬱金，及仲景之新絳旋覆花湯，繆氏蘇子降香湯之類，皆宣氣活血，通絡豁痰

•正調達木藏之妙法也。

二、興奮作用與強壯作用

凡增進食慾及消化，或增加血液之赤白血球，而亢進其運行等等作用，統謂之强壯作用。凡內服，或外用藥物，亢進心藏或腦之機能，使精神活潑，呼吸旺盛，興淫慾，去睡眠等等，均為興奮作用。簡單言之，凡改良營養，變衰弱而為强壯，謂之强壯作用，刺戟腦脊髓，及末稍神經，而使盛其機能者，謂之興奮作用，興奮為消極之作用，只限於一時，興奮性經過後，反覺困倦，例如吾人飲酒吸烟，或咖啡茶等類，一時精神舒快，呼吸亦進是也。强壯及積極作用，能持續前進，有益身體，例如吾人服食補品，或百普聖，或鐵劑等，有健男及補血之效是也。

三、冬宜藏精夏亦宜藏精

唐立三曰，人但知冬不藏精者致病，而不知夏不藏精者更甚焉，嘗見怯弱之人，而當酷暑，每云氣欲悶絕，可知中暍而死者，直因氣之悶絕也，夫人值交精，恒多氣促，與當暑之氣悶不甚相遠，經曰，熱傷氣，又云壯火食氣，余故曰，夏令之炎威，甚於冬令之嚴寒，苟不藏精，壯者至秋而發為伏暑，怯者卽中暍而死也。

延按，丹溪翁亦云，夏月宜獨宿淡味，葆養金水二藏，尤為攝生之儀式，孫思邈暑月之用生脈散。亦是此意。

四、中藏中府之辨訛

蔣星墀曰。病機機要云。中府者宜汗之。中藏者宜下之。此府藏二字。實指經府言。府無汗法。入藏亦豈有下法。五藏者。藏精氣而不寫。故滿而不能實。六府者。傳化物而不藏。故實而不能滿。此藏宜補。府宜通之要旨也。考長沙三百九十七法。邪歸中土。乃可議下。其少陰急下三條。指轉入陽明府證著言。仍是土燥水之三意。如已藏與失實而復寫之。是虛虛也。古於汗下之法。禁例森嚴。豈宜如是之倒行逆施乎。觀其論中府。曰脈浮惡風寒，則明是中經。論中藏曰大便祕結，則明是中府。辨名正誤。庶於立言之旨有合云。

五、論脾胃升降

王鳴崗曰，余嘗考治脾胃，莫詳於東垣，求東垣治脾胃之法，莫精於升降，夫升降之法易知，而升降之理難明，其在經曰，脾胃為倉廩之官，五味出焉，蓋脾主生化，其用在於輸形，其屬土，地氣主上騰，然後能載物，故健行而不息，是脾之宜升也明矣，胃者水穀之海，容受糟粕，其主納，納則貴下行，譬如水之性，莫不就下，是胃之宜降也又明矣，故又曰，清氣在下，則生飧泄，濁氣在上，則生䐜脹，夫清氣何，蓋指脾氣而言，不然，何以在下則飧泄也，濁氣何，蓋指胃氣而言，不然，何以在上則䐜脹也，是非可為脾升胃降之一確證乎。由此而推，仲景所立青龍越脾等方，卽謂之升脾之清氣可，其所立三承氣諸方，卽謂之降胃之濁氣也無不可，觸類引伸，理原一貫，先聖後賢，其揆一也，考東垣之所立補中益氣，調中益氣，升陽益胃各方，其論雖詳於治脾，略於治胃，而其意則

「一藏一府，升降各有主治，顯然不可混者，其與先聖之理，又何嘗相悖，而後先輝映，足以發明千古，良可師也，苟其顛倒錯施，俾升降失宜，則脾胃傷，脾胃傷，則出納之機，失其常度，而後天之生氣已息，鮮不夭扎生民者已，余偶讀東垣書，詳究脾胃，以辨其升降之理如此。

延按，後賢以東垣長於補胃陽，而短於滋脾陰，觀其立方，偏於溫燥可見矣，蓋太陰濕土，得陽乃繼，陽明燥土，得陰始安，薛生白云，濕熱病，屬陽明太陰經者居多，中氣實則病在陽明，中氣虛則病在太陰，以陽明為水穀之海，太陰為濕土之藏故也，吳鞠通云，傷脾之陽，在中則不運痞滿，傷下則洞瀉腹痛，傷脾之陰，則舌先灰滑，後轉黃燥，大便堅結，傷胃之陽，則嘔逆不食，膈脹胸痛，傷胃之陰，則口渴不飢，故治濕必須審在何經何臟，兼寒兼熱，中氣中血，然後施用辛涼，辛溫，甘溫，苦溫，淡滲，苦降之治，庶乎藥投始效，王孟英氏謂脾胃宜分治，不宜混治，如不能食，病在胃液之缺乏當養以甘涼，食不化，病在脾運之呆滯，當輔以溫運，諸家之論，精確明晰，足補東垣未盡之義也。」

六、傷寒脈陰陽俱停之釋義

張仲景曰，太陰病未解，脈陰陽俱停，必先振慄汗出而解，但陽脈微者，先汗出而解，但陰脈微者，下之而解，若欲下之，宜調胃承氣湯。

釋義——章虛谷氏謂此條，成無已解脈停作浮沉尺寸俱停勻，脈微謂邪衰微，爲似是而非，引提綱之說以正之，夫寸關尺大小浮沉遲數同等，此脈陰陽爲和平，雖劇當愈，則又何必振慄而後汗出始解乎，脈既陰陽停勻，何又言但陽脈微，但陰脈微，豈非上下義自相矛盾乎，若云微脈爲邪衰微，已自可愈，又何待下之而後解乎，且論中表裏之界甚嚴，凡表裏之邪相等者，必先解表，若先攻裏，則表邪內循，成結胸變危證，今既云陰脈微爲邪衰微，何反下之傷其元氣，使表分餘邪內陷乎，蓋此條當分三節讀，標太陽病者，統風寒營衛而言也，脈陰陽俱停者，浮沉尺寸按之俱無也，所以不言無者，謂由風寒久持，營衛俱閉，脈路不通，停止不來，並非脈絕，故曰陰陽俱停也，邪閉而至脈停，其陰陽之氣鬱極矣，鬱極將通必然之勢，其欲通之際，邪正相爭，又必然之理，故曰必先振慄汗出而解，此第一節，總明其脈證也，下又分解陰陽二端以明其變，蓋鬱極將通，必有先兆，仍當驗之於脈，邪閉則脈停，邪動則脈現，若但浮部陽分之脈微現者，知其邪從表出，必先汗出而解，此不須用藥也，若但沉部陰分之脈微現者，知其邪從裏走，邪走於裏，其人振慄，必不能從汗而解，若不急急與之出路，即有厥逆神昏之變，危在頃刻矣，故必下之，從胃導邪而出，然邪初入於裏，未曾結實，止可輕泄微下，故宜調胃承氣湯，雖曰下之，實爲和之也，倘重劑攻之，則反傷而變他證矣，未

○……藥學研究……○

國藥人參之研究

余仲權

本文偏重於醫生之應用，故於其炮製，培植，偽劑……等物均未詳載。（編者附識）

性味：甘苦，微寒，無毒。其水溶液呈酸性反應。

成分：本品經日人藤谷、近藤，天野，田中，山口等之研究，證明其中含有巴那規倫 Panaquilon $C_{32}H_{56}O_{14}$ 及 Panax Sapogenol $C_{27}H_{48}O_{3}$，Phgtosterin $C_{24}H_{44}O$ 但額里特恩學則謂巴那規倫之分子式爲 $C_{24}H_{44}O_{18}$ 又朝比奈等研究本品結果，謂其中尚含有類似高級脂酸之皂素。

效能：本經以補五臟，安精神，定魂魄，止驚悸，除邪氣，明目開，心益志。經張仲氏之實驗，以其主治心下痞堅，痞鞕，支結，兼食嘔吐，喜噫，心痛腹，煩悸諸症，普通用〇、三—三、〇錢以治心臟衰弱；若治久病垂危，或病後欲其復原者，則須用較大量三、〇—一〇、〇錢乃效；日人酒井氏云：其中皂素可治糖尿病，且能補助消化云。

藥理：本入胃，刺戟壁神經，使其分泌加多以助消化，仲景之治心下痞堅蓋指此而言也，同時一部與胃酸化合而生成葡萄糖，以充營養，乃然小腸，遂被吸收入血，刺戟脈管壁神經及右心耳之脈耳節，促進循環，扶助血液之新生，因此神經興奮，精神大振，而收其補益强壯之功。

配合：本品同麥冬五味子爲生脈散，治夏月暑傷元氣，汗大泄欲成痿厥者；同黃芪以補表虛；同白朮以助腸胃之消化吸收；同黃芪白朮五味子治大汗亡陽；同附子肉桂麥冬五味子治屋勞脫陽；同附子乾姜肉桂治寒厥便清而蜷臥者；同白朮乾姜炙草治寒利清谷；同乳香硃砂當歸鷄子白姜汁以治難產；同蘇木當歸童便，或同蒼蒲送肉，均治產後血暈不語。

禁忌：凡體壯脈實，有餘——進行性病者不可用。黃勞逸云，不可與麻醉藥同用，藜蘆爲麻醉之品，故古人云其相反也。

參考：藥方者用野山參，吉林參。產遼寧吉林等省之深山中。炮製之法，先刷淨其土，煮至半熟，再以冰糖水漬二日，取出蒸熟而焙之，然後用風吹至不粘人即得。其辨僞之法，應以體實有心，味甘微苦而有餘味，其皮細緻有橫紋，蘆多間陷而多癭者，方爲上品。古人方劑中之人參，今多以沙參或黨參代之。

乙黃勞逸君謂本品之作用甚多，茲摘錄如後：

（一）興奮作用：美人愛爾伯蒂夫氏曾將巴那規倫應用於病者，謂初能亢進性慾，久之則反使其衰弱，而發不嗜烟，筋痛，眩暈，發便祕等症，但於精神性性慾衰弱者用之有奇效，又酒井及劉建勳君，謂本品少量能興奮血管及呼吸運動神經中樞——延髓中樞，但用大量，則致麻痺。

（二）鎮靜作用，日人藤谷氏用此於兎不興奮，而呈鎮靜狀態，氏云，此由於血壓降低，腦部貧血所致。

（三）溶血作用：日人朝比奈，田口等，於人參中發見皂素，能破壞赤血球，此素雖溶於水，恐係一種高級脂酸，有一八〇〇倍之溶血作用。

(四)循環系作用：用少量能促進血液循環，大量則反使心臟麻痺，酒井氏云，有擴張末稍血管，而使血壓下降之力。

(五)新陳代謝作用：其中皂素，對患糖尿病者，確能調糖而助消化，亢進食慾。劉建勳云，以副腎素注射於健康者，使起人工血糖增多，然後予以皂素，亦可使血糖下降。

(六)醫治功效：能強心，利尿，溶血，尤以強心之效最可靠，古人每於病至垂危時，用此奏奇勳，蓋強心之力也。

(七)禁忌：凡病症之興奮壯熱而無汗者，禁用。

△日人藤谷功彥氏云，本品爲一種肌肉毒，侵及心臟尤力。頗似鉀鹽，少量能奏強心之功，大量則致麻痺也。

△湯本求眞氏云：人參非萬能之藥，以此治胃衰痞鞕，新陳代謝機能之衰弱爲主要目的，食慾不振，惡心嘔吐，消化不食，不利尿症爲必要徵候。

△猪子氏云：病至危急時，須連續服之數日至數週，始覺營養稍佳。

△富田長壽成氏云：脈微弱而易壓迫者，用之則血壓漸增也。

△藥學士井上剛治氏云：此藥宜於病衰而血壓沉降之時，以恢復其[illegible]之沉下爲主效，故血壓高而有力者勿用。

△齊藤系平氏云：人參之作用，能抑制食餌性等之血糖過多症。

菊花談片

何志君

菊花其味辛苦，其氣芳香，其質輕清，輕可去實，故凡風熱之傷於至外至上者，服之其效靡不如神，世俗但知其治頭眩目痛，溼痺死肌，一遇斯症，隨手用之，不知其然，不究其因，良可慨也！夫此物所治之頭眩目痛，實爲風熱上壅有以致之，風熱祛而病亦除，是菊花乃祛風熱之品，非專治頭眩目痛之藥也，設使因傷寒而頭頭痛，因虛損而目昏，遽而投之，無益有損，不可不慎，溼痺死肌者，是因溼着而成痺，因血脈不利而死肌也，菊花辛苦芳香，又極輕揚，功專走竄，不稍留滯，故由內而外，由下而上，氣血所至之處，無不流通，故能利通筋脈而去溼痺死肌，至其專功，猶在解毒，故疔毒每多用之，夫毒者，火也，火盛則成毒，菊花辛涼，能熄其火，故解其毒也，詳參諸家用法，自然明白。

又此藥與與薄荷決不相同，薄荷有麻醉之力，故能鎮痛，菊花擅解毒之功，故能熄火，薄荷有發汗之力，菊花僅解透之功，其中各有專長，隨症施治，方獲奇效。

經方研究

桂枝十九方合論

劉鐵松

夫桂枝一方，冠於一百一十三方之首。凡自汗惡風，與乎營衛不和之症，無論傷寒雜病，均先治之。蓋風寒侵入，首中皮毛，衛氣不能外衛，以致營血外泄而爲汗，所以桂枝湯以血藥爲主。調理營血而衛氣自復也。觀其方中用桂枝達營鬱，芍藥清營熱，棗草以補脾固正，生姜以和中達表，所謂辛甘化湯，酸甘化陰之法。一方而兩意寓乎其中矣。然桂枝本非發汗之劑，須助以熱粥溫覆，方能取微似汗而解。他如漏汗不止，是大汗之後，陽有外越之象，則加附子以謂少陰。項背强几几，則加葛根，以濡經兪，氣逆而喘，與乎下後之喘，則加厚朴下痰氣，杏仁降逆氣，此皆表證仍在，兼證不同，故隨症而加減藥味也。若誤下之後，邪陷太陰，以致腹滿時痛，則加芍藥，以斂太陰之氣，大實痛者，乃邪結太陰，故加大黃，以逐實邪，設不因誤下，實症未成，大黃又爲太陰禁藥也。至桂枝加桂湯，乃治欲發奔豚而爲未雨綢繆之計，故重用桂枝，以治腎氣之衝逆，與茯苓桂枝甘草大棗之治，大約相同，不過一則以水邪乘陽虛而犯心，故用桂以宣心陽，引火歸源，而病自止，一則以水邪夾陰氣以凌心，故用桂之外，更重茯苓以行水，尤恐水氣猖獗，勢難速已，仍不得捨以土尅水之義，而賴姜草之培補中宮，使水無氾濫之慮，以上二方，一輕一重，一先一後，用藥無不絲絲入扣，誠治奔豚之兩大法門也。至桂枝去桂加茯苓白朮一方，主藥已去，桂枝之名仍在者，其意云何，實因誤下之後，桂枝之症仍在，然病機向裏，裏和則外亦解，是以無汗而小便不利，乃津液已傷，加白朮以生津液，津傷則煩，加茯苓以除煩滿，此治亡津液而夾停飲之方。至於下後脉促胸滿，則宜本方減去芍藥陰柔之品，恐酸陰邪，使陰氣不流行而成結胸之症，若更惡寒者，下焦之陽氣已虛，須加附子以回陽，而發汗後身疼脉沉遲者，不特去芍藥，更加生姜人參以扶正氣，使血得生而營氣和，方可補過汗之弊，此治體虛過汗之方也。若小建中湯之倍芍藥加飴糖，乃扶正驅邪，調養心脾之法。故又於虛勞之證，至若火刧亡陽，以致驚狂起臥不安，則止去芍藥一味，不能濟事，非加蜀漆以燥濕邪，龍牡以安心神，不足以去心腹之寒邪，而鎮心陽外越，此所謂重以鎮怯，濇以固脫之法也。由此觀之，聖人用藥，雖一味之增減輕重，必以中病而後可用，此所以爲萬世法歟。其餘如發汗過多，必下悸，叉手冒心之症，當用桂枝甘草湯以扶陽補中，火逆之後，而復誤下，則又非加龍骨牡蠣不可。僅以桂甘二味，安能補下焦之陽，而鎮陰散寒邪，若遇風寒兩感，不可更行汗吐下之時，則用桂枝麻黃各半湯以小汗之，大汗之後，脉洪大，形如瘧者，則用桂枝二麻黃一湯，方意以前方相同，但以大汗出，故用桂枝而輕麻黃也。設太陽病發熱惡寒，熱多寒少，脉微弱者，以其無陽，不可更汗，故用桂枝二越婢一湯，以輕疏營衛，蓋因其人素虛，而邪又輕故也。觀以上共十九方，除桂枝而外，餘皆治太陽之壞症，個中之加減命名，妙化難窮，苟非讀深思，豈能覩其萬一哉

桂枝湯方

桂枝 芍藥 生姜 大棗 甘草 （健胃，鎮靜）

傷寒本論第一八條曰「桂枝本為解肌」，按解肌二字，曾見於外台秘要有麻黃解肌湯，葛根解肌湯之名，名醫別錄亦云「麻黃主發「解肌」」，他如丹波氏亦稱「麻黃解肌」。是解肌與發汗同視之矣。但桂枝有時亦稱發汗，如本論云「傷寒發汗解半日許復煩脈浮數者，可更發汗，宜桂枝湯主之」又云「太陰病，脈浮者，可發汗，宜桂枝湯」。柯韻伯則謂自汗出者，是桂枝所主。

又傷寒論緊謂桂枝湯為仲景群方之冠，乃滋陰和陽，調和營衛，解肌發汗之總方。殊不知桂枝所以為群方之冠者誠以其無毒性，用量可多可寡，且富於揮發油，而氣芳香，則能刺激神經，亦能鼓舞腸胃，故能助消化振精神耳。夫揮發油腸吸收之後，入於血中至末梢血管，而刺激之，使之擴張，因而血量增多，故汗液之分泌旺盛也。於實驗上，亦得見腸內粘膜之毛細管收縮，夫內臟血管之反應，與皮膚血管，立於反對之地位，故內縮而外擴，內縮而外縮也，由是推之皮膚毛細血管擴張矣，汗液成分又取自血液，故能使血管擴張而增加汗量也，此即「解肌」亦曰「溫經絡」之意也。古人見其結果相同，故謂麻黃發汗有時亦曰解肌，桂枝解肌有時亦曰發汗也。故仲景對於「可更發汗」，「可發汗」，「宜發汗」，而有宜桂枝湯之論也，若必須發汗者則又別用他劑，觀第十八條有云「桂枝本為解肌，若其人脈浮緊，發熱汗不出者，不可與也，當須識此，勿令誤也，」即可知發熱無汗之時，不能用桂枝湯以期發汗也。而桂枝湯亦即非為發汗劑者明矣，故柯氏有汗自出者，桂枝所主之論，再觀二八三條，並不須發汗，而亦用桂枝湯原方，一則倍加芍藥，一則另加大黃，更可推知之矣，且以感冒之生，多影響於消化系統，故助其消化，亦是加強其抵抗而預防感冒也，此傷寒論所以有「氣上衝者」可與桂枝湯，若不上衝者，不可與之主論也。此桂枝為治衝逆之要藥，而今則視之為健胃強壯劑者，不亦宜乎。不特此也且桂枝之性又能制止細菌之發育，故其能預病患於未萌矣此外更副以生姜，以助桂枝之健胃，則藥力更顯，芍藥之用，則為鎮靜和緩，甘草大棗之用，則為矯味之目的者也。

雜俎

憂鬱為自戕政策應如何補救

黃茂生

人自呱呱墮地，即挾畢生之憂患以俱來，凡有情之動物，當不能例外也。何以故？蓋人生不如意事，十常八九，所謂百憂感其心，萬事勞其形，俱能敝人形體，促人生命，試略舉其一二，如婚姻問題，求學問題，事業問題等等，不足縷數；問題滿解決，而憂鬱隨之以起，尤其一日不可無此君之飯碗問題，更不易解決，當斯米珠薪桂之秋，人民之生活維艱，羣衆之生命不保，令執塗人而問之曰，爾何憂形於色乎，爾何終日呼嗟乎，皆曰，供不應求也，消耗倍於生產也，焉得不憂，焉得不憂。

但吾人徒抱杞人憂天之心理，而不求根本上之解決，則徒憂無益，適自戕耳，我輩既在醫學之立場，即以人之生理對於憂鬱之影響從事釋之。古經云，憂愁鬱怒則傷肝，昔之所謂肝，即今之所謂神經也。近代醫學家陸淵雷先生曰，愉悅舒暢為肝德，憂愁鬱怒為肝病，換言之，即交感神經之刺戟也。蓋人當憂鬱之時，則刺戟運動諸能力，同時減退，次則血行遲滯，靜脈弛緩，肺氣不舒，時作太息，胸悶脘滿，而鬱極不舒，一旦暴發，則為忿怒，怒則肝氣上逆，腎上腺之分泌素，有迫血上行之作用，其衝太過，刺戟中樞神經，則發為頭暈脅痛，肢體拘急，甚則為癲癇等證，而絕人長命矣，危險孰甚。藥物不過草木之精華，安能療人情志之鬱結，無已，其必有賴於自然療法乎，如近代斷食療法之於胃病，空氣療法之於肺病等等，皆收偉大之效果。針對憂鬱病理之自然療法，莫過於抱樂觀，抱樂觀之露骨表示，莫過於笑。

笑對吾人之利益，究何以證明之，偶憶丁福保先生之言曰，西國有樂天家台莫克嗒其人者，天晴亦笑，天雨亦笑，得志亦笑，失志一笑，中國有樂天家汪介其人者，其言曰，余平日有喜色，無愁苦色，有笑聲，無嗟嘆聲，竊謂屈原之九歌，梁鴻之五噫，盧照鄰之四愁，[illegible]恨，賈誼之長太息，楊雄之牢愁，殷深源之咄咄書空，皆其方寸過仄，動與世忤，惜不與介人同時，為作曠達無涯之語以廣之，之二人者，吾何間然哉，雖然，世固有蹭蹬抑塞，而抑鬱，而嗟傷，甚至發癲癇而畢世者，人何術而能免是，無他，一笑而已矣。獨笑子曰，世上無萬病皆治之大補藥，惟笑之一味，粗足以近之，蓋笑可使人之血脈流通，腦氣活潑，胸部因之擴張，呼吸因之自在，身內各經，無不因笑而增其力，而胃經之消化，更與之有密切之關係，德國某博士，曾實驗之，而知一犬飽食之後，如其性情怡悅，則胃中之消化作用，進行不止，苟以法激之使忿怒，則其消化之功驟止，惟人亦然，食後喜笑顏開，則所納之食物，易於消化，而精液入血，遂達周身，否則食物留滯胃中，久而不化，即為致病之原因矣，西諺有曰，笑為席上最佳之藥湯，誠有味乎其言之也，吾國古哲所稱道，或曰常作歡喜想，或曰保存太和元氣，俱能延年益壽者，蓋此理也。

但有所申明者，余之所謂笑，乃精神上之治療，乃最高尚之娛樂，若縱情於樗蒲之場，涉足跳舞之館，或觀南朝金粉，或訪北里胭脂以為樂者，則非余之所知矣。

介紹新中醫療養病院

蘇友農

(一)新中醫療養病院地址在成都市陝西街陝西會館內。

(二)是由四川省國醫館率領國醫學院，成都市國醫公會，成都縣國醫支館，華陽縣國醫支館，四川醫學會，成都市國醫支館籌備處，成都市國藥業公會等團體，集合人力和財力，辦理的。

(三)由各醫團按治療特長的經驗，推選了四十幾位名醫聘為醫院的特約醫師，如內科，外科，婦科，兒科，時令病的傷寒，春溫，雜病的吐血，肺癆，臌脹，癰疔，瘡瘍，折骨，流注，凝筋攏骨，痔漏等所其專長經驗分科治。

(四)院內設有醫務委員會，由醫務委員會十一人組織，負整個醫院治療上的完全責任。對於住院治療的疾病，均由醫務委員會加以集體研究。以確保病者的安全。

(五)醫院的業務，計分門診，送診，住院治療，醫師介紹，家庭醫藥顧問，機關團體學校衛生顧問，全以服務社會，發揚中醫藥之功能宗旨。

(六)醫院為辦送診贈藥事宜，特聘請本市慈善家黨政當局各鎮鎮長，組織推行會籌辦優待出征軍人家屬，貧苦同胞，的送診贈藥。

綜合這個醫院的組織情形，和業務方針，在中醫的歷史，可以說有三個新的特點，

第一、在醫界人士，從個體的單獨的執行業務，轉開合作的，集中經驗的治療疾病，免除往昔孤陋的弊病，而給病者以安全的保障。

第二、由個人單獨的慈善性質，變為社會性的慈善事業，所以奠定了中醫努力於公醫制度的建設，人民自治的發展中醫事業的基礎。

第三、集中中醫界各專長的人材，可以免除病者尋求醫師固有的痛苦，同時使具有各項專長技能的醫師，亦各得發揚的機會。

這個醫院——自然是醫藥界人士的醫院！同時也是社會大衆人士的醫院。我們希望大家都維護這個醫院的進步吧！

醫案實錄

治下虛濕疹驗案

胡元卿

壬申三月，余赴戚家弔唁，時因天氣寒燠不一，去時身着綿衣，歸時天氣燠煖，着衣仍多，遂於途中感受伏熱，歸家時，不稍察也，旋途午餐，後覺鼻中乾窒不爽，亟欲泌導鼻涕以爲快，輒用手握鼻泌涕時，猝然衄血，奔流如注，惶遑然，急施止衄諸法，方穩而猶未艾，已歷三小時之久，請得時下醫戴某診視，錄犀角地黃湯一方，旋服劑後而衄血遂止，然從四肢頗覺酸弱無力，亦不之顧也，至四月初，復病瘧疾，服藥數劑，病勢稍減，尙未全瘳，時適鄂河戰役之亂，吾邑地居衝要，戰地城邑，皆受殃擾，遂因避兵僦居鄉間，未及服藥，而瘧已痊癒，四月中回家小住，某日，因便溺間微覺陰莖龜頭上極瘙痛，醫視之，見一細粒紅疹起於龜頭上端頂已破裂，微有清水淋漫其間，莫知其由，急就西醫施治，用西醫油膏敷貼，更換至旬日許，而疹粒依然，幷復發紅疹三五粒，叩問之，彼醫云，此乃內蘊梅毒發，非用九一四針注射以清其血中之伏毒，不克愈也，余曰，以言梅毒，余素未有感此之由緣，斯毒如何而發，醫曰，其毒間接亦能傳染，若與有此毒之人聚談飲噉茶烟，應接酬對之際，無形中亦能傳受其毒，而自莫覺也。余以其詞近理，始允注射一針，至數日而疹粒皆隱消於無形矣，余心始貼然，深幸彼西醫之術，能，剛二三日間，而疹粒依然復現，復求其治，敷以油膏，日日更換，旋滅旋發，遷延月餘，彼醫術窮，另就一西醫診治，仍若前醫之施治，復往注射針藥，外施滌毒包治之法，藥雖不斷敷治，而疹粒相生相滅，不可獲已，又延二閱月，毫未得效，彼醫乃云，身體氣血未旺，可注射補血針藥，余亦聽其施治，注射藥四五次，疹粒稍瘥，不一二日間，仍蔓數處，依然未效，乃更請一中醫外科，彼攢長花柳，據云此濕熱發疹易治，遂配製丹藥搽包，延至旬間，仍然術窮而莫之療也，余以疾病糾纏，暇時每涉閱醫籍，得胡金相醫案殘卷，歸家翻閱，至理名言，啓發心胸，極爲透闢，稔閱其中某條證案，神悟驟豁，頗類余之證因，余乃照書其方服藥數劑，而龜頭上所起疹粒，豁然無存矣，余猶慮其再發，不意竟至完好除根焉，欣喜莫名，余習醫之信心，至此遂堅，特將驗方表出，俾同志者共研討之。

處方：懷熟地　製萸肉　白茯苓　淮山藥　粉丹皮　炒澤瀉
寧枸杞　炒菟絲　抗巴戟　遠志肉　白蓮鬚　炙甘草
相棗　桂圓

此方甫服一劑，竟瘥纏綿七月之病疾，蓋有至理存焉，茲方以補腎培脾爲要，竊以龜頭所起之疹顆，既非染毒，則不當從毒治，應探本尋源，從下元所生風濕發疹之治法之爲宜，緣其證因初既衄血，暴傷過多，以是虧及脾陰，脾能統血，營血已傷，則不能上輸精氣以達於肝，而肝陰亦因之受損，肝陽遂下陷而作血虛風動之象脾氣之虛，則土不能制水，下焦濕邪由此滋漫，濕邪挾風邪之煽爍，乘下元之虛，流注下焦，於是龜頭上之疹點遂起，故的治之法，培補脾腎，獲效敏捷，不其然乎。

中央國醫館四川省分館指令

醫字第　一七九四　號

中華民國三十年二月四日發

事由　一 爲據續陳事實經過請予指示辦法指令知照由

令國醫學院副院長李斯熾

呈一件爲續陳事實經過請予指示辦法由

呈悉據呈該學院於本分館停滯期間仰賴各院長及教職各員苦心支撐．維持現狀．殊堪嘉尙分館由本人接辦後以各種關係尙未顧及該院玆據所呈各情自應由館澈底統籌整理辦法惟關係重大不能不詳細計劃以期適當除所有辦法俟呈准中央國醫館及四川省政府核定後另令飭遵外所有院務在未解決以前着仍由該院負責人員維持進行此令

館長　曹叔實

副館長　劉子沅

鄭鶴[illegible]

學院園地

中央國醫館四川省分館 國醫學院大事記

三十年一月二日

院務會議議決「本學院三十年度施教大綱」

一月六日

速成科本科第一班本科第二班畢業證書由中央國醫館印發到院

增建校舍開始動工

一月十日

三十年度招生委員會成立

一月十七日

圖書室收到各界捐贈圖書二百餘種

一月二十五日

院務會議訂定「學生課外活動規則」

一月三十一日

撥送省國醫館館長曹叔實及本學院正院長林樵坡二氏赴前綫勞軍並捐贈「消毒」「防疫」藥品各數千包託二氏攜往前綫散發

二月五日

三十年度新生入學試驗開始

二月七日

新建圖書室落成

二月十日

三十年度全校開始行課

農村衛生

農村醫藥衛生的一瞥

陳峯技

我國的農村，近年來因政府不斷努力的結果，雖然使一般農民的痛苦減輕了不少，然而這有關民族健康的醫藥衛生，無疑地仍然一點也說不上，猶其是抗戰已進入第五個年頭的今日，後方的生活極度高漲，我們更應該顧慮到目前農村裏的經濟情形，將他們歷史上的特殊信仰和習慣，加以提倡，提倡，鼓勵，鼓勵。

現在姑就其犖犖大者，分方面述之於次：

(1)防疫運動：每年的端午節，家家戶戶都要舉行清潔打掃，並且在門的兩傍，懸挂新鮮菖蒲及艾葉，房內薰殺毒藥，地板及土屋角，廁所等處遍灑雄黃酒，甚至素不飲酒的人，也勸飲雄黃酒一杯，以免瘟疫傳染，在小孩的耳鼻面額，滿塗雄黃，並佩香袋，像這樣偉大的防疫運動，正與當局每年舉行一次的清潔運動，有同樣的效果。

(2)飲食的衛生：元旦日要飲屠蘇酒，三月三日在踏青以後，接着要吃清明菜，立秋節要飲烏梅湯，老弱及血虛者常以猪血或當歸生薑羊肉煮熟作菜，這都是很合衛生的預防疾病的方法。

(3)行動的衛生：農村裏每年在三月三日要舉行踏青，舒暢大自然的景致，藉以開拓胸襟，在重九節要登高，以撫山川草木，這都是農民很好的身心的衛生行動。

(4)醫藥救護及食物的禁忌：民間單方及漢時遺留的金匱關於各種急救方法及食物禁忌紀載非常詳細，茲不引述，僅將在醫藥上的有效單方略述一二，以供專家們的研究。

(A)糯米藤又名生扯攏，用鐵器搗碎，並不將瘡口或創傷處清潔或消毒，即行敷上，數日即愈，吾曾目見很多人如法泡製總後，並不見破傷風桿菌傳染。

(B)肺經草治小兒臍風及四時感冒有特效。

(C)水珠根煎湯內服治小兒腸胃寄生虫及一切痢疾有特效，諸如此類的單方妙品，實有醫療效能，可惜農村經濟不景氣，使所用的法子異常簡陋，若能用科學方法研究改良，不但有利於農村，並且對於整個的醫藥學術上均有莫大的貢獻。如像研究我國醬油，而發現有益細菌，研究國人食猪血而發現藏器療法，研究豆腐漿而發現內含有膠狀物質，對於人身的化學應呈接觸作用之酵素。并含有戊種活力素(Vitamin E)爲溶脂性，能促進生殖器發達，缺少則失性慾，并害胎兒的發育，諸如此類的發現，實有助我學術進步之效力，總之希望我衛生行政當局，把農村舊有的方法加以提倡和改良，方可以適合目前的環境，而收事半功倍之效呢？

醫藥改進月刊 一九

價目

冊數	本埠	外埠
全年十二冊	四元	四元二角四分
半年六冊	二元二角	二元三角二分
一月一冊	四角	
附註	香港國外郵費照加	郵資代洋十足通用但以一分至八分者爲限

廣告價

地位	封面	底面	普通
全面	每年八十元	每年五十元	每年三十元
半面	每年五十元	每年三十元	每年二十元
三分之一	每年三十元	每年二十元	每年十五元
四分之一	每年廿五元	每年十五元	每年十五元

成都圖書雜誌審查證審乙字第二六二號

本刊編輯部緊要啓事

本刊發刊伊始，諸多草率謬誤之處，在所難免。倘希海內同仁，不吝指正是所切盼！

本刊擴大徵求基本訂戶啓事

本刊爲盡量普及國醫藥學術起見，擬擴大徵求基本訂戶一千戶，規定自第一期起，第三期止爲優待期間。凡在此期訂閱本刊全年者均照訂價八折計算，以示優待。此啓

本刊編輯部緊要啓事

本刊此次承海內各同志惠贈稿件甚多，實深感謝，因限於篇幅，未能完全登載，俟下期繼續披露，尚希作者諸君鑒諒是幸

本刊鳴謝

本刊茲承邱草樂同志捐洋十元 王森倫同志捐洋四元 顯楨 徐伯朋 楊蜀華 羅昌文 諸同志各捐洋二元特此誌謝

本刊歡迎投稿啓事

一：本刊各欄，均歡迎投稿

一：來稿不論文言語體但務須用毛筆繕寫清楚，並加標點，

一：來稿無論登載與否均不退還，但預先聲明並付足退還郵資者不在此例。

一：來稿本刊有刪權，不願者須預先聲明。

一：來稿一經登載，即酌酬本刊一期或數期。

主編：本刊編審委員會
發行地點：成都興禪寺街四川國醫學院
社址：成都陝西街新中醫療養病院

更正

關於「製三仙丹之化學探討」一文本應列入藥物研究欄，茲誤列於醫學欄內，特此更正。

內政部登記藥字五五五六號

醫藥改進月刊

中華郵政掛號認爲新聞紙類
（民國二十年四月一日出版）
（四川醫藥改進月刊社發行）
第一卷 第二期

短評

中醫管理權

轉載成都新新新聞

最近盛傳當局將以西醫管理中醫，致中醫界大感不平，我們認爲西醫在今天，還莫有到完全替代中醫的時候，中醫有數千年的悠久歷史，與西醫較之各有一方面之發展，不可偏廢，即可大不必有所輕重厚薄！

西醫之不能管中醫，猶之耶教不能管理佛教，亦猶之有洋裝書之不能捨棄線裝書，亦猶之麵包之不能完全承繼飯食，何也？性質雖近，而各有其本質之不同也。

我們主張西醫應該研究中醫醫術，中醫也應該研究西醫醫理，兩者融會貫通，自不難產生新的醫術爲世界醫學放一異彩。

若曰管理，則出主入奴，分門別戶，而非擠傾斥之事生焉，此適足以摧殘醫學而非整理衛生行政應有之道也。

言論

盼本市中醫公會從速成立

李斯熾

近聞本市中醫界各方面人士，紛紛發起中醫公會之組織，近已由市黨部令飭合併組織，發給許可證，籌備進行矣。吾人於此不得不聊爲一言。良以中醫公會，爲中醫之法定職業團體，依照黨政雙方頒布之章則，凡屬行業之中醫，均須强迫加入。此種立法之意義，第一，固在使業務方面，能互相合作自由整理改進。第二，使全市中醫參加組織，受民權之訓練，集中力量以貢獻於國家。然則我同業在此原則之下，不能不參加，亦不容許不參加矣。惟往昔之事實，則偶或因私人之小見，彼此遂各歧異，未能精誠合作，今幸得黨部之指導融各方之人材於一爐，誠不可多得之良機也。再審吾中醫界，雖蒙國民政府頒行中醫條例爲法律之保障，然以合法之中醫管理權未得建立而合法之中醫師資格亦難於取得，故一切中醫師應享之待遇，尙未得實行保障，凡此皆爲代表吾人法定職業團體之中醫公會所應負請求之責者也。且本市爲全川省會，非但一切行動均爲各縣觀瞻，尤負有領導之重責，夫其任務既如是之大，則吾人今日之所盼望者，即中醫人士，均須全體加入羣策羣力，尤須捐棄之過去成見，精誠合作。使其早日成立一完善有力之中醫公會以盡其所負之使命。在吾人爲盡國民之責，而亦不負黨政雙方指導進行之意也。

對於中醫審查規則立法意義之質疑

蘇友農

在國家訂定法章，設官分職以司之，凡屬國民均應嚴格遵守，以表現法制國家的精神，這是任何人不能否認的，從事醫藥事業的人，在業務上對於衛生行政機關的管理辦法，應抱同樣的態度，亦是天經地義，無所異議的，不過在當國民的人，對於各主管業務機關內執行的任務，亦希望循名覈實，以期無忝所守，這是個人對於中醫審查質疑的根本目的。

中醫藥事業，是維持全國人民健康生活的事業，顧名思義，這種保健工作，在各級衛生行政機關，應負主管的完全責任，這是毫無問題的。不過這在已往的歷史上，衛生行政機關造成了不能磨滅的錯誤事實。就是過去部份主持的人，不顧事實的提出廢止中醫的辦法，和廢止中醫教育列入教育系統。以期根本消滅中醫學，在代表國家負管理國民健康事業的人，而竟不詳加研究中國醫學的眞理性，和與國民健康生活的關係，祇憑一偏私見，置國民健康生活於不顧，這不能不說盡反自已掌管業務的原則，自絕於中醫藥人士，和信仰中醫藥人士，至現在尙不能磨滅遺忘的一個仇恨的觀念！與被此隔膜很深的鴻溝。

雖然這在當時全國醫藥人士的反對請願，并得全國信仰中醫藥人士的幫助由國民政府於二十五年一月公佈中醫條例，確定中醫在法律上的地位，特別并明定內政部及各地官署負管理之責任。這個條例的作用，可以說是調和中醫藥人士與衛生行政機關的衝突，而給中醫藥事業一□進的道路。但事實不幸，在二十六年五月所公佈的中醫審查規則，和衛生署對於修正中醫審查規則的解釋。及中醫條例的解釋等模稜的辦法，輕輕的用軟的方法，把消滅中醫藥事業的辦法緊緊的握着！例如：

第一，就審查規則第五條。及附錄一二兩項所載負責主管部為衛生署，及衛生行政主管機關。這種明確的指定，來代替中醫條例所載為內政部及當地官署管理的規定。事實上在立法的意義上，究竟彼此有無不同，這種解釋權我們應該請國家最高立法機關充分行使。

第二，關於申請審查醫師應具的資格，在中醫條例第一條三項為（在中醫學校畢業得有證書者）但在審查規則和解釋，則限制為「經教育主管機關立案者」。誠然一切的學和校，須經主管教育機關立案，方為合法。但過去禁止中醫教育列入教育系統。至二十八年十二月教育部始公佈中醫專科學校通則。而政府亦未設立中醫學校，試由此項合法的中醫學校資格從何取得。審查規則把中醫條例對於學歷資格柔性彈性的規定，變為硬性的規定。這樣立法意義上又不知是何作用？

第三，審查規則第六條所列考詢科目為病理學，藥理學，方劑學，診斷學，內科學，外科學，小兒科學，婦科學，喉科學，眼科學，花柳科學，傷科學，按摩科學，針灸科學。此種考詢，固屬頂好的辦法，不過上列各科，已往中醫學中，向無此種之標準書籍，既未指定一確切的目標，在應考者不知根據如何以應考，而主試者又不知根據何者以評判。

上述三點，較之根本大法之中醫條例之立法意義，實均有令人不知如何遵守之困難。夫此項審查之作用，其目的固在澄清醫界，保障民命，蓋以醫士一經品題便作佳士，其關係於將來國民生命安全之關係甚大，乃對其辦理機關本身之立法根據，及其用以品選人材者，於法理上尚有資人質疑之處，若不能為澈底的解釋反為模稜修正辦法，草率了事，既不是圓滿公佈中醫條例之意，恐亦不是國家訂立法章，設官分職的作用罷！

戰雲籠罩下中國醫藥的重要性

斯爔

大凡一個民族，能够在世界上立足至幾千年，並且人口愈益繁衍衆多，土地愈益寬廣闊大，他的本身一定具得有很優秀很堅固強不可磨滅的一種素因，中華民族人口的發達，在現在要占世界各國的第一位，有了四萬萬五千餘萬，並且現在還是有增無減，這種維持民族健康的學術，决不是偶然可以辦得到的。所以說中華民族的醫藥學識，也只有相當的研究和發明，的確能够征服疾病，維護民生，在建立國家的實質裏面，占了一個重要的素因。

近百餘年間，海禁大開，歐風東漸，西洋的醫術，隨作傳教的勢力，漸漸侵入內地，一般醉心歐化者，見其器械鮮明，設備整潔，便拋棄了自己固有的學術，爭相效顰，在道理上說起來，果真能够學得他人的長處，來改善自己的短處，那是值得欽佩的。無如有一些學習西洋醫術者，僅得皮毛，未獲精髓，結果是醫不知藥，藥不知醫，每遇一病，非用西藥，便無法治療，或有別人未經發明特效藥者，更是無法治療，除了便形成一個西藥推銷員，近來更因爲地位的關係，不惜用種種手段，希圖消滅中醫中藥，而遂其壟斷的私意。（未完）

醫學研究

溫疫論中的「膜原」

徐先彬

「膜原」這個名詞，遠見於內經，後來各家的書籍裏面，也隨處都可見到，但究竟膜原是個什麼東西？究竟生在人體的什麼地方？非但在解剖上找不出來，就是起黃帝岐伯於九泉下而問之，恐怕也還是有些莫明其妙了。

晚近科學昌明，隨着醫學也有長足的進步，像這種荒誕不稽的東西，本可不必去管他，不過以前的醫家，既把他看得過分認真，猶其是明末的吳又可先生，更把他視為溫疫傳染的主要地方，簡直要與傷寒六經分庭抗禮，直到現在，一般人的腦筋中，還深深的印象着，所以我們實在有研究的必要。

吳氏的溫疫論，既以膜原為疫邪首先傳染的地方，那嗎，無論病情怎麼變化，都是離不開膜原的，所以我們只須將溫疫論分析分析，便可得到這所謂「膜原」的本來面目。

在溫疫論的序文裏面，首先便說「溫疫之病，非風，非寒，乃天地間別有一種癘氣」接着在病原篇內，又說「疫邪自口鼻而入……………直犯膜原」。吳氏當時，既沒有科學的發明，就能將本病的病原體及傳染的途徑，認識清楚，已是一件極不容易的事，不過我們知道，一種病原體既從口鼻侵入，則其首先可能傳染的地方，自然只有氣道和食道，實際上本病多由食道傳入，從氣道傳入的確是極少，吳氏既知本病傳染的路徑，係從口鼻，但被傳染的地方，不說是在氣管和食道，而偏說是「內不在臟腑，外不在經絡，在於半表半裏的膜原」，這真不知是從何道傳入，更不知「膜原」是個什麼東西了！

有人說：「膜是油膜，膜原就是指油膜發源的地方，所以他的地位，是內不在臟腑，外不在經絡，而在於半表半裏」，這種學說若果都認為可靠的話，則唐容川氏所說三焦即是一油網」，三焦的發源地「從腎系生出兩大板油」等類的話，自然也更是可靠，那嗎，無疑地這板油發源地方的腎系，也就是上面所指的膜原了，但腎系是個什麼東西？早就成為疑問，疫邪從口鼻而入，又何由直犯腎系？像這種不合實際的議論，用不着再為證明了。

再退一萬步來說，即使在人體裏面，真是一個地方叫做「膜原」，一如吳氏所說的一樣。那嗎，當他被疫邪傳染的時候，一定會發現出一種特殊的症候來。如太陽傷風，便會發現出自汗惡風的現象，陽明胃實，便會發現出大便閉結的現象一樣。但實際上關於溫疫的症候，吳氏雖論得極為詳盡，若仔細分析起來，除了與今日西說腸窒扶斯 Tuphus Abdaminalis 極端相似而外，實在沒有什麼特殊的地點，可資鑑別。所以近來一般學者，都公認本病即西說腸窒扶斯，考希臘文 Tuphus 的字義，是被雾圍罩的意思，即是表明本病的症候有神經障碍。(因患者多有昏迷的經過)。後面加上 Abdaminalis 是更表明腸也有變化了。

腸窒扶斯的病原，是由 Clerten 與 teach 二氏開始發見，繼由 Goffky 氏精密證明的窒扶斯桿菌傳染而起，此種桿菌在胃中不起變化，在小腸內最易繁殖，這不但與吳氏所說邪疫從口鼻傳入的話，完全吻合，並且更證明了本病的變化，確在近胃的小腸，而不在近胃的「膜原」了。

又有人說，本病的變化異常複雜，卽吳氏亦有很詳細的記載，如：「其熱淫之氣浮越於某經，卽能現某經之證，如浮越於太陽，卽有頭項强痛，腰脊强，如浮越陽明，卽有目痛鼻乾，不眠，如浮越於少陽，卽有脇痛，耳聾，寒熱，嘔吐，口苦，若據上面的說法，本病的變化既不在膜原而在小腸，爲什麽會顯現出這許多與小腸無關的證候來？爲什麽在原文 Abda-minalis 的前面，要出上一個 Tuphus 表示本病有神經證候呢？這豈不是也自相矛盾？但讀者如果明瞭窒扶斯稈菌在小腸繁殖時，會產生出一種毒素，逐漸被吸取到血液裏面去，使血液中毒，待到一定的程度，生理上就會發生變化，那嗎，上面的懷疑，自然會氷釋了。

致於本病的治法，吳氏發明「早下」，清初的戴麟郊氏，更發明「下不厭早」，這「下不厭早」四字，更覺清切，不過吳戴二氏既說本病內不在臟腑，外不在經絡，在於半表半裏的膜原，又說應該早下，似乎就有些牛頭不對馬嘴，我們知道，凡病不在臟腑，就不應用「下」，更無須「早下」，病在半表半裏，就應遵大論所示諸法，從是和解，現病既在半表半裏的膜原，而只從事攻下，卽使在半裏者，可從裏解，而在這半表的，豈不反乘虛內陷，大論曰：「表未解者不可下」，吳氏豈未知聞？

通便劑的使用，是在驅逐腸內的有害物質，當窒扶斯桿菌侵入小腸而繁殖時，惟有早下一法，可以將他驅出體外，這已是吳經地義的事實，不過吳氏既知本病的原病體爲天地間別一種厲氣，和傳染的道路爲口鼻，又知道治療的方法應該早下，但不說病邪侵襲的地方，是在食道裏的小腸，而偏說是半表半裏的膜原，這是當時觀察的錯誤。

根據上面的學說看來，吳氏所說的膜原，實際上是指我們消化系統的一部份——小腸而言，解剖上是找不到的，我們「讀古人書，不要爲古人所惑，」深望有志同仁，深深地體會着這話的意思！

（完）

溫病研究（續前）

陳特思

B、證狀：一、初起洒淅惡寒，頭痛身熱無汗，脈浮洪，舌苔稀薄而白，具一般感寒證狀，繼則發熱不惡寒，口渴思飲，不論有汗無汗而熱均不解，舌苔變黃脈浮數，是時卽可證明其內熱外發，爲溫病無疑。

二、又或內熱過甚，造溫亢進，有汗雖多而熱仍不解，古稱風溫，內熱過甚，血液不潔，當此血液旺盛之際，每發斑疹，再云溫毒，初病誤用辛溫發散之劑，則但熱不熱，心煩不安，顴赤唇焦，大便祕結，若燥咽痛，神昏躁擾，譫語發狂，甚則衄血吐血下血或手足瘛瘲，必因其候而蜂起也。

附註：人之稟賦不同，體質各異，往往同一病源，而彼此之現症差異，例如風寒頭痛，在甲則鼻塞微惡寒，發熱無汗，脈浮緊，乙則鼻涕交流，惡寒甚，體溫不高，脈沉而弱，甲爲陽症，乙爲陰症，症狀不同，處方自異，溫病亦然，吾人若就其症狀而立名，則一病而將若干名也，此病以內熱外發爲主要條件，按法治之，必不償事。

C、病理：1、內熱之成因，總不外乎飲食失憤，忿怒不時，煩勞過度，嗜好過深，……凡此種種，均可使血行障碍，神經鬱結，或過度興奮，而血熱內鬱之病成矣，此為由內而得者。至從外得者，則責於體溫調節機能之失職，蓋人體之造溫機能與放溫機能均應相等，若寒冷空氣刺激皮膚，皮膚組織必收縮起而防禦，血液奔集微絲血管以抵抗，體溫不得外散，則蘊蓄在內，而成灼熱，故感冒風寒，稍久不治，即成此症，所謂由表入裏也，內熱之成因既明，再論由外何故誘發。

2、當體溫受寒阻閉之際，其生理現象必發熱以抵抗，而血液尤必起代償作用奔集肌表，以禦外敵，於是外寒與體溫互相格據，內熱不得外達，故先從口鼻二陰等部份以趨外，此溫病之所以口渴思飲，舌苔黃燥溲赤便結也。

3、發熱惡寒，身痛無汗等，為初受病時體溫與寒氣相抗之現象，熱甚則血行加速，脈搏乃盛，熱性上沖，頭部神經被迫故感脹痛，體內水分供給內熱之燃燒，因感缺之，故口渴，溲赤，便結等狀，至心煩惡熱，顴赤唇焦，舌燥咽痛，神昏躁擾，譫語發狂，衄血斑疹等，皆為熱灼神經，組織缺之濡養，血液妄行……之故。

D、治法：初起時具有感寒症狀者，宜於辛溫解表劑，葱豉桔梗湯，荊防達表湯，隨症擇用。表解，內熱症具者，宜乎辛涼清熱，柴芩清隔湯，竹葉石膏湯等均可選用，熱勢盛，斑疹將發者，新加白虎湯加牛蒡丹皮等，以清氣熱而透斑疹，熱甚有腦症狀時，犀角清絡飲，導赤清心湯等，以清其伏熱，至二方之選擇，當辨虛實而用之，如神識昏蒙不語者，用清熱涼血化痰通便之劑，不應牛黃膏，如狀類驚癇，手足瘛瘲，用羚羊鉤藤湯，若變生諸症，按情形施治，不及備載。

附方

1、葱豉桔梗湯

葱白一、五　薄荷一、五　桔梗一、五　連翹一、五
山梔一、五　竹葉三、〇　豆豉三、〇　生草一、〇

2、荊防達表湯

荊芥一、五　防風一、五　蘇葉一、五　白芷一、五
橘紅一、五　杏仁一、〇　六麯三、〇　赤苓三、〇
生薑三片　葱頭二個

3、柴芩清隔湯

柴胡一、五　山梔一、五　桔梗一、五　生草一、〇
黃芩一、五　連翹一、五　枳殼一、五　大黃一、五
薄荷一、五　竹葉三、〇

4、竹葉石膏湯

竹葉三、〇　生石膏三、〇　半夏二、〇　沙參二、〇
麥冬二、〇　甘草一、〇　粳米三、〇

5、新加白虎湯

生石膏八、〇　蘆根一〇、〇　竹葉三〇　知母四、〇　荷葉五〇　大玄參五、〇　桑枝三、〇　燈心草〇、五　沙參三、〇

6、犀角清絡飲

犀角〇、八　丹皮一、五　桃仁一、五　鮮茅根一、五　竹瀝五、〇　生地五、〇　赤芍一、五　連翹三、〇　菖蒲三、〇　薑汁二滴　燈心一、〇

7、道赤清心散

生地六、〇　茯神三、〇　木通一、〇　益元散三、〇　粉丹皮二、〇　硃燈心〇、八　蓮心一、〇　麥冬三、〇　竹葉一、五　童便一杯

8、羚角鈎藤湯

羚角片一、〇　桑葉二、〇　川貝四、〇　生地五、〇　生草〇、八　鈎藤鈎三、〇

9、牛黃膏

西牛黃二、〇　丹皮三、〇　梅片〇、五　辰砂三、〇　廣玉金三、〇　生草一、〇

（完）

白喉治法

彭澤鈞

白喉爲法定的急性傳染病之一，多犯小兒，症象：發熱，喉部腫痛，生灰白色不易剝離之假膜，聲嗄，呼吸飲食俱感困難，以次若併發肺炎或坐視不理，或治不得法，俱不難於一週之內發心臟衰弱而死！其死亡率約爲四〇——五〇%。

民前十七年，德醫白領(Behring)氏創用抗毒素治療法後，風行全球，死亡率得以銳減，然此惟先進之歐美各資本國爲然，若我國以地大而窮故，多數區域，竟有連草根樹皮亦未得而應用，遑論血清治療及預防，故必猶保有常態之死亡無疑！其實本病就我國藥物治療檢討，亦有特效藥物隨處可能致得，及古今經驗方劑，足資賞用者在，得其法焉，不難于旬日內起人沉痾以收如桴鼓之效也，茲將個人見聞經驗所及，披錄以供吾同道之檢用如次：

1.人中白吹藥——人中白爲尿池中沉于底部，固結溺器之黃白色積塊，俗稱「尿壻」者，取以煆于瓦上，至色灰褐，用竹管醮吹病喉，日二或三次，至愈爲度，有消毒殺菌退膜散熱之功，古載有治疳𧏾，口舌生瘡之效，而民間多施諸白喉，百試百靈，誠可媲美血清。

2.初起內服藥——在初發現白點後，兩日內可賞用麻杏石甘湯，並可隨症加用黃芩葛根知母柴胡等類清涼消炎表散之藥，往往因之速愈，蓋白喉初起，多有發熱惡寒無汗等證，古書諄言忌表，當于純屬熱候，津液消灼之時，如一併執爲當忌，實屬誤人不淺！緣此時表散，正所以驅陸續入血之毒素，過此毒深，表散無濟也。

3.後期療法——初起病家未察，或醫生遲延未表，各症必然加劇，津液漸枯，喉腫若閉，此時即屬後期，用滋陰療法最爲洽當，陳存仁氏云：「滋陰療法，皆有殺菌之力，蓋增加陰液，可使(病)菌無生存餘地，配方適症，殺菌甚速，」(註)慣用方劑，以養陰清肺湯一方爲最，實非清肺，仍養陰以增加中

毒已深之體質的抵抗力，藉掃病魔也。

結語——人中白吹藥，自始至終，俱可應用。顧多未預掰，臨渴掘井，頗不易易。農村中多以竹筒製供老人作溺器，爲醫者未雨綢繆，宜早徵收經年者破取製用。單用效力已偉，古方多複合，其實末摻和冰硼即足。若有成人患者或以爲穢惡垢用，實則亦不過二化合物耳（主成分爲尿酸鈣$CaC_5H_2N_4O_3$）經煆後，何穢之有，要不然祕之可也。其次麻杏石甘湯爲主體之表藥，不但筆者曾用之得效，即醫界前輩惲鐵樵先生亦廣用之。誠聖法也。其各方藥廣見各書，茲不備錄，蓋目的爲望得經濟安慎之「法」，加減視人之體質病情爲轉移，無定則也。（完）

（註）見於陳存仁著之肺病無憂論，可使「病」菌無生存餘地之（病）字，原係痨字，活用于各病菌，想無不當。

病原與病理

趙耕耘農

病原學說

病原學說在太古時代民智未開以前，疾病之由來，大都認爲神鬼作祟，往往以祈禱神明爲除病之信念，是種迷信，不但盛行於希臘，日本及吾國之古代，在十六世紀以前，即號稱文明之西歐，亦莫不如斯，迨後德國博物學家Schan'ein氏創言疾病寄生論，及吾國古醫學家岐伯氏創言氣溫氣壓說及溫度說：六淫，醫聖Hippocrote氏創立人體四液說，維也納病理學家Rokitansky氏認疾病原因爲血液變調，英醫學家Wi llam Gullen氏以違反健康屬於神經病理，Paracelsus氏謂生活精神屬於外界人體之靈氣Stahl氏謂生活泉源係不死靈魂之精氣，以上諸家見解維繁，但均無絕對正確之理論惟其中如血液變調氣溫濕度及違反健康屬於神經病理，則不爲無確正之見地而與後世之病原學說頗有相關之處。

更進一步

迨至一八五八年德國病理學家Virchow氏發表細胞病理學說，於是打破從前一切鑿空之譚，從此醫學界始有眞理之發現，氏之立論，恒依據細胞由細胞而生一語，宇宙間足以發生疾病之害因頗多，統稱之曰病原（Causa marbi Die klan-ehcitsnxsache，病原中與生活有關係者如空氣，飲食，氣壓隨溫度，光線等，設有變常，即能成爲疾病之階，此外如，處密佈之細菌，原虫等等，故吾人研究病原，不僅外界害，因對身體發生作用而生，更有身體內部素質之變化失調而起，前者曰外因或誘因（Causaexteren Causa Ocaesianlis）後者曰內因或素因（Causa Interna Die prodispositibn）

病原基部

自近代科學昌明以來，凡一切細菌原虫都能在擴大鏡台下面顯示出牠們的原形，於是世界諸家，對於病原學說都策重於細菌說，認細菌爲絕對獨立病原體，及近代德醫學家Cochelk氏他對於病原學說，曾下過三條鐵論如下：

（1）「某病患者之體內，必能檢得該種病原菌」。

（2）「凡病菌可經培養而得其純粹羣」。

（3）「將此種病原菌注入動物體內，該動卽呈現該種病狀」。Cock氏三條鐵論宜乎比較正確可靠。可是近來在醫學史上發現有所謂「假面性間歇熱」，牠在患者的症狀方面與普通麻拉利亞間歇熱完全相同，但一經檢驗其血液。始終不能獲得該種病原體——麻拉利亞胞子虫——在施治方面却和麻拉利亞間歇熱完全相同。結果可獲全愈，是則與Cock氏第一條相矛盾，又有作弛張熱及稽留熱者有並發熱，但皮膚蒼白污穢心悸氣促關節疼痛體力衰減虛脫者，以其血中皆有胞子虫——麻拉利亞——亦謂之爲麻拉利亞，是則又與Cock氏第三條相違背。由是言之麻拉利亞者未必由於胞子虫？而有胞子虫者又未必作麻拉利亞病也？（此段採時賢陸淵雷氏說）

（未完）

仿讀書記「續」

戴佛延

七、評診脈指法

盧子繇曰，診脈指法，世多習焉不察，猶令無目人而辨皂白。無針平而衡分兩矣，蓋人中指，上兩節長，無名食指，上兩節短，此參差之不易齊者，若按尺排指疎，則踰一寸九分之定位，排指密，則又不及尺寸三停之界分，此尤其小者，顧指節之參差，雖疎與密，咸難舉按，不但腕不能舒。肘亦牽於動轉。必藉肩之提攝，或得指頭上下。久則腕節不仁，臂亦痿痹，罔覺矣，又何能別形體，紀至數，循往來，度部位，驗舉按，以及去來乎。是必三指齊截，斯中指翹出，而後節節相對，自不待腕之能舒、而節無不轉，轉無不活，卽無名指之屈而未伸者伸矣。衆指之伸而未屈者屈矣。眞類針乎。輕重毫末，無容隱者，故指法之宜早辨也，第惟食指肉薄而靈。中指則厚，無名指更厚，故必以按脈中之脊，無論洪大弦革，卽小細絲微，咸有脊焉，不啻睛之視物，妍醜畢具，故古法稱診脈曰看脈，可想見其取用矣，每見有惜指甲之長美，留而不去，祗用指肉，或指節下以遷診視者，譬若目生頸臉脊胸間，設有指頭肥禿者，業屬不慧，反借口謂診視一法，不過敲門磚耳，得善望聞，巧問答，漏病者一二證，便可敷衍酬應，何必窮研奧旨，摩揣刻削，自取勞苦耶，又下一等，昧望聞、拙問答，不知受何衣鉢、作倣利訛頭，此更難言矣。

延按，子繇先生名之頤，與盧復不遠之哲嗣也。喬梓俱邃於古學，其所著醫籍，醫林指月半收之，其餘著述，有如廣陵散矣，茲摘錄其學古診則一段，論指法尤切中時弊，故錄之。

八、衄血

高士宗曰。欲辨衄之輕重，須察衄之冷熱，衄出覺熱者，乃陽明絡脈之血，輕也，治宜涼血滋陰，衄出覺冷者，乃陽明經脈之血，重也，治當溫經助陽。

九、百合紫蘇

張隱庵曰，百合花晝開夜合，紫蘇葉朝挺暮垂，因悟草木之性，感天地陰陽之氣而爲開闔者也，百合色白氣平，其形象肺，能助呼吸之開闔，故主邪氣腹脹心痛，蓋氣行則邪散而脹痛解矣，主利大小便者，氣化則出也，主補中益氣者，氣之發原於中也，蘇色紫赤，枝莖空通，其氣朝出暮入，有如經脈之氣，晝行於陽，夜行於陰，是以蘇葉能發表汗者，血液之汗也，枝莖能通血脈，故易思蘭先生，常用蘇莖通十二經之關竅，治咽膈飽悶，通大小便，止下利赤白，予亦常用香蘇細莖不切斷，治反胃膈食，吐血下血，多奏奇功，蓋食氣入胃，濁氣歸心，肝主血而心主脈，血脈疏通，則食飲自化，經云，陽絡傷則吐血，陰絡傷則下血，通其絡脈，使血有所歸，則吐下自止，夫茜草歸芎之類，皆能引血歸經，然不若紫蘇晝出夜入之行速耳。（未完）

藥學研究

國藥黃芪之研究

余仲權

性味：甘，微溫，無毒。其溶液呈弱鹼性反應。

成分：含樹膠質，袁叔范云：本品含鹼性物Alkaliod。

效能：本經主治癰疽久敗瘡，排膿止痛，大風癩疾，小兒百病，補虛。經驗仲景氏之實驗，謂本品主治肌表之水，旁治身體重及麻木不仁。普通以之作和緩強壯藥，及利尿止痛排膿劑，癰瘡之下陷不起者，非此不能為功，故小兒常用。外用能殺菌而促進新肉芽之生長，內服用量一，五——三，〇錢。

藥理：本品在胃中，能刺戟胃壁神經，令分泌加多以助消化，同時一部分與胃液起化學變化，然後流入腸內，自此吸收入血，促進血液之循環，因此氧化迅速，體溫增高，全身細胞亦起興奮，旺盛其新陳代謝，加強其抵禦外侮之力，此古人之所謂補表虛者是也。其功既能振興循環，加強新陳代謝，固不特能解肌表之水也，即全身各部廢液亦得以排除。至於麻木不仁，或由於營養不足，或由於廢物之壓迫所致。令營運正常，其病自能解除。瘡瘍下陷，多係營養之不足，其人大都虛弱，服用本品，自當有效。若以作外用，則利用其弱鹼性以撲殺細菌，而保護肉芽之新生。

配合：同桂枝，白芍，防風，炙草，治傷風之自汗；同人參，甘草，治機能衰減，而無熱象之天行痘；同黃連治腸潰瘍之下血；同紫背浮萍為末，姜蜜水服，治吐血不止；治糖尿病方，生芪四〇．〇雲苓三．〇澤瀉三，〇木瓜三，〇西黨三〇，〇酒芩三．〇法夏三，〇杭芍四．〇炒蒼朮六．〇山萸六．〇三七三，〇甘草二．〇生姜二片（陸仲安方）。

禁忌：凡非虛弱，而表裏有實邪者忌用。

參考：處方名用綿黃芪，生芪，炙芪　產山西綿上及陝西。本品應以切開而中心有菊花紋，色白黃，味鮮潔而甜，帶綠豆氣者最好。

△徐錫年曰：本品以潰瘍久敗，肌肉難生，膿水不淨，為應用之的據。蓋瘡久人虛，消化不良，營養缺乏，服此以益其生發之機也。

△荷蘭藥鏡云：黃芪治痢疾及梅毒頗有效，又能刷盡斷顯腐爛以作洗漱劑，若作撒劑，則治經久潰瘍。

△黃勞逸云：本品含有樹膠質，故利用其粘漿，以排膿補肉。

△田桐云：華醫陸仲安重用黃芪而治糖尿病，美國人遂襲其法而製黃芪精。

△袁淑范云：依余試驗成績判之，黃芪至少不能有強壯之功，其有效之主要成分屬於 Alkaliod 則無疑義也。

幾種含有碳酸鈣的藥物之檢

白贊普

石鐘乳　珍珠　珊瑚　各種貝殼——牡蠣　石決

明 蛤粉 文蛤 海蛤 貝子殼 河蚌

我們很熟悉的知道石灰石含有碳酸鈣，却很少有人注意到極珍貴的珍珠，珊瑚，及最普通的各種貝殼之大部份成分亦爲炭酸鈣，既不很熟悉碳酸鈣溶於含有碳酸的水中、更不易明瞭由岩窟垂下的石鐘乳的形成，及它也是純粹的碳酸鈣，而這些都是中藥，它們既有共同的成分，當然也有共同的性質，和共通的法則。它們既有不同的雜質，當然也有不同的作用。和特殊的特性，且以藥效立塲說，靠單純的化學分析，以評定其共同作用，是不够的，必須經過實驗後，再作一比較判斷，庶方合乎現實，我們歷來的本草，便是最現實化的藥效實驗記載，我們今天的使命，是在根據歷代本草，分别檢討它們藥的數，以備將來作比較藥物學之一助云。

（一）石鐘乳

我們在研究石鐘乳的形成以前，先要知道中性碳酸鈣，不溶於純粹的水中，極易溶於含有碳酸的水中，自然界二氧化碳，存在多孔的岩石及地縫內。天然水與此氣一觸，能溶解大部份，形成含有碳酸的水，能與石灰石作用，不知經過多少年代，便能形成石鐘乳的大本營的岩窟，由岩窟頂上流滴下來的水，蒸發而分解出碳酸鈣，此種作用，繼續不斷，日積月累，會形成冰條似的東西，這就是我們要研討的石鐘乳。

性味 甘溫無毒，本經 味辛溫氣大溫，其性得火則有大毒，

經疏 石藥之氣悍，內經 石鐘乳爲慓悍之劑 朱震亨

作用 一．塡補骨組織 療脚弱疼冷。別錄 腰脚無力，千金翼方

按：骨組織三分之二係碳酸鈣及磷酸鈣所組成，三分之一係動物膠骨小體骨髓及血管所組成，前者稱爲無機質，後者稱爲有機質，成人常保持此種比例，故骨硬而有彈力，不骨軟亦不易折，設打破此比例甚遠，則有機質不足爲骨折．或無機質不足爲骨軟矣，別錄之脚弱疼冷，千金之腰脚無力、不外乎骨軟之現象．碳酸鈣以補其無機質，達到平衡比例，則腰脚自强．然必屬於寒者，方爲適宜，是以本經特標其性溫，而別錄於弱疼下注一冷字也，後者皆當於性味上特別着眼。（未完）

玉靈丹

（仲 權）

玉靈丹是一種砒汞氧化物合劑$HgO+As_4O_6$爲金黃色之昇華物．玆誌其製法及效能等於后，以供熱心藥學者之參考：

一製法：a原料：水銀一〇、〇火硝一〇、〇明礬一〇、〇白砒〇、三

b操作：一切手續，與製三仙丹相同，參看本刊第一卷第一期『製三仙丹之化學探討』一文內。

二化 變化：製本品時之化學變化，與三仙丹大致相同，蓋少量之白砒，在攝氏四五〇度時已化爲蒸氣，而與氧化合，至其氧化物之分子式當爲As_4O_6，蓋As_2O_3須要一八〇〇度之高溫乃能組成也。

三效能：本品在外科上，爲治瘡瘍之要藥，凡瘡之已破潰者，皆能用之以消毒殺菌．化腐生肌，非若三仙丹（氧化汞）之只能用於生肌時期，蓋以其多含砒素也。

按：本品爲四川國醫學院李君又斯之驗方。

經方研究

小半夏湯與生薑半夏湯的研究

徐先彬

金匱小半夏湯與生薑半夏湯方藥相同，但牠的功用却不一樣，這個道理，直到現在，可說還沒有人將牠闡發出來，因此不能不引起一般學者懷疑了！許多的學者，都相信這兩個方子，原是一方一症。不過因傳者不同，而仲景兩存之，然老諸家用法，及臨床經驗所得。知二方主治，原有不同。並非一方兩傳，根據這種種事實之證明，我們實在有進一步研究的必要。

現在，在未開始研究以前，我們首先將這兩個方子拿來比較一下吧。

甲、方藥及煎服法

（一）小半夏湯：半夏一升，生薑半斤，右二味，以水七升，煮取一升半，分溫再服，

（二）生薑半夏湯：半夏半升，生薑汁一升，右二味以水三升，煮半夏，取二升，納生薑汁煮取一升半，少冷，分四服，日三夜一，嘔止停後服。

乙、主治症候

（一）諸嘔吐，穀不得下者，小半夏湯主之。

（二）病人胸中似喘不喘，似嘔非嘔，似噦不噦，徹心中憒憒，無可奈何，生薑半夏湯主之。

從上面比較的結果，我們便可得着下列幾個結論：

甲、小半夏湯是以半夏爲君，生薑爲佐，生薑半夏湯，是以生薑爲君，半夏爲佐。

乙、小半夏湯是以水七升煮取一升半、分溫再服，生薑半夏湯，是以水三升煮半夏取二升，納生薑汁煮取一升半，小冷，分四服，日三夜一，嘔止停後服。

丙、小半夏湯以治嘔爲主，生薑半夏湯以治似嘔非嘔，心中憒憒無可奈何爲主。

再從據上面的結論，豈不是更證明了二方在主治上有顯然的不同嗎？因主治的不同，無怪其方劑的配合及煎服法都完全兩樣了！

嘔吐的目的，本來在驅逐出胃內的有害物質，亦如食物誤入氣管時所引起的咳嗽一般，這是生理上的自然療能，所以患胃病的人，如急性胃炎，胃弛緩，胃潰瘍，胃擴，食道癌，幽門狹窄……等，常常發現嘔吐，便是這個道理，不過這種嘔吐，是因反射作用所引起的一部分能了。

雖然小半夏湯所主治的嘔吐與生薑半夏湯所主治的似嘔非嘔，都是胃的炎症，但前者的反射作用強，所以能發爲嘔吐，因其能發爲嘔吐，所以胃中的有害物質，能藉此而排出體外，故嘔吐以外，便沒有其他更腦害的痛苦了。後者則不然，因爲他反射的作用弱，不能夠催起完全的嘔吐，而成爲似嘔非嘔的症候，所以胃內的有害物質，便莫由排出，甚致愈結愈多，與了一定的限度。胃肌便因感受刺激，而起痙攣、這時病人就感着心中憒憒，無可奈何了。

嘔吐與似嘔非嘔都是一種異常難受的病，若爲時過久，非但病人感覺痛苦，而胃的機能更因之損傷，致陷於虛極難復的境地，所以仲景用半夏生薑二物合成的方子去治療他，嘔吐甚，則重加半夏，似嘔非嘔則重用生薑。究竟在治療上是否合乎科學的原理呢？考半夏一物，麻醉性極強，能減輕胃內的反射作用，而奏止嘔之效，生薑能降水毒，使殘留胃內的有害物質，完全由小便而出，二物合用，爲治嘔吐的主劑，固無容疑惑了。若因反射力強而引起的嘔吐，自然當以治嘔爲先，所以重用半夏，因反射力弱而不能催促完全的嘔吐，以致水毒停留胃中的，又當以除去水毒爲急，所以重用生薑，這便是兩者根本上的不同，也便是本篇的中心點。

理論既明，對本症素感懷疑的學者！當有所恍然了，致於二者的煎服法，在治療上也是有相當關係的，不過已竟有人發揮過，這裏只得從略了。

作者按：本文曾載國醫週刊第三期。

小建中湯（建中・調營）

汪鑫濤

桂枝，白芍，甘草，生薑，大棗，飴糖，

此湯之本證，見第一〇五條，「傷寒陽脈濇，陰脈弦，法當腹中急痛者，先與小建中湯。」及第一〇八條，「傷寒二三日，心中悸而煩者，小建中湯主之。」「金鑑」云：「心悸而煩，必其人中素虛，蓋心悸陽微，心煩陰已弱，故以小建中湯，先建其中，兼調營衛也。」成氏云，「脾為中州，治中焦，生育營衛，通行津液，一有不調，則營衛失所育，津液失所行，必以此湯溫建中藏，是以建中名焉。」湯本氏云，「膠飴之作用，酷似甘草，甘治急迫，二者殆相伯仲，所異者，甘草性平，表裏陰陽虛實各症，俱可通用。本藥則其性大溫，陰虛證可通用，陽實陽虛，及陰實症不可用，適於裏症而不適於表證，又甘草殆無營養分，本藥則滋養分豐富，是亦其別也。」

夫膠飴，即麥芽之釀酵者，因為半流動體，故稱為膠，蓋取類似膠之稠也，其主要成分為麥芽糖及葡萄糖，麥芽糖分解則生葡萄糖及黑糖，葡萄糖為炭水化合物於消化營中之最終產物，可由腸管直接吸取，而入於血中成為血糖，動物之生活，其所需之物力，多由體內炭水化合物之分解而生體內各種藏器組織細胞，皆有炭水化合物之消耗，而補充此種消耗則為血糖，因此血中含有一定不變之葡萄糖量也，設血糖因某種原因而含量減少，則向各種藏器組織所供給之炭水化合物之量則不足，故各種組織細胞，失其正常之機能者，乃當然之理也，故其關係，亦為養氣供給不足之時，可使各種組織機能發生變調，重則致生命之危險者焉，健康人血中含有糖分，殆全為葡萄糖，於朝空腹之時，其含量為七〇至一二〇公分，一百分平均為九〇內外者多，食後可增至一五〇或以上至含量，自一九二二年，胰精發明以來，始知低血糖之病的症狀，時精注射後，最生之低血糖症，固因個人而不同，然大抵其初期之症狀，為空怠，脫力感，飢餓感，振顫及發汗，此外尚有不安感，諸種血管運動神經症，（如顏面潮紅或蒼白）冷感，或熱感，脈搏數增加，而生不整脈者也，病人訴以惡心頭痛者亦有之，血糖含量再減之時，則加以眩暈，瞳孔散大，意識混濁等，或有時異常興奮，發生譫語，放歌暴行，設此血糖量再行減少，則陷於昏睡，有時痙攣，甚致於死矣。

此外有所謂，自發性低血糖證者，但在胰精未發明以前，則不知也，據近來之研究知罹此症，其數頗多，於種種疾病經過中，即可見之，但往往誤診為神精衰弱，癲癇，精神病，尿毒證，胃腸障碍等證耳，此時其證狀與胰精所生之低血糖證，完全相同，且此症狀發生於空腹，或發於一定時刻，因攝取澱粉性食品或點心或蔗糖，求食頓，即可立時奏效，而消減者也，此種自發性低血糖證，於胰藏肝藏副腎甲狀腺，腦下垂體等病，或胃癌時，皆可見之，當動物垂死之候，血糖驟減者，此亦死伴低血糖病之證也，低血糖證亦有與他病無關而獨立發生者，因低血糖證而生生命之危險者有之，其輕者之症，有心藏機能障碍，乃至心藏衰弱之發生，

據以上所述而推論之，則本湯之膠飴，蓋為補血糖之不足而用者焉，故歷醫家殆皆以健脾補不足，為脾經氣分藥也，湯本氏謂「此為滋養分豐富」，陸淵雷謂「君飴糖為滋養主養不足」，意在斯歟，但後世有不用膠飴而立方者，似失仲景之本意矣，嘔家不可用小建中湯，以其甜故也，論有明訓，總病論曰「微有溏者，不用飴糖」，恐其醱酵分解，刺激腸管而增加其溏瀉之程度歟！

醫案實錄

新中醫療養病院何伯壎先生濕温病治驗

郫邑彭拜

導言　伯壎吾師，為本市新中醫療養院特約醫師之一，精於「温病」之治療，在蓉行業，歷有年所，活人無算。蓋其技術，實類有其特殊之經驗，故能起人所不能愈之沉疴；新近先生得該院通知，請診斷一病，至則病人昏眩，面白，臥床不起，固一行將就木之形態者。詎知為光華大學學生，王姓名特秀。得病經三週，曾就治於××及×××兩大醫院，咸以症象險惡，無法治療拒收，乃轉於此者，先生診視後，斷為濕温之危候，得病家同意姑試一方，服藥一劑而危機遂轉，乃囑其安心聽治，不久可愈，先生現住三橋南街，自是每日前往陝西街本院審視施治，未及旬而病竟霍然以起，各鑿聞之，驚為神速，乃往院探詢并就教於先生，得當時治療經過甚詳，茲筆者搜集其處方箋，覺其可貴，爰彙錄之，以饗讀者，是不過先生臨床治驗之一，未足以彰先生之精博者。惟念及岐軒之術，雖逮此科學昌明之世，而奧義不達，聊以供有心闡揚者之玩索研討耳。

一診　一月十九日

病案　六脈弦大，兩關尤甚，本初病溼温，經前主治轉劇，目下症狀：頭重眩昏，大便色黑，前結後滯，咳嗽，痰中帶血作土紅狀，苔白而粗散，乾燥不滑，唇焦而枯，蓋由稟賦素弱，乘溼温病中，傷及眞陰，陰陽氣機不通，影及循環，陽氣亦傷，金水化源受害，故吐粉紅痰，目下用藥，寒熱均有顧忌，主以清鬱之劑，開肺通經，化土滲濕，使氣通濕化，為第一步治法。

處方　橘絡　甘草各一錢　竹茹　薏苡炒　浙貝母　扁豆衣　藕節　黑豆衣各三錢　穀芽　冬瓜仁各四錢　蘭草根三根　水煎服

慎重起居，免受外邪，另生枝節，少思慮，寡言語，最忌動氣。

二診　一月二十日

病案　脈象如前，病狀：夜燒漸退，惟現鼻衄，而色亦呈土紅狀，此為濕邪傷陰，血不養肝，須繼以清涼生津通絡藥，兼解温熱，而復化源，使眞陰能下，水火相濟為主。

處方　浙貝　竹茹　藕節　玉竹　刺蒺　生白芍　旱蓮草　麥冬各三錢　白茅根　天花粉各二錢　甘草一錢

三診　一月二十一日

病案　呼吸温度，均入正常，大便得解，口津已回。夜能安唾，晚間亦不發熱，惟脈象仍弦，大減，微彈指，動數；既應效，當依原案，主以甘淡實脾柔肝養水，惟安睡中多夢，乃温氣傷陰，水不潤火，故加龍齒以交心腎。

處方　浙貝　刺蒺　藕節　炒玉竹　竹茹　乾麥冬各三錢　東瓜仁　生穀芽各四錢　花粉　山藥炒各二錢　龍齒一錢

四診　一月二十二日

病案　脈與呼吸温度，均入正常　病後傷陰且兼脾虛，故仍重在以甘淡之品養陰實脾，脾運復，先天得有所養自愈

處方　泡參　麥冬　浙貝　扁豆衣各三錢　東瓜仁　生穀芽　玉竹各四錢　蓮米　淮山藥各二錢　白龍齒錢半

中央國醫館四川省分館 公佈欄

中央國醫館四川分館 訓令

醫字第　號
民國三十年三月　日發

為指定該刊為本館公文法定登載刊物酌予補助經費令仰遵照辦理由

令醫藥改進月刊社

查本館關於一般普通令告含有共通性質者茲特指定該刊為法定登載刊物以後凡應通令之文件即概交由該刊發表登載不另行文所有各縣支館及各醫藥學校即根據是項登載辦理由本館按期補助該刊津貼四十元以後即由該社將刊物一百五十份送館遴寄各縣除通令外合行令仰遵照辦理具報為要此令

館長 曹叔賓
副館長 劉子沈
鄺鶴霄

中央國醫館四川省分館章程

第一章 總則

第一條 遵照中央國醫館組織章程第十條之規定設立本分館定名為中央國醫館四川省分館

第二條 本分館遵照中央國醫館工作方針採用科學方法整理中國醫藥學理改善療病技術製藥方法為宗旨

第三條 本分館設立於四川成都方池街

第四條 本分館刊木質關防一顆文曰「中央國醫館四川省分館關防」呈報啓用

第二章 組織及職權

第五條 本分館由醫藥兩業職業團體及學術團體選舉人員組織之

第六條 本分館設正館長一人綜理館務副館長二人醫藥兩業各一人襄理館務進行

第七條 本分館設董事二十三人候補董事十一人組織董事會負設計建議之責其組織及會議規程另訂之

第八條 本分館設總務醫務藥務三科每科設科長一人科員若干人為無給職如經費充裕時再定酌送輿馬設祕書職員若干人由館委用之視事務繁簡酌送輿馬均承館長之命令辦理館內一切事務其辦事細則另訂之

第九條 本分館得附設國醫學院醫院及各種研究會用以培植醫藥人材推廣醫藥事業整理醫藥學理

第十條 本分館設評判委員評判醫藥糾紛由醫藥兩業公推九人組織之其組織細則另訂之

第三章 選舉及任期

第十一條 本分館正副館長由醫藥職業學術團體代表會議選舉正副館長三倍名額呈報中央國醫館圈派之

第十二條 本分館董事由所屬各醫藥職業團體照額定人數選舉呈報中央國醫館圈派之

第十三條 本分館正副館長及董事會董事任期二年期滿依法另選

第四章 任務

第十四條 本分館任務分後列各項

甲、採用科學方法研究本國醫藥學理發揚學術精華

乙、培植醫藥人材振興醫藥事宜

丙、改良藥物炮製及疾病治療

丁、推廣醫藥常識預防疫病傳染

戊、研究醫藥學術加强抗戰救護工作

第五章 經費

第十五條 本分館按經常費臨時費分別造具預算書就下列方法籌集之

甲、由參加醫藥職業團體分配負担

乙、呈請省府津貼補助

丙、由董事會依照會議規定向社會各界募集

第十六條 本分館經費每月依照預算書開支造具計算書開聯席會議審核呈報中央國醫館備查

第六章 附則

第十七條 本分館每月工作月報月終彙報中央國醫館備查

第十八條 本分館章程呈報中央國醫館核准施行

第十九條 本章程得隨時呈請中中國醫館修正之

學院園地

規定學生習字成績與國文成績平均計算

國醫學院院告

照得銀鈎鐵畫，王羲之換去雙鵞，玉問金生，褚遂良賺來一絹，故六文三體，庾亮巧揭當年，法地效天，王導能推一佳，夫沉痾立起，固賴十全，而妙手回春，却憑一帖，苟塗鴉滿紙，看蚓蔓桂誤豬苓，若列雁成行，何致魯魚同亥豕，雖姜湯鋸末，運有十年，而搔首捫心，終慚五夜，況傑氣英姿，方堪濟世，豈庸墨俗筆，有玷醫名，此本院長朝夕之所以為諸生慮者也，自今以往，仰各於受課之暇，致臨池之力，朝摹正楷，須同花信之風，夕學行書，應似牟尼之子，務期顏筋柳骨，各盡所長，燕瘦胡肥，咸得其妙，尤當從容自得，意靜神恬，如能孜孜師諸，日稽愚公之移山，拳拳效虞，時若精衛之塡海，則羊與孔草，不得專美於前，而范篆蕭行，何難相承其後，一朝脈案列入書屏，藥方視同法帖，則誠為醫界之診聞，而亦藝林之佳話也，茲特規定，凡本院學生，除畢業班須作論文無暇及此外，其餘各班學生，自第五週起，每人每日須習大字一篇小字一百，交訓育處核閱記分，此項成績即與國文成績平均計算，幸勿玩忽為要，此告。

國醫學院送診施藥委員會誌謝啓事

敬啓者本學院為服務社會拯救貧病同胞起見爰設立施診送藥處於成都西門外石灰中街計自二十九年三月起至是年十月為止共診內外病人伍千八百七十伍名共用去內外科藥費一仟伍百六十四元此項藥費純由本學院師生共同負責向各界熱心人士募捐茲第一期送診業已結束敬將各慈善家鴻名及捐款數目公佈於後以誌謝忱　計開

吳炯誠　羅賡驥　各捐洋伍拾元　葉煥然　捐洋三十元　成縣長　嚴子振　龍芳崇　邱竹勛　各捐洋二十元　郭大本　鍾體道　陳炳光　郭有守　羅公輔　袁光熙　陳懷光　德順公　胡茂　各捐洋拾元　謝芝生　捐洋六元　粟次常　曹蛟著　留作賑　劉作強　文化東　藏孟旭　曹惠文　澤源通潛龍　蔡文舉　李全樞　李曜薇　左潔修　潘子陵　萬紹先　史良　吳德聿　許東山　王子英　周肇宇　劉述成　劉玉堂　黃綬　夏德海　廖海全　楊性初　曹曉著　曹次常　孟本張　陳紹豐　鍾季堂　范種蓮　徐竹心　陳永怡　陳開泗　張清源　沈之萬　閔紹巖　王禹丞　涂賓東　孫則讓　林維幹　王精美　李東垣　郭孟吉　周維馨　陳棟樑　陳冀文　瞿筠青　信豐蜀　王惠生　王官焯　張宣三　曾岳衡　彭保商　張少烈　冉家富　馮覺生　以上各捐洋伍元　劉大士　黃妙會　張洪鈞　黃茂光　潘崇光　謝是脩　廖伯垣　吳彥才　以上各捐洋四元　張成燾　戴棟樑　文克光　吳子賓　康步雲　李巽言　季月西　倪德裕　李興遠　劉成淋　汪淑珉　以上各捐洋三元　潘敬桐　蔣誠佑　李有之　郭心如　劉楊氏　康爾祈　劉子安　吳新安　劉灼三　鄭敬堂　陳代英　羅嘉會　劉大太　劉成銘　潘耀華　汪熙宇　潘樹風　李淑堯　代光明　汪如膏　張東山　李瑤佩　謝宏文　朱壽廷　黃映貞　陳澤之　馬守和　向燧先　巫鏞成　曾慎初　巫太太　陳明忠　楊由僧　唐慶雲　惠天章　朱明經　王善綠　唐文榜　方學周　胡慕俠　以上各捐洋二元

（未完）

讀者信箱

問

醫藥改進月刊編輯先生台鑒：近讀貴刊，知努力於吾國醫學之闡揚，而為社會人士謀莫大之幸福，曷勝欽仰：但鄙見以為貴刊當再增闢「醫藥顧問」一欄，以便讀者之請益，不識以為若何？再鄙人素有志於醫學之研習，卒以衣食奔走，有願莫遂，茲欲從事自修，買書閱讀，而以於此道全無根底，對於書之選擇及研讀步驟，均屬茫然，敬新在貴刊示知書名及研讀步驟，則感激不盡矣：至懇賜禱，即頌康祺。

張希元上・三月六日

答

吾國醫學，自宋而後，咸重玄理，一般學者，每於陰陽五行之說，冥心探索。樂此不疲，轉使眞理以晦，至今為烈，良用慨嘆！故居今日而言研究醫學，不當再從此種學說入手，必直接上溯靈素，以探幽微，下循仲景，以窺祕奧，然後縱觀百家，參以新說，則新舊幷進，自不與科學相背而與潮流相合矣。

故研讀步驟，最先可將靈素本經，以及金匱傷寒，熟讀深思，則病理治理藥理，悉可明瞭，然後再將歷代各家著作，順次選讀，旁參哈氏生理學，蔡翹生理學，暨周威等病理總論，蓋在衍學內科學，彼此參證，彼此發明，迨用力久而見功多，則表裏精粗無不到，而經之全體大用無不明也，再者，本刊下期擬增設「醫藥顧問」一欄，用符雅意。

編者謹覆 三・廿。

最後消息

市黨部令本市中醫人士組織公會

本市國醫公會，前經市黨部令飭改組，經由該會執監委員謝銓鎔，薛仲雲，蕭輝之，徐梓伯，曹蘭磯等，從新具文呈請發起中醫公會之組織，同時復有其他醫團之職員何鐵夫，何伯塤，陳鳳梧，張鵬程，陳本吾，王硯池，李用賓等，亦具文呈請發起另項中醫公會之組織。聞市黨部方面已正式批示兩方合併組織，並發給許可證，依法進行籌備云。

醫務人員訓練班開始招生

（重慶通訊）：此間中央國醫館因鑒於抗戰期間衛生人員之缺乏，特設立醫務人員訓練班，招收各中醫院校畢業學生及已開業之醫師，訓練期間，暫定為六個月，聞該班係在教育部備案，刻已正式招生云。

中國眼科學正改編中
秘製靈藥亦將設廠製造

本社總務主任徐庶遙先生擅長眼科年前曾著中國眼科學一書行世融會中西允推巨作刻該書業已售罄而函索面購者仍紛至沓來徐先生以內容尙須擴充現正從事修改一俟告竣即在本刊逐期發表以享讀者又徐先生祕製眼藥久已馳名遐邇現擬設廠大規模製造以利人羣聞將於最短期中內着手興工云

本刊組織一覽

四川省醫藥進月刊社簡章

第一章　總則

第一條　本社定名爲四川省醫藥改進月刊社

第一條　本社以科學方法，發揭我醫藥學之奥義共謀學術之改進爲宗旨

第三條　本社遵照成都市政府規定之圖記式樣自刊木質見方圖記一顆文曰四川省醫藥改進月刊社圖記

第四條　本社社址暫設成都陝西街新中醫療養病院

第二章　社員

第五條　本社社員分下列數種

甲、基礎社員　凡醫藥界同人，有志改進醫藥事業經社員一人之介紹完備入社手續均得爲本社社員，有享受本社一切權利，及負担本社一切義務之責任。

乙、普通社員　凡自行申請繳納常金者皆得爲本社普通社員

丙、名譽社員　凡以重大之人力物力扶助本社發展者經全體大會議決聘爲本社名譽社員或名譽職員

丁、贊助社員　凡以能力贊助本社進行者得由本社聘爲贊助社員

第六條　凡本社社員應努力贊助本社進行如有破壞社務者得由全體社員大會處理之

第三章　組織及職權

第七條　本社設正副社長一人由社員大會推選之任期一年連選得聯任之綜理本社社務進行，設編審委員會計編審員十一人，編選委員若干人由以上二種委員中推選四人負本刊編輯責任

2.有

第八條　本刊設總務部內分文書，會計，交際，印刷，校對，宣傳發行各股，其人員概由正副社長就基礎社員中分別聘任之，其組織辦事細則另訂

第四章　社員之權利及義務

第九條　社員之權利及義務

甲、義務

1.基礎社員有繳納基金特別費之義務但普通社員得免繳基金及特別費

2.有担負文稿及推銷刊物之義務

3.基礎社員有負担本社一切工作之義務但普通社員得免除之

4.基礎社員有服從本社一切議決案之義務，但普通社員不在此限，

乙、權利

(1.)依各種優待辦法，有享受本社出版物之權利

(2.)有請指導學術研究之權利

(3.)依優待辦法有享受推廣業務宣傳之權利

(4.)有請求代爲解答一切醫病疑難問題之權利

第五章　會議

第十條　本社社員大會每年舉行一次，由社長召集之

第十一條 社務會議每兩週舉行一次，由社長召集之，其他各部會議由各部自訂之

第六章 經費

第十二條 本社經費分下列數種

甲、基金 基礎會員一次繳納二十元入會時繳納之

乙、常金，基礎社員每年繳納二元普通社員繳納六元

丙、特別費，本社經費不敷時，由基礎社員分担之

第七章 附則

第十三條 本簡章由社員大會通過發生效力

第十四條 本簡章有未盡事宜由社員大會修改之

醫藥改進月刊社擴大徵求社友宣言

蘇友農

本刊第一期已呱呱墮地，其宗旨立場，想當為讀者所共識，緣見創辦本刊之動機，一方面雖為探求眞理之心意作用所驅使，在於交換知識，作切磋互助之研究。而另一方面之重大意義，全為推廣醫藥知識，廣救濟之功能，實為根本之目的，蓋以人生百年，外感六淫之侵襲，內受七情之刺激，難免疾病痛苦，苟病者無醫藥之常識，醫者無精切之研究，一遭貽誤，死亡旋殆，孤人之子，寡人之亡夫，天地悲痛之事，孰有逾於此者乎？而任爾智慧聰明，一朝染病，則生命即制於他人之手，人生危險之事，又孰有重於此者乎：其間雖有多數自覺之士，或欲求普通之醫藥常識，為明析保身之謀，或為深切之研究，及廣救世之心腸，奈無衆多之醫藥學改進之廣事收容而論書，困難，自學匪易，恆多望洋興嘆，有志莫進，同人有鑒於此，特創本刊，初步作普通醫藥知識之介紹，以後即擬從事於各種自修書籍之印行，俾乃解決自修研究者之困難，惟茲事體重大，衆擎易舉，需用人力財力甚鉅，因特公開徵求社友，以期集腋成裘，凡我社會人士，其有熱心醫藥學之研究，欲求互相切磋者，或有慈善為懷，欲求廣印醫方流行者，均可依照簡章參加本社，助以人力財力，用使各種計劃，早期完成，則不勝翹盼矣。

謹啓

本社基本社員題名

李斯熾 蘇友農 徐述遙 何伯燻 趙沅章 徐先彬 李又斯

黃茂生 戴佛延 袁道澄 鄧席儒 周家達 羅春舫 蔡呂三

何志君 劉元書 彭德芳 陶啓惠 王攻機 陳義文 潘廷勳

于季瞻 陳劣敏 劉會平 王政 陳持思 李克明 沈國鵬

廖俊函 蔡和康 王炸久 羅超羣 趙耘農 曾裕豐 杜繼川

愛知治療所開幕啓事

本所為服務社會研究醫學計爰集合同志數人經數月之經營現已籌備就緒於三月卅日開幕敬請同道先進不吝指導是所切盼

地址——西御西街八十二號附三號

要聞一則

二屆國參會通過
中西醫學并重案
中醫委員會改隸內政部

（重慶電訊）：二屆國參會孔參政員庚等二十四人提議：請調整衛生行政機構，中西醫學并重，漸求匯合為一，增進民族健康，以利抗戰建國案，經當場熱烈辯論，卒告通過，修正案即一：現行衛生行政機構不變更，但中醫委員會應改隸內政部。二：中藥之研究由政府設法促進。

本刊啓事

茲承劉叔澤同志捐洋六元，特此誌謝

訂戶注意

凡寄交本社之信件，內附郵票或匯票者，務須掛號妥寄，以免遺誤，否則，本社例難代為負責，千祈注意是幸

本刊發行部啓

價目

零售每冊四角，預訂全年十二冊，定價四元郵費二角四分，半年六冊，定價二元二角，郵費一角二分，香港，國外，郵費照加，郵資代洋十足通用，但以一分至八分者為限。

廣告價目

地位	全面	半面	三分之一	四分之一
封面	每年六十元	每年四五元	每年三五元	每年廿五元
底面	每年五十元	每年四十元	每年三十元	每年二十元
普通	每年四五元	每年三五元	每年二五元	每年十元

附注：長期面議，另有優待。

成都圖書雜誌審查證審乙字第二六二號

本刊編輯部緊要啓事

茲因來稿過多，本刊篇幅有限，未能完全登載，俟下期繼續披露，希投稿諸君鑒諒是幸！

歡迎投稿

一：本刊各欄，均歡迎投稿

一：來稿不論文言語體但務須用毛筆繕寫清楚，並加標點，

一：來稿無論登載與否，均不退還，但預先聲明並付足退還郵資者不在此限。

一：來稿本刊有刪改權，不願者須預先聲明。

一：來稿一經登載，即酌酬本刊一期或數期。

一：來稿請直寄成都新禪寺街國醫學院轉本刊編輯部

主　編：本刊編審委員會

總發行處：成都西御西街愛知治療所

分發行處：成都興禪寺街四川國醫學院

重慶中一路八十一號濟生堂

代售處：本市各大書局

醫藥改進月刊

內政部登記藥字五五五六號

中華郵政掛號認爲新聞紙類

（民國三十年五月一日出版）

（四川醫藥改進月刊社發行）

第一卷 第三期

短評

渝市中醫座談會成立的感想

氷風

據本刊消息：渝市中醫界爲研究中醫學術及改良中醫教材起見，特由陳郁，饒鳳璜等，發起組織中醫座談會，定兩週開會一次，內容方面，暫分爲臨床研究，教材討論，醫學磋商，藥物改進，以及其他一切醫界問題等項，刻已正式成立矣。

中醫之所以落後，自然是由於一般過去中醫界的人士極度守舊所致，這是誰也不能加以否認的，須知「天下之義理無窮，一人之知識有限」，一件尋常瑣事，有時積半生精力，尚不能得其梗概，何況是這浩如淵海的醫學？更何況是中醫學呢？尤其是在這新舊交替的過度時代，一方面要保存固有的奧義，一方面要摘取現代的精華，更須要有這樣一個互相交換知識的組織不可，所以渝市座談會的成立，其意義非常重大，將來對中醫界必有所供獻，亦自不待言。

在成都中醫界的人士們看了，不知應作如何感想？希望也有這樣一個組織出現吧！

本期要目

醫藥改進月刊

言論

對於建設中國本位醫學義見

蘇友農

一、建設中國本位醫學的意義和重要

在社會學的法則上，文化是人類經驗知識的總和，同時各種文化，均有其他地理環境和社會背景的因素。雖然一般的有牠的共通法則，但因各種關係而各自包含有牠的特殊法則，這是研究一切學術的人，所不可忽略的要點。目前中國之所以提出本位醫學的原因，就是在這交通經濟文化等日趨於世界化的時候，應把我們醫藥的經驗知識和西洋的醫藥經驗知識，綜合總和攏來，以造成世界最進步而完整的醫學。同時亦應注意在地理環境，和社會背景的因素，而發揮牠在民間的實效用，以建立中國實用而統一的醫學，來消滅中西醫學對立的鴻溝，指導將來醫藥學術的技術行動，這件事情，在第四次國民參政會百忙之中各會員提出來熱烈討論，并求其匯合為一。足徵須要化除目前中西醫學爭執的鴻溝，於健康的關係上，是代表全國國民意見一致的希望。

目前這件工作之被全國人士重視，自然醫學是關係於民族健康之強弱，但同時中西醫學的本茅，在實踐中比較所生出來而給與社會人士的認識，有下列不同的意見。

第一、在實踐中，中醫在通俗，經濟的原則下，雖較多能治愈病症，但這種技術功能的理由，不能根據具體的事實來說明，使人了解認識。故在疾病不得已時，那免強找的醫治愈，因不，能說明使人了解對牠，亦只有存一個謎的觀感。

第二、在西洋醫學方面，對於研究，確能條分縷悉，根據具體事實說明，但在實踐中，乃於很多普通的病症，都沒有方法把牠治愈，所以使許多人儘管崇拜西洋醫學的真理性因。為求保持生命計，在無辦法時期，已不能不去找平素所不相信的中醫治療方法。

上述兩種現象，在中醫學和西醫學雖各具有牠的理論和實踐的事實，來維持在社會上使人信仰的存在性。但感受疾病的人，因為徘徊於中西醫之間，此中浪費金錢時間甚或牽延治，藥物矛盾等弊病，不能不說是病者感受覓醫艱難的困苦了。因此從事於中西醫事業的人，應消滅自己的成見，借助他山，互相攻錯，作一種綜合和比較的整理，一方面對於醫學發展的前途，關係很大。一方面對於病者的痛苦，已就減輕許多了。

二、建設本位醫學中之方法問題

在這個系統各異的中西醫學，我們要求把牠匯合為一。首先若不從研究方法的根本上去探討和融合，則因所用的方法不同，而研究結果，自然亦就系統的不同了，因此我們應把中西醫學的研究方法，逐一的加以檢討：

（1）洋醫學的研究方法。在西洋醫之稱為科學的醫學，就是一方面以物理學和化學做基礎，來說明醫藥作用和道理，同時復利用物理化學的研究方法——實驗分析法——來作精微考察，因此對於每一問題能有確實詳明而具體的事實說明。

（2）中醫學的研究方法。中醫學的本身，本來並沒有明白的標榜研究方法，不過我們在中醫學的結果，可以考查中醫學對於醫藥研究的根據不外兩點：

（甲）反觀法——內省法——就是根據病者，生理上感覺變易的事實或研究者自身感覺的事實，作爲研究的對象。

（乙）臨床經驗法。對於病症的變易和象徵，與同藥物的運用，全憑臨床經驗的記載，作爲根據說明，而加以推廣應用。因此照上述的方法原則來說，西洋醫學注重實驗分析的結果。因此生理上病理上特詳於局部固定現象的觀察。注重病狀的情形，而治療上，亦僅注重於局部對症治療。但此種偏於分析的原則，在靜的方面，孤立方面之研究和應用，在相反的方面，則缺之綜合的，聯繫的，活動的比較研究和應用，所以在治療的實踐上仍不免發生重大的錯誤，至中醫學，在過因未科學和科學工具尚沒有發達，所以沒有採用實驗分析法，而只是憑反觀的內省法和臨床經驗所得事實現象來觀察。研究的結果。對於生理和病理方面，都在應用全般綜合，互相聯繫，官能活動等情形來診察確定。治療上，亦特注重全身治療爲出發。在缺乏應用實驗分析法的缺點，因爲對於具體事實，沒有詳細精微的明瞭，因此對於所說明的理論隔於抽象籠統，而不容易建立確定不移的定律，常生見解不同的紛爭，而遂被人視之爲玄學的。在綜述中西醫學所採用研究方法的利害得失，給我們對於將來研究醫學應採用的方法途徑，寔立了個明確的原則：（續）

戰雲籠罩下中國醫藥的重要性（續）

斯熾

現在中日戰爭，開始於前，世界大戰，繼發於後，整個世界幾於盡被戰雲籠罩著，遑論西洋醫術人才出產的來源此絕，便是藥品和器具的來源，也受了重大的影響，即或能有少數的藥品，幾經週折，運達內地，而價值驚人，中華的民衆，已沒有那樣的購買能力，假設中醫中藥，在今天已經完全廢止，中華民族的整個生命，眞不須外人用飛機大砲來攻取，老早已經斷送在這些認賊作父的人們手裏了，焉能抗戰到底，以至於此刻呢？其所以到了今日還能愈戰愈強者，不能不說是仗了這苟延殘喘的中醫中藥作了他的續命湯。

中國藥物的治病効能，不單是中醫認爲確實可靠，就是一般習慣用西藥的新醫，也說：中醫治病，並沒有甚麼長處，到是中藥實在具有偉大的治病能力，若是能够確知某藥含的某種主要成分，把他提煉出來，便可以替代西藥，一則可以挽回國家利權，二則可以消滅中醫，這種見解，表面上看去，似乎很有道理，但是下細的研究，才知道大謬不然，因爲現在外國所用的新針藥，並不是單純由某種藥物裏面提取出來的，並且他的配製方法，是絕端守祕密的，饒你中國人怎樣能幹，你也只能替他推銷成藥，要想仿造，那是絕對不可能的，祇不過把成天價的工夫，消磨在實驗室和分析室裏面，做了一些毫無意味的實驗報告，某種藥物理面含得有炭幾輕幾養幾而已，實際上還是用牠不來，徒呼負負而已。

在這四面戰爭的時代，外國的醫藥既是來源斷絕，本國的土產，又一時不能洋化，要想拯救痛苦，維護民命，中國的舊醫土藥，便顯出他的重要性來了，不寧惟是，就是在抗戰時期的經濟上來說，也是以消費節省，收效宏大，爲第一原則，中醫歷史悠久，來源不缺，無論窮鄉僻壤，也儘有學識并富，著手成春之醫家，且素抱仁道主義，從未爭多論寡，至於藥物，更是隨地皆產，俯拾卽是，旣無須設廠製造，又無須包裹裝璜，有是病卽有是方，有是方卽有是藥，病者心安，醫者理得，消費不多，收效宏大，節省一分物力財力，便爲國家增强一分抗建力量，孰得孰失，不待智者而後可知也。

不過中國醫學，自有淸以來，便未設有專司之官，至於民國，內憂外患，疊相侵擾，幾無寧日，更是無暇及此，醫界不少濫竽充數之流，藥界亦間有不顧道德，以僞亂眞者，於是中醫中藥之眞價値，乃幾爲此輩所斵喪，現在旣明瞭中醫中藥，對於國家抗戰前途如是其重要，則凡占在中醫藥界立塲上者，皆應急起直追，一洗以前顢預塞責之陋習，大家向着眞誠精深之途邁進，更盼醫藥界的先知先覺者，本其平日所得，盡量誘掖後進，爲中醫中藥建築堅固不拔的基礎，使軒岐絕學，復昌明於今日，則幸甚矣。

（醫學研究）

傷寒論中治渴的方法

鄧紹光

傷寒治分六經，共三百九十七法，但均前後相應，彼此互發，王肯堂謂其如神龍夭矯，首尾相顧，鱗甲森然，善讀者，須合全論而融貫之，則良法美意，照然於文字之外，徐靈胎謂宋人之書，足以發明仲景者，以活人書爲第一，實則此書分類諸證，一目了然，堪以用作讀傷寒之標準耳，茲舉渴證爲例，以概其他，夫渴之爲病，其因雖有陰陽寒熱之別，而其阻耗津液則一，論中共立三方，陰陽俱通用，而又各隨證以變通之，如渴欲飲水，口乾舌燥者，白虎湯主之，苟兼小便不利，則猪苓湯司之，若小便不利，而兼表證，則又以五苓散治之矣，又意欲飲水，反不渴者，主之以文蛤散，此雖欲飲水，反不渴者，其病較輕，若與之，卻不差，後乃繼用五苓，此條曰不渴，似者不類，觀其繼進五苓，則亦不大相遠，當屬又一治法，合上三法，則治渴共分四法矣，又身黃，小便不利，渴引水漿者，茵陳蒿湯主之，其渴引水漿證雖類似，但不曰欲飲水，則不類，以其主證爲發黃也，又熱利下重，欲飲水者，白頭翁湯主之，其欲飲水證頗類似，但不曰渴，則亦不類，以其主證爲下利也，又少陰病，口燥咽乾，及自利淸水，色純靑，心下必痛，口乾燥者，大承氣湯主之，其口燥咽乾，口乾燥，似極相類，然不曰渴，不曰欲飲水，則究不類，以其主證爲熱與利也，又如小靑龍，小柴胡，柴胡桂枝乾薑湯等，亦皆兼治渴，而渴又非其主證，故亦爲不同類，此六者，皆類而不類，故不列於治渴之專法中，又有已見渴欲飲水，或小便不利之相類證矣，而反不用前述之治渴四法者，如發汗後，大汗出，胃中乾，燥煩不得眠，欲得飲水者，少少與飲之，令胃氣和則愈，又曰，厥陰病，渴欲飲水者，少少與之愈，又曰，大下後，復發汗，小便不利者，亡津液故也，勿治之得小便利必自愈，此均僅就病情，飲之以水，而不施治，可見其愼於藥，而不苟絲毫，必審之不謬，病尙不愈，然後施以治法，例如渴欲飲水者，少少與飲之，但以法救之，渴者，宜五苓散條，足見其愼之又愼，宜其所投必中，傷寒論中諸治法，大都如是舉此一例，以賅其餘其他言理諸處，尚多隱而未發之旨。是非精思竭慮，而欲探其究竟，烏乎可。

醫學研究

關於金匱黃癉病之解釋

南部 郭芳陌

（一）寸口脈浮而緩浮則為風緩則為痺痺非中風四肢苦煩脾色必黃瘀熱以行

「浮則為風」，謂寒風傷於皮膚，則衛氣不得透發而鼓動於肌肉間，脈管遂被其鼓出而浮也，緩則為痺，謂衛氣所化之水津，因不能從皮膚透發之故，遂停於肌肉中而成濕，肌肉中之氣血，被濕之阻滯而不得流通，故為痺，此所謂風濕三氣合而為痺也，但此與中風所成之痺異，故復申之曰，「痺非中風」，夫風寒濕閉拒於皮膚，以致皮中所具之氣血，不得暢行於肌肉及四肢，故「四肢苦煩」。而「脾色瘀熱以行」也，「四肢苦煩」者；脾主中央，以灌四旁，脾鬱而四肢之氣血不暢，則血不化為痺，氣鬱化熱為煩也，「脾色瘀熱以行」者：濕浸肌肉之血絡中，血之赤色，被其浸壞而退為黃色，隨孫絡之瘀熱分佈肌肉；則周身盡黃也。

（二）趺陽脈緊而數數則為熱熱則消穀緊則為寒食即為滿尺脈浮為傷腎趺陽脈緊為傷脾風寒相搏食穀即眩穀氣不消胃中苦濁濁氣下流小便不通陰被其寒熱流膀胱身體盡黃名曰穀癉

「趺陽脈數」為胃熱，「熱則消穀」，此惟胃熱盛而津液不虛者為然，如津液稍虛，則為陽明之胃家實，或脾約症矣，蓋熱盛而胃中之津液被其蒸動，則消化之作用特別迅速故也，趺陽脈緊，為痺寒，寒則食即為滿，此惟脾寒盛而中陽不弱者為然，如中陽稍弱，則為腹滿自利之太陰病矣，蓋脾之不弱而又受困於寒，故寒欲閉之而氣與之抗，外則脈受束縛而緊；內則氣壅腸胃，食即為滿也。夫單胃熱而脾不寒，則必消穀而決不「食即為滿」矣：單脾寒而胃不熱，則必食滿，而決不消穀善飢矣，此以胃熱與脾寒並舉，知其既消穀而善飢：又得食而增滿，乃寒盛而中陽受束縛，則化胃熱，熱盛而寒濕被薰蒸，則成穀癉也，又承上文而言，「尺脈浮為傷腎」者，按腎主藏精，而精生於穀，穀不化，則不能輸精及腎，久則精虛而腎失閉藏之職，故尺為腎脈，應沉而反浮也，趺陽脈緊，為傷脾者：此又承上文「食即為滿」之義，以明脾病不化穀，為尺浮傷腎所由來也，至謂「風寒相搏」，此非外受之風寒，乃脾病不為胃行其津液，則津液不化而為寒，換言之，即濕邪之謂也，就其質言，則為濕，就其津液之性言，則為寒也，寒濕不隨脾氣運輸，則脾濕，而肝胆風火焦之氣被鬱，鬱之久，則與胃熱合併為患，其中焦津液不化之寒濕，受兩熱之薰動而蘊釀不解，故其症「食穀即眩」者；內經曰：「食入於陰，長氣於陽」，得食愈助其胃熱，肝胆風火隨胃熱而上薰腦海也，「穀氣不消」者：肝胆風火之氣既鬱：而津液不化之寒濕又盛，則脾中鼓動運行之氣機，終被其鬱遏而不能運化穀精也，寒濕風熱，交相鬱蒸，水穀濁氣，復不運化，此胃中所以苦濁也，夫脾胃無病，則所食之穀精，由腸胃而散布周身以生氣血，所飲之水分，由三焦及膀胱之氣化以爲汗爲小便，今脾胃既如上述，則散布於周身者，概由生氣血之穀精反爲汗爲小便之水分，變爲寒濕之邪，與胃熱及肝胆風火之氣，交相鬱蒸，而滲溢於內外各部，故不獨濕熱之「濁氣下流」，以致熱結膀胱，而「小便不通」，且「陰被其寒熱流膀胱，而身體盡黃」也，「陰被其寒」者，此陰指太陰言，以太陰屬脾而外合肌肉也，脾之寒濕，滲透於周身之肌肉，此「陰被其寒之義」也，熱流膀胱此膀胱指太陽言，以太陽屬膀胱而外合於周身之肌膚也，胃之濁熱，流佈於周身之肌膚，此「熱流膀胱」之義也，惟太陽肌膚，太陰肌肉，俱爲內蘊之寒濕風熱所充滿，故外表血絡中所有赤色之血球，被其浸壞而退爲黃色，故周身均呈血液之退色而盡黃也，名曰穀癉者：謂此種黃病，由胃不能化穀所成，與上條風傷皮膚，則濕浸肌絡而爲黃病者，流雖同而源則異也。

（三）　癉而渴者其癉難治癉而不渴者其癉可治發於陰部其人必嘔發於陽部其人振寒而發熱也。

癉病之原因，雖不止一端，而究不失爲脾胃之病也，「癉而渴者」，是脾胃不能輸津於上，此脾胃之氣已敗也，故「難治」，「癉而不渴者」，脾胃雖病，猶未失其游溢上輸之權，尚可冀其正旺而邪退，故「可治」，至癉病發生之部分，可概括爲二，一爲發於陰部，此陰猶裏也，即脾胃不能運化穀精所成之癉病也，穀精不運，而壅於胃，故其人必嘔，一爲發於陽部，此陽猶表也，即風傷皮膚，而衛分之水津化爲濕邪，浸淫於肌肉脉絡所成之癉病也，衛氣被鬱，不得外溫分肉而與寒風相抗拒，故其人必振寒而發熱，一爲脾胃之裏病，一爲脾胃之表病，裏者榮衛化生之源，表者榮衛流行之區，衛屬氣而含水，榮屬血而含火，火不化則成熱，水不化則成濕，濕熱不得外除榮衛受其鬱蒸，久則肌肉間氣血之色，變其常態而成黃，此癉病所由來也。

病原與病理（續）

趙耕耘農

綜合相關

從前面諸討論看來，通常疾病的發生，必須綜合相關，姑無論任何病原，不必單獨成爲該病絕對病原體，單有內因不易遂起，僅俱外因，亦不能成立，例如：甲乙二人同受寒冷，甲感冒而乙則否。又如炎暑行軍同行於暴日之下有發生中暑，有依然如故者，究其緣故，則外因相同所異者不外素質內因而已耳。

病理學說

我們既然知道疾病的病原，有綜合相關的存在，細菌，氣溫，溫度等等，均非絕對獨立病原體，自然所感受而發生的疾病就各別，由此可知病理是產生於生理上的一切變化因疾病的原因，一方面是由於生理上自然療能因特殊關係——操勞過度，不攝護慎等等——逐漸衰減，同時感受着綜合相關的外因，生理上缺乏對抗能力，因此生理作用就會發生的異常的變化——分泌加多或減少或停止動作，加強運動效率等等——而爲疾病的像徵，又因各種原因綜合相關的不同，而生理上就呈現各種不同的病理，茲分別敘述於次：

（一）發熱　人體因特殊關係，令生理上的抗毒能力減退，同時因外圍的溫度變遷，使得傷寒病原菌有向人體侵淩的好機會，在人體本身又缺乏鬆弛對抗能力，人體一但感受菌毒的浸淩，同時因外圍寒度異常，使生理的一切作用臨時感應不及，中樞神經既然知道生理不能維繫常態，立刻傳出戒備命令，末梢神經奉到中樞神經指令後，立即飭令所屬停止或暫緩或加强自身的任務，在感受傷寒的人，因皮膚接受閉鎖的限制，血管壁收縮到一定限度，故血行就會遲緩下來。診脈時有緊——脈管壁縮小——象徵，所以感冒

（二）惡寒　的人要從背中央部麻寒起來，這一方面由於血行和緩，再由交感神經反應現狀故也，但須視其感受病原之輕重而異，在這段時間當中，病者的體溫，因皮膚停止呼吸作用汗腺同時受到閉鎖限制，熱的傳導不能仰仗蒸發作用外達，只好慢慢潛伏在裏面，血管壁縮小，在短時間內，就會起反射作用向表皮充積作抗毒奔忙，加强牠的運動效率，只是在表皮方面，就包含著宏富的熱量，可是因為皮膚受到封鎖的限制，熱量是不易外散，所以立刻又會熱起來乃至熱到最高的限制。

（三）　氣溫和濕度的變化，與細菌以繁殖的機會，但浸

（四）疼痛　淩入人的體內，因使局部或全部發生自然燥能而充

（五）麻痺　血，冷是炎性滲出物充塞局部或全部患處，該部末梢神經受到限制和壓力的抑制而發生反射作用或因特殊原因令血行障礙而抑制神經感應性，就會立即感覺不適而疼痛，又在特殊原因的條件下，使某部或全部神經失去知覺而成麻痺，例如：把左手的腕部用力扎縛起來，令大動脈斷絕交通，在不久間全手就會麻木痺閉，不知疼痛及一切知覺，這是因為血行不至，不能供給精神以熱的關係，我們知道神經的知覺與傳導，其主要的因素是必須有熱的供給，然後纔會有特殊的感應性而成神經的機能故也。

（未完）

彷讀書記（續）

戴佛延

○萊菔

萊菔性味辛甘，辛能行氣消痰，甘能補脾健胃，內含纖維及醣類質最富，若患脾胃虛弱，痰滯交阻，中焦之氣機失宜，大腸之傳導無權，不得下通，勢必上逆，或致變成咳嗽氣喘，胸悶納少，嘔吐噦呃，脹滿疼痛，二便不利等證，若常以此品為蔬，則脾胃和暢，痰滯自消，氣機流通，傳導有權矣，此物貧富皆需，童叟咸宜，煤煙熏人欲死，以其乾葉瀹湯灌之即醒，喉證傳染盛時，王孟英氏以之配合橄欖，號為青龍白虎湯，常飲之可以杜漸防微，王氏又云，萊菔汁能濟燥火之閉鬱，亦開痰食之停留，用得其當，大可起死回生，邵寰孫極言其功，余每與海蛇同用，其功益懋。

11　半夏與貝母

半夏降逆，貝母解鬱，雖導源於本經，而後世歷代有有識之論斷，經驗甚效，實無疑義，自明代李士材，創為半夏治濕

痰，貝母治燥痰，二物如氷炭之相反，斯言也，後世醫生習聞之，而二藥之異功用晦矣。

延按，津液鬱滯，痰濁自生，鬱解而痰自化，謂之化痰也可，性味和平，謂之化燥痰也亦可，然其偉功，在解鬱耳，考貝母之種類，產於浙者曰浙貝，偏於疏散，宜於風邪外束之痰，產四川者曰川貝，偏於清潤，宜於肺胃陰傷之痰，產他省者曰土貝，偏於破結，宜於經絡凝滯之痰，至半夏之功能，則降逆一語盡之矣，考仲聖諸方，用於氣逆；水逆，痰逆，皆可隨佐使而見功也。

又按王秉衡重慶堂隨筆云，仲聖明言渴者去半夏加括樓根，是半夏化濕痰，花粉化燥痰之的據也，後人順口讀過，不悟其意，而以貝母與半夏爲對待，殊不貼切，此解頗新，爰錄其語。

12 論犀角升麻

唐容川曰，朱南陽有如無犀角，以升麻代之，以同一透也，朱二元以此二味升降懸殊爲辨，余謂尚非確論，夫犀角之透偏於清，升麻之透偏於升，其性不同，其用自異，何可代也，若風寒壅遏，疹點未透者，斯爲升麻之任，溫邪爲病，丹斑隱現者，則爲犀角之司，如以升麻爲代，其肺經熱者，必致喉痛，甚增喘逆，營分熱者，必致吐血，輕亦吐宜，其誤若此，何可代也。

延按，周伯度云，升麻代犀角，孫眞人千金方已有此語，不始於朱奉議活人書，二物皆中空通氣，入陽明經，味苦能發，故本經知主解百毒，然升麻主氣，犀角主血，升麻升陽氣而解毒，犀角清血熱而解毒，原有不同，似未可以相代，不知孫眞人用犀角之方不一，獨於傷寒雜治門木香湯，則云熱毒盛者加犀角，無犀角以升麻代之，蓋其所治瘡痘疹，是陽氣爲陰邪所鬱，故方中用木香等辛溫宣陽之藥，熱盛則有毒，升麻能解毒而升陽亦無所妨，故可以代犀角，朱奉議以此法施於犀角地黃湯等方，固宜見譏於陸九芝氏矣。

13 論柴胡

唐容川曰，柴胡性苦平微寒，味薄氣升，與少陽半表之邪適合，故以之爲少陽藥耳，乃有以病在太陽，服之太早，則引賊入門，若病入陰經，復服柴胡，則重虛其表之說，此恐後人誤以半夏半裏之品，爲認病未清者，模糊混用，故設此二端以曉之也，不觀之景岳新方中，諸柴胡飲，柴芩煎，柴胡白虎煎諸方，信手拈用，頭頭是道，是誠知柴胡之用，先得我心之所同然矣，再古方有逍遙散之疏解鬱熱，歸柴飲之和營散邪，補中益氣湯之升發清陽，提邪下陷，疏肝益腎湯之疏肝清熱；養陰透邪，其妙難於僕數，何至重虛其表，余於風邪初感之輕證，及邪氣淹留表熱不解之久病，用之並臻神效，奈何將此有用之品，拘泥成說而畏之，即用亦憚之以分數，竟至相沿成習，不得不辨。

延按，此論爲稱其功而未言其弊，本經疏證對於此物之論斷，則極精當，云柴胡爲用，必陰氣不紓，致陽氣不達者，乃為恰對，若陰已虛者，陽方無依而欲越，更用升陽，是速其斃矣，故凡元氣下脫，虛火上炎，及陰虛發熱，不因血凝氣阻為寒熱者，用此亞如砒鴆，故葉香巖氏有傷肝陰之戒也，此指軟柴胡言，又有一種銀柴胡，退骨蒸勞熱有效，名雖同而性異矣。

14 落花生

沈仲圭曰，落花生一物，為常食之壳果，據美國但路二氏化驗，內含蛋白質二四〇五〇・脂肪五〇・五〇・含水炭素二・七〇・灰分一・八〇・水分七〇九〇・纖維四〇〇〇・吾國本草，稱其氣味辛甘香平，功能滋燥清火，潤肺補脾，降痰滑腸，而董鹿尤讚其滌痰之功，謂余家凡患咳嗽，即用生花生去壳膜，取淨肉冲湯服，痰咳自安，綜觀二說，花生之營養價值，不在牛乳豆漿之下，炒食尤覺甘芳可口，足以引起食慾，若論治療功能，生用潤肺滌痰，乾嗽服之，功勝瓜蔞川貝，炒用健脾和胃，飲食難消者宜之，誠果中佳品也。

15 論虛損及治法

楊素園記重慶堂隨筆論云，虛損之證，多由陰虛，其證無不潮熱欬嗽，吐紅食減，脈來細數者，治法固以滋陰清熱為主，然滋而不滯，清而不寒，且時時兼顧脾胃，方不犯手，但得脈象日和，飲食漸增，即是生機，至陰氣已充，可以用浸者時，而其病已愈矣，然立齋景岳輩，亦有補陰之論，特專任重濁膩滯之品，樞機愈窒，去生愈遠，使人愈信扶陽之說為不謬，而虛損之證，遂萬無愈理矣。

延按，重濁膩滯之品以治虛損，必下焦精血已虧，而中焦運化有權者乃可，否則精血尚未生，而痰濁愈盛，不啻為邪樹幟矣，蓋緣今人肥甘酒醴，蘊濕者多，煮茗清潭，脾虛有素，加以物質愈文明，則智識競爭愈烈，而用腦日甚，陽之消化機能亦日滯，蘊濕生痰，營虛傷陰，所以異陰虛於下，而痰火盛於上者，恆多也，審此則純虛證不多見，而用藥亦當運其樞機，調其性志可知矣，王氏之論，頗合近代虛損理，故錄之。

又按理虛元鑑云，理虛有三本，肺脾腎是也，治虛有二統，陰虛陽虛是也，陽虛之證統於脾，陰虛之證統於肺，其治法，陰虛主清金，陽虛主建中，夫中曰建，金曰清，非純任呆補也明矣，陸九芝氏謂此書所論，實超出乎專事腎經者，徒以桂附補火，知柏滋陰之上，葛氏叁道丹房治虛十藥，不能專徵於前矣。

16 火

王永嘉引何氏論火云，丹溪謂氣有餘便是火，治宜清涼，氣不足亦鬱而成火，東垣所謂陽虛發熱也，治宜甘溫以補其氣，少佐甘涼以瀉其火，外感暑熱燥氣，增助內氣成熱，治宜甘潤清涼，外感風寒濕氣，閉鬱表氣成熱，治宜辛溫發散，內傷飲食辛熱之物，致火得熱愈熾，治宜苦寒消導，內傷飲食生冷之物，致火被遏愈怒，治宜辛熱消導，腎水虛，致下焦之火上炎，治宜六味之類，補水治火，此水涸火炎之證，上下皆熱，醫者輒用桂附，輒云引火歸元，不知引歸何處，以致酷烈中土，爍涸三陰，殺人如麻，爲禍甚大，腎陰盛，逼其浮遊之火上升，治宜八味之類，引火歸元，此下寒上熱之證，故用桂附補火，不可誤投於陰虛證也。

延按，何氏字報之，號西池，著有醫碥，善於治火之法，總其大要，不外火鬱則發，火實則瀉，火虛則補，陰火宜溫導，陽火宜直折，無餘蘊矣。

——待續——

國藥鹿茸之研究

余仲權

性味：甘溫，無毒。

成分：丁福保氏云，鹿茸內含阿莫尼亞；據俄人分析，謂含有一種激動素，及燐酸鈣，炭酸鈣，膠質，軟骨素等。

效能：本經云治漏下惡血，寒熱驚癇，益氣强志，生齒。普通用以補虛，蓋能增進副腎上腺及其他各內分泌腺之生理機能，而作滋補强壯藥，又能治慢性淋病，其用量常爲〇・八——一・五。丁氏云，除專供性的增進外，身體羸瘦，子宮出血，帶下，尿多，洩精等病，每次用二至五克。

藥理：本品在消化系之刺戟不甚顯著，但被吸收入血後，隨血液循行至各內分泌腺時，則呈强有力之刺戟作用，而令其分泌機能亢進，因此間接予各內分泌物刺戟全身器官，組織，細胞，使其興奮，以臻健康之域，而收補益强壯之功。丁氏云，其補益之功，在易於揮發之阿莫尼亞，故西人每以此作其代用品。

配合：同山藥以酒漬服，治陽萎及小便數（普濟方）；白歛金毛狗各一〇・〇，茸以酒蒸焙二〇・〇，用艾煮醋打糯米糊爲丸，梧子大，每溫酒下五〇九，一日二次，治室女白帶（濟生方）。

禁忌：凡非虛寒者勿用。

參考：處方名用鹿茸，關茸，產長白山，本品初生形尖似茄，有血跡未分歧者佳，若煮之，僞者即糜爛，而眞品則否，故可以此作鑑別法。但若碾成粉末者，則眞僞不易識別矣。

△丁福保云：鹿茸峻補之功，在其所含之阿莫尼亞，此物得火則飛，故應切清浸服，而不可煮以散其效也。西人以其價太昂，而用價廉效同，阿莫尼亞代替之。

△孫穆烈云：俄國國立醫藥專門學校，於一九二五年派教授柏美柯博士，及醫藥化學生物學專家組織鹿茸研究會，結果知本品奏效之物，全在所含於茸內之精血——血絲及血液。蓋精血成自各種之好蒙尼，而陽性好蒙尼尤多，在醫藥上甚爲寶貴，然於提鍊保存，伊等幾研究提鍊方法，結果達到目的，製成內服及注射二種成藥，名曰鹿茸精，西名Pantocrine，在蘇俄享有專利，至其成分大約有下列幾種：

固質　一・六〇六公絲

普通氣　一〇〇・二四公絲

無機性燐　八・〇　公絲

普通燐	一三·〇	公絲
脂肪性燐	二·五	公絲
阿莫尼亞	三·六	公絲
矯基淡輕基質	二八·〇	公絲

至其功效，大別凡七：（一）治元陽衰弱：利用其中好蒙尼以補陽生精，養血益髓，舉凡機能衰弱而起之各種疾病，均能在短時期內治療之；（二）治神經紊亂：以其對神緒系有滋養安神之功，故凡神經衰弱，神經疲乏，神經紊亂易致發怒，記憶力薄弱等症，均能迅速矯正之；（三）用以治腸胃衰强：對消化系能增加胃液之分泌助醱及酵，并能促進胃腸之收縮蠕動，故凡消化不良，胃腸分泌缺乏，收縮乏力，大便秘結等症，用之甚效；（四）利尿：以其助腎曲細管泌尿作用，而使尿量增加；（五）治心臟疲乏：本品對心為强壯药，能使疲乏之心臟機能恢復正常，故於心及血管各種疾病，如心臟遲鈍，心機退化，伸縮力過弱，心神經官能病等，均極有效；（六）治膿毒瘡傷：本品又可作外科藥，對膿毒，瘡傷，火傷，無論寒熱極高，傷如何重，膿血發臭，歷久不愈，或因身體衰弱，開刀處不易收口者，服此定有奇效；（七）治諸虛百損：能調理各種虛損，若體虛，工作減退，或病後精力缺乏，本品使其强健也。

△△△△ 藥學研究 ▽▽▽▽

幾種含有碳酸鈣的藥物之檢討

王贊書

二、强壯神經　益精（本經）久服令人有子，（別錄）强陰「千金」主泄精，益陽氣，「甄權」虛滑遺精，陽事不舉者，服此立能有效，（黃宮綉）治陽委（玉楸）自唐以前多以鍾乳為服食之藥，以其能直達腎經，驟長陽氣，合諸補腎之品，用於房中之術最效，（徐靈胎）

（反證）味者得此自慶，益肆淫佚，精氣暗損，石氣獨存，孤陽愈熾，久之營衛不從，發為淋濁，變為癰疽，（綱目）得此肆淫，則精竭火燥，發為癰疽淋濁，害不勝言，（黃宮綉）特此縱欲傷精，陽根丹泄，往往發為消淋癰疽之證，固緣金石慓悍，亦因服者恃藥力而雕斲也，（玉楸）

按千金治陰萎精薄而冷方云，欲多精倍鍾乳，是鍾乳之益精甚速也。

三、促進血液之凝結　治脾胃溼寒遺精吐血（玉楸）（方證）治吐血損肺，鍊成乳粉，每服一錢，糯米湯下，立止（千便良方）

按鈣鹽皆有凝血之作用，血之凝結纖維蛋白為必要之物，若無纖維蛋白，血則不凝，纖維蛋白係來自血之纖維蛋白元，因凝血酶之作用而成，據翟維耳氏稱，血之凝結成塊其進行如下：存平常之血漿內，除纖維蛋白元外，並有兩種質，即凝血酶元，與抗凝血酶，凝血酶元遇血漿內之鈣鹽，則成凝血酶，但抗凝血酶，則與凝血元相合，以阻止上述反應，（即凝血酶元遇鈣鹽而成凝血酶）當血由血管流出時，卽於損傷之白血球，血小板，及他組組內之放出一種質，名曰血栓形成質，（凝血質）此質與抗凝血酶相合，而使凝血酶元得以自由，復以鈣鹽之力，而成凝血酶於纖維蛋白，立起作用，使之變為不溶解之纖維張自然沈澱而成凝塊。由上可知鈣鹽之重要，血不凝結，多半由血內之鈣鹽缺乏而來。故增其鈣鹽，即能促進其凝血作用。

四、鎮咳　按血中缺乏鈣鹽，神經最宜興奮，流血時不能自然停止，鈣鹽能使神經細胞處於安靜地位，然本品副作用，似又能蔽下部充血，施行其誘導作用，觀歷代諸家謂其性溫，引氣歸元，及火不上浮等，則是反證其主治上部神經虛性興奮下部「少腹部」寒冷之症，即所謂下虛上實。或下厥上冒者，其治咳逆上氣，亦必以此為準則。

五、澀腸　按治滑腸，即止澀之功。

（二）珍珠

珍珠係貝類殼內面生一種病之分泌物，就中以雙殼類中屬於異柱類之直珠介所產最為著名，凡真珠介及蚌貝等物，當在水中生存之時，偶有微細之生物，或砂粒等，竄入殼內，外套膜受其刺激，殊覺不適，遂分泌真珠質（與殼內有光澤之物質相同）被覆而保護己體，因此珍珠者，實一種病之分泌物也，東西各國培養珍珠者，久已成功。

珍珠成分，係炭酸鈣91.72%有機質5.94%水2.23%

性味　鹹甘寒無毒。

作用　一，明目去翳外用點目，去膚翳障膜（開寶）主磨翳

六、治虛勞　按虛勞，即指今之肺結核而言，進行至相當時間，則身瘠，面紅，色夭，氣促，潮熱，夜間盜汗，神經易興奮，性經尤然，或夢遺瀉精（下損）或滑腸泄瀉（中損）或咳嗽吐血（上損）珍珠潤而能補，其鈣質能包圍結核菌，且有解熱之功，因能使肺勞日漸向癒也。

七、潤澤肌膚　引證塗面令人潤澤好顏色。塗手足去皮膚逆臚，（開寶）除面䵟，（李珣）按珍貴塗面之化粧品，有用之者，益能將其解毒有效之成分，吸入血液，故面䵟能除也，內服效力尤大，或謂梅蘭芳因服食珍珠粉，故顏色不衰也。

（三）珊瑚

珊瑚係一種腔腸動物，珊瑚蟲結合而成，為樹枝狀之羣體，珊瑚即其分泌之石灰質及角質之骨骼，亦即其共同之骨骼，其形如樹枝，中多有孔，亦有無孔者，色紅而明潤，產暖海中，成分係碳酸鈣，動物膠。

性味　甘平無毒

作用　一，去目翳點眼，引證今人用為點眼治目翳，（寇宗奭）二明目（大明）點眼去飛絲（李時珍）

按歷代醫家皆謂其治目翳有特效，而皆未詳其炮製法，則以生粉是也，然徐師庶遙眼科之專家也，製藥尤多秘法，其於製珊瑚，則以炭火燒三晝夜，然後搗研成細粉，然則珊瑚經炭火之燒灼，動物膠似已完全蒸發，若其熱度足够分解碳酸鈣，則碳酸與氧化合為二氧化碳，而蒸發鈣與氧化合為氧化鈣矣。石灰為不純的氧化鈣，任何人對於石灰的認識，是絕不能點眼睛的，而今它反把握著眼科去翳的重要地位，但經燒珊瑚已成氧化鈣，而在眼藥中此數是最低的氧化鈣遇水雖呈氫氧化鈣之鹼

明目，或專作眼藥，磨翳（甄權）

按眼科專家徐師庶遙云，目翳治愈後，目睛（眼黑鳥）為必經階段，此恢復期之現象。靜待三週至一月，自然光明，若求速愈

者，用治眞珍珠粉點之，立刻見效，病程約縮有三分之一之時間云。

二 生肌 （一）生肌用眞珠者，不可勝數，甚至外科以珍珠爲生肌專藥，然必膿毒已盡者，方可用之。

三 安靜神經 （一）引證小兒驚熱，（寇宗奭）安魂魄，（李時珍）凡小兒驚熱風癎，必須之藥（繆希雍）心虛有熱，則神氣浮遊，故能鎭心，（黃宮繡）瀉熱定驚之品，（醫典）瀉熱潛陽，安神定驚，（藥典）

〔經方研討〕

麻黃湯六方合論

劉鉄松

世常謂麻黃湯一方，爲治寒傷營之主方，凡無汗惡寒之症多用之。以麻黃能開衛閉而逐寒邪也。蓋風寒之邪，客於膚表，衛陽外閉，營血內鬱，故現無汗惡寒之症，麻黃湯以氣藥爲主，衛鬱一開，而營血自和也，方用麻黃之大開皮毛，直透寒邪，以行氣於玄府，桂枝從肌達表。調和營衛，輸精於皮毛，杏仁治喘，甘草和中。只此四味，以之治太陽諸病，無不絲絲入扣矣。然既云麻黃能開毛竅，爲治無汗之專劑，則於汗出而喘之症，當爲禁服之藥，而麻杏石甘湯竟用之者，其義何哉，蓋與汗下之後，寒邪內陷，醖釀成熱，因而陽邪內盛，火氣外越，汗爲熱迫而出也，故用石膏以清熱，熱去則汗止，而外寒正盛，又不得不兼麻黃以解表，喘因肺氣上逆，加杏仁以降氣，是又另立一法也，柯韻伯稱此方爲治溫病之主劑，蓋以其初起之時，即內經所謂未滿三日，可汗而解之法也，至大青龍湯乃治外寒內熱之症，故外症雖似傷寒，而兼煩燥之象，方即合桂枝麻黃越婢三方而去芍藥，發汗之中，重在兼清肺熱，以除煩燥，又使麻黃得石膏之性，盡行發外，不留於中。此湯之所以有安內攘外之功，應效如神，而爲發汗之重劑歟，然必審症的確，始可施用，若一但誤投，不特病不可愈，且有汗出亡陽之虞，故論云，若脈微弱汗出惡風者不可服。此聖人既立此方，即垂此戒，恐後人用之不當，反以誤人，則害不淺矣，至小青龍湯乃治水停心下而表不解，以其平時所積之水氣，乘表邪外束，泛濫逆行，停於胸肺之間，故用麻黃以攻表寒，姜辛以行裏水，半夏降逆，五味斂肺，兼藥芍之苦降以方泄。甘草之甘緩以和中，使邪之無形者從外而解，水之有形者由下而出。邪氣水飲，一齊俱愈也。其麻黃附子細辛湯，乃治少陰病始得之反發熱脈沉者，（按太陽與少陰相爲表裏，太陽之邪，雖傷少陰，然兩經俱病，以少陰主裏。應無表症，病發於陰，應無熱，今無汗惡寒發熱之表症仍在，兼之脈沉即裏症亦實。故安內則用附子溫經以固腎陽，驅外則仍賴麻黃以解表實，尤恐其寒邪之不去，而再用細辛以散之，此又另立表裏兩解之法於發汗法中也，麻黃附子甘草湯，乃以初得之二三日無裏症，而取微汗則解之義，以其邪未深入，不若麻黃附子細辛之重也，不然，細辛爲散少陰寒邪之藥，豈甘草一味，得易之哉。

長篇專著

實用處方學

徐庶遙

消化器病

△傷食

（一）

處方　平胃散

主治　惡心嘔吐，心下壓重，或感膨滿，如灼如刺，頭重身體倦怠，噯氣吞酸。

病解　飲食固爲人所必需，然必適可而止無使太過不及，自不爲患，倘貪食過多，或食後即臥，必致胃之消化不及，於是飲食停貯胃中久而不能下達遂致變酸，逆行而上則作噯氣吞酸矣如灼如刺之狀矣。且飲食停滯過久又必發酵生出氣體積儲胃中，故腹部胸部均生痞塞壓重之感覺。此項飲食久停胃中胃益胃受傷，因欲逐內容物於體外故頻頻作惡心嘔吐也。

藥味　蒼朮　陳皮　厚樸　甘草

方解　蒼朮苦溫燥脾去濕能使腸胃靈活，陳皮苦溫健胃，厚樸苦溫運脾又兼行氣甘草和中。

（二）

處方　越鞠丸

主治　六鬱胸膈痞滿，吞酸嘔吐，飲食不消。

病解　人有憂鬱，神經必不舒暢而沉滯，因以引起胃部血液亦不暢達，以此胃之蠕動作用暨消化能力均行減退，故每食過多即覺停頓不行，旋即受酸而吞酸噯厭胸膈痞滿作矣。

藥味　香附　蒼朮　川芎　神麴　黑梔子

方解　蒼朮運脾神麴消食，香附以調其氣，川芎以行其血，使血液暢流。鬱必生熱，因以梔子之苦寒者，利尿以瀉之。

徐庶遙曰：傷食一證，大人消化器强，雖暫時停食容易恢復原狀，若爲小兒臟腑尙未充實，食之所積每流爲疳，疳乃小兒之極病。雖古今議論紛紜，要皆屬於脾胃，錢氏曾分爲肥瘦冷熱，以初病者爲肥熱疳，久病者爲冷瘦疳，葉氏推闡其義以定太飽則傷胃，太饑則傷脾，肥熱疳爲食多太飽之病，瘦冷疳爲食少太饑之病，輕重虛實於焉已判，而用藥自有權衡，特備註於此以爲治小兒傷食病參考之一助焉。

△胃脘痛

（一）

處方　柴胡疏肝散

主治　胸脇等處，發如錐刺之劇痛。

病解　此爲胃臟所發痙攣性疼痛是也，其所以致此病之原因，泰半由肝氣鬱積，以致胃之神經不得條暢因以痙攣，上下之神經既極度緊張，故胸脇等處發出如錐刺之劇痛，此證婦人最多，男子間亦有之不過不如婦人之多耳。

藥味 柴胡 川芎 芍藥 香附 陳皮 枳殼

方解 柴陳附枳通遙因肝鬱阻於胃中之積氣，芍藥鎭胃神經之痙攣，氣滯而血必凝，因加川芎以行血。（未完）

△○○○○△
○ 臨床 ○
○ 經驗 ○
△○○○○▽

新中醫療養病院何伯壎先生濕溫治驗（續）

珙邑彭拜

竹茹三圓

五診 一月二十三日

病案 淫溫，溫氣傷陰過甚，故各症退，而頭仍微昏，脈動雖入正常，而有弱壯彈指之象，是以溫盛爲熱也，仍須照溫熱主治，重在育陰，但稟賦脾虛，當兼培土。

處方 泡參 生牡蠣 浙貝 蓮米代心 茯苓各三錢 玉竹五錢 麥冬 生穀芽 東瓜仁各四錢 黑慈菇六個碎 慈竹茹三圓

六診 一月二十四日

病案 溫熱傷及三陰，病邪既解，急應扶正，主以甘淡實脾，兼滋肝腎以善其後。

處方 童蔘 蓮米代心 生牡蠣 淮藥 生芍 雲苓各三錢 桑寄生 生穀芽 泡參 玉竹各四錢 炙甘草一錢

七診 一月二十五日

病案 本日一切無異狀，飲食起居，差將復原，惟陰虛脾弱，與稟賦有關，且加病中傷損，故治重肝脾腎也。

處方 木瓜錢半 桑寄生 穀芽 玉竹各四錢 山藥 雲苓 生牡蠣 塊芍打破 麥冬 鮮石斛 泡沙參各三錢 水煎，另加東阿膠三錢分次冲服。

八診 一月二十六日

病案 病愈，允許出院，但須善爲調養，節飲食，愼起居，寡嗜慾，耐氣性，以免外邪乘元毒未復而再作。

處方 木瓜 龜板 杜仲炒 雲苓 生白芍 淮山藥 石斛 各三錢 泡沙參 生穀芽 桑寄生 玉竹各四錢

結語 病人既愈，適値舊年在邇，急欲一娛此大好風光，故行離院，至今聞平復如常人，然使無業國醫用中藥如先生，則被束手者一拒，迄今必行且朽也！

筆者以原案實屬珍貴，故依樣壹錄，未嘗稍加移易，俾讀者得窺眞象焉。

辛巳年三月於國醫學院

✕ 大衆 醫學 ✕

溫病片談

冉廉琛

感溫病之原因，各說不一，有謂冬伏之邪，有謂新感，衆議紛紛，莫衷一是，余則謂冬伏之說，乃爲細菌潛伏之期，新感之說，乃細菌順氣候之適宜，行分裂繁殖而成病型，讀者共審質不可拘執也。治溫病之法，大多以吳鞠通之溫病條辨爲正宗。在事上有收効者，有未收效者，皆方家忽略溫病有虛，實之判。今之論溫病之理最詳而在治療上收效最宏者，莫過於系統的古中醫學溫病本氣篇，（此書爲中央國醫館系統醫學主任彭子益著）目睹醫家治溫病，不分虛，實，動輒與以辛涼之劑，及大寒大涼之藥，甫下咽，病遂不起，殊溫病虛證多，而實證少，實易治，而虛難治，不明究竟，率爾孟浪，人命者菅，嗟哉愴愴，筆者讀子益先生之溫病本氣篇，臨床治愈多人，値得廣播，以作警鐘，冀同道諸友，秉此方以變爲之，濟世婆心，庶斯盡矣。治溫之標準原則，應分營衛，氣分，血分，腸胃，茲分敘於左：

1.營衛，症狀，頭疼，身痛，先惡寒，後發然，發熱之後但熱不寒，精神倦怠。

治療。有上證狀，而舌無胎。脈洪大重按鬆軟者，烏梅湯主之，

肥烏梅二錢綠薄荷一錢冰糖二兩（此方熱多寒少舌無胎宜）脈洪大爲熱度亢進，循環加速，必現脈數，血管神經緊張則脈洪末稍脈管充血故大，熱度亢進，津液必傷。血驟於表，而內必虛，故脈重按鬆軟，烏梅酸溫平濇，殺滅細菌之繁殖，功又能生津健胃，發汗，解熱，且又能柔養肝木、候精神疲倦怠之苦，薄荷辛溫具有二種揮發油及少許單寧，功能驅風健胃，發汗，解熱，氷糖能養胃液，烏梅，薄荷，發汗，解熱，促血液之還流，排廢物之外泄，合氷糖且能生津健胃，此方初用似覺駭人，純爲溫平性。溫病滿溫藥，且非沸水揚火，殊溫病之在營衛，內由細菌之鼓舞，外感氣候之誘引，血充於表，必虛於內，以微溫之藥，引血液之還流，菌滅津生，胃强，故病去人好，此非虛吹，於臨床上自能見到，但脈不甚虛者，改冰糖爲白糖，舌存胎者，均忌烏梅……待續……

中央國醫館四川省分館 公佈欄

中央國醫館四川省分館 訓令 醫字第 號

爲令發醫藥學研究會簡章方案令仰遵照進行由

令各縣 國醫支館 支館籌備處

查振興醫藥，首以集中人材，倡明學理，爲推進之要務，蓋因我國歷來對醫藥事業，旣未專設學校，以資培植人材，僅憑私家傳授，令人自修，而各家學術紛紜，派別各異，素乏綜合研究之精神，更難貫通革新之方法，以致學術不張，無法進展，茲爲補救以往，推進將來計，特於本館內設立醫藥研究會，各縣市支館仍設立分會，庶且相切磋砥礪，以期增進，而學理精深之士，亦可藉此表其所長，紛紜別異之說，亦可藉此以歸劃一，俾有共信之理，幷皆共通之書，則一切醫藥事業，[illegible]

易次第推行，經擬具研究會簡章，呈奉 中央國醫館巴字第三四四指令，及 四川省政府民二字第〇〇四五四號指令核准照辦，除成都市各區分會業由本館指導進行外，合行抄發研究會簡章，研究方案，令仰該 遵照辦理，仍將研究情形，隨時具報備查爲要此令。

附發簡章一份研究方案一份

中華民國三十年三月二十八日

館長 曹叔實

副館長 劉子沉

鄺鶴霄

中央國醫館四川省分館醫藥學研究會簡章

第一章 總則

第一條 本會由中央國醫館四川省分館主持組織定名爲中央國醫館四川省分館醫藥學研究會

第二條 本會研究中國醫藥學理增進醫師智能發皇國醫學理俾達民族康強之目的爲宗旨

第三條 本會會地設立四川省分館幷於成都市東南西北四區及各縣設立分會

第二章 組織

第四條 凡執行業務醫師均應申請登記入會爲本會會員其有熱心研究醫藥學者亦得申明登記入會參加研究

第五條 本會設置指導員評判員若干人由省分會就會員中學識淵博經驗宏富者遴派充任之

第三章 研究

第六條 本會研究事項列舉如后

一、研究醫藥學原理及各家醫藥書籍與醫案

二、研究病者醫者之詢問爲之解答

三、研究時疫之預防及有效救濟

四、研究已治難治疑難症發揮其理質

五、研究藥物之改進製造

第七條 本會研究結果由省分館審核公佈報紙或彙印專書

第八條 本會研究按照學理程序指定書籍限期閱讀以資研討

第九條 每星期三六兩日午后六至九時舉行座談會研究第六條所列事項

第十條 本會會員概不征費所有各區會應用小費呈由省分館酌量津貼

第四章 附則

第十一條 本簡章由省分館呈報主管官署核准施行

第十二條 本簡章如未有盡事宜得由省分館修改呈報

中央國醫館四川分館國醫藥研究會研究方案

○案

蓋聞个性自逞，則寡聞孤陋，衆思廣集，則智量恢宏、醫之一道，理至精微，哲如黃帝，下問於岐，聖若神農，親嘗諸藥，後之業醫當爲奮發，能不傲人傲物，庶免誤己誤人，歷代救世聖賢，廣爲著述。近今專家醫藥，時有發明，本會 爰集醫藥同人，準今酌古，温故知新，繼往開來，闡揚絕學，匪惟條例褒奬，從事酬庸，抑且惠及生靈，各盡天職，凡我同志，盍其共勉旃。

計開方案如左

一、研究古書如內經、難經、傷寒、金匱、神農本草經暨後賢各家醫藥諸書由本分館指定研究外凡各會員就本人心得亦可提出研究以資證明而圖精進

二、研究疑難病證凡各會員於診斷時遇有疑難症俟得提交研究會共同討論務期剖晰詳明用資診治

三、凡不治之病須研究其不治之主因及現象逐一標明如有特別祕方能起死回生應各抒所見互相研究交換智識

四、凡个人治愈危險病症所用治法藥物非古書古方所載全出一己經驗須列爲醫案標明病因症狀脉象治法藥物公諸大會研究彙集成案福佑生靈

五、研究時令病如暑疫發痧流行温瘧之治法藥方出於古書或出於个人發明心得屢經效驗者應提交大會研究

六、兒科之痘痲婦科之胎產雜症百出死在頃刻求之古書於認症雜症不無罣漏凡个人有特別經驗心得治愈者得提交大會研究彙集成書流傳萬世

七、凡內科危險症病家交來研究之病西醫宣告不治之病及外科危險搶瘍傷科手術藥物經个人特別發明有起死回生之良藥技能願將祕方公諸會衆由本會呈館長轉呈政府褒獎並彙集成書俾發明者之姓氏名揚千古對願保守祕密專利者其對奇險病症有合於祕方藥物由本會登報褒爲介紹

學校園地

國醫學院大事記

三月二十日

本學院三民主義青年團中央直屬區隊，爲救濟抗戰家屬及貧苦民衆起見，特在附近包包店設立送診所，以資救濟。

四月一日

本日起放春假三日

四月十日

本學院三民主義青年團中央直屬區隊，空襲救護隊，刻正進行組織中。

國醫學院送診施藥委員會誌謝（續）

唐敬之	藍　仁	陳樹屛	楊茂如	藍屛周	周清緝
藍際忠	朱與濤	楊梓臣	苗繼文	候貴五	劉銘吾
文佐峯	朱懋村	秦來金	鄭培基	陳華廷	何德壽
賀文崇	孫志泉	鄭及堂	楚光熙	王挺生	陳君實
王青山	吳麗生	劉左思	李斗恆	田芳谷	李銀山
廖森春	何耀光	何與咸	侯含焱	羅仲勲	楊履初
黃玉安	陳選才	何耀先	何琴音	何與咸	魏紹泉
魏紹文	羅劍峯	魏紹謙	郭法喜	郭祥年	王德懿

鍾妙園　陳德仁　陳季昭　侯有成　周祝山　王子清
楊仁嚴　袁化誠　楊明德　代松林　羊禹堂　梁左氏
吳德茂　樊新德　吳曉初　吳德玉　吳德啟　吳秉權
高毅文　葉煥文　高平軒　沈秉楨　吳克成　嚴益三
王學禮　朱吉安　徐民平　易俊豐　賴壽眉　董順炳
楊漢清　陳文陔　夏文淑　廖海周　王貴三　楊貞順
林雲清　周敬軒　謝念清　彭斗南　廖明楊　唐靜之
王仁建　林尚勛　林謝氏　王建華　趙德威　張名揚
李明德　李松柏　蕭　茀　羅道生　蔡永康　黃繼盛

以上各捐洋二元

陳敬廷　陳嚴康　朱純瑕　裕順榮　巫　之　郭君爽
游鏡堂　李文仙　張永康　陳盛華　劉克成　周華光
孫金玉　胡海淵　胡斐然　盧崇明　劉華丰　馮治平
薛少冰　郭崇韜　魏宋帆　楊禹堂　何裕如　陳一清

以上各捐洋壹元

醫藥顧問

問

醫藥改進月刊執事先生台鑒：逕啓者，鄙人兩三年前，曾患淋濁，旋生下疳，前者已經治愈，後者生滅不常，糾纏無已，（今復告痊月餘，不知復發否？）小閱月年來上肢而自肘及指，下肢自膝及蹠，與筋骨均作閃電式痛，雖經注射六〇六兩三次，亦只能取效於暫時，逾三數日，復照樣疼痛，日前到某大醫院檢驗血液，據云乾淨無毒，只須保養，不必施治，旋又到另一大醫院診治，據云，乃體內缺乏生活素所致，應服魚肝油及注射維他命針，鄙人不知何所適從，敬請

貴刊賜答，指示此病處方，解釋病由，無勝銜感，祇頌

大安

讀者歐明光拜啓四月八日

答

貴恙既經檢驗血液，乾淨無毒，復注射六〇六而無効，可見餘毒已盡，今後倘不犯禁忌，當不至再發也，惟四肢筋骨疼痛，在此過程中，雖屬常有之現象，但毒淨而痛不減，足徵此痛之原因，已與前症無關，且又無其他徵候，故亦非全由生活素缺乏所致也，鄙意則以爲係濕熱流注肢節，因而作痛，蓋濕鬱則生熱，濕熱薰蒸，筋肉弛緩，陽氣無由宣洩，故作痛也，暫服驅濕清熱之劑，以觀後效，處方如下：

桂枝二錢　白芍三錢　防風三錢　白朮三錢　知母三錢
羌活三錢　茯苓三錢　甘草一錢

編者覆於四月十五日

本刊編輯部啓事

本刊一、二兩期，雖經同人等竭盡棉薄，但校對方面，仍難免時有錯誤，今後除極力設法改正外，尚希讀者諸君，鑒諒是幸！

更正：本刊二期所訂廣告價目，原係以每期計算，被手民誤排作「每年」，特此更正。

代郵：汪鑫濤君：大作下期當繼續發表，此啓。

編者

價目

零售 每册四角

全年 十二册四元

半年 六册三元二角

郵費外加

廣告價目

地位	封面	底面	普通
全面	每年六十元	每年五十元	每年四五元
半面	每年四五元	每年三十元	每年三五元
三分之一	每年三五元	每年二十元	每年二五元
四分之一	每年廿五元	每年二十元	每年十二元

附註：長期面議，另有優待。

成都圖書雜誌審查證字第二九八號

本社基本社員題名

王受百 周熾 周維 黎含章 彭保商 盧崇濟 譚光欽

鍾立嵩 高志墉 顧大德 唐伯詩 傅紹容 陳昌倫 陸幹甫

本社特聘

中央國醫館醫務人員訓練班主任教授周復生潘國賢二位先生為本社名譽社員此聘

本刊編輯部緊要啓事

茲因來稿過多，本刊篇幅有限，未能完全登載，俟下期繼續披露，希投稿諸君鑒諒是幸！

醫藥改進月刊社啓

歡迎投稿

一：本刊各欄，均歡迎投稿

二：來稿不論文言語體但務須用毛筆繕寫清楚，並加標點，

三：來稿無論登載與否，均不退還，但須先聲明並付足退還郵資者不在此限。

四：來稿本刊有删改權，不願者須預先聲明。

五：來稿一經登載，即酌酬本刊一期或數期。

六：來稿請直寄成都新禪寺街國醫學院轉本刊編輯部

主　編：本刊編審委員會

總發行處：成都西御西街愛知治療所

分發行處：成都興禪寺街四川國醫學院

重慶中一路八十一號濟生堂

代售處：本市各大書局

本刊社址：附設陝西街新中醫療養病院內

內政部登記證警字五五五六號
中華郵政掛號認爲新聞紙類

醫藥改進月刊

（民國三十年六月一日出版）
（四川醫藥改進月刊社發行）
第一卷　第四期

短評

醫藥改進辦法之實踐

又田

我國醫藥，具有四千餘年之歷史，對於民族健康，關係至鉅，事實昭然，不容諱辯。溯自民十七年，衞生署提出廢止中醫之議案後，中醫之發展，無形中遂被阻止，在此風雨飄搖之中，所幸中醫界人士，已能漸次覺悟，又得部分人士之熱忱，努力提倡，一息之脈，賴以持續，并能日益光大，至可慶幸，惟當此新舊交替之際，自不乏濫竽者流，混跡其間，誤人生命，以致爲人詬病，言念及此，實屬痛心！茲涪陵縣國醫支館，根據四川省國醫分館之規定，參酌地方實際情形，製定改進辦法，呈准縣政府核定公佈施行，此種措施，非特爲該縣秉政者及國醫藥人士積極注意民生疾苦之表現，并爲確立國醫藥改進辦法之先聲，此種實際工作，吾人甚望其他各縣秉政諸公及國醫藥界人士，相繼實施，則造福於人民，良非淺鮮矣！

本期要目

本刊編輯部緊要啓事（一）

本刊第三期藥學研究欄所載「幾種含有炭酸鈣的藥物之檢討」一文，因排版之際，適值發出空襲警報，致被手民誤將本文次序，先後顛倒印就，及至發覺，已無法改正，除將原稿清徊，重新整理，仍接『第二期』排印，以便翻閱外，特此聲明，尚希讀者諸君鑒諒

本刊編輯部緊要啓事（二）

本刊第三期排版之際，適值發出空襲警報，致將消息欄所有稿件，全部遺失，尚希賜稿諸君鑒諒，是幸！

本刊獎勵讀者介紹訂戶啟事

本刊爲獎勵讀者熱忱介紹訂戶起見，凡一次介紹訂戶在十人以上者，除由本刊登刊獎勵外，并贈閱本刊全年一份，此啓。

本刊啓事

茲承潘覺非同志捐洋十元謹此誌謝

中國國醫學會成都市分會擴大徵求會員啓事

啓者本會爲研究國醫學理及治療方術以期闡明中國國醫之眞髓并促進國醫界之團結及互助在國醫界先進領導之下已獲得黨政機關核准并奉中國國醫學會指令在蓉組織分會特擴大徵求會員凡欲爲國醫界奮鬥同志盍興乎來

登記處：西御西街八十二號附三號本會

言論

對於建設中國本位醫學的意見（續）

蘇友農

第一、凡研究宇宙間一切事物現象，到最終單位結果的明瞭，頂好的方法，是只有用分析法，逐漸使化爲最小的單位，包括物理作用，和化學作用範圍支配之下。所以對於醫學方面，是絲毫不能懷疑的。應完全採用自然科學的實驗分析法，應使這種研究人體具體活動事實的學科，變爲抽象，空動，玄妙等的錯誤。

第二．自然科學的實驗分析法雖然在物理化學中取了完滿的效果，同時在西洋醫學貢獻了最大的功能，却不能說實驗分析法就可使醫學登峯造極，誠然實驗分析法，可使對於醫學中的事實能求得詳微的明瞭。但因爲醫學中的人體活動作用在假設作爲靜止，狐立．局部的研究觀察，是不能越物理化學的範圍。不過人是最複生活的動物，在其一切活動作用的時候，雖其因素亦不能超越理化的原則，然其從外在與內在而爲支配動力的．有環境和神經的作用，同時活動的變易，是互爲因果關係的。所以在這種領域內的研究，不是簡單的實驗分析法．可能成功的，必須用經驗的內省法，和綜合法，爲活動．聯繫的研究觀察．方能了解醫藥的眞正作用。如果在研究醫學之中，只採用實驗分析法．而忽略內省法和綜合法的作用，則必陷於機械觀的錯誤。

幾種基礎科學內容要旨的商確

第三、在中西醫學，因爲彼此研究方法的不同，所以觀察注重點已就不同。要建設中國本位醫學．就要根據前述兩種研究方法的原則和步驟，對於中西醫學的內容，爲一個綜合比較的敍述，取長捨短，方能建設更完美的醫學。茲僅就幾種基礎學科，略述個人的意見如次：

甲、解剖生理學

在中學裏面，對於人體的構造和生理，在古代的內經裏面，雖然有些解剖的敘述，但都是大概的觀察，缺之條理系統，尤其是沒有現代解剖生理，組織學等的敘述詳微精細。所以對於這門科學，是應採用西洋醫的敘述來充實過去不詳明的內容，不過西洋生理學和內經關於生理敘述比較。西洋生理應該採用補充而切實發揚的有下列幾點：

（一）神經和精神的重要作用。中國醫學中。最重視是神經和精神的作用。故內經上古生氣通天論：「聖人傳精神，服天氣」，又上古天眞大論曰：「精神內守病安從來」，歧伯曰：「得神者昌，失神者亡」，是以神爲主宰人之身心性命的重要作用。西洋生理學裏面大都忽視神經和精神的作用，只是把神經系統很簡單的附列於各種器官系統的後敘述，同時學者把神經精神的敘述，歸到心理學的範圍。

這樣的本末顚倒，所謂人體生理學，實尙還沒有了解人體生理的重要作用。因此我們應求關於人體密切作用的生理學，和心理學，須要統一的敘述，切實闡揚牠們的互相關係。

（二）臟腑互相作用的聯繫。在西洋生理裏面，是敘述了各器官系統是營分工的工作，在根據分析法，局部解剖的研究，對於各器官的作用，亦有詳微的明瞭。不過在整個人體由神經聯絡，血液的運行，內分泌液的調節三種作用支配之下，分工而又是合作的。如果在一個分工的機能發生了異常作用，在整個合作各分子之間，亦要受影響而發生異常作用的。中國醫學在生理上對於這個關係的作用特別重視，以「金、木、水、火、土、」五行的名稱來代表替言「肺、肝、腎、心、脾、」的作用同時以「五行生剋制化」來表示五臟間互相的關係，我們認爲應該根據這個原則，以西洋生理中所敘述的具體事實，來說牠的道理。

（三）適應環境的變異，在生物學的範圍內，一切生物，都是適應環境而變易，已成爲不可否認的法則，人是生物之一，亦決不能超越這個定律。構成環境上的差異，主要就是地理和氣候的因素。中國醫學，產生於廣大的領域，和複雜的氣候變易環境之中。因此深識和特別注意生理上對於地理和氣候適應關係中，五臟各自不同的特變作用。如內經所謂「東方生風，風生木，肝屬風屬木，春季風從東方來，故肝之作用特旺於春。南方生熱，熱生火，心屬火，夏季風從南方來，心之作用特旺於夏。中央生濕，濕生土，脾屬濕屬土。長夏者蒸濕盛，故脾之作用特旺長夏。西方生燥，燥生金，肺屬燥屬金。秋季風從西方來，肺之作用特旺於秋季。北方生寒，寒生水，腎屬寒屬水，冬季風從北方來，故腎臟作用特旺於冬季」。這些特別的認識，雖然只是憑經驗的觀察，同時覺得其抽象空動，但在每個人的生理實驗上，都是感覺得出的，西洋生理學的研究，大多忽略這一點，沒有注意把握生理應適環境時的變異作用。因此我們認爲應根據上述的原則，并就生理適應的具體事實，詳細去說明其作用的情形。

（四）臟腑器官形質作用的比較。誠然一切人類的生理作用，都是同一的原則。但是在一個原則之下，因各人的器形質，作用，決不是一樣的強弱。在中國醫學內經的本臟篇，就特別注意這個強弱差異的問題。根據於臟腑，形狀之大小，位置之高下，偏正質體之堅脆緩急等，而比較出臟腑器官作用強弱之差異，和對於整個生理關係的影響。這種比較的研究，對於動理應用的關係非常重要，但因過去缺之具體事實的說明。我們認為應根據已經的原則，同就西洋生理中所敍述的事實理象去說明之。

（未完）

醫學研究

傷寒六經傳變論

劉述機

一、緒言

社會進化不外人類生活現象之一切活動，活動之結果，乃產生光明燦爛之文化。而文化之產生，亦遂無止境。

文化包括學術思想和實用藝術，然二者均必受其周圍環境與當時經濟組織之影響。是故古時之學術思想，至後世驚為誕妄，後世之實用藝術，竟超越前人，因時代轉動。有如車輪然，前進而弗息也。

中國醫學發達最早，以云學術，已有哲學基礎，適於演繹之運用，以云藝術，復有臨床經驗，合於歸納之法則，此哲學與經驗構成中國醫學之積層結晶，即六經傳變是也。其學說流傳亘數千年，後世註家，雖迭有出入，但有變遷，然皆發皇古義，闡明經旨，不失學者遵古態度。

古人謂天行病為傷寒，其所以為外感病之總稱者，以傷寒為天地殺厲之氣，流於四時，最善傷人，非若春日之溫，夏時之暑，秋季之燥，各旺於一時之比，凡外邪傷人，盡呼為傷寒，仲景合書，亦取乎此而已。

傷寒論之特色，在將疾病經過中之一切症狀，悉納六經之中，謂中國之醫學，為六經之醫學，亦無不可，故前人有廢傷寒，則六經不明，廢六經則百病不治之語。

本文謹將六經學說及傳變大意，一一加以簡略說明於後。

二、六經探源

六經即三陽三陰，三陽為太陽陽明少陽，三陰為太陰少陰厥陰。此六經為病，於靈樞經脈篇載之頗詳，傷寒論之六經，雖出自經旨，而所舉各症與靈樞互異，是蓋別有取義。

中國醫學至秦漢時而大備，於藥物方面已有神農本草經，於哲理方面已有黃帝靈樞經，獨治療之術，際當時尚守祕密，不肯輕授於人。仲景傷其宗族死亡過半，始憤而創立傷寒六經之說，使後世治疾得有規矩可尋，於是黎庶之疾疢，咸得消除，萬代之生靈，普蒙拯救矣。

疾病之徵候，乃生活現象反常之一種病態，如肺病必現咳嗽、吐痰、喘息等；胃腸病則有煩渴、惡心、噯氣，腹痛腸鳴，不食，下利或便祕等；心病乃發心悸、心痛、眩暈，不眠等。凡此種種症狀，難於枚舉，有彼此現共通之症狀者，有各不同者，有發病即進行不已者，有初病即愈者，若不將寒熱分清，虛實判明，安能盡愈諸病，此六經之所由分歟。

按六經傳變，表實疾病之陰陽淺深，係從臨床實驗揣會得來，揉合於現代生理解剖等學，將內科各症包羅無遺，含六經而云治病，有若黑夜摸索，莫知底蘊。中醫治療學之精髓盡於是矣。

三、六經學說

六經學說，聚訟紛紜，莫衷一是，以六氣經脈開闔之學爲最高，以寒熱虛實表裏陰陽爲最切實用，以譚溫生理之學說爲最新。茲將各派學說，分析檢討於後：

a.標本中見說

象數名理學家之言曰：「六經即六氣，六寒即氣水，燥金相火，濕土，君火，風木。人身不外六經，百病不外六氣。」又曰：「六經分王六氣，爲仲景撰用素問法天之紀，其六經提綱，雖不盡與素問同，而法天之紀，傳經次第，則無不同。」

（未完）

病原與病理（續前期）

趙耘農

○……呃逆嘔吐……○　消化器官，尤其是在食道及胃囊兩部，最容易因各種病原的關係使神精末稍感受外界的刺激而不安，遂起一種反射作用，而令該部肌肉及粘膜，加强運動收縮等巨型作用，使成連續性抽搐表現，因表現振動狀態而成呃逆，偶有因毒素刺激神經末稍，而起反射收縮，使壓出該種毒物或反意性食物而成嘔吐，我們從上面講來呃逆與嘔吐均係消化器官之一種末稍神經反射現象，故在治療上常與半夏生姜等含有麻醉與奮性藥物使末稍神經感到興奮過度而麻痺，不至再起反射現象，前人謂半夏降胃殆即此理之謂也，

○……咳嗽喘哮……○　呼吸器官，因感受外界刺激——冷空氣或分泌物等等——立即令支氣管之末稍神經得到異常感覺而興奮——癢感——，爲要應付這種興奮，或排除分泌物而遂起反射作用，由交感神經令腹肌收縮而重壓肺部蓄氣，使爲極外冲，遂成咳嗽，喘哮則不然，係屬於中毒或其他原因，使橫隔膜以及氣管支等表現遲緩性疏張，呼吸腔加大而令呼吸量亦隨之而增，故有呼吸喘促等象徵，在治療上，吾人常以麻黃（Ephedra vulgaris Rich vor helvetica Hook et thoms Ephedra Sinesis）中之Ephedra爲對症藥物杏仁（Prunu sarmenica）中之amygdalin因分解酵素而成氫化猜（CNH）亦係刺激作用，以其能收縮弛張氣管支及橫隔膜收縮呼吸腔，故能治喘哮。

○……抽搐痙攣……○　抽搐與痙攣均係一種神經性疾病，大半由於神經燥强而起，我們知道，神經之活動性完全依靠血液之灌溉與濡養，否則立即可以發生異常變態，或竟至失掉本能與作用，本刊第三期中曾談及神經之有感覺係賴熱的供給，抽搐的病理係由血液因各種病原的浸害，使產生大量的熱，使血液中水份因受到高熱而向外蒸發，因此血液就會稠粘而增加濃度，同時神經因感到高熱的脅迫而强增感應過敏性，當中樞神經感到高與高壓時立即可以失去正常狀態而成燥强現象，其表現於各部呈現各種症狀，在脊柱神經則表現於背部而有角弓反張，在顏面部則有口眼歪斜與兩目直視，在四肢則爲抽搐或振動，甚而至於呈痙攣狀態，總言之該種疾病純係神經燥强，十之八九由於高熱所至或因於神經性炎性症者亦有之，但

視其病原爲氣耳，在治療上，當以初步輕微解熱次以消炎減低血壓最後當着重存濡養神經增加身體水份精液無不神效矣。（完）

仿讀書記（續）

戴佛延

17 論治疫

王秉衡曰，余師愚治疫，以石膏爲主，吳又可治疫，以大黃爲主，蓋師愚所論，係暑熱爲病，暑爲天氣，即仲聖所論清邪中上之疫也，又可所論，係濕溫爲病，濕爲地氣，即仲聖所謂濁邪中下之疫也，清邪乃無形之燥火，故宜清而不宜下，濁邪乃有形之濕穢，故宜下而不宜清，二公皆卓識，可爲治疫兩大法門。

延按，近賢宋愛人曰，治疫之論，當推喻氏爲超，治法以逐穢第一，三焦分治，兼以解毒，但逐穢之法有不同，令引伸其意，如用蒼朴藿香者，逐穢之辛溫法也，用蘆梗佩蘭半夏菖蒲者，逐穢之芳通法也，用苡米通草者，逐穢之滲淡法也，用大黃枳實者，逐穢之通下法也，用桔梗蟬衣者，逐穢之宣上法也，其次則以解毒爲要，吳又可善用大黃，以大黃芳香通濁也，余師愚善用石膏，以石膏甘涼辛散也，張石頑云，外解無如葱白香豉，辟穢無如薄荷之類，內清無如芩連山梔人中黃之類，下奪無如硝黃之類，葉天士以銀花金汁犀[illegible]至寶爲必要之方，皆所以解毒也，再論吳又可之達原飲，治濕疫之在府而橫梗膜原者最佳，其已化熱者，不可妄用，舌質柔色膩者慎用，余師愚之清瘟敗毒飲，治熱疫之在上中下三焦者佳，若疫而間挾濕鬱者，則有遏熱留邪之弊，有一利必有一害，姑舉二方，以概其餘。

18 論蜜丸

王孟英曰，徐洄溪批葉案青果汁法丸爲杜撰，頗有可議，余謂古方丸劑多用蜜，爲其味同甘草，有協合諸藥之功，不拘何證，似可通融，且質粘易於凝合，遂相習成風，千篇一律，而不知蜜之爲言密也，密者祕也固也，故蜂王出入，滾成珠團，醞釀之所，不容人窺，何祕如之，蓄奇香者，以蜜養之，而其氣不泄，鼎俎家蒸玉面狸與黃雀，必先塗以蜜，雖沸爍而其膏不走，固之道也，且味純甘而性極緩，故惟峻藥欲其緩，脾藥欲其守者，始爲合法，否則欲補下者，有戀中之弊，欲運中者，有鈍膩之偏，欲宣經隧者嫌固，欲開沉涸者嫌祕，自當各因其用而隨時制宜也，青果色青而味酸微甘，用於此證（其證見葉案茲不贅），則清肝息風，豁痰充液，豈云杜撰，深有巧思，觸類而通，慎勿泥古。

延按，發明用蜜之意，與不當用而用之害，精確不磨。

痔漏指迷

黃茂生

總論

素問生氣通天論曰：「因而飽食，筋脈橫解，腸澼爲痔」，金匱五臟風寒積聚云：「小腸有熱者必痔，」按此症肛門內外四勞，忽生紅瘰。先癢後痛。遂成痔瘡，有生於肛門內者，有生於肛門外者，初起成肛。繼則潰出膿血黃水，若久不愈，失治則成漏症。痔之形狀，有狀似蜂窩者，有狀似蓮子者。有狀似雞冠者。有狀似牛奶者，有狀似菱角者，有狀似葡萄者，有狀似核桃者，名雖種種不同，而致病之原，總不外乎醉飽入房，筋脈橫解，精氣脫泄，熱毒乘虛下注，或因素有濕熱，過食煎煿厚味，或因擔負重物，竭力遠行，氣血橫縱，經絡交錯，均能致之，初起時腸頭腫而成塊者，溼熱也，大便燥結腫痛如養燎者。大小腸熱盛也，潰而爲膿者，熱盛血也。作痛多癢者。風熱盛也，當各推其因以施治。凡遇脹痛便祕，小便不利者，宜清熱涼血潤燥疏風。氣血虛而爲寒涼損傷者，宜調脾胃滋補補陰精。大便祕作痛者，宜潤燥除濕。肛門墜痛者，宜瀉火導濕。下墜腫痛而癢者，宜疏風勝濕，小便澀腫痛者，宜清肝導濕。諸痔初起。宜服痔瘡神湯消解之，外用熊膽散，或田螺水掃擦，或有千金消痔散和涼水調擦，外用朴硝葱頭煎湯薰洗，又有血箭痔，生肛門或裏或外，擁塞墜腫，每逢大便用力則鮮血急流如箭，不論糞前糞後，初服生熟三黃丸，若唇口白，面色痿黃，四肢無力，屬氣血兩虛，宜十全大補湯，倍川芎參芪服之。亦有腸風下血，點滴而出，糞前宜服防風秦艽湯，糞後宜服苦參地黃丸，愈後服臟連丸，即可除根，又有產後用力太過而生痔者，宜補中益氣湯，加桃仁紅花蘇木服之，又有久瀉久痢而生痔者，宜補中益氣湯加槐花皂莢子煅末服之，如漏有管者，服黃連閉管丸，若痔頂大蒂小者，用藥線勒於痔根，或有線掛於痔根，以鉛作墜，每日緊其線，使其痔枯落，隨以珍珠丹搽之，外用生肌鳳凰油膏塗上。若頂小蒂大者，宜枯痔散枯之，內痔不出者，用喚痔散填入肛門，其痔即出。隨以朴硝葱頭煎湯薰洗，更宜戒房勞，忌食河豚海腥辛辣椒酒等物，可望除根，若久患痔而後咳嗽者，取效最難，久病咳嗽而生痔者，多致不救。

施用枯痔法之手術，先於痔之周圍好肉上，敷以護痔膏，用冷水及蜜調和，務使稠稀適宜，用角製光滑小片，將藥敷上。留出痔肉。然後於痔上敷以枯痔散。敷藥後，須令患者仰臥床上，兩腳展開。使護痔藥與枯痔藥勿相合，致失藥效，凡敷藥已隔二小時，或二小時半。又敷護痔膏與枯痔散，仍如前法爲之，計每日應敷藥四次，每次敷藥之前，須將痔藥水置爐溫暖，先洗一次，然後敷藥。二三日後，痔上即漸起小粒，又二三日小粒漸大色黃。又過二三日，粒間出毒水。此時床上宜墊粗紙。溼即換去，此法於初上藥至流毒水時止，必現肛門腫脹，心中鬱悶，夜不安眠，小溲不快，此應有之現象，切勿見怪，是時須用寬腸湯洗，內服通利湯，若身發燒熱者，宜改用清利湯一二劑即爽，約一星期後，毒水漸少，小溲亦漸通利，夜間亦漸安眠，粒上結痂漸厚如棕色，過數日痂殼厚硬而色黑，觸之有聲，痔殼上兼有裂痕，斯時可停止敷藥，而另以落痔湯洗之，每日晨早洗一次，四五日後，痔殼逐漸脫落。惟一肉筋連在此，即痔根在好肉內，仍以落痔湯日洗一次，二三日後，其肉筋亦自脫落，若肛門尚有痔孔出膿，用甘草五六錢，煎湯洗後，用珍珠丹擦入漏孔內，日三次，外用紗布藥棉蓋貼，數日即愈，愈後服補中益氣湯數劑，以資調養，或每晨用米汁調

雞子一枚，入白糖調服亦可。如大便不爽者，用當歸大黃丸，每服七八丸，多至十餘丸即效

漏症多係痔瘡失治，久不收口而成者，黃水淋漓，污從漏孔出者，須用最細銀製探條，探定漏孔，在未探以前，先用一角製光滑如指粗之半圓引針槽，長約二寸餘，以一端斜其口，塗凡士林或油汁插入肛門稍斜檯出肛門，將漏孔探定，取出探針，再用細銀製之導線針，如前法探入肛門，將藥線套在導線針上，由漏孔拉出，留線一半在肛門外，勒緊其線，不宜太緊。或用掛線法亦可，但掛須有雙線套在導線針上，拉出漏孔，以鉛作墜，仿日緊掛線，俟將漏孔與肛門勒破即愈，若掛線後，黃水浸淫淋漓，用追毒湯，日洗二次蓋此症之由來，多因痔瘡既潰之後，誤純服苦寒之藥，致脾元日損，肌肉難生，或妄用刀針藥線，鉛丸利剪，致好肉受傷，或施藥紙插入擠出，致將瘡肉四旁新肉磨成硬管，愈插愈深，始發淡紅微腫，或生小核，久則上面穡白，內面黑爛，淫蟲惡臭，污穢益甚，且終年破流血水，真陰由此而耗，往往變為癆瘵，法宜速將培補益氣保元，外用蔥艾淋洗諸法，更宜謹戒醇酒房勞方可見效。

——未完——

藥學研究

國藥色素問題的探討

劉淑澤

國藥中以植物類生葯為最多，其動物、礦物類次之。此類藥物，因其種子花果的狀態，化學的成份，分子原子之構造，各不相同。故各含有其固有之色素以鑒別之；如茯苓山藥色白，熟地蓯蓉色黑，大黃黃連色黃，丹皮桂枝色微赤，昆布海藻色青之類是也，古人即根據各藥所含色素的不同，發明其特殊效能以治病，前有斥國醫者，謂「生葯的成份，為糖質，澱粉，植物鹼，纖維素……所組成，既煎成汁，復飲入胃腸而使吸取，則既有之色素，早已失其本來面目，焉得有白入肺，赤入心，黑入腎……之理乎」？作者前亦迷信此說，以為生藥的有效成份，存其所含的原素中，同與顏色無關，近來涉獵有關之叢，復常親檢藥物以視察其性狀顏色之類別，覺有值得吾人研究之價值者：

為便於說明起見，略舉生藥數十種以作標準，如下：

白色類藥

山藥、茯苓、苡仁、白朮、——健脾滲濕（註一）

白芨、白芍、白果、五倍子、——收濇斂肺。

桑白皮、百合、麥冬、——清熱肺潤。

白芷、法半、杏仁霜、蔥白、——驅風袪痰。

青色類藥

青皮、青蒿、秦皮、——理肝。

昆布、海藻、——軟堅化痰。

菖蒲、綠豆、——芳香通竅，解毒。

黑色類藥

熟地、玄參、蓯蓉、——養陰滋水。

烏梅、——斂陰殺蟲。

赤色類藥

桂枝、蘇葉、荊芥、——發汗解表。
丹皮、赤芍、連翹、——清熱涼血。
紅花、三七、血竭、——行血去瘀。
丹參、枸杞、當歸、——生血益陰。

黃色類藥

黃連、黃芩、大黃、——瀉熱通便。
蒲黃、姜黃、——行氣緩通。
黃柏、杜仲、——去濕強腎。

歸納各藥，可得一個概括的結論，如白色類藥，牠有一個共同作用，即是治肺，或與肺的病變有關連的症狀，青色類藥大概多治肝及神經的病，黑色類藥，多治腎及一部份內分泌的病，赤色類藥，多爲促進循環系的機能和增加血色素，黃色類藥，對腸胃病的效能很顯著，以此綜合，演繹起來，這就是作者最初的注意點。

爲了解決這個疑問，吾人不得不詳細研究植物的特性——色素的成因，植物在土中吸取養份和水，同時葉間又吸入二氧化碳，經過日光的照射，營同化作用後，各原子分子間起複雜的變化，組成澱粉纖維素……藏於根莖葉實中，假如牠的養份雖然充足，沒有日光的照射，則牠的發育就無形中不健全，此可於背日光之植物見之，所以植物底生長，日光的關係很重要。

日光輻射至大地上，吾人目力所見到的，是強烈的白色光線，然用分光鏡的觀察，又可分出紫藍青綠黃橙紅七種光色來，日光原有此七色，因爲是混合的射出，所以只能見到是白色，此可於牛頓色板驗之。

日光除上述七色外，還有紫外線，X線，Y線，宇宙線，及失牢因和斐線，（註一）

前面說植物的發育與日光有密切的關係，日光中的各色，當然也與植物中的色素有關係了。

據光學上，當光波投射時，受物體之選擇吸收，退出者爲殘餘底部份，映入吾人之眼，由此而識其色，例如玫瑰除紅色光外，全部吸收，故在白光中呈紅色，螢石及磷鈣鋇鍶等之硫化物，若曝於日光中，暫時候，移入暗室，即能發出着色之光，是可證明物體對日光的吸收關係。

邁克爾遜更認爲蜂雀之麗羽，鴝鵒之美翼，孔雀之彩屏，與蝶翅之澤，蟲甲之輝，都與光波有關係，并且舉了六點主要特性，用作解說。（註二）

植物的色素與日光有關係，這已解釋明白了，但這生藥的色素與疾病的關係如何呢？因爲生藥在某一界限內牠的色素對於臟器及病毒有特殊的「親合力」，這是古代醫學者先由法象，比擬，實驗而後傳下來的，自從發明錯錠療法以來，放射性元素對於醫學上有莫大的貢獻，可見生藥，日光，疾病，她們中間有科學的謎的存在，肺結核的日光療法，已是這問題的解說了。

麻疹適於紅色光線（此中西醫學家所公認）可使其經過，轉歸佳良，這種理由，莫知其然，故吾人連想到日光之色與藥物之色，對於疾病的關係，決非古人玄想，無稽，而立此說者，不過吾人現有的科學程度，對宇宙之眞象，倘不能滿意了解時，惟待進一步的求證明，所以將它寫出來，質之同志，以作公開的研究罷！

（註一） 本文所舉藥的功效，因習慣關係，故仍用舊名詞，此不過舉出牠一部份的效能，希讀者原諒，其餘亦準此。

（註二） 可參看周壽昌著天體物理學商務印書館出版。

（註三） A.A. Michelson著光學之研究國立編譯館譯本。

藥學研討

幾種含有碳酸鈣的藥物之檢討（續）

王贊普

藥與按古所謂之心神魂魄，皆指神經言，風熱驚癇，皆指神經之病象言，醫與藥典，皆言其泄熱。熱者，中醫神經亢進之術語也，有虛性實性之別，神經虛性亢進者，術者每謂其為陰不濟陽，龍火浮越，法當壯水之主以制陽光者，此真珠之治也，若實性者，則非其所能事矣。

四 解痘疔毒 引證解痘疔毒，（李時珍）至於疔毒癰腫，長肉生肌，尤臻奇效，（黃宮綉）療痘瘡痘癍疔毒，（醫典）

方證 治痘瘡毒伏心腎，黑陷神昏，珍珠人牙散方，珍珠一錢，人牙煅五錢，血竭五分為散，每服四五分，酒漿調下。

五 催產 主難產，下死胎胞衣，（李時珍）

方證 1.治婦人難產，珍珠末一兩，酒服立出，（千金方）2.治胞衣不下，珍珠一兩研末，苦酒服，（千金方）3.治子死腹中，真珠末二兩，酒服立出，（外臺秘要方）

六 治虛勞 按虛勞，即指今之肺結核而言，進行至相當時期，則身瘠，面紅，色夭，氣促，潮熱，夜間盜汗，神經易興奮，性經尤然，或夢遺瀉精（下損）或滑腸泄瀉（中損）或咳嗽吐血（上損）珍珠潤而能補，其鈣質能包圍結核菌，且有解熱之功，因能使肺勞日漸向癒也。

七 潤澤肌膚 引證塗面令人潤澤好顏色，塗手足去皮膚逆臚（開寶）除面䵟，（李珣）按珍貴塗面之化粧品，有用之者，若能將其解毒有效之成分，吸入血液，故面䵟能除也。內服效力尤大，或謂梅蘭芳因服食珍珠粉，故顏色不衰也。

（三） 珊瑚

珊瑚係一種腔腸動物，珊瑚蟲結合而成，為樹枝狀之群體，珊瑚即其分泌之石灰質及角質之骨骼，亦即其共同之骨骼，其形如樹枝，中多有孔，亦有無孔者，色紅而明潤，產暖海中。成分係碳酸鈣，動物膠。

性味 甘平無毒

作用 一，去目翳點眼 引證令人用為點眼治目翳，（寇宗奭）明目（大明）點眼去飛絲（李時珍）

按歷代醫家皆謂其治目翳有特效，而皆未謂其炮製法，則以生粉是也，然徐帥庶為眼科之專家也，製藥尤多祕法，其於製珊瑚，則以艾火燒三晝夜，然後搗研成細粉，然則珊瑚經艾火之薰灼，動物膠似已完全蒸發，若其熱度足够分解碳酸鈣，則碳酸與氧化合為二氧化碳，而蒸發鈣與氧化合為氧化鈣矣。

石灰爲不純的氧化鈣，任何人對於石灰的認象，是絕不能點眼睛的，而今它反把握着眼科去翳的重要地位，但縱珊瑚已成氧化鈣，而在眼藥中比數是最低的氧化鈣遇水雖呈氫氧化鈣之鹼溶液，但眼球及結膜，受到刺激時，淚腺機械的起救濟作用，分泌淚液，鹼性便漸漸的稀釋合消失了，而眼科正利用他這短時間的腐蝕：完成去翳的使命了。

二　止血　引證爲末吹鼻，止鼻衂，（李時珍）

三　鎮靜神經　引證鎮心，止驚癇，（大明）主治與金相似，（李珣）

按礦質多有鎮靜神經之效，故古人謂金石鎮墜，李氏謂主治與金屬相似者，即此意也。當參看石鍾乳，珍珠條，之安靜神經目。

四　消宿血（藥典）按宿血歷代諸家用本品者不多見，僅以其色赤而有角稜爲破血歟，抑神經驗而有成效者歟，姑闕疑按除徐氏祕方係炮製外，皆係生者，爲粉用。

——未完——

經方研究

甘草乾姜湯芍藥甘草湯二方合編

劉鉄松

夫人身之中，不外氣血，氣血不和，則百病生焉，是則調氣血，協和營衛之方，似可泛應而曲當也，然而經方之法律森嚴，不論何方，均未敢擅用，如甘草乾姜湯，芍藥甘草湯二方，均救誤服桂枝湯之弊，豈桂枝湯一方不爲調理營衛之藥乎，用之者若不辨其輕重，鮮不致誤者，以脉浮汗出微惡寒症象桂枝，不究其脚攣急之源，以桂枝救表，則陰傷而咽乾，火速而嘔吐，諸症起矣，以微惡寒時發熱，症象陽旦，不考其乾嘔之由，即以陽旦回陽，不特足冷，甚至厥逆，煩燥，譫語，諸症起矣，仲聖用甘草以緩急，甘姜炮黑，變其大辛之味，合甘草爲苦甘化陰法，然姜雖炮黑，尙存微辛之氣，尤可借招亡陽之速返，使陽明多氣多血之經氣恢復，然後厥可回而足可溫，又繼以芍藥甘草，養陰生血，以活筋脉，而足即伸，若尤有譫語一症未除，則用調胃承氣，清其胃中餘熱，調和胃氣，而譫語自止，此聖人用藥之步驟，無不以病之進退而隨機應變，誠可法可傳者也，若陽旦之誤，而現譫語煩亂等症，乃熱邪已結於陽明之腑，於此二方之外，又非大承氣之急下承陰，滌蕩其邪，決不能止譫語一症，以陽明內結四字而悞，此又聖人言外之旨也，至若重發汗復加燒針者四逆湯主之一節，此不過證明前救桂枝之誤，與用四逆救亡陽之不同，不然，既誤用桂枝，而又以四逆救桂枝之誤，吾則未之聞也，學古人而不泥於古人，斯爲善讀書者也。

麻黃湯方（發汗解熱）

汪鑫濤

麻黃，桂枝，杏仁，甘草。

柯氏謂「麻黃湯爲開表逐邪發汗之峻劑」誠以其發汗力大之故也，此陳念祖，「有大開皮毛」之論，而方後亦云，覆取微似汗，不須啜粥也，夫麻黃爲發汗藥，金元以前，無異說，自張潔古王海藏諸氏以之爲手太陰藥以來，李東垣遂謂麻黃爲肺經專藥，謂麻黃湯爲發散肺經火鬱之藥。而時醫乃無不謂麻黃爲肺藥矣，其所以致誤之由，據陸淵雷之意則謂「根於論中不知喘之由於無汗，而李氏之辨，則據一肺合皮毛，肺主衛氣也，」一夫以肺爲主衛氣，其前提之論既非，故其結果亦謬也，矧此處所見之喘，爲因發熱所由生，卽所謂呼吸頻數是也，固不當與喘家之喘，同日而語矣，是致此時除服發汗劑之外，更須佐以杏仁以爲鎭靜呼吸中樞之用，陳念祖謂以杏仁利肺氣者，蓋此意也。

脉遲大多數爲發熱期中發生循環障碍之先兆，設再服以發汗劑，恐生虛脫現象，故論中曰尺中遲者，不可發汗。其理由，並不指血少，榮氣不足也。

桂枝甘草，其用意在健胃，矯味，亦不盡如陳氏所云甘草和中，桂枝從肌以達表爲補者也。

長篇專著

實用處方學（續）

徐庶遙

（二）

處方　手拈散

主治　胃脘痛如錐刀刺

病解　平時嗜食生冷之物，致胃中受寒，寒主收引因以引起胃壁發生痙攣，於是氣血均不流通而劇痛作矣。

藥味　五靈脂　玄胡索　草菓　沒藥

方解　草菓芳香辛熱大散胃中積寒，寒去則胃壁自然弛緩，五靈脂行凝滯之血，玄胡索理不通之氣，再加沒藥麻醉以止其痛，面面週到洵不愧名手拈也。

（三）

處方　金鈴子散

主治　心痛時作時止。

病解　肝氣鬱積，每使胃中血行不暢，於是飲食亦蒙其影響而停蓄，久之生出氣體積除胃腸之中，上乘胃脘而心痛作矣。然遇心境娛樂精神快愉，胃中血液勉能流暢之時，胃腸中所積之物又消化一空，故疼痛亦暫時終止，但一心境消沉，則又立刻回復原狀耳。

藥味　金鈴子　玄胡索

方解　金鈴舒積氣，玄胡理氣血。

△下痢

（一）

處方　訶黎勒丸

主治　泄瀉不止，腹臍引痛飲食不化。

病解　飲食由胃經小腸而達大腸時，糟粕中所有水份主由大腸吸入體中，今大腸虛冷，腸之吸取機能减退，故速其傳送而泄瀉不止，腸有寒則氣機不利而腹臍引痛飲食不化矣。

藥味　訶黎勒　附子　肉豆蔻　木香　吳茱萸　龍骨　白茯苓　蓽撥

方解　附子辛溫功能興奮神經，鼓舞細胞，增進體溫。木香豆蔻吳萸葷撥溫煖腸胃，促進腸間之血液流通，以增進其吸收能力。訶黎勒龍骨收濇以固其脫，茯苓增加尿量使走大腸之水分由腎排出。

（二）

處方　固腸丸、

主治　臟府滑泄晝夜無度。

病解　泄瀉而至晝夜無度，腸之機能減退可謂已達極點，遺中水分最關重要，設聽其外溢終必漬成虛脫也。

藥味　吳茱萸　粟殼　黃連

方解　吳萸煖腸，粟殼固脫，黃連本經稱其治腸澼腹痛下利一蓄略具收斂性也。

——未完——

小兒腹瀉之經驗談

羅超羣

小兒腹瀉，約分兩種：一由於食物停滯，一由於胃腸虛弱前者屬實症，後者屬虛症，茲分述如後。

甲：食物充塞，胃酸分泌不足，食物不得盡量消化而腐敗腸管蠕動抗進，成爲停食之瀉，其證瀉而有矢氣。或無矢氣，小便黃數而有糖尿。糞色較黃，酸臭觸鼻，初起者，當減其食物，再用所停之同品物燒焦，冰糖開水調服，半日卽愈。

甚者腹痛劇哭，瀉如油茶色，酸臭，小便有短時，有不短時，但面色飽滿，精神充足，法用炒神麴，炒麥芽，妙檳榔，厚朴以去滯，炒梔子皮，炒青皮，白芍，葛根以清熱，各五分卽愈，仍稍加冰糖開水以矯味，少進乳食，自無遺症。

若停食不瀉者，日久必腹脹乾燒，一面用所停之物燒焦爲引以消食，一面用當歸，白芍以潤血，白糖調服以養胃氣，胃氣旺則運化健，血潤則經脈通，自然食漸消，熱亦撤也。

如日久積深，按其腹而煩哭者是痛，肚大有青筋者是滯，則宜用玄明粉，阿膠，白糖緩服緩下、

如所下之物，其色青稠黏者，以蘇薄荷，東阿膠，白糖調服定愈。

夫凡所傷之物燒焦以消食，世稱糊藥，糊藥用處，必須審其有停食可下者，用之始宜，若停食而腹下脹，只覺胸滿，煩悶不欲食者，萬萬不可下，一吃糊藥，變證愈多，蓋以停食而滿悶，食停於上脘，毫未消化，若迫之使下，則變本愈堅也，法當以扁豆，藿香以和胃，甚則嘔酸者，是食停在上不化，鬱久作熱，可用白糖入茶調服卽愈，雞內金燒焦爲末入糖茶尤妙。

乙：體虛脾弱，恣食生冷，胃壁失其腐化之權，腸管蠕動吸收，均極弛緩，成爲完穀清水之瀉，其證瀉而不臭，小便短，糞色白。飲乳則雜乳糜，吃飯則雜飯粒，或瀉下腥臭，神疲，甚則頭不直，面色㿠白，唇舌俱淡，目閉不欲張者，主以理中湯。

手足冷，下利日十餘行者，茯苓四逆湯。

若小便全無，目睛不合，口渴甚，手足躁擾，下利日數十行者死，其危時多呈慢脾驚狀，預先救逆，可以丁香，吳萸，肉桂，胡椒，煎服少許，十中或可挽救一二。

腰痛治驗

元 ■

某歲，暑天陰雨綿延，至旬日之久，余袒衣夜睡，越日，卽感腰痛，而眼目白珠，微呈藍色，覺日腰痛莫伸，不耐支持，自謀方劑，偶檢東垣靈蘭祕典腰痛方載有升陽燥濕湯、專療著感寒濕，腰脊致痛等證：余以證情洽合，亟以其方加減一二味，服之立愈。

「方」靑防風，西羌活，酒川芎，酒黃柏，香獨活，炒歸身，香白芷，炒橘絡，炙升麻，炙甘草，桃仁，紅花。

按：方中之藥，乃活血，散瘀，驅風，逐濕之品，而藥用對證，效靡不彰，蓋症由陰寒濕邪，着人肌膚，由毛竅侵陷腠理，以致血絡凝滯不通，因此作痛，治以香燥辛烈之風藥，除濕爲先，復以活血逐瘀之血藥，以通滯爲繼，寒濕去，血絡通，故腰痛以愈也。

中央國醫館四川省分館公佈欄

中央國醫館四川省分館各縣市支館簡章

第一章 總則

第一條 遵照 中央國醫館各縣市設立國醫支館暫行辦法第一條之規定設立之定名爲 中央國醫館四川省分館縣市支館

第二條 各縣市國醫支館應設立於縣治所在地幷於各區設立區支館由縣支館統轄其章程另定之

第三條 各縣立國醫支館由省分館頒發鈐記以資信守

第二章 組織及職權

第四條 各縣市支館設館長一人副館長二人（醫藥業各一人）綜理本館一切進行事宜由參加登記合格之醫藥業會員票選三倍人數呈由省分館核委彙呈 中央國醫館備查之任期二年連選得連任之

第五條 設館員四人至八人承館長之命辦理館務一切進行事宜由館長保請省分館核委之幷設事務員若干人由館長自行委任報請備查均爲無給職

第六條 各縣市支館設董事九人至十三人（醫業五人或七人藥業四人或六人）組織董事會負館務設計建議之責由參加合格醫藥業會員照設置各額規定選舉三倍人數呈由省分館核委之幷由全體董事推舉董事長其組織規程另定之

第三章 業務

第七條 各縣市國醫支館之業務如次

一、執行省分館令飭辦理事項

二、區支館之建設及推進事項

三、本縣醫師之調查登記事項

四、醫師學識之硏究改進事項

五、本縣衛生保健持續救濟之推進事項
六、各種藥物栽培改進之指導與產銷情形之調查及建議救濟事項
七、各種藥物真僞之檢查管理事項
八、各新病新藥之調查發現與呈報事項

第四章　經費

第八條　各縣市支館經費由各支館造具預算呈准本縣政府依左列各項籌集之
一、募集基金之息金
二、征收會員之會金
三、請求縣(市)政府津貼補助

第九條　各縣市支館經費於每年度開始時應先造具收支預算書交館長董事聯席會議通過後分呈各縣(市)政府及省分館備案并將年終造具收支預決算呈呈核

第五章　附則

第十條　各支館辦事細則自行擬定呈核
第十一條　各支館每屆月終應將全月工作情形呈報備查
第十二條　本簡章自本分館呈准中央國醫館公佈後施行
第十三條　本簡章如有未盡事宜得由各支館呈請省分館核轉中央國醫館增損之

學院園地

國醫學院舉行畢業考試

三機關遴員派人臨場監試

本學院第五班學生二十七年下期入校至本學期已滿三載應修課程業經教授完畢應予畢業特定於五月十二日起至十七日止爲畢業考試期并由省政府民政廳令派錢股長市政府令派牟科員省國醫分館令派蘇秘書逐日輪流到院監考以昭鄭重試場規律極爲嚴肅云

校友會并舉行盛大歡送會

本學院校友會以五班同學已屆畢業行將分袂特於考試終結後舉行盛大歡送會各教職員暨各班代表均有最誠懇之歡送詞敦勗勉勵無所不至畢業代表致答詞亦以改進醫學爲今後應負之責任講演畢并參加各種遊藝以助餘興雖彼此惜別依依而全場情緒極爲熱烈與奮云

國醫學院送診施藥所誌謝(續)

張文蔚　宋秉鈞　薛萬全　季月雲　周永高　張銀山
胡均榮　白增榮　盧崇湜　劉季氏　胡多三　高雄松
何德貴　劉耀西　張遺安　周天維　夏錫恆　張懷愉
蘇良佐　楊　瀧　彭鑄人　張運饒　程西明　何鑑湯
王清宴　向國榮　吳　儒　向渾然　唐雲清　周國珍
張元豐　袁用久　吳　尚　陳育林　樊海壽　劉安瀾
羅國廉　胡煥文　吳　烈　萬九更　明仲卿　田玉銘(未完)

以上各捐洋一元四　由省分館

電告

四川醫學會等團體致各地醫藥團體建議政府整理中醫藥辦法代電

各省國醫分館、各省中醫師公會、全川各縣國醫支館、各中醫國醫公會、各國藥業公會並轉各醫藥同志鑒：本會等頃呈行政院建議整理中醫藥辦法一文曰：「竊中醫藥學術，為數千年經驗累積之法則，維護民族之健康，關係至鉅。前蒙國民政府頒行中醫條例，與中醫藥以法律地位，并付內政部及各級官署以整理之權，其重視中醫藥，冀能改進之心，昭然若揭，徒以具體實施方法，未嘗詳細釐定，僅憑衛生署頒行中醫審查規則，及其各種解釋，遂藉以施行管理中，法欠周密，反滋糾紛，致對於管理中醫藥事宜，數千來毫無改進事業之表現，因以有礙於改進及民族之健康實不能不深引以為遺憾者。今據歷載國民參政會第四次大會孔參政員庚等二十四人提請調整衛生行政機構，中西醫學並重，澈求匯合統一，增進民族健康，以利抗戰建國案，在此百忙之中，經全場熱烈辯論，卒通過修正案，(一)現行衛生行政機構不變更，但中醫委員會改隸內政部。(二)中藥研究由政府設法促進」仰見中醫藥學術事業之應立合法管理權，以謀切實改進，實為全國人民殷殷之所望，今當政府採擇議案之際，屬會等以四川現為民族復興根據地，人口七千萬，居全國六分之一，而向為藥材出產之區，中醫藥事業對本省人民之健康及經濟事業，關係尤鉅，故對今後政府施行之辦法，不能不建議，以備採擇，免蹈覆轍之轍者，謹呈如後：

(一)管理辦法應作有系統之建立也

國中醫藥事業普及民間，關係至鉅，對於中醫藥師之培植訓練考查改進管理等繁多之責任，絕非前頒行簡單之審查規則規定所組織之中醫審查會等，所能擔任，故由內政部以至各省府各縣府均宜設置專司管理中醫藥人員，賦予管理職責，以專責成。

(二)管理人材之宜慎選也

醫藥關係民命，為醫藥師者，亦當慎為改進，而管理之者，責任尤鉅，且吾國版圖廣大，風土複雜，醫藥情形，各地差異，非專研中醫藥學術之士，難勝其任，是內政部之中醫管理人員，應廣為延攬各省之中醫藥學術人員，以週知全國之情形，而確立改進之方。至各省縣應需人員，應採考試辦法，加以訓練，要之此種屬於技術事業之性質，應以具有該項技術學識之人員充任，似不宜以無醫藥學術之普通官員充之，致礙改革之進行，而違立法之本意。

(三)整理改進辦法之宜因地制宜也

中醫藥學術全由經驗累積而來，其方法多重師傳，故醫師之智識，高低不一，複雜萬狀，似非僅憑前頒行簡單理想之中醫審查規則，所能齊一以管理之者，故今後改進辦法，在實施原則，內政部之中醫管理委員會，應賦予彈性綱領之規定，而詳細實施辦法，似宜由各省斟酌實際情形製訂之，庶期能救已往衛生署頒行審查規則，閉門造車之弊。

（四）四川省宜定爲中醫藥改進之實驗省也

全國之中醫藥事業，固均應普遍改進，惟因多數省份在戰區之中，戎馬倉皇，自多無暇顧及，不若四川爲後方民族復興根據地，兼以素產藥物，銷行全國，而人口七千萬之衆，居全國六分之一，故首宜注意整理改進，俾收有實效，再推及於全國。

上述四端，屬會等芻蕘之見，用特電請各地醫藥團體一致聲援，逕請行政院，早日採行國民參政會整理中醫議案，則中醫藥前途幸甚。四川醫學會成都市國醫公會成都市國藥業公會四川國醫學院醫藥改進會國醫公會國醫學校成都縣國醫支館華陽縣國醫支館救護訓練同學會成都國醫講習所同叩

陵縣縣政府佈告號三十年民社字第　號

案據中央國醫館四川省分館涪陵縣支館館長劉西池副館長業桐集呈稱：

竊吾國醫藥有悠久之歷史，惟以不求進步日趨退化影響國計民生至深且鉅，值此抗戰建國時期醫藥界責任綦重。本館負有協助政府改進醫藥之責，爰遵照四川省分館頒發各市縣支館簡章第七條之規定，擬具改進醫藥暫行辦法除呈請省分館存案備查外理合備文呈請鈞府賜鑒核公佈以利進行實爲公便謹呈等情，附抄改進醫藥辦法一份，據此除以呈悉，查所擬改進國醫藥暫行辦法核與省府轉奉行政院二十九年十月十一日陽字第二〇九五五號令頒「非常時期職業團體會員強制入會辦法」尚屬符合，至改進從業業務各點，亦爲至當，准予佈告施行，仰即知照，此令。等語，指令印發外，合行佈告，仰縣屬國醫藥從業人員一體知照！此告。

附抄改進醫藥暫行辦法：

中央國醫館四川省分館涪陵縣支館改進醫藥暫行辦法．本館爲推行業務改進醫藥起見特遵照四川省分館頒發各市縣支館簡章第三章第七條之規定辦法如左：

甲：關於改進國醫事項：

一、凡縣屬國醫均應在本館登記，負改進國醫責任。

二、未登記之國醫，由本館通知限期登記，必要時，得呈請縣府勒令登記。

三、國醫來館填具登記表，經審查合格後，姑爲正式登記。

四、逾限未登記之國醫，或登記未合格之國醫，由本館通知國藥店不得爲其所處之方配藥，必要時，得呈請縣府停止其執行業務。

五、本館隨時派員考查國醫診治方案，以資研究。

六、本館設醫學研究會及國醫院，以便國醫講習研資改進。

七、國醫業務上有過失時，由本館予以懲戒，必要時，得呈請縣府停止其執行業務。

乙：關於改進國藥事項：

一、凡縣屬國藥人員，均應在本館登記，負改進國藥責任。

二、未登記之國藥業人員，由本館通知限期登記，必要時得呈請縣府勒令登記。

三、逾限不登記之國藥業人員。由本館通知病家不得在該藥店配藥，必要時，得呈請縣府停止其營業。

四、本館隨時派員指導國藥店鑒別藥物品類及改良藥物泡製。

五、本館設藥學研究會及國醫院，以便國藥業人員研究，而資改進。

六、國藥業人員出售偽劣藥品者，由本館予以懲戒，必要時，得呈請縣府停止其營業。

中華民國三十年三月　日

縣長　楊彥芳

讀者信箱

問

頃讀　貴刊讀者信箱欄答鍾希元一則，指示研讀書目方法，至為允當，惟靈素本經，傷寒金匱，皆係古經，詞艱義奧，非註不明，此數種根本經典，以何家註釋為最善？讀者應如何取去？敬乞明白　指示，俾初學不至茫無所宗。

至於歷代各家著述，自有淳駁不同，初學心無所主，每易惑於先入，應該先讀何人著述？何人長於何方？偏於何門？學者應如何着眼？貴刊可否闢一讀書指導欄？將各家著作詳晰批評介紹，嘉惠來學，是為至幸，此請

醫藥改進月刊編輯先生鑑

劉德尊上　五月二日

答

靈素本經，金匱傷寒，詞艱義奧，初學者每有望洋之嘆，故欲洞悉其奧義，自非有完善讀本及精確註釋不為功，李士材內經知要，秦伯未讀內經記，均為初步研究不可或缺之書，張馬合注，亦多可取，徐靈胎本草經百種錄及本經三家合注，選擇精詳，註釋明晰，堪為學者之良師，致傷寒金匱二書，古今注者雖多，要能以科學之理，解釋仲景奧義，著重實際，不尚空談者，則以當今陸淵雷先生所著傷寒今釋金匱今釋為較善也。

至於歷代各家著述，雖有淳駁不同，但都與當時時代環境有嚴密關係，并非偶然，陳邦賢氏所著中國醫學史「商務出版」謝利恒氏所著中國醫學源流論等，均有詳細列論，倘能熟閱此等書籍，然後再閱各家著作，則所述困難，都告解決矣！

編者謹覆　五月十一日

最後消息

中國國醫學會，成都市分會，於國歷五月廿五日，午後四鐘，假本市陝西街新中醫療養病院，開成立大會，到有黨政機關及醫藥團體代表，并會員等九十餘人，熱烈參加，由主席黃茂生君報告開會理由後，即由來賓相繼致詞，當場選舉理監事十八人，負責進行一切，此後本市國醫界，又多一學術團體，出現於吾人之眼簾矣。

中央國醫館在渝召開理事會

（重慶通訊）此間中央國醫館定五月十五日在渝召開理事會，議決要案甚多云。

本社基本社員題名（續）

王旭光　周叔阜　汪意　廖自新

價目

零售　每冊四角

全年　十二冊四元

半年　六冊二元二角

郵費外加

廣告價目

地位	封面	底面	普通
全面	每年六十元	每年五十元	每年四五元
半面	每年四五元	每年[illegible]十元	每年三五元
三分之一	每年三五元	每年三十元	每年二五元
四分之一	每年卄五元	每年二十元	每年十元

附註：長期面議，另有優待。

成都圖書雜誌審查證審乙字第三三四號

歡迎投稿

一：本刊各欄，均歡迎投稿

一：來稿不論文言語體但務須用毛筆繕寫清楚，並加標點，

一：來稿無論登載與否，均不退還，但預先聲明並付足退還郵資者不在此限。

一：來稿本刊有刪改權，不願者須預先聲明。

一：來稿一經登載，即酌酬本刊一期或數期。

一：來稿請直寄成都新禪寺街國醫學院轉本刊編輯部

主編：本刊編審委員會

總發行處：成都西御西街愛知治療所

分發行處：成都興禪寺街四川國醫學院
重慶中一路八十一號濟生堂
簡陽石橋鎮半邊街永泰康藥號

代售處：本市各大書局

本刊社址：附設陝西街新中醫療養病院內

內政部登記藥字五五五六號
中華郵政掛號認爲新聞紙類

醫藥改進月刊

（民國三十年七月一日出版）
（四川醫藥改進月刊社發行）
第一卷 第五期

短評

獻機運動

先彬

在抗戰已進入第五個年頭的今日，敵人更利用着他優勢的空軍、到處轟炸。我大後方人力和物力的損失，眞是不可數計，這是何等痛心的事！

我們要爭取最後的勝利、要答覆敵人的暴行，自然非精誠團結，舉國一致，將所有物力財力，盡量供獻給政府、從事實質的建設不可。所以近來全國各地都在發起獻機運動，這就是說，在不久的將來，我們定可予橫暴者以膺懲，予打擊者以打擊！

然而回顧我們國醫界的人士，依然萬分沉寂、不聲不響，好像不知道愛國，更不知道愛國就是保身家似的。這豈不笑話。俗語說得好：「做事勿落人後」，尤其是救國更不應該後人，在這兒，我希望國醫界的同志們，快快地振奮起來吧！我更希望在這次成都市的獻機典禮中，有一架「國醫」號的飛機出現！

本期要目

▽……△
言論
▽……△

對於建設中國本位醫學的意見（續）

蘇友農

一、病學

在醫學裏面，病學是醫學的根本。過去部份西洋醫學者攻擊中國醫學，謂沒有病理學。但事實上，我們研究中國醫學的書籍，其中關於病的研究材料，有豐富的內容和原則，不過已往缺乏科學工具，不如現代科學化方式條分縷析系統的敘述能了。所以目前對於病學的建設，在形式方面，應取集已往的材料，加以整理劃分，使之爲條分縷析有系統的說明。

至於內容方面，將中國病的研究內容和現代西洋醫學病學來檢討比較，就病原論來說，各有特殊注意的地方，分別舉述如後：

（一）氣候刺激的原因。中國醫學是以廣大的地域，和複雜氣候的變易爲背景，同作對象的病者，都是從事於與氣候適應關係最密切的農人。因此對於致病原因的認識，特別注重於「六氣」的闡明，所歸納爲風、寒、暑、濕、燥、火的「六氣」，此中具體的是包括空氣變動的氣壓，空氣溫度的高低 空氣濕度的大小，又中國醫學者，已往因爲缺乏病體分析由詳細說明，所以不免把氣候刺激影響身體官能所生的各種異常情形，更以天氣分別代表稱之。這種氣候刺激對於生理影響的差異，是合符生物學的定律。這在部份的西洋醫學者，如過去的余雲岫氏，在其所作的靈素商兌中，雖對於此點極力攻擊，但因西洋醫學者，把人實驗室中死的研究，靜的研究，是不能如中國醫學者，以人在大自然中的作用，作活的研究，動的研究的眞切，因此在中國本位醫學的病學的建設中，是應該把內經中所包含「五運六氣」的道理，在根據生物學的法則而加以闡明的。

（二）精神感應的原因。在中國醫學中對於人類致病的刺激，除前所述氣候的「六淫」外，最重要的，就是「七情」，喜、怒、哀、樂、憂、思、恐。所謂「七情」，卽人類神經遭受外刺激，而發生的精神作用，在中國病學裏面，在「六淫」的刺激，多使形體受損傷，而「七情」的刺激，則多使精神受損傷。這種神經活動而產生智慧精神的作用，是人類高出其他一切動物所具有的特質，同時這種神經的活動，又是支配聯絡人體各部器官動作的主要動力，因神經之過度活動，和活動裏微而影響人體各部器官的差異情況，這在現在西洋醫學所採的死的靜的解剖觀察法，動物實驗法，組織化分析法等所不能了解的。這在中國醫學方面，雖然能把握這個原則，但對於這些刺激而生的影響，缺乏具體實質上的說明，所以對於這種精神感應的原因，應該根據行爲主義心理學的法則，而加以闡揚的。

（三）細菌刺激的原因。在中國醫學裏面，對於人體生病，如傳尸鬼疰等，雖認爲有傳染作用。但不如現代西洋醫學對於細菌傳染作用研究之詳細。這在現代工業發達的地方，人類密集的聚住，在同一環境生活的互相接觸中，這種傳染的關係，是特別的厲害，基於這種事實而需要注意公共衛生，和預防的辦法，在社會工業發達而都市繁榮時間，舊有中國醫學的病內，是多有這個問題的，這是應該接受西洋醫學的理論如經驗。不過在這應該注意的，在我們研究細菌學裏面，知道細菌繁植的條件，是有一定的培養基。「營養的物質、溫度、濕度、由此在傳染的條件，亦必合符培養基的標準。若在把一切的病因都歸於細菌的活動上，而在預防治療上，亦共以殺菌即爲能事，不能不說陷於細菌繁殖法則的矛盾。

（四）化學刺激的原因。中國醫學是產生於長期的農業社會的環境中，所有對於中毒的認識，都共限於有機性的動物和植物。西洋醫學產生於工業發達的環境，在一切藥物方面，都注重於化學原素配合的製造，同時在工業的日趨發達，化學中各種原素對於人類的關係和刺激，日趨密切：第一、採用藥物產生的副作用，與同謹食，謀殺，自殺等使人類發生異常作用。第二、在各種工廠中，工人長期的受所從事工作中某種氣體的侵襲，使某部份器官特別遭受慢性的侵害，而產生特有的病症。第三、現代戰爭中，敵人常利用各種化學性毒氣來傷殺士兵和人民，這些對於人類新增的刺激作用約認識，是一個現代醫生應該具備而不能缺之的。但這在已往的中國醫學裏面，是沒有這些材料的，這是我們應該接受西洋醫學和化學所得的知識、而把牠加入於病學的知識。

至於就病體部份來說，中國醫學和西洋已有不同的差異：

（一）中國醫學的敍述，在內經裏面，和歷代許多醫籍裏面，對於人身的病體，亦是按心、肝、脾、肺、腎、大腸、小腸、膀胱胆、三焦、胃、經絡營衛、皮筋骨肉等分別解剖而以陰陽虛衰，正邪虛實，寒熱作用等，來說明各器官局部異常狀態的原因，同時亦按生理作用臟腑相互聯繫影響的關係，而以生剋制化來論體代表說明之。

（二）在西洋醫學的敍述，對於臟腑器官的病理解剖，是按各器官實質的情況，而說明其變態的作用。不過在臟腑彼此相互間的關係，西洋醫學中，是不如中醫學的重視，西醫學都是偏重於病的狀局部詳細考究。

這在我們建設新的中國病學中，對於過去臟腑解剖所用的陰陽虛衰，正邪虛實，寒熱作用等，在病理上的抽象說明，是應該採用西洋醫學分析實驗觀察的方式，分析條析的作系統實質的說明。不過在局部病狀與全身作用的影響因果關係，我們不能如西醫學者的忽視，而應根據已知的正常生理關係去特別闡揚牠。

在病症方面，西洋醫學，是就各種病症而分之爲潛伏期，旺盛期，衰微期，而言其不同的情況，而在中國醫學方面，對病症爲系統演變的敘述。有傷寒論，溫熱經緯，溫病條辨等書，在傷寒以受外界刺激，發生之經過傳變不同的情況，爲接繼的敍述。在濕病則以內伏病之外發病，而分之爲三焦的層次，這在以氣候爲疾病刺激因素，寒熱外內感發兩大原則，而作全身症狀官能演變的系統敍述。這是中國病學一所表現的特殊精神。這在病症的敍述，是應該把這些材料採入。就病理學觀實質的說明，而對其一般情況，加以實證。同時應就西洋醫學對於各種病症分期的敍述，亦分別加以比較。

我們歸納前面的敍述，我們可以提出中國醫學中對於病學的敍述，有很多寶貴的內容和材料，並不如部份西醫學者所識刺的貧乏，同時中國醫學中關於疾病的理論實質，已不是和西洋醫學中關於疾病的敍述，彼此有根本不能化除的鴻溝，這中研究的對象，同是人體，雖然過去各自所採的觀察上和觀察方式不同，因而生出差異，但這只要把相差異的地方，和特殊注意的地方綜合攏來，這可以說能夠消除實質，並且是一件偉大的發展。（本節完）（全篇未完）

改進國醫之芻議

治全

吾國醫學，遠肇岐黃，歷漢以降，著述發明，大有人在，仲景叔和，乃其著者；從此讖緯之學興，於是杳渺虛玄，認爲高論，各執己見，臆說紛紜，既無科學依據，復乏集體研究，致令國醫學術，數千年膠着不進也，洎乎晚近，歐風東漸，西醫根據科學，審病淵源生理，製藥本於化學，動輒與人以實證，國人信之，國醫之命運，益陷阽危，大有朝不保夕之概矣！然平心而論，國醫學說，其感染玄學色彩者固多，而暗合科學原理之處，亦復不少；其方劑之施於臨床治療，每發生驚人之奇效，事實昭著，何勞申說，顧其診斷方法，純以主觀的觸、覵、聽、覺（即望聞問切）爲依據，故經驗未多，難言正確，無惑乎治病之時效時否也。蓋醫學之最終目的在愈病，故學無古今中外，無非擷其合於科學而能達目的者採之，否則棄之，豈宜舍本逐末妄斥國醫不合科學而云可廢耶？試一溯泰西醫學史，則知其過去違反科學之說頗多，苟第循不合科學當廢之例而廢之，則勢將世界已無醫學之存在矣。夫行遠自邇，登高自卑，由無系統進於有系統，非科學的躋于科學的，是在吾人之繼研與改進耳，爰將管見所及，一一陳之：

（一）「應先從整理編纂着手」：我國醫學，自漢以降，五行生克之論，極爲盛行，蓋當時既無所謂科學之依據，著者舍五行生克實無以自圓其說，矧吾國醫籍，浩如煙海，分門別派，指不勝屈，徒使學者望洋興嘆，至於書未多者，尤視之爲畏途、不敢問津矣，由是觀之，今日欲言改進國醫，必須正本清源，先從整理醫籍，編纂有系統之醫籍，以解剖生理病理藥理學爲根據而定取捨之標準，用淺明辭句以詮釋各專名詞之定義，俾瑕瑜互見之醫籍，得以去蕪存菁，允稱實用，學者庶無惑於五行生克之說，道於科學之正軌，則國醫之改進可期矣。

（二）「藥物必經化學分析以確定其功效」：研究國醫，必須研究藥物，亦猶研究農林之必究土壤也，考國醫所用藥物，素以草根樹皮爲主，而談理則仍繫五行生克色味形態之說，故雖有效力宏大之藥物，每以無藥理之依據，致使某藥不能發揮其特有之絕大效能，蓋藥物之被人體組織所吸取，常以其化學的或物理的作用，使人體某部或全身起反應，而顯現其治病之效力，決非以色味形態等之差異，而可判藥物之治療作用也。夫國藥之載諸典籍者，奚止千數，然就中效力顯著確切者固多，而理論與實際相悖者，頗亦不少，此皆古人獨恃經驗而定藥效，所以不無差謬也。如「本草綱目謂：「羊躑躅（即鬧羊花）性溫味辛有大毒，所謂性溫者，即服該藥之後，全身體溫增加呈興奮狀態；換言之，即能刺激神經系之中樞與末梢，使之興奮，或刺激心臟使增加搏動力，以亢進血液之循環；因此而致體溫稍增者，謂之性溫，然本品於事實實驗之結果，能使動物由血壓下降與呼吸慢緩而呈麻醉狀態，本草綱目載謂性溫者，實與實際相反，若誤信之，則爲害非淺，可不愼哉！（摘引黃勞逸著國藥羊躑躅之研究一文）國藥中理論與實際相悖者，固不止此，然以人命攸關，僅此一例，已足駭人聽聞，亦充分證明僅憑前賢書本而不予以科學實驗者之未可恃也，故藥物必須經化學分析，否則藥物之有效成份爲何物究存在於某部，有無副作用，及效力是否準確等，均無從證明，治效上受其莫大之影響，醫界先進「福保先生」曾致力於斯，惜所化驗之藥物，為數不多；且繼其志者，寥寥無幾，殊為憾耳！此尤當今吾人責任所在，不可一再忽視者，亟宜提倡促進之。

（三）「籌組設備週全之醫院為當務之急」：醫學之最終目的在療病；換言之，即使身體違和者，回復於正常，故學理之研究應與實驗并重，庶學理得以證實，事實有所根據。然吾國中醫醫院，寥若辰星，設備週全者，更屬罕見，此於治效上阻礙頗鉅，蓋病者服藥後之變狀，既無翔實之紀載，藥劑之煎熬，藥品之真偽，看護與飲食之調攝，是否合法，均無從明瞭；且治療效率之統計更無由着手，曷以招信於國人，醫者處方，唯聽病者或其家屬之口述病狀，及不十分正確之直覺的診斷法為依據，此種根據之不能準確，不待言喻，無惑乎效驗之不能確切，故欲改進國醫，而無設備週全之醫院，不為功也。

（四）「執業國醫應由政府嚴加甄別」：晚近物價飛漲，一般知醫者，每於生活所迫，公然懸牌為人治病，所以國醫充斥市井，然欲求學術精深，經驗宏富，對病症能處置得當者，直如鳳毛麟角，濫竽充數者，什居八九，致令國醫之治療效率無形減低，搖撼民間信仰，更予蓄意攻訐者以口實，國醫前途，遂為彼輩所困障，苟不嚴加甄別，長此以往，不但國醫將永無光明之可言，更將一落千丈也，豈可忽哉？第其甄別方式，意者以為應由各縣衛生行政機關，嚴厲執行，首從已向政府登記之執業者先事甄別，已執業而未經登記者次之，甄別前者之期間，即為登記後者之時期，如是者每年一次，以稽其學術是否與時俱進，其甄別落第者，加以科學訓練，灌輸解剖生理病理藥學理等基本智識，俾頑固之頭腦，逐漸開朗，科學智識自易被其吸收，務期全國國醫，咸具科學頭腦，摒棄五行生克之玄說，則診斷處方，自無疑似猶夷之弊，治病自有把握，且解說病理亦易使病者曉暢，則民間信仰，自易堅定，且一般醉心歐化者，當無攻訐之隙可乘，治療效率之增加，更無俟言矣。

（五）「國醫受訓藥店員生更當嚴格訓練」：醫之與藥，如影隨形，未可或離者也，蓋醫者治病，見某病用某藥，用斯藥即所以冀愈斯病也，雖診斷準確，用藥絲絲入扣，其病斯已，然常有診斷處方，靡不合理，而病弗愈，甚且加劇者，非醫之過也，藥店員生，實有咎焉，何以言之？蓋醫者用藥，純本其功用以組方，倘功用不準，則効力不彰，甚或僨事，考功用不準之因，一方固緣古人實驗未確，或紀載不詳及傳抄舛訛之誤，而一方實由藥店員生炮製不當，有以致之，予嘗見肆上藥店剖切大黃，必用水泡數日，切茯苓，必經[illegible]溫蒸，枳殼亦須水泡後始切，貝母、山藥等，每用硫黃薰漂，其餘濫加炮炙者尚多，不勝列舉，總之，質堅者必用水漬多日，以利切剖；色白者，必經薰漂，俾重觀瞻，試問藥物經水漬後，其有效成份不溶於水者，幾希？薰漂以加溫蒸後之藥理變化，更不可測，且珍貴藥品，往往參以雜質，或贋鼎蒙混，病家曷由辨識？無惑乎認證準確，處方合理，而疾仍弗瘳也，病家曷知，唯醫是咎，豈不冤哉？由是觀之，國醫當受訓，而藥店員生，更當輪流嚴加訓導，明矣。

今日欲言改進國醫，良非易事，以上所舉，不過犖犖大端；此外應興應革之處，尚復不少，但以先從上舉數點着手，易收事半功倍之効，可無疑也。惟管窺蠡言，固無當於大雅，殆亦愚者千慮，或有一得焉。

醫學研究

關於金匱黃癉病之解釋

（續第三期）

南部郭茅陌

四、穀癉之爲病寒熱不食食卽頭眩心胸不安久久發黃爲穀癉茵陳蒿湯主之。

「穀癉」者，水穀壅滯於胃中，而蘊釀爲濕熱之病也。「寒熱不食」者：寒則知其水穀所化之溫，由內而外浸肌肉，衞氣被阻，無以溫分肉也。熱則知其水穀所化之熱由內而外蒸肌肉，肌肉部分，槪爲熱氣所充塞也。至食則更知其胃中之穀氣不消，與飽不思食無異，所謂「滿而不瀉」也，此卽「食積類傷寒」之病也。「食卽頭眩，心胸不安」，水穀壅滯胃中，得食則增其溫熱之勢，故腦海不堪其溫熱之上蒸，則「頭眩」，胃中不堪其濕熱之鬱遏，則「心胸不安」也。夫此種濕熱，但內鬱而上蒸，不從皮膚透發而外出，故久則滲透於周身之營衞而發黃，是爲「穀癉」也。主以茵陳蒿湯者，大黃下其胃中壅滯之水穀，茵陳，梔子，解其蘊釀之溫熱也。按傷寒論曰：「陽明病，發熱汗出，此爲熱越，不能發黃也。但頭汗出，身無汗，劑頸而還，小便不利，渴飲水漿者，此爲瘀熱在裏，身必發黃，茵陳蒿湯主之」云云：實與此章有合勘之必要，蓋「身無汗，劑頸而還，小便不利」與此章之「寒熱不食」，同爲胃熱不從肌膚外越也。「渴飲水漿而頭汗出」，與此章之「食穀卽眩，心胸不安」，同爲瘀熱在裏，而上蒸腦海也。其形諸外之病狀雖異，而有諸內之原因則一，故一則曰：「久久發黃爲穀癉」，一則曰：「此爲瘀熱在裏，身必發黃」，詞異而理可互通也。

五、黃家日晡所發熱而反惡寒此爲女勞得之膀胱急少腹滿身盡黃額上黑足下熱因作黑癉其腹脹如水狀大便必黑時溏此女勞之病非水也腹滿者難治硝石礬石散主之。

申酉戌爲陽明旺時，「日晡所發熱」，其爲陽明病無疑，然陽明病，但惡熱，不惡寒，今反惡寒，則知非陽明病，此爲女勞得之，蓋女勞之人，素以淫欲耗其腎精，是未病之先，其下焦已有相當弱點也，一旦水穀壅滯於胃，化爲濕熱，則得以乘虛而陷入腎系精液中，故値秋金收斂人身衞氣由陽入陰之時，則入陰之陽，觸動其下焦精液中之濕熱，以成發熱，此種發熱，其所以異於陽明之熱者，陽明之熱，爲陽邪盛于陽分，當但熱而不寒，此則由陽分而陷入陰中，故陽分無熱而惡寒，陰中陽盛而發熱也。其「膀胱急，少腹滿」者，少腹爲腎之部分，腎與膀胱相表裏，熱盛于腎，而氣通于膀胱也。其胃中蘊釀之溫熱，不得外越而滲透于肌肉，則「身盡黃」。其溫熱乘虛陷入腎中，則「額上黑，足下熱，因作黑癉」，蓋額爲神庭而屬心，足下爲湧泉而屬腎，「額上黑」，知其腎熱波及乎心，心絡得熱而血液發出焦灼之色也。辨脈篇曰：「何謂陰不足」？答曰：「假令尺脈弱，名曰陰不足，陽氣下陷于陰中，則發熱」。「足下熱」，知其溫熱陷入腎之精液中也。溫熱不瀉，久則精液受其蒸鬱，而滲透于肌肉，故其癉由黃而黑也。內經云：「腎在天爲寒，在地爲水，在體爲骨，在色爲黑，其作黑者，知其熱在骨髓，得腎氣之化也。尤在涇云：「腎勞而熱，黑色上出，猶脾病而黃外見也」。「其腹脹如水狀，乃「膀胱急，少腹滿」，達於極點之現象，是由腎熱而精液受其蒸變，久則壅塞經隧，氣機不得流通使然，其外表雖類水狀，而實非水病之腹脹也。「大便黑，時溏」者，被濕熱蒸變之精液，不獨外滲而透肌肉，以變化其營衛，且內而浸潤大腸，以變化其糞便也。水病多色黑，水蓄多腹脹，然此之色黑腹脹，據上述病狀而細察之，實爲女勞之病，非水病也。夫水病之腹脹，不過中樞不運，氣機已壅塞耳，此則充陰陽出入內外之經隧，被蒸變後之精液以堵塞之，非積挽狂瀾于既倒，不將如內經所謂，出入廢則神機化滅，升降息則氣立孤危」乎?!此所以「腹滿者難治」。「硝石礬石散主之」；硝石鹹寒，取其入腎以攻熱，礬石功能却水，取其走精道以排除其濁垢太）麥粥調服，取其助中焦穀氣以輸精及腎，腎之熱解，精道中之濁垢排除，精液化生之機能得其資助，則元陰元陽出入之經隧，自逐漸恢復常態，而黑癉將下期治而自治矣。

痔漏指迷（續）

黃茂生

痔漏備用諸方

止痛如神湯　治諸痔

秦艽一錢　桃仁一錢　皂角刺（煅存性）一錢　蒼朮一錢

防風一錢　黃柏一錢　當歸三錢　澤瀉三錢　檳榔五分

酒軍二錢

上藥除桃仁皂角子檳榔，用清水二鍾，將諸藥煎至一鍾，再入桃仁皂角子檳榔，再煎至八分，空腹時熱服，待少時，以美膳壓之，則不犯胃，忌生冷五辛火酒溼麵之類，如腫有膿，加白葵花去蕊心五朵，青皮一錢，木香五分，則膿從大便出，如大便秘甚，加麻仁只十，倍大黃，如腫甚，倍黃柏澤瀉，加防己猪苓條芩，如痛甚加羌活郁李仁，如痒甚，倍防風，加黃芪羌活麻黃藁本甘草，如下血，倍黃柏，多加地榆槐花荊芥穗白芷，如小便澀數不通者，加赤茯苓車前子，燈心，篇蓄。

生熟二黃丸

生地三錢　熟地三錢　黃連二錢　黃柏二錢　秦歸二錢

黃芩二錢　黨參三錢　蒼朮二錢　白朮二錢　厚樸二錢

陳皮乙錢　地榆一錢　防風一錢　澤瀉一錢　甘草一錢

烏梅二枚　水煎服

防風秦艽湯　治腸風便血

防風二錢　當歸二錢　白芍二錢　茯苓二錢　梔子二錢

槐角一錢　地榆一錢　秦艽二錢　生地二錢　川芎二錢

連翹二錢　蒼朮二錢　白芷一錢　枳殼一錢　檳榔一錢

甘草一錢　水煎服　便秘者加大黃

苦參地黃丸

苦參酒浸蒸晒九次爲度炒黃爲末四兩　地黃搗爛一兩

峰蜜爲丸，如梧桐子大，每服三錢，日服二次。

臟連丸

黃連四兩 爲末　公猪大腸一段長一尺二寸水洗淨

用法：將黃連末裝入大腸內，兩頭線紮緊，放沙鍋內，煮酒二斤半，慢火熬之，以酒乾爲度，將藥腸取起，共搗爲泥，如濕濃再晒一時許，復搗爲丸，如梧桐子大，每服七十丸，空心溫酒送下，久服除根。

黃連閉管丸

胡黃連末一兩　穿山甲五錢　石决明五錢（煅）　槐花五錢（炒）

共研細末，蜂蜜爲丸，如麻子大，每服一錢，空心清米湯送下，早晚二次，至重者不過四十日而愈，如漏四邊有硬肉突起者，加姜蠶二十條，炒研末，入藥內，及復身諸般漏證，服此方皆有良效。

通利湯　治小便艱澀

生地三錢　木通三錢　枳殼三錢　赤苓花二錢　車前二錢

澤瀉二錢　瞿麥二錢　甘草稍一錢　淡竹葉三錢　水煎服

清利湯　治小便艱澀及身上有熱者

即前方去淡竹葉加滑石二錢　炒桂枝二錢　燈心一錢　水煎服

加味補中益氣湯　治痔漏將愈用之以養其氣血。

潞黨參二錢　箭芪五錢　當歸三錢　白芍三錢　白朮三錢

綠升麻一錢　白芷三錢　柴胡二錢　枯芩二錢　廣皮錢半

炙甘草一錢　生姜三片　紅棗三枚　水煎服

外治藥

熊胆散

熊胆一錢　梅片五分　以上二味用涼水化開，搽於患處，

田螺水。

大田螺一枚，用尖刀挑起螺靨，入梅片一分，平放磁盤內，待片時螺竅內滲出漿，用鷄翎蘸掃患處，時時掃之，其腫自消。

千金消痔散

兒茶二錢　黃連二錢　寒水石二錢　硼砂一錢　石脂一錢　甘石一錢　熊胆一錢　梅片五分　共爲細末，調涼水掃患處。

藥綫

芫花五錢　壁錢二錢

用白色紅衣綫三錢，同芫花壁錢，用水一碗，盛貯小磁罐內，慢火煮至湯乾爲度，取綫陰乾備用。

護痔膏

黃連四錢　黃柏一兩　白芷二錢　冰片一分

上四藥，研細爲末，和勻，裝磁瓶內，如用時以冷水及蜜調和。

枯痔散

凡痔瘡泛出於四週好肉上，已敷護痔膏於患上，即用此藥塗之。

白砒一兩　白礬二兩　天靈蓋（用清水浸過取出煅紅再浸再煅，如此七次研細稱足四錢）

輕粉四錢　蟾酥二錢

上五味共爲末，入新鐵鍋內，上用粗磁碗密蓋，鹽泥固封

。炭火煆至二炷香久，待冷，取出使用，將藥研末，貯瓶固封，用時取出少許於杯中，用溫水濕搽於痔上，每日上四次，初上藥時，每藥一錢，加硃砂一分，二三日後，不可再加上藥，至八九日後。其痔枯黑硬，裂縫停搽此藥，每日換用落痔湯洗之，待其痔落，若落後，孔不收口，或用生肌鳳油膏完口，或用珍珠丹搽之。（天靈蓋君無。可改用獸類頭頂骨）。

喚痔散

枯礬一錢　炒食鹽五分　生草烏二錢　刺猬皮二錢

麝香一分　梅片五分　共研細末。先用清水洗淨肛門，用清水調藥三錢，塡入肛門，片時取出。

生肌鳳油膏　痔脫落時宜用此方

鷄蛋黃油　先用鷄蛋五六枚煮熟去白取黃放鐵鍋中置爐火上輕煎枯焦壓出油去渣傾入杯中俟冷退火用之每用三錢　輕粉一錢　乳香五分　血竭五分　龍骨五分

上五味。將後四味研末。入油和勻，每日二三次，用鷄翎蘸荷塗之，外用紗布脫脂棉掩護避風半月可以全愈。

珍珠丹　凡一切瘡瘍均宜

廣龍骨五錢　掃粉五錢　上血竭五錢　石脂五錢

硃砂一錢　梅片三分　寸香五釐　共研極細末。

消痔湯　每次上護痔膏枯痔散之後均宜用此湯洗之。

生槐花二兩　荊芥二兩　甘草二兩

上三藥，和勻研細，水煎去渣，先置新便壺中，以口薰痔，再倒出貯小盆內，以棉花蘸洗痔瘡。然後拭淨搽藥。

寬腸湯　如上護痔膏枯痔散發劇烈腫脹不適者洗之。

哈蟆草一兩　樸硝五錢　明礬五錢　防風三錢　荊芥三錢

敗醬草二錢　花椒二錢　苦參四錢　甘草三錢　枳殼三錢

蛇床子三錢　甘松三錢

右十二味水煎，置於新便壺中，以口向痔薰至熱氣盡時，倒出，以棉花蘸藥水洗之，一日二次。此水用後。可再溫開用之。

落痔湯　上枯痔藥後痔殼黑色堅硬裂縫者宜此藥洗之。

槐角四錢　苦參四錢　黃柏三錢　黃連三錢　黃芩三錢

大黃三錢　梔子三錢　防風三錢　荊芥三錢　甘草三錢

樸硝三錢

右藥水煎去渣，一日洗一次，仍用新便壺先薰後洗。

追毒湯　漏症黃水浸淫淋漓用此湯洗之。

露蜂房五錢　苦參四錢　白芷四錢　以上三味，共熬水薰洗每日二三次。

傷寒六經傳變論（五）

劉庶機

六經有標本中氣，不分手足，言手而足在內，言足而手在其中，其六經配合爲：

太陽經爲標　中見少陰　寒氣爲本　病則從本從標

陽明經爲標　中見太陰　燥氣爲本　病則從中見

少陽經爲標　中見厥陰　相火爲本　病則從本

太陰經爲標　中見陽明　濕氣爲本　病則從本

少陰經爲標　中見太陽　熱氣爲本　病則從本從標

厥陰經爲標　中見少陽　風氣爲本　病則中見

六經從標從本，或從中見或從氣化，或不從氣化，其解說謂天道時有變動，在一年之中，冬日可變夏暑之氣，夏日可變冬寒之氣春時行秋燥，或秋時行春暖，在一晝之中，晝可以夜，夜可以晝，天道有此未至已至之變動，則人體感氣候變化，亦必應之而有此變動。是以太陽之寒，可變陽明之燥；太陰之濕，可變少陰之熱；少陽之火，可變厥陰之風。一日太陽，二日陽明，三日少陽，是合於一日中之氣候，且與夜相通，夜與日相連，故六經可以相傳。

然披閱傷寒論書，自始至終，未嘗有一句提及六氣，傷寒六氣，按臟腑配合，太陽屬小腸膀胱，陽明屬大腸胃，少陽屬三焦膽，太陰屬肺脾，少陰屬心腎，厥陰屬包絡肝，其說出自內經，然論中除陽明篇有胃家實外，其餘各篇，皆未指定某臟某腑，是傷寒論中之六經，即是六氣，甚屬可疑。

陳遜齋曰：「金匱有人因風氣而生長之義，是風爲一切外感病之成因，風之變化，即氣候之變化，氣候變化，有種種不同，仲景不執言六氣，以但風寒二字括之，凡一切外感具有熱性動性者爲陽病，納入於風字之中曰中風，具有寒性靜性者爲陰病，納入於寒字之中曰傷寒，故三陽爲實症，三陰爲虛症」，據此則六經即是六氣，或標熱而本寒，或標寒而本熱，或中見勝復之化，或發淆亂寒熱，混雜陰陽，方中行張隱庵陳修園輩，或三陰三陽屬於六氣，謂講明傷寒之理，能透達治六氣之病則可，若謂人體中實有風寒燥濕暑火之六氣，則不可也。

臟腑經脈說

靈樞經云：「手有三陰，從胸走手，足之三陰，從足走胸；手之三陽，從手走頭，足之三陽，從頭走足。」以足經部位比手經大，邪氣在表，尚在經脈之外，故多見足經症；邪入於經脈之內，則多見手經症。

古人以人身背面爲陽，腹面爲陰，其在四肢外側爲陽，內側爲陰，可知經脈循行純係以明暗定部位，今錄堯天民先生對脈創解之說如左：

手足少陰經　各在上下肢內側，向背後方，光線微暗之處。

手足太陰經　各在上下內側，向腹前方，光綫陰盛之處。

手足厥陰經　各在上下肢內側中行，在光綫陰極之處。

手足少陽經　各在上下外側中行低陷部，光綫微陽處。

手足太陽經　各在上下肢外側，向背後方，光綫陽盛之處。

手足陽明經　各在上下外側，向腹前方突起部光綫陽極處。

凡此手足十二經分陰陽命名之義，吾人直立垂手，觀察光綫所及、外明爲陽，內暗爲陰，少言其微，太言其盛，厥言其極，古人假設經脈，以定部位，並非別有五行纖緯虛誕之陰陽經絡也。

假設經脈，藉明病位，按病位施治，始有準繩，不然何以在既病之後，而始有經脈，未病之前，毫無痕跡哉！如足陽明之脈，起於鼻之交頞中，旁納太陽之脈，下循鼻外，入上齒中，循頰車上耳前，過客主人，循髮際，至額顱，其直者從缺盆下乳內廉，下挾臍入氣衝中。病則有鼻孔乾，眼眶痠痛。牙齦腫痛，發頤頭痛，繞臍痛等。僅就傷寒論言之，不過十之三四相合，其餘十之六七，皆非仲景所及。以今日解剖術之進步，尚無經脈之發現，是經脈之爲物，必病後始見，不病直無其物，且古人已知人有臟腑，其不言臟腑而言經脈者，蓋即藉以標示病位之所在耳。（未完）

仿讀書記（續）

戴佛延

一九、補中益氣湯之廣義

裴兆期曰：人皆以人參黃芪白朮甘草當歸陳皮升麻柴胡八味，爲補中益氣湯，噫，此固補中益氣湯也，特元氣下陷之補中益氣湯耳，蓋中者脾胃也，氣即脾胃之氣元氣也，立方者，以參芪甘草等藥，善補中州之元氣而用之也。因元氣之下陷，不得不佐升柴以舉之，非升柴之能補中氣，亦非中氣之必佐升柴而後補也。中氣既不必佐升柴而後補，則反有以參芪甘草相須而立方者，皆補中益氣湯也，不必定拘升麻柴胡也，如有因小兒慢驚，與痘漿不足，用參芪甘草三味，名保元湯者，有脾久氣衰，用人參白朮茯苓甘草，爲四君子湯者，脾虛有痰有濕，四君子加陳皮半夏，名六君子湯者，飲食少進，更加藿香砂仁，爲香砂六君子湯者，在虛痰眩暈，以參芪甘朮，合天麻半夏等藥，名半夏白朮天麻湯者，又有合棗仁遠志龍眼當歸爲歸脾湯者，有大病後調理元氣，用參朮湯與參苓白朮散者，有元氣暴脫，脈微欲絕，用人參一味爲獨參湯者，有暑傷元氣，用生脈散清暑益氣等湯，與氣虛夾寒而用人參理中湯附子理中湯者，凡此之類，皆謂之補中益氣湯可也，皆謂之元氣不下陷之補中益氣湯亦可也。但其間所夾之證，與所兼之藥有不同，故命名亦各不同耳，究其旨，何一不在中氣二字上着意哉。

延按：魏柳洲謂補中益氣湯，爲東垣治內傷外感之第一方，後人讀其書者，鮮不奉爲金科玉律，然不知近代病人，類多眞陰不足，上盛下虛者，十居八九，即近內傷外感之證，投之輒增劇，非此方之謬，要知時代稟賦各殊耳，陸麗京常言，陰虛人誤服補中益氣，往往暴脫，司命者審諸。又按：王孟英亦云，東垣此方，謂氣虛則下陷，升其清陽，即是益氣，然命名欠妥。設當時立此培中舉陷之法，名曰補中升氣湯，則後人顧名思義。庶知其爲升劑也，原以升藥舉陷，乃既曰補中，復云益氣，後人遂以爲參朮得升柴，如黃芪得防風而功愈大，既能補脾胃之不足，又可益元氣之健行。而忘其爲治內傷兼外感之方，凡屬虛人，皆宜服餌。再經薛氏之表章，每與腎氣丸相輔而行，幸張會卿一靈未泯，雖好溫補，獨謂此方未可浪用。奈以盧不遠之賢，亦祖新甫，甚矣積重之難返也，徐洄溪云，東垣之方，一概以升提中氣爲主，學者不可誤用，然此方之升柴，尚有參芪朮草之駕馭，若升麻葛根湯，一柴葛鮮肌湯，純是升提之品。苟不察其人之陰分如何，而一概視爲感證之主方，貽禍尚可言哉。

又按：近賢陸士諤云，補中益氣湯，表不固而汗不斂者不可用，外無表邪而陰虛發熱者不可用，陽氣無根而格陽戴陽者不可用，脾胃虛甚而氣促似喘者不可用，命門火衰而虛寒泄瀉者不可用，水虧火亢而衄血吐血者不可用，四肢厥而陽氣欲脫者不可用，總之，元氣虛極者不可泄，陰氣下竭者不可升，人但知補中益氣可以補虛，不知幾微關係，判於舉指之間，纖微不可紊誤者，正此類也。（未完）

藥學研究

幾種含有碳酸鈣的藥物之檢討（續）

王贊曾

四、牡蠣

牡蠣產於熱帶及溫帶諸國之海岸，尤多產於淡水流注鹹氣不甚强之海中岩礁或沙泥上，屬瓣鰓類單柱目牡蠣科，入藥係用其貝殼，其成分爲碳酸鈣，燐酸鈣，珪酸動物質等。

性味　鹹平微寒無毒。

作用　一、潛陽　驚恚怒氣，（本經）虛熱去來不定，煩滿止汗，（別錄）補腎，安神，去煩熱，小兒驚癇，（李珣）主治胸腹之動，旁治驚狂煩躁，（藥典）同龍骨入柴胡桂枝各湯內，取其收斂浮越之陽氣，固脫而鎮驚。

按牡蠣不特有安靜神經之效，且兼補腦髓神經之功，古人謂腎主骨，主腦，其補腦今已證實其爲磷酸鈣，又謂驚爲心無所依，神無所明，慮無所定，鄒澍謂心也神也慮也，皆陽之作用也，無所依，無所歸，無所定，是陽不守舍矣。非亡陽而何，則其所謂潛陽也。補腎也，已得之於牝牡驪黃之外矣。

二、制酸健胃藥　引證煩滿心痛氣結，（別錄），心脇下痞熱，（陶宏景）止心脾痛，（綱目）能治胃液溢，（藥典）久服亦能塞中，（黃宮綉）。

方證　治心脾氣痛氣實有痰者，牡蠣煅粉，酒服二錢，（丹溪心法）。

按胃分泌性神經官能病，胃分泌過多症，初起胃內覺鹹痛而不舒，頭極痛，澱粉類消化遲緩，病者嚥酸，覺胃辛苦，久之幽門被過酸液所刺激致痙攣而鎖，且更致胃擴張，考靈樞厥病篇，痛如以錐刺其心，心痛甚者，脾心痛也，證之丹溪之云氣實有痰，與胃汾泌過多症，若合符節，牡蠣燒爲粉，則成不純粹之氧化鈣，遇水則爲氫氧化鈣，呈鹼性，入胃後能中和胃酸，且鈣鹽有制止分泌之功，故能制分泌過多症，且其因過酸液刺激而致之幽門痙攣，自得根本之治療，又何至停於胃內而作痞爲滿，嚥氣吐酸哉。

三、收斂止澀藥　澀大小腸，止大小便，（別錄）取澀固脫，（黃宮綉）入腸後，能減少腸之分泌，使大便燥結，（藥典）女子帶下赤白，（本經）療洩精（別錄）。

鬼交精出，（孟詵）治崩帶遺洩（藥典）止汗，（別錄）。

方證　治夢遺便溏，牡蠣粉，醋糊丸，梧桐子大，每服三十丸，米飲下，日二服，（丹溪心法）。

四、軟堅藥　引證除拘緩鼠瘻，（本經）去脇下滿瘰癧，（湯液）消疝瘕結塊，癭瘤結核，脇下堅滿等證。

方證　治男女瘰癧，牡蠣四兩，玄參末三兩，甘草一兩，麵糊丸梧子大，每用三十丸，酒下，日三服，服盡除根，不拘已破未破皆效，（經驗方）。

按海產藥，皆含碘化鉀，皆有軟化結核之功，結於頸部，爲瘰癧癭瘤，經於腸淋巴系爲疝瘕，仲景以脇下痞用之，良以胸淋巴之不暢故也。

五、强骨　引證久服强骨節，（本經）能治佝僂病，（藥典)。

按牡蠣之成分，與骨組織相近，惟灰質比較鈣數較多，故用以治骨病有效，且有滋陰之效。似有制止異化分解之作用。

六、凝血作用　引經治女子崩中，(孟詵)治金瘡出血，外敷。)時後)由腸壁而入血，增大白血球效用，使血液凝固力强，(藥典)。

大棗

余仲權

性味：甘，平，無毒。

成分：本品含糖質及粘液質等，此外尚有少量之礦物成分。

效能：本經云：治心腹邪氣，安中，養脾氣，通九竅，補少氣少津液，身中不足，四肢重，大驚，和百藥，仲景以主治攣引强急，旁治咳嗽，奔豚，煩躁，身疼脇痛，腹中痛。平常用以補中益氣，以作和緩强壯藥，治咳嗽，聲嗄，及咽喉乾燥。用量二至十枚。

藥理：本品入胃，與胃酸化合而成有効之糖素，運行至腸，即被吸收入血，能增加血液之氧化作用，補充細胞之營養，分其繁殖作用增加，而呈其補益之功，所謂補中益氣是也，又因其中鹽類能刺戟分泌腺，使分泌旺盛，故因缺乏分泌而起之咳嗽，乾燥，本品亦能治之。

配合：去核焙為末，加生姜末白湯服以調和脾胃(衍義方)；研末加盆倒服，治姙娠腹痛(梅師方)；去核入輕粉少許煨，仍以大棗湯下治大便燥結(直指方)；同黃柏為末，入砒少許，油調塗走馬牙疳(王氏博濟方)；食花椒過多而致閉氣者，多食大棗能解之(百一選方)。

禁忌：凡小兒疳病，中滿，痰熱，齒痛皆忌。

參考：處方名用南棗，紅棗，大棗，以產山東者最佳，本品以紅潤者良。

△荷蘭藥鏡載：大棗有甘潤滋和之功，能緩解傷冷毒之酷厲液，療咳嗽聲嗄，咽喉刺痛，肺傷吐血，鮮血液瘀熱，消石淋腎痛，利大便。

△Church氏將我國大棗分析，發表其成分如下：

乾燥大棗的分析

還原糖	砂糖	枸櫞酸	蛋白	纖維	灰	其他
35.50	37.86	0.80	2.73	3.41	1.90	17.77

棗中灰分的分析

CaO	MgO	K_2O	Na_2O	P_2O_5	MnO	Fe_2O_3	SO_3	Cl	SiO_2
5.42	4.46	56.4	1.65	1.04	1.11	0.115	1.85	4.08	0.28

△黃勞逸云：其中糖質，與飴糖相同，至礦物成分，於生理上甚重要，如鉀鈉鎂燐鈣鹽類，皆生活上必須之物，尤以鈣燐碘鐵最要，如鈣在新陳代謝作用上，及成長，行經，懷孕期，哺乳期需用最多，且為血液及乳汁凝結上不可少，能使體內薄膜保持其適度之滲透，各部組織，盡其應有之功能，尤以神精心臟及肌肉三者為甚，大棗含此等物質最多，故可用為補益强壯之藥。

△丁福保氏云：大棗治各部肌肉痙攣，鎮咳，止胸腹疼痛。用二至四枚

經方研究

三承氣湯麻仁丸四方合論

劉鉄松

傷寒之邪，由太陽轉入陽明之府，勢必陽盛陰虧，仲聖主承氣諸法，實以救陽明將絕之陰，瀉亢盛之陽，存氣機於一線者也，蓋熱入胃，消爍津液，陽極盛，陰極衰，不得不用下之一法，挽造化，和陰陽，而救人於危急之秋也，如傷寒六七日，目中不了了，睛不和者，陽明病發熱汗多者，發汗不解，腹滿脹者，此陽明之急下三法也，少陰病得之二三日，口乾舌燥者，少陰病自利清水，色純青，心痛口乾燥者，少陰病腹脹滿不太便者。此少陰之急下三症也 云急下之症者，皆關於生死立判之際，若待其痞滿燥實堅五下俱全而後用之，是又膠柱而鼓瑟者也，然聖人雖立急下之法，又恐後世隨手亂用，故不得不留慎用之戒，蓋欲明乎陰之傷者不可不下，陽氣未實者，不可早下之理，而又以汗出之多與不多，小便之利與不利，熱之熾與不熾，津液之傷與不傷，痛之喜按與拒按，失氣之轉與不轉，諸症區別其處方用藥，而消息於大下微下之間，醫者安得亂其準繩而輕用之哉，雖然，承氣諸法，總因血滯邪聚宿食而設，故大承氣以氣藥爲主，枳朴倍於大黃，而攻熱邪之結者，小承氣湯以血藥爲主，大黃倍於枳朴，專攻燥屎之結者，調胃承氣湯以調胃爲主，故去枳朴之理氣，而加甘草以和中，兼緩硝黃之性，實寓調和之意也，至小承氣加芍藥二仁，不曰小承氣加芍藥麻仁杏仁湯竟變承氣之名爲麻仁丸者，以治陽盛陰不足而成脾約之症，以此推之，可見病變之程序，藥品之加減，分兩之輕重，以及先煮後煮合煮諸法，仲聖立方，律例森嚴，妙義無窮，學者豈可忽略者哉。

本刊徵求各地特約通訊員啓事

本刊爲欲明瞭各地醫藥文化情形，藉資研究起見，特徵求各地特約通訊員，凡有志願擔任是項工作者，請試稿三次，（來稿直寄本刊編輯部）；合則函聘，不合則恕不作覆，此啟。

△捐欵誌謝

本刊茲承吳道善同志捐洋六元五角六分，特此誌謝。

大青龍湯（發汗解熱之重劑） 汪鑫壽

麻黃、桂枝、杏仁、甘草、生姜、大棗、石羔、

閱考歷來諸家之說，成氏以爲大青龍湯發汗「以除營衛風寒。」柯氏云「此即加味麻黃湯。」活人書曰「大青龍湯治病，與麻黃湯相似，」陸淵雷曰「大青龍之主藥爲麻黃石羔，故排除水毒之力亦峻，」仲景全書王文祿曰「大青龍治風寒外壅，而閉熱於經者，故加石羔於發汗藥中，尤爲峻劑，」夫當發熱之時，由體表奔積多量之溫熱而放散於外界，故感覺惡風，其熱愈高，則毒愈盛而惡寒亦愈增，甚則戰慄矣。設發熱而同時汗出，則可因汗之蒸發而失其體內之鬱熱，使熱勢不至再增，然發汗之奪溫，與向外界放溫，其理不同，蓋發汗奪溫，乃合溫熱中樞，減其興奮而解熱，外界放溫，則因體熱愈高而愈大，即按體內外之溫差而行者也。若汗出而惡風者，是其汗量不足以減其熱量。而體內之鬱熱，則由體表而放散之矣，是以感爲惡風也，方之倍麻黃者，正所以表示爲發汗之重劑，以治其不汗者也，，發表散溫，治榮衛兩傷，或專主營，其說雖不一，而着眼於發汗則一也，蓋發汗一方面可以解熱，他方面可以排除病毒。故陸氏之說頗有見地若脈微弱，而重發其汗則心臟衰弱。恐生他變，故曰脈微弱者，不可服也，「一身不疼。但重，乍有輕時，」之症狀，正與今日之流行性感冒相似，故可投以重量發汗劑而除其病與，脈浮者，體內當然有熱，而脈緩者，心臟猶未衰之證也，故不必忌之，徐大椿謂「此病之最輕，而投以大青龍險峻之劑爲誤」其說亦未嘗深思也。

長篇專著

實用處方學（續） 徐庶遙

（三）

處方：葛根湯

主治：下利寒熱無汗

病解：太陽係指膚表，陽明係指大陽，膚表既閉，則汗不克排，水毒內蘊，勢必爲害，因此大腸起代償作用，而下利作矣。

藥味：葛根　麻黄　芍藥　生姜　甘草　大棗　桂枝

方解：本方開太陽之表，使汗液得由毛竅而出，不致內蓄，則大腸之代償作用。亦即停止。

（四）

處方：徐氏寧利湯

主治：利作滯下，裏急後重，色白夾紅，腹痛發熱惡寒，舌苔白黃而膩。

病解：溼熱裏結，內鬱於腸，致腸粘膜發炎而下利，腸粘膜剝落，微血管破壞，故所下之物，皆作紅白色也。

藥味：蘇梗　陳蒼米　鮮荷葉　萊菔子　杭芍　甘草　山查炭　黃連　青木香　黃芩

方解：蘇梗微開其表，使外疎通而內暢遝，萊菔子下氣消食，陳倉米健胃調中。山查去積。木香行氣。芩連專消腸胃

之炎，芍藥善鎮攣急之痛。再加荷葉以升其清，清升而濁自降也，此正合古人所謂行血則膿血自愈，調氣則後重自除之旨。

（五）

處方：救胃煎（唐容川）

主治：噤口痢

病解：熱利久延，腸胃津液大傷，食飲不進，因成噤口，痢病至此，已屬危殆矣。

藥味：生地黃　白芍　黃連　黃芩　玉竹　天花粉
麥門冬　杏仁　桔梗　石膏　枳殼　油厚樸
生甘草

方解：芩連治腸炎，石膏清伏熱，生地，麥冬，玉竹，花粉，滋養其津液，枳殼，厚樸，推蕩其陳腐，桔梗開上，又理腸胃，杏仁降肺，復潤大腸，更佐甘草，和諸藥而調脾胃，方中用之，不啻剿撫兼施矣。但凡屬熱痢腹痛，均由腸管痙攣使然，芍藥有鎮痙之功，故亦不可少也。

庶遂按：濕熱蘊腸，鬱久則利，腸之神精受其激刺，因發痙攣而腹痛裏急，直腸充血，因而後重，腸粘膜剝落，微血管受傷，而痢下赤白矣，但初起有外證者居處，蓋溼熱內伏，必有外邪誘之，方始發也，故當初起之候，每用蘇梗或香薷之類，以開其表，表得通而裏亦暢痢疾遂鬆，顧此理昔每不明瞭，以今日科學眼光觀之，不過肌表閉塞，汗液無從排泄，必借大腸爲之代償，於是伏邪新感，糾合爲一，痢遂加重耳，故善治痢者，不獨偵其內候，更須注意其外證之有無也。

病延過久，腸液耗渴，必致飲食不入，而成噤口，此際用藥，惟在回護腸液，萬不可重用尅伐也，愼之，（未完）

中央國醫館四川省分館公佈欄

爲令發征求祕藥辦法仰即遵照辦理由

中央國醫館四川省分館　訓令　醫字第　號

令　各縣支館　支館籌備處

查各縣醫師及民間耆老對於內外各科奇怪病症沉疴痼疾向多家傳師授及自行經驗發現實效之祕方祕藥徒密藏不宣鮮收流傳濟世之效本館爲發皇國藥功能增進治療效率經擬具征求效驗祕方祕藥辦法八條呈奉
四川省政府民二字第一四九九八號指令及奉
中央國醫館巴字第七〇九號指令核准照辦合行抄發辦法令仰遵照辦理爲要此令

附發辦法一份

中央國醫館四川省分館徵求效驗祕方祕藥辦法

第一條　本館爲發皇國藥功能增進治療效率製定本辦法

第二條　凡有家傳師傳及自行研究所得外科或各種奇怪病症以及沉疴痼疾效驗祕方或祕藥均可應徵

第三條　凡應徵祕方祕藥須用書面敍明祕方功用藥名稱。配合分量。炮製方法。服食須知。至祕藥須敍明形狀色味產地產時功能及古今或俗人名稱并附寄實體標本

第四條　凡徵得祕方祕藥由本館分別化驗無毒實驗有效後隨本分館登記幷轉請省府註冊外以其理論及效能公佈推廣採用

第五條　凡徵得效驗卓著之方藥給其獎勵辦法如後

一、捐助方藥效用價值呈請政府給予獎金

二、不受獎金者由本館呈請政府贈以榮譽獎章

三、凡方藥如欲保守祕密願自製售賣者得由本館呈請政府准予專利幷由本館給予介紹保證其專利條例另定之

四、不能製造售賣而願公布濟衆者得由本館委託製藥廠製造出售給予應徵人相當報酬或權利

第六條　徵集方藥除由本館徵求函請應徵外由各縣支館搜集彙報或由各應徵人逕函本館

第七條　本辦法經呈准中央國醫館四川省政府後施行

醫藥顧問

問

志誠兩年前曾患目疾，歷時半載，始告治愈，但愈後即感沙澀昏朦，常覺不快，直到現在，依然未復原狀，不知究係何故？敬祈在一[illegible]貴刊上指示治療方法，幷解釋病由，倘蒙治愈，則感德無涯矣—此致

四川醫藥改進月刊社編輯先生

讀者劉志誠　謹上　六月七日

答

眼病愈後，但覺沙澀昏朦昏朦者，乃淚液分泌衰少，不能潤澤之故也，蓋淚器本爲冲洗眼球及潤澤眼球而設，在平人眼球不感覺乾燥者，正賴有此，今眼病過久，津液耗竭，不能正常潤澤眼球，故沙澀昏朦作矣—宜服後方：

元參三錢　麥冬四錢　菊花三錢　桔梗二錢　桑白皮三錢

桑葉三錢　甘草一錢　編者覆（[illegible]六月十一日）

學院園地

國醫學院青年圖書室謹謝啓事

逕啓者：本室成立以來，承各界人士鼎力扶助，得以日益充實，除第一次捐款捐書各界先進業已登報申謝外，茲將第二次捐款贈書大名列後，用申謝忱！

王團長捐書四十一部，張華捐洋肆拾元，李斯熾捐洋一百元，王世杰捐洋五拾元，潘覺非捐洋五元，吳道善捐洋五元，省黨部捐書六部，伍覺伍捐書八部，屈義林捐書三希五本，李叉斯捐書一部，冉逕璨捐書二本，蘇友農捐書一部，鍾玄嵩捐書二本，潘國賢捐書十部，楊伯輿捐刊一年，王大烈捐書一部，劉述機捐書二部，甘肅省衛生實驗處捐刊一份，陝西衛生實驗處捐

刊物一份，江西青年支團部捐刊物一份，福建支團部捐刊物一份四川支團部捐刊物一份，湖南支團部捐刊物一份，廣東支團部捐刊物一份，陳鍾華、羅超羣、劉國鈞傳緒庸均捐書報。

國醫學院送診施藥委員會誌謝（續）

張德麟　何帆　黃俊卿　張右書　祁耀宗　周天爵

倪棟臣　楊正羲　田開村　余其超　何伯林　李興泉

倪仲常　王靖鎔　周啓才　李含光　陳超氏　彭季淵

周興順　鄧全宗　田玉森　任孝仙　俸黎氏　唐官清

田正方　郭福壽　由鑾成　江淑華　吳志誠　鍾季仙

嚴玉秀　廖魯之　田黃氏　江叔輝　汪開中　盧茂生

萬品成　蔡敬寬　張仁松　張繼伍　徐憲章　蔡鳴皋

苟放之　吳恒盛　李嶽　張耀丹　黃恆平

以上各捐洋一元　（未完）

醫學必讀要籍一覽

武聖周復生選述

中醫書籍，向無系統，初學者每感無從入門，莽徊歧路，深以爲苦，茲得重慶周復生先生所輯醫學必讀要籍一覽，將古今醫籍，擇其要者，分類排列，既便檢閱，又復通用，擬在本刊分期發表，藉以便利讀者，希即注意是幸！

編者附識

十[illegible]類　（基礎一）……世界書局版

(中)生理新語……惲鐵樵著

(西)解剖生理學綱要……廣文書局版

(中)全體新論疏證……千頃堂售

病理學類　（基礎二）

(西)病理總論……商務印書館版

(西)臨床病理學……丁福保著

(中)病理學講義……張森文編

(中)巢氏病源候論……大東書局版

(西)病理各論……商務印書館本

中央國醫院醫務人員訓練班　一

(中)病理發揮……祝味菊著

(中)國醫病理學……胡安邦編

(中)病理學稿裁……千頃堂售

（未完）

本刊徵求各縣設立分銷處啓事

本社爲擴大業務，俾改進醫藥，發揚國粹能收更大之效果起見，特擴大徵求各地分銷處，茲訂簡單辦法於後，凡願代本刊推廣銷售，可直接函向西御街八十二號附三號本刊發行部接洽。

設立分銷處辦法

一、凡願為本刊推銷者，概由本社聘任宣傳幹事兼分銷處主任。

二、每期刊物出版後，由分銷處主任預定數目，函總發行部照數郵寄。

三、刊費照定價八折計算，其餘二成即作分銷處辦公費。

四、賬目每月結算一次，刊費須預繳百分之八十。

本刊獎勵讀者介紹訂戶啓事

本刊重慶讀者劉應岐君，對于我國醫學改進，素具熱忱，近更一次為本刊介紹訂戶二十二人，此種服務精神，殊堪欽佩，除按照本刊優待條例予以優待外，特再登刊獎勵，以謝熱忱，此啓。

本刊改訂價目啟事

本刊因紙價高漲，虧折甚巨，茲為顧全大局，維持久遠計，從本期起，將訂價略為提高，以資彌補，致原有訂戶，仍照原價按期寄送，不另加費，即希讀者諸君鑒諒 是幸！

最後消息

普遍徵求特效單方

臨參會通過

（本市訊）四川省臨時參議會第四次大會，陳參議員瑞林提議擬請普遍徵求醫藥特效單方，以應抗戰需要案，決議，照審查意見通過，送請省府參酌施行。

國醫學院籌備招生

四川國醫學院本期業已結束，刻正籌備招生事宜，聞考期已定於八月二十日舉行，招生簡章，不日即將公佈，并聞該院下期定於九月一日開學，隨即行課云。

新華醫藥創刊號出版

（湖南湘潭通訊）此間青年醫師陳德貽主編之新華醫藥（半月刊），已於五月十五日出版，內容方面，分評論研討，衛生，新聞四大欄，每期暫出一中張，預訂半年一元八角，全年三元六角，該社社址，暫設湖南湘潭板石巷又一村一號云。

本刊價目

零售每冊五角半年六冊，二元八角，全年十二冊五元郵費外加・郵票代洋十足通用，但以一分至八分為限。

廣告價目

地位	封面	底面	普通
全面	八十元	七十元	六五元
半面	六五元	六十元	五五元
三分之一	五五元	五十元	四五元
四分之一	四五元	四十元	三十元

附註：本刊廣告係以每期計算長期面議，另有優待。

成都圖書雜誌審查證審乙字第三五一號

歡迎投稿

一：本刊各欄，均歡迎投稿

一：來稿不論文言語體但須用毛筆繕寫清楚，並加標點，

一：來稿無論登載與否，均不退還，但預先聲明並付足退還郵資者不在此限。

一：來稿本刊有刪改權，不願者須預先聲明。

一：來稿一經登載，即酌酬本刊一期或數期。

一：來稿請直寄成都興禪寺街國醫學院轉本刊編輯部

主　　編：本刊編審委員會

總發行處：成都西御西街愛知治療所

分發行處：成都興禪寺街四川國醫學院
重慶中一路八十一號濟生堂
簡陽石橋鎮半邊街永泰康藥號

代售處：本市各大書局

本刊社址：附設陝西街新中醫療養病院內

內政部登記警字五五五六號　中華郵政掛號認為新聞紙類

醫藥改進月刊

集易堂

第一卷第六期

本期要目

·短評·

讀新訂中醫練習生及佐理員登記辦法以後

先彬

在今日科學昌明的時代，我中醫學術，猶能嶄然露出頭角，而為國家民族所倚重者，這其間自有他特殊的原因，無庸多述，然而時代的車輪，每分鐘都在繼續不停的前進，我國既是生長在這大時代裏的人，自然也該迎頭趕上，不要坐視落後才對．所以舊的精華，固應極力保存．但新的智識，亦當加緊開闢！

要開謂新的智識，首先要有新的人才，囘顧抗戰軍興，全國中醫學校，大都被迫停辦，而國立的中醫學校，又因种種困難，一時尙難觀成．在此風雨飄搖之際，其能卓然存在者，厥惟我川中一二而已．以有數之學校，而欲造就此無量數之人才，戛戛乎難矣！

中央國醫館有鑒及此，特擬訂中醫練習生及佐理員登記辦法十條，呈請教育部備案，以資救濟，這實在是目前最切要的問題，我們希望一般中醫界的先進，趕快用著最大的努力，從事新的人才的訓練！

（民國三十八年十一月出版）

·代郵· 汪鑫濤君，陳義文君，大作下期發表。此啓。

本刊發行部啓事

本刊已出六期，所有訂閱半年諸訂戶，業已屆滿，倘蒙續訂，請即迅函通知，並將刊費一并匯上，俾便按期檢寄，以免中斷。此啓。

本刊獎勵讀者介紹訂戶啟事

南充陳學繼君，遂寧葉子健君，三台張仁福君，各爲本刊一次介訂戶十名，此種服務精神，良足欽佩，除按照本優待條例，予以優待外，特再登刊奬勵，以謝熱忱，此啓。

本刊編輯部啓事

本期因來稿過多，本刊篇幅有限，不能完全登出，未登之稿，下期當繼續披露，尚希讀者諸君 鑒諒是幸

靑年圖書室啓事

本室敬承 焦易堂先生洋捐壹百元 陳立夫先生捐書二部謹此誌謝

言論

對於建設中國本位醫學的意見（續）

蘇友農

(三)藥物與方劑

藥物是醫療上需要的工具，在整個醫學的系統中，對於藥物研究和病理的研究，是同等的重要。在將來研究上，應該注意的問題，茲略述於後：

(一)國產藥物和西洋藥物的特性。在中西兩大醫學系統中，藥物顯然是不同的，過去有些西醫學者，自詡其藥物是根據科學實驗結果的製造產物，譏刺中國的藥物，僅是根據經驗而來的粗品自然產物。這種相差的原因，就是西洋各國，沒有經過長期農業社會的經驗，而近百年來，化學日漸發達，所以藥物在工業化的原則下，變為資本家的商品產物。中國是有長期農業社會的經驗，植物種類複雜，出產豐富，同時化學亦不發達，所以藥物是在農業化的原則下，為農家的副產物。這是兩者社會性的根本不同。

(二)國產藥物與民族國家的關係，藥物在使用的目的上說，是維持民族健康的原料，在生產上說，是經濟上的一種產物。所以在國民經濟上講，國產藥物在國民自身的供給上，和對外輸出上，是很大一筆經濟收入，若是為西洋上工業生產的藥物所代替，則反而造成一筆很大的漏卮。若在國際醫藥上講，一個國家平素不能建立自給自足的醫藥基礎，只是依靠他人的製造，在國際戰爭爆發，交通阻礙，或被敵人的封鎖期中，則缺乏藥物病產的痛苦，就慘不可言。目前的事實，是很深刻的教訓，我們對於國產藥物的使用，是不能再忽視了。

(三)國產藥物和西洋藥物使用作用的比較，在西洋藥物之被販銷者，逐漸侵蝕了國產藥物的市場，因為使用作用的關係，計有下列數點：

(1)在普通的宣傳上，以特效的名義，博得病者的急切需要，花柳病針藥之盡行於世，就是這種關係。

(2)在丸藥，散藥，酊藥，針藥，這幾種方式，使病者服用便利，比較國產藥物煞少麻煩。

（3）在精美的裝製上，和潔淨的口無下，使病者相信，而輕視國產藥物的粗造，不清潔。

但另一方面：國產藥物之仍能被大多數人信仰，使用的原因，亦有下列數種：

（1）在複雜性和慢性的病證，不是單純猛烈性的西洋藥物所能治療，故在服西藥無效後，轉服國產藥物。

（2）在國產藥物有歷史性的關係，多數人均能知道，一般藥物的性質和功能，比較對於西洋藥茫然不知道性質，多有把握，少含危險。

（3）在國產藥物，爲自然產品，少製造，裝璜，宣傳的浪費其價格，大多數較西藥低廉，所以除少數富裕的個人喜服西藥外，大多數貧苦的人，都使用國藥了。

（4）國產的藥物，因歷史性的關係，深入普及民間，隨處即易購得，故多爲人採用。

（四）西洋醫學者，提倡改進中藥，廢除中醫之評議，廢除中醫，改進中藥，這是過去西洋醫學者，掌握衛生行政機關的一貫政策，在這個辦法施行十餘年來結果，所有用化學分析研究所得，除了對於部份藥物，就化學的根據上說明藥物構成的原素分子，和在生理學上的化學作用，這在學理的研究上是有很大的功績外，在使用的作用上，不說是沒有新的更高的發現，連原有的使用法則，都沒有了辦繼承，這個重大錯誤的來源，計有下列兩點：

（1）實行藥物化學分析，提取有效成份，摒除雜質，這是根據西洋化學無機性藥物製造的經驗。但使用的結果，所謂精製提煉的有效成份，往往有些不如藥物原來的功能，這種原因，就是由於某種有機性藥之所以具有某效能，雖然有效成份佔主要作用，但旁的構成份子，如各種生活素，均有協助有效成份發揮牠的效能的作用。在分析提煉的時候，雖取了有效成份，但失了協助份子，所以有些不如藥物的原始效能。

（2）在西洋藥物的使用上，爲發揮藥物的特效作用，都是用單式藥物的較多，而複雜式藥物的配合使用較少。這自由於化學原素性的藥物，若在複式的配合下，則根據化學的原則，所有配合的藥物，除均喪失原有的性能外，倘產生各種新的性能，但在中國藥物方面，根本是在複雜方式的配合使用下，來發揮他的治療效能，這是由於有機性的藥物，除少部份是含有相反的，相畏，相惡的化學化合外，大部份在配合的使用時，都各能保持藥物的特殊功能，而使發生各種不同的作用，調節生理器官，完成治療的任務。這是中國藥物，基於全身病症，施行全身治療，比較西洋藥物基於局部病證，施行局部治療，是進步而特殊的地方。

上述兩點，在國產藥物使用配合的法則，是包括於整個中國醫學的內容裏面，若是只憑西洋醫學的理論經驗，以爲在廢除中醫，改進中藥的原則下，就可能繼承中藥的使用，將來事實的結果，自然的是不能眞實的使用中國藥物。

（未完）

特載

中央國醫館通令 巴字第一三二九號

令各省國醫支館

查我國向來師儒相承學統不墜半由在野學者以誨人不倦之精神負啓後承先之責任不專恃官府提倡也中醫爲國學中高深學術之一何嘗不然現在國立中醫學校因經費及種種關係一時尚難觀成但一般民衆衛生所急切需要之學術安可聽其中斷本館有鑒及此爰草擬中醫練習生及佐理員登記辦法十條除已咨請教育部備案外合檢同該登記辦法四份令仰該分館轉飭所屬一體遵照辦理爲要此令

附中醫練習生佐理員登記辦法四份

館長焦易堂

中華民國三十年六月七日

教育部備案中央國醫館中醫練習生及佐理員登記辦法

一、凡依法領得執照執業之中醫師得招收練習生任用佐理員

二、練習生以高中畢業或具有相當程度者爲合格上項相當程度之練習生須由招收之醫師呈請當地國醫支館派員會同考詢以國文生理衛生化學爲主要科目

三、醫師招收練習生須開具練習生履歷四份二寸半身像片四張呈報國醫支館由支館轉呈分館遞呈中央國醫館登記并由中央國醫館匯咨教育部登記

四、練習期間爲三年但牙喉鍼灸等科爲二年練習生成績優良者得於第三年期兼充佐理員

五、練習期間如有講義應隨時檢呈本館審核

六、醫師對於練習生得徵收學費但每學年至多不得過五十元

七、練習期滿應將該生練習成績列表附說籍具四份其呈報手續依本辦法第三條之規定

八、練習期滿之練習生得充醫師佐理員其待遇辦法由醫師與佐理員雙方訂之

九、佐理員佐理期滿應將佐理成績列表附說籍具四份其呈報手續依本辦法第三條之規定

十、本辦法由中央國醫館公佈實行

醫學研究

傷寒六經傳變論（續）

劉庶機

C 開闔樞機說

三陽以太陽為開，陽明為闔，少陽為樞—三陰以太陰為開，厥陰為闔，少陰為樞。

太陽主開，以皮毛汗腺具呼吸，排泄，調節，保護等功用，宜通暢不宜閉塞故曰開。

明陽主闔，胃納水穀，化精微，營養臟腑肌肉，化糟粕，傳入大腸。其作用主內行下達，故曰闔。

少陽主樞，以淋巴管中液體，不僅營養體素細胞，又能溝通動靜脈血液還流，邪由此入，亦由此出，故曰樞。

太陰主開，肺主交換炭養，佈散血液，脾主消化飲食，灑陳精微，故曰開。

厥陰主闔，以神經主知覺運動，其中樞部深藏於腦脊髓腔中，不易受外界刺激，故曰闔。

少陰主樞，以心臟主運血前行，輸養吸廢，循環無端，無時或停，故曰樞。

開闔樞機，係表示人身各器官互[illegible]與獨立之作用，開門向外，闔具隱藏，樞介乎中。古醫學言簡意賅，探測生理微妙，有不可思議者。

D 寒熱虛實說

是派學說，以六經不過假以表明陰陽虛實，表裏寒熱之義，固非臟腑經脈相配之謂也。凡病屬陽屬熱屬實者，謂之三陽—屬陰屬寒屬虛者，謂之三陰。三陽言表實，裏實，半表半裏實；三陰言氣虛，血虛，氣血兩虛。

太陽　凡風寒侵襲，皮膚之汗腺，發生障礙，而現頭痛身疼，發熱惡寒等症，以其病在表，故曰表實。

陽明　邪入於裏，久而化熱，或宿食停胃，積而釀熱，是為裏實。

少陽　邪不在裏，則非陽明，又已離表，則非太陽，故曰半表半裏實也。

太陰　專論氣血兩虛，氣血生中焦，中焦虛寒，故氣血兩感缺之。

少陰　專論氣虛，氣虛即陽虛，少陰氣虛，故惡寒踡臥，脈微欲寐。

厥陰　專論血虛，血虛而凝，故四肢逆冷，神識昏厥也。

陽剛陰柔，陽動陰靜，是六經以三陽三陰表明寒熱虛實，極確切精當之至，夫醫之治病也，猶良工之造器，必先查規材料而後施以繩墨，豈疾病重大之實，直接能影響於生命，倘不顧及，病者體質如何？病勢如何？謂能良其預後，有是理乎？究六經之所以表示陰陽虛實，表裏寒熱之所由也。

E 表裏陰陽說

三陽爲表。太陽爲表之表，陽明爲表之裏，少陽爲表之半表裏；三陰爲裏。太陰爲裏之表，厥陰爲裏之裏，少陽爲裏之半表裏。

太陽與少陰爲表裏，少陰所主之經絡，滿布於皮膚之內，而太陽所主之皮膚汗腺，又與少陰血液循環互相維繫。太陽爲表，少陰爲裏，實則病太陽，虛則病少陰，故太陽症虛，當温其裏之少陰，少陰裏實，當攻其表之太陽。

陽明與太陰爲表裏，太陰所主之津液，與陽明所主之胃納，極有關係，陽明實則胃不納，太陰虛則水穀不化，陽明爲表，太陰爲裏，實則病陽明，虛則病太陰，故陽明虛當温其裏之太陰，太陰實當洩其表之陽明。

少陰與厥陰爲表裏，少陽所主之淋巴滯塞，則血流鬱結，因血流之鬱結，致厥陰所主之膈膜積熱。少陽爲表，厥陰爲裏，實則病少陽，虛則病厥陰，故少陽虛當温其裏之厥陰，厥陰實當和其表之少陽。

表裏即內外之異名，陰陽乃寒熱互義，凡邪氣傷人，病狀萬千，概以此統之，平人血氣壯盛，精力當有所振，病勢因以顯著於外，虛人血氣衰微，體力憊甚故病勢隱晦於內。然則六經之名，其數雖六，實指三耳。

F 六經三焦說

人身一小天地，膈膜以上天氣主之，肺與心也，膈膜之下，地氣主之，脾與腎也，界乎天地之間者爲之膈膜。膈膜乃脾胃部位，此即三焦之義。傷寒邪在表，則分六經，入裏即傳三焦。表者經絡肌肉也，裏者臟腑筋骨也。論中曰胸中，曰心下，曰脅下，曰腹中，曰少腹，雖未明言三焦，較言三焦者更細。

病傷寒邪傳六經，病温熱邪傳三焦，此爲明清以後醫家說法，主六經即是三焦，乃爲折衷二者之說矣。

G 體温昇降說

人自有生以後無日不需飲食，以爲活力之來源，此種作用稱曰補償，食飲消化後所餘之廢物質，從皮膚肺腎腸等處驅出，稱此作用曰排泄，補償與排泄，每日在體中不斷工作，而人之生命遂得延續，然其中有二重要現象，爲吾人不可忽視者，即新陳代謝時所，起燃燒之作用，能產生體温而不一刻中止，又肌肉運動，物質刺激，血液流行，亦能幫助體之發生，名此化學機轉和器械作用，曰生温機能。新陳代謝，無時或止，則體温之產生，亦無時或已，於是乎不能不爲之籌去路，人體內部之體温，比肌表爲高，血液從大動脈，挾高温以達於肌表之淺層動脈，淺層動脈之血行因以暢旺，汗腺亦遂擴張，而消散其高過之體温於空氣中，考體温之消散，皮膚佔百分之八十，口鼻得百分之十五，餘五分由二便排泄，名此體温之消散，曰放散機能。

空氣温度，時高時低，皆足以影響人身體温之消散，故欲保持一定而不變，則必有其調節機關之裝置，以適應之，若調節逾其限度，則燥温與放温，互爲消長而不能保持平衡，於是新陳代謝之化學機轉，失其正常之功用而呈病理之狀態矣。

如放溫機能衰減，則皮膚血管必起收縮，汗腺閉止，體溫不能外散，而惡寒發熱，頭痛無汗等之太陽症狀以起，設放溫亢進，皮血管擴張，汗液分泌增加，則呈發熱惡風自汗等之太陽中風症狀。

如生溫機能亢進，必係身體組織之化學機轉增進，或司溫之神經中樞受刺激，致生溫超過常態，而現體溫昇騰，口渴汗出之陽明症狀。設生溫衰減，必由司溫中樞神經疲勞，或皮膚散溫太過，致遭組織之化學機轉減退，官能遲鈍，體溫低降，脈細欲寢等之少陰症狀。

放溫與生溫，本是互相密切關係，如生溫異常而放溫尚不失其常度，或放溫異常而生溫無重大變化者，其溫變之進行，比較遲緩，如生溫放溫同時異常，其病變必速而且劇，此種學說解晰六經，頗為合理。（未完）

天癸之眞歸

何志君

市醫每謂天癸即月經，且曰：「天者，天眞之氣，癸者，壬癸之水」，此種解釋，已足令人噴飯，當茲科學昌明之世，乃有專以婦科負盛名者，亦多襲此等荒誕不稽之謬說，反而自鳴得意，有識之士，焉得不爲我國醫前途悲也！

考內經上古天眞論曰：「女子二七而天癸至，任脈通，太衝脈盛，月事以時下」據此而論，天癸與月經，自是兩物，蓋既云「天癸至」又云「月事以時下」詞意瞭然，無待贅述矣！經又云：「男子二八腎氣盛，齒更髮長，二八天癸至」，夫男子無月經，事實昭然，若謂天癸即是月經，是言男子不當有月經矣！豈非笑話。

天癸既非月經，已如上述，然則，究屬何物？實有研究之必要，考之西籍，有和兒孟（Form）其物者，乃由一種無管腺分泌而出，故吾人至相當年齡，青春期體成熟，分泌物亦即旺盛，此分泌物，即經所謂之天癸也，奈何世俗不察，徒事虛構，貽誤後學，罪何可逭，故特正之。

仿讀書記（續）

八

戴佛延

20 人而無恆不可以作巫醫辨

裴兆期曰，昔南人有言，人而無恆，不可以作巫醫，朱子竟認巫醫為兩事，一註以交鬼神、一註以寄死生，岐而二之，恐參未當，夫醫之道，始於神農，闡於黃帝，著有內經以救民疾苦，所謂墳典之書，至尊至貴，莫之與並，豈可與巫覡之徒同日而語者，但醫有不同，名稱亦是有別，精於醫者曰明醫，善於醫者曰良醫，壽君保相者曰國醫，粗工褊淺，學未精深者曰庸醫，但有時運造化者曰時醫，至若擊鼓舞蹈，祈禳疾病，不以醫藥為事者，則謂之巫醫耳，世之稱為端公太保夜行卜士，北方稱為師婆者此也，正南人謂之巫醫也，蓋謂一切虛誕之輩，亦是不可無恆也。

延按，所謂巫醫，殆即上古祝由之遺意歟？蓋上古民氣淳，嗜欲少，精神一，疾病少，迨乎近世，則目迷五色，耳淫五聲，口極五味，加以百憂感其心，萬事勞其形，先天之賦稟既薄，後天之調養復乖，所以上古祝由而能已病，近代則必齊藥物攻其中，鑱石鍼艾治其外也，況醫之為道，一劑之投，拯人沉痾者在此，絕人長命者亦在此，徵諸實驗，固人人所目覩而共識者也，若彼巫覡之徒，不過安慰夫愚婦之心理耳，結果收效甚微，徒亂人意，其虛無飄渺之事蹟，尤不容於醫學昌明之時代，昔人亦有信巫不信醫，為不治之一，可為鐵證，據此則醫之價值如何，豈可與巫覡相提並論哉。（未完）

衝任新解

陳璃鯤

一、衝脈

衝脈者，古人謂其「起於胞中，下上行」，故有是名，然究屬生理中何種組織，而能自下而上，則有待於證明，考腹之大靜脈，起於骼內外靜脈，上行匯腹內各靜脈，「即腸間靜脈」，而爲門脈器官，入於肝臟，肝臟則由門脈所吸收之養分，改造爲臟粉，臟粉者，補充人身各部新陳代謝之原料也，既成臟粉復經肝靜脈輸出，而匯歸於下大靜脈，上行入右心房，由心臟注入此富有養分之血液於肺，經呼吸變化，交換炭氣，再入左心房，而動脈血，此經言「奉心化赤而爲血」，又云：「衝爲五臟六府之海，五臟六府皆禀焉」，又曰：「經脈之海，主滲谿谷，谿谷之會，以行營衛，以會大氣，」是即所以申言養料之源，化血之基，皆由此起，故衝脈獨取乎靜脈也。

夫女子以血爲主，肝爲造血之臟，故女病每責乎肝，肝之爲病，常蓄橫逆，橫逆則陽氣亢盛，隨靜脈而上衝，此名逆氣，陽盛則血液中水分枯減，變爲濃稠，於是循環障礙，不能正常滲透液汁，以濡潤筋脈，而顯筋脈攣縮之象，此即經言「衝脈爲病，逆氣裏急」，又：「厥陰所至，爲裏急」，之理也，逆氣者，衝氣之逆也，裏急者，筋脈攣縮也。

女子胞宮，全賴血液灌溉，而血液之來源，起自腹下脈，凡女子當「二七之年」，身體各部，生長完備，生殖成熟，衝脈因之而盛，以作生育準備，於是子宮部之血液，特別旺盛，漸至子宮粘膜，強度充血，由卵巢排卵關係，而成月經現狀，即經言：「太衝脈盛，月事以時下也。」

昔賢傅青主氏，謂月經爲天一之水，出自腎中，其色赤乃陰中之陽，故名曰癸水，此說似亦近理，然以月經純屬非血，則又不盡然，夫癸水者，生殖系之分泌液也，故有「女子二七天癸至，男子二八天癸至」之說，月經爲血液與分泌液之混合物，故與血液有不同之點，蓋血液離體，即顯凝固，而經血一過子宮，卽混有各種生殖腺之分泌粘液物，更含砒，燐，硫，鐵，等質，而尤以黄體分泌液爲最多，此項物質，匪特不碍血液之凝固，且從而促進之，據 Birndauw, Asten. 兩氏之實驗，婦人在月經時，身體之血液，其凝固時間，較經期以外之血液凝固，約增一倍，是經血之缺乏凝固性，特於經期中爲然耳，烏可以其不凝固，而遽斷爲血哉

二、任脈

月經以衝脈爲發源之所，血液爲其主要成分，然而誘起月經之原因，及統司此項生殖作用者，殆屬任脈，經所謂天癸者，大略屬此，據女子二七天癸至，則任脈通，然後太衝脈盛，三者具備，斯月事以時下，若以月經卽天癸，則男子之有天癸，又將何說乎？此傅氏月經純爲腎水之誤解也，竊天癸卽任脈，任脈卽各項生殖之內分泌，是以任脈專司排卵，及月經，情慾，妊娠等，各項職務，以其有獨司此任任之責，故有是名。

任脈，在男子則屬睾丸，在女子則屬卵巢，睾丸之功用與

卵巢同，茲先論卵巢。

卵巢居子宮兩側，近骨盆側壁，接骨盆大血管，與輸卵管之交點，至為複雜，茲姑就其約要言之，卵巢從午非氏體內側之生殖腺發生，此腺成於結締性基質，但在胎生初期，業由增殖肥厚之胚上皮覆之，次則胚上皮中發現富於原漿之大細胞，此名原卵，胚上皮益加增殖肥厚，同時午非氏體間質中，有血管及結締組織，進入上皮之中，此皮為結締質劃分成許多細胞羣，各羣均以結締組織包圍之，胞羣稱為卵球，卵球更以總綫侵入之結締織，為更小之分劃，終則各個原卵，為結締織所包圍，原卵之直接周圍，僅羅列胚上皮一層此名原始卵胞，其位置近於卵巢表面，在胚上皮最上層之上皮細胞，於卵胞生成，不加參與，僅為被覆卵巢而已。

卵之胞之發育，可分為三期。

(A)原始卵胞，為矮上皮細胞一層，直接包圍原卵，此種原卵，非同濾胞之隨生殖成熟而全體發育，其能發育者，為極少數，其大多數，皆成破壞消失。

(B)發育卵胞，卵胞之發育，濾囊之外圍即起變化，其纖維以濾囊為中心，并列為同心性層，形成被膜，此名卵胞膜，復次卵胞上皮細胞羣中，發生裂隙，充滿漿液，迨裂隙逐漸增大，遂成一腔，名濾囊腔，充滿其中之液，為濾囊液，液體雖漸次增加，而卵決不直接露出於液中，常由多層上層細胞所謂卵丘者，包圍而護守之。

(C)上述卵胎，雖已成熟，必待濾囊液漸次增加，卵與卵丘同至邊緣，濾胞既大其位置乃從而變更，漸與卵巢表面接近，終乃漸出表面，此乃等狀態，即為成熟，終被破壞，則成熟卵與濾囊液同時流出，以時卵巢纖之攝取，送入子宮，此為卵巢之組織構造。

卵巢之主要功能，為分泌液體，以刺激生殖器官，故一般學者，稱之為刺激素，其分泌液為溶解於血液之化學物質，但在化學構造上，尚無具體之判明，再卵胞被排出濾囊之後，卵子撥出痕跡中，聚集有多數帶黃色素之細胞，埋於拔出孔內，富有黃色色素，吾人稱之為黃體，黃素細胞，自周圍增殖細胞層中，有血管自內膜求心性進入，使細胞層向內隆起，細胞層內面，呈不規則之波狀，而黃素細胞，益加增殖，成黃體成為黃色球狀隆起於周圍卵巢組織之上，在妊娠初期，其體最大，名眞黃體，妊娠以外之黃體，則為假黃體。

黃體之分泌液能刺激子宮粘膜，使之充血，粘膜充血極度終被破裂而演成月經，故有排卵機能之婦人，方有月經，如少女老婦，未有月經，由此可知月經乃因排卵後黃體液之刺激所成。

黃體在月經後，又能刺激腦下垂體，而發動情慾，同時又能刺激輸卵管，輸送卵子，使有受精作用，當卵子送入子宮時，黃體分泌液，刺激子宮粘膜，而造成包被卵子之脫落膜與胎盤，如此妊娠方告成立，從此黃體體對於子宮，繼續相當之刺激，增加其營養，使受精之卵子，緊貼於子宮壁，在此期中，更促進子宮與乳腺肥大，而抑制濾胞不再新生，所以妊娠期中，無新濾胞，與新妊娠及月經現狀發生者，此也，設成熟之卵胞，未曾受精，不久黃體即歸消滅，此時卵胞雖被送入子宮，而即不久亦枯死，黃體既經消滅，於是卵巢得再生成熟卵胞，而重行下次月經，是名「經輪迴」此種「經輪迴」，皆黃體為謀妊娠作用而使之然。

（未完）

藥學研究

柴胡治瘧之研究

徐先彬

柴胡一味，俗醫恒以爲治瘧要藥，多喜用之，然竊覺柴胡何以能治斯病？斯病何以須用斯藥？亦不之知，問其故，則曰：「瘧疾，少陽病也，柴胡，少陽藥也，以少陽之藥而療少陽之病，於理無悖」，余見之累矣，嗚呼！可勝慨哉！

夫欲明柴胡治瘧之理，必先明瘧疾致病之因，考瘧疾一症，西名麻拉利亞（malaria），爲一種胞子蟲寄生於人體赤血球中所致，其胞子蟲之種類不一，其成熟之期有長短，故瘧有連日發，間日發之異，但當其成熟之時，必獲大量體熱，始能分裂繁殖．此瘧發時所以必先惡寒也，大凡宇宙間各種生物，其能生存繁殖者，亦必須有適宜之環境，且無外力之侵蝕而後可，否則，即不能繁殖，甚或不能生存也，故瘧疾患者，亦必身體內之抵抗力首先減弱，胞子蟲始得乘虛而入，蔓延爲患，殆無疑義，古人早知此理，故於正常之瘧疾，輒以柴胡之配合劑投之，蓋柴胡非但爲清涼解熱之品，且有疏通淋巴之功．本經稱：「除寒熱邪氣，推陳致新」……即此理之確證，今驗之於事實，亦無訛誤，淋巴爲白血球之發源地，設一旦壅塞，則白血球之產生數目，自必減少，故胞子蟲所以得猖獗而爲患也。且當瘧病發生之際，胞子蟲正需大量體熱而分裂繁殖，此時以柴胡配劑，既能清解其熱，以阻其發育之機於內，復能疏通淋巴，增加白血球產生之數目，以完成其抵抗力於外，瘧菌雖悍，亦無力爲患矣！

雖然，藥物下咽，須經腸壁之吸收，始能到達血液，計時約半小時至一小時之久，故服斯藥者，亦須算定時間，於瘧發前半小時或一二小時服之，始克有效，否則雖盡萬鎰，亦屬無濟。

柴胡治瘧之理，既如上述，然臨床上之診斷，不可不更爲注意，藥徵云「柴胡主治胸脅苦滿」，傷寒論小柴胡湯條曰：「傷寒五六日，中風，往來寒熱，胸脅苦滿」……蓋即淋巴壅塞之謂也，日人湯本求眞氏，更發明小柴胡湯之腹診法，猶爲撮要．（參看皇漢醫學）故余意凡用柴胡以治瘧疾者，必病者有胸脅苦滿之主要徵候，則無不立效，否則，徒勞無益也，學者審之！

肉桂

余仲權

性味：甘辛，大熱有小毒，其溶液呈酸性反應。

成分：本品含桂皮油一—一．五%，其中主要成分爲桂亞爾台希度 $C_6H_6:CH:CH:COH$ 含爾品（$C_{10}H_{14}$，桂皮酸 $C_6H_5:CH:CH:COOH$ 及樹脂護膜等。

效能：能發汗，解肌，鎮靜，鎮痛，强心，利尿，通滯治嘔吐防腐，治衝逆，用量〇．五——三．〇

藥理：本品味辛，在口中刺戟舌下腺及耳下腺，使涎液分泌加多，入胃刺戟胃壁，亦使胃液加强分泌，扶助消化，遇膽汁，則能與蛋白化合成蛋白單寧酸，以發生制腐作用

，又阻止腸液之過度分泌，在腸吸收入血後，循行至臟則使神經興奮，且令心臟跳動如速，血行增快，而呈强心利尿，發汗解肌諸作用，凡藥物揮發油所生之作用，本品皆具有焉。

配合：冬月難產，或產門交骨不開者，本品合當歸牛夕治之；桂漿解渴水，夏天常用以解口渴，其配法即水三升，蜜一百公分，桂木五公分，同浸七日即成；同酒服治心中冷痛；外腎偏腫者，本品為末水調敷之即效(海師方)；合洋蘇木服治內出血(英美方)

禁忌：凡陰虛而火盛者勿用。

參考：處方名用川桂，安桂，官桂，內桂，產越南，本品以肉厚色黯，有油味甘，嘗之舌上極清甜者佳。

英美學說：肉桂為香藥，補胃而積有收斂性，能治嘔吐，肚痛，泄瀉，袪風。

荷蘭藥鑑曰：肉桂融和溫壯，能令神經活潑，健强精神，收固血管之縱弛，以治虛敗之症，此外神經熱，腐敗熱而兼消化系病者有效，又虛脫而嘔吐者，以泡劑投之甚良。

黃勞逸云：入胃後能惹起胃液及涎液之分泌亢進，振起消化機能，使胃納增加，至腸中，遇胆汁分解而遊離柔酸，此酸與蛋白化合成蛋白柔酸，故可用之以治腸炎之瀉利。

丁福保云：肉桂用為健胃矯臭藥，及腹部冷痛，貧血衰弱。用量一·〇—五·〇。

白降丹

二

山西芮城薛毓英

古方白降丹，為外科良藥，俗稱煉丹，吾醫界對外科各症，多倚之為左右手，洵聖藥也。茲將個人經驗，錄列於後，供同道之參考。

原料　硃砂二錢　雄黃二錢　水銀一兩　硼砂五錢，火硝兩半　食鹽錢半　白礬兩半　皂礬兩半

操作　先將硃雄硼三味研細，再入其他五味共研至不見水銀星點為度，用陽城罐子一個，放微炭火上，徐將藥入罐化盡，仍微火令乾（注意——如火太大，乾後則汞走，如不乾則藥倒下無用，其難處在此宜慎！），將罐取起，再用陽城罐一個合上，用棉紙將口先封，後用罐子泥，草鞋灰，光粉三樣研細，以鹽水合勻，塗其週圍，泥一層，紙一層，連用四五重。地下掘一小潭，用白碗盛水置其中，再將罐之無藥一端，放碗內，用瓦片壘蓋潭口，以遮蔽白碗，不受火力為度，嗣於罐底生火，以小香三炷，燃完退火，冷定後，開取降於空罐之藥，即是降丹，磁瓶藏之候用。

性狀　為白色結晶體，塊形片狀不一，或為粉末。

主治　癰疽發背疔毒等，用水調敷，或散瘡頭，惡瘡初起，用之立可發泡，消散。有膿者潰，腐者即脫，誠聖藥也。

用量　看瘡大小而定，大者五六厘，小者一至三厘已足。

注意　煉丹時，如見罐上冒青烟或綠白烟者，急用罐子泥固封需是 [illegible]

幾種含有碳酸鈣的藥物之檢討（續）

王贊曾

方證　一、治金瘡出血，牡蠣研粉敷之，（肘後方）

二、治病後常衄，小勞即作，牡蠣十分，石羔五分，爲末，酒服方寸七，亦可蜜丸，日三服，（肘後方）

三、治月水不止，牡蠣煆研細，米醋搜成團，再煆研末，以米醋調艾葉末熬膏，丸梧子大。每用醋湯下四五十丸，（普濟方）

按丸鈣皆有促進血液之效

七　消炎藥　治一切瘡，（王好古）

方證　拔毒，外治發背初起，牡蠣粉灰，以鷄子白和塗四圍，頻上取效，（千金方）二、治癰疽未成，用此拔毒，水調牡蠣粉末塗之，乾更上，（姚僧垣集驗方）

按牡蠣有生用煆用之殊，生用則止澀力小，滋陰降逆力大，煆用則滋陰降平力小，潛伏止澀力大。

五、石決明

性味　鹹平無毒。

作用　一、明目去翳內服　引證　肝肺風熱，青盲內障（海藥本草）明目。（日華）

方證　一、羞明怕日，用石決明，黃菊花，甘草，各一錢，水煎冷服，（明目集驗方）

二、治青盲雀目，用石決明一兩，燒過存性。外用蒼朮三兩去皮爲末，每服三錢，以猪肝披開，入藥末在內，札定，砂罐煮熟，以氣薰目，待冷，食肝飲汁。（龍木論方）

三、治痘後目翳，用石決明火煆研，穀精草，各等分，共爲細末，以猪肝蘸食，（鴻飛集方）

四、治肝虛目翳，凡血虛氣虛，肝虛眼白俱赤，夜如鷄啄，生浮翳者，用海蚌殼燒過成灰，木賊焙，各等分爲末，每服三錢，用薑同水煎和澄適口服，每日服二次，（經驗方）

五、治青盲翳障，用石決明、甘菊花，生地黃，木賊草，穀精草，羚羊角，瓜，蟬蛻，空青，蜜蒙花，決明子，夜明砂，

磨翳點目　引證　磨障，（日華）水飛點外障翳，（寇宗奭）研細水飛、主點外障翳（繆希雍）用作眼科藥。

二　平肝息風　按今　於肝風之動病，恒常賞用，而屢奏膚功。

三　療骨蒸勞　引證　骨蒸勞極（李珣）治骨蒸勞熱，（黃宮繡汪訒菴）

四　通淋　通五淋，（李時珍　繆希雍　汪訒菴）

方證　治小便五淋，用石決明，去粗皮，研爲末，飛過熱水服二錢，如淋中有軟硬物，即加朽木末五分，（勝金方）

按其病似屬膀胱結石，膀胱石係鹽類之結晶，諒因本品之鈣質，能與該結石行交換作用，呈可溶性鹽，而隨小便下也。

又按藥物辭典載，解白酒酸，用石決明不拘多少數個，以火煆過，研爲細末，將酒燙熱，以決明末攪入酒內，蓋住，一時取飲之，其味即不酸，則燒後呈鹹性，又獲一佐證矣。（未完）

醫方研究

五苓散猪苓湯文蛤散茯苓甘草湯四方合論

劉鐵松

世之醫者，每以誤解五苓散爲治熱入膀胱，消爍津液，故成渴欲飲水，小便不利等症，嗚呼，醫一道難也哉，考諸傷寒論云，渴欲飲水，水入即吐，名曰水逆。五苓散主之，世人不究其致病之源，以訛傳訛，遂掩蓄水之義，不知所云蓄水者，乃由水停身中，不爲膀胱所排泄，故小便不利，至云水逆者，因存儲之水，既不能排泄，又不能化氣，故身中不得濡潤，而復欲飲以自救，然胃中既有蓄水，再飲之水，當無可容之處，故水入即吐，不然，熱消津液，正宜以飲水以滅火，以有反不能飲者乎，故方用桂枝辛散之性，以增心陽而化氣行液，二苓及澤，乃淡滲之品，以引水下行，白朮轉樞其間，使水得就下，則諸愈也，惟猪苓湯一方乃爲熱盛膀胱，故云桂朮之辛散，而加滑石以清熱，阿膠以育陰，是以尿中混有濃血或膀胱尿道有疼痛之狀等證，亦可用之，兩方之異即由此可知也，至少陰病下利六七日，咳而嘔渴，心煩不得眠者，亦用此湯以導其熱，由小便而去，此不過爲熱傳少陰之輕者云耳。若云有舌乾口燥之重症，則用大承氣急下一法，尚恐其人之不可救，豈滑石阿膠育陰清熱，所能勝任者哉，而文蛤散一方，在傷寒則云肉上粟起，急欲飲水，反不渴者，又云不差者，與五苓散，此亦取表裏同治之法也，然金匱又云渴欲飲水不上者，用此以生津止渴，亦云反不渴，一云渴不止，何至相反若是，其中或有錯簡乎，致使茯苓甘草湯，徐靈胎謂爲治汗後汗出不止，用以治腎水上犯之方，故以桂枝甘草以止汗，茯苓以鎮逆，於是汗出心悸之症得愈。厥而心下悸者亦治，此誠可謂深得先聖用藥之真諦也，以上四方，茯苓一味爲必用之品，初學者當細心研討其所用之故，而後用藥時方有成竹，是又讀書時不可少之一法也。

葛根湯葛根加半夏湯黃芩黃連湯三方論合

前人

葛根一藥，傷寒於太陽病項背強几几之症用之，可知此味爲解拘攣症狀之屬於表邪者無疑也，然考葛根一方，即桂枝湯加葛根麻黃而已，既不云桂枝加葛根麻黃湯，而名以葛根者何哉，要知汗出惡風一症，責在桂枝，無汗惡風，責在麻黃，至於葛根，則專在以解經輸之邪爲主，故聖人名方之義，亦以負專責者爲重，蓋恐後人徒知表邪而輕几几之症，所以提醒後人眼目者也，又考葛根之功效，能清解陽明，然陽明爲多氣血之腑而主宗筋，陽明之氣不清，而筋絡失養，以致項背強几几者，固當用之，然則同是陽明之氣不清，而致他症者，亦皆可以用也，故仲聖又云太陽陽明合病，必自下利，葛根湯主之，乃太陽之邪，傳入陽明，其邪下陷而不上，故恐其下利，而以此湯作未雨之綢繆，若不下利而但嘔者，則用葛根加半夏湯主之，加半夏以降逆止嘔而已，至葛根黃芩黃連湯，則治桂枝症而誤下之後，遂下利不止，其脈促喘滿而汗出者，尚挾表邪未解也，故一面用黃連以治協熱下利，而一方用葛根以清解陽明之表，其用甘草，亦不過爲調解之功，其所以不去葛根者，亦皆責陽明之氣不清而用以清之也，若不明聖人之用藥，體先賢之寓意，何能探其理蘊哉。

長篇專著

實用處方學（續）

徐庶遙

△便閉

（一）

處方：大承氣湯

主治：腹中實滿，大便不通，脈沉有力或滑數。

病解：大腸有熱，致腸之機能亢盛，由小腸輸入大腸之糟粕，所含水分，益被腸壁吸收，因之糟粕結而不行，時愈久而結愈堅，同時胃內容物因發酵而生出之氣體，又為燥屎所阻，不能下洩，充塞腸中，而實滿遂作矣。

藥味：枳實　厚樸　芒硝　大黃

方解：凡鹽類瀉劑，雖易溶解於水，但對動物膜之滲透壓甚薄弱，故內服後，非但不被吸收於腸壁，反而能攝取腸壁內之水分，將停聚腸內之燥屎稀釋，此中醫學上所謂鹹能軟堅是也，復加大黃以刺激其腸壁，亢進其蠕動，則被稀釋之燥屎，更易排出，況再用厚樸以調整其神經，枳實以助其推盪，或推之，或挽之，經方之妙，誠不可思議也。

（二）

處方：麻仁丸

主治：脾約症

病解：腸之津液缺少，蠕動力不完全，因此約束糟粕，而成是病。

藥味：杏仁　芍藥　枳實　厚樸　大黃　麻仁

方解：杏仁麻仁，增其津液，枳實大黃，促其蠕動，厚樸散鬱結之氣，芍藥解痙攣之急。

（三）

處方：補中益氣湯

主治：老年人或久病後大便不利者

病解：中氣虛弱，腸中肌肉，柔軟疏鬆，不能運化，最易罹此。

藥味：炙草　當歸　陳皮　升麻　黃耆　白朮　柴胡　人參

方解：方中炙草，人參白朮，陳皮，黃耆等補脾健胃，蓋脾胃健，則腸肌發達，動作正常，而運化始有權矣，稍加升，柴，以升舉其清氣，清升而濁自降矣。

庶遙按：便閉一證，其因頗多，為便於說明起見，特分為緊縮性便閉，弛緩性便閉，狹窄性便閉三種，各種症象，亦不一樣，臨症之頃，不可不詳加辨識也，夫所謂緊縮性便閉者，即便閉之實證，有沉實之脈，有堅硬之便，硝黃之配劑可奏效也，弛緩性便閉者，為腸管麻痺弛緩，無排便之力，大便因而閉塞，其脈必多微弱或沉遲，腹部軟弱，大便多含水分，排泄少而不通快，治則宜用辛熱之藥，刺戟腸管之緊縮，便閉可愈，姜桂配劑之所以能治便閉，其理若此，設不明其理，妄投硝黃，則弛緩益甚，永無愈期矣，狹窄性便閉者，為腸管自身狹窄，或鄰接之臟器生腫瘤或腫大，壓迫腸管而起狹窄，因起便閉也，大黃牡丹皮湯，桂枝茯苓丸，桃核承氣湯，大黃䗪虫丸等，均為本病之適應劑，學者再參考各方之證狀與脈象，則得矣，此外尚有老人，或熱病之回復期，或慢性病等，體液枯燥，致大便難通者，此即前麻仁方所主治之病也。（未完）

中央國醫館四川省分館公佈欄

中央國醫館四川省分館訓令　中華民國三十年七月　日發　送字第　號

爲印發防治時疫霍亂宣傳七綱暨痢症治法令仰廣爲宣傳預防以資救治由

令各縣國醫支館支館籌備處

照得長暑流金之際，氣候酷熱，人民居處飲食失宜，恒多時疫流行，其中霍亂痢疾二者，爲害更鉅，若不先爲未雨綢繆，對於預防之方，廣爲宣傳，及於醫藥救濟事宜，妥爲籌備，一旦疾疫發現傳染，束手無策，坐視流行，經年川北災患，可爲殷鑒，我國醫治驗歷代相沿，方術信仰，深入民間，對於指導預防與預籌救治等方法，責無旁貸，用特編緝防治時疫霍亂宣傳大綱及痢疾治法，隨令印發，仰該支館會同各慈善人士，或捐資刻刊，以廣宣傳，或贈施藥品，預爲儲備，庶期消患未然，減少人力之損失，所有遵辦情形，仰仍隨時具報查改爲要此令

附印發國醫防治時疫霍亂宣傳大綱

館　長曹叔實

副館長劉子沉

[illegible]

中華民國三十年七月　日

國醫防治時疫霍亂宣傳大綱　四川國醫分館編

一、病狀病理和結果

時疫霍亂，爲急性傳染症，發生的現象。是頭痛腹痛劇烈吐瀉。大汗出四肢厥冷。及轉筋，這稱爲「濕霍亂」。至欲吐不吐，欲瀉不瀉。其餘病狀同濕霍亂者，稱爲「乾霍亂」。或稱爲「絞腸痧」。這種時疫霍亂的原因，不只是由於飲食不潔。腸胃中毒。另外天時氣候不良。呼吸穢氣。血液中毒。遂以影響於腸胃消化。亦爲重要。這種病症致死亡之原因。

第一，由於大汗吐瀉後，身體一切官能衰敝，所謂亡陽而死，現象爲「吐瀉後，手足冷，惡寒，不渴，脈微，舌苔白色」，這稱爲「陰性霍亂」。

第二，如乾霍亂之腹悶脹，及吐瀉後之發熱，不惡寒，口渴欲飲冷，舌苔紅黃色，因血液中毒而死，這稱爲「陽性霍亂」，即是痧症同霍亂併發，上述兩種不同現象的病症，若治療用藥相反，不但無效，更使促進死亡。

第三，吐瀉後生理官能未恢復，或血中毒性未有消解，而遂飲食，使胃中毒性復熾，損及器官，尤爲不能治療，必死之普通現象。

二、治療方法

對於治療方法的原則，因病象不同，而遂有區別的，茲分述如後：

第一，乾霍亂用炒鹽沖童便服，使病者吐瀉，再用濕霍亂的治法治療，因炒鹽水可助長腸胃的吐瀉液，童便可清解血液中的毒素，這是最便易安全迅速而有效的經驗良方。

第二，濕霍亂

甲、屬於「陰性現象」者，用下列藥方：

泡參（八錢）製附片（五錢）乾姜（六錢）白朮（四錢）（甘草（三錢）用紙包浸濕火煨）

乙、屬於「陽性現象」者用下列藥方：

子、內服藥泡參（六錢 蠶沙（四錢）黃連（三錢）滑石（四錢）甘草（四錢）

丑、外用濟世仙丹點眼角，以刺激神經防減血毒」

明雄（五錢水飛淨）白芷（一兩）枯礬（一兩）蓽撥（三錢）

蒲朮（五錢）地胡椒（三錢）
火硝（四錢淨）北辛（四錢）丁香（三錢）菖蒲（五錢）
牙皂（五錢）

以上各藥，研極細末，用綢羅篩過，後加入（上冰片）（眞麝香）各三分，用小磁瓶裝備，每瓶五分，瓶口塞緊，無使泄氣，治法用此丹法男左女右點大眼角，因藥到眼角，性至命門。

上述甲方，爲助長胃液，刺激神經，恢復生理機能。乙方爲助長胃液，清解血毒，鎭靜嘔吐，爲治療對症安全不易之原則。

至於治療方式，應就地域適中地點，設立治療所，集中醫師藥物，以集中病者治療，俾免醫師不遑奔走，不敷分配之弊。

三、預防方法

一、屬於個人者

甲、勿食冷水果品，及不潔之物。

乙、每餐酌食苦芥，以增長胃抗毒機能。

丙、宜常携藥香，或解穢香料藥品，（如川芎蒼朮等）以興奮神經，發舒鬱悶。

二、屬家庭者：

甲、改良飲水，宜常置管仲，雄黃，蒼朮，白礬，以淸解水毒。

乙、注意房舍淸潔，勿雜置食物，致蒼蠅繁殖，以傳毒於食物中。

丙、房中宜常開窗燃香，以流通空氣，薰解穢氣。

三、屬於社會者：

甲、注意溝渠淸潔，以免穢氣廣播。

乙、取締售賣冷飲冷食的營業，及不潔食品。

丙、交通路上設置茶水，泡貯香散淸涼之藥，以解暑渴。

四、屬於病症考驗者：

以生芋咬食，如不覺麻口，即可定爲業已伏霍亂病浸，應即服霍香正氣散以解之，若藥物不便即多食生芋，使大便瀉利，亦可解毒。

學院園地

中央國醫館四川省分館 國醫學院招生

一、名類　本科第十一班新生五十名

　　　　　本科第九、十兩班插班生各二十名

二、資格　新生曾在高中及舊制中學畢業或具有高中同等學力者插班生曾在其他同等醫校修業得有轉學證或曾從師習醫數年得有該業師之證明書者

三、考試日期　國歷八月三十日午前八時

四、考試科目　新生　黨義　國文　科學常識　口試　體格檢查

　　　　　　　插班生　加試　生理　化學　內經　國藥　時病

五、報告手續　呈繳證件及最近二寸半身像片一張試驗費二元

六、報名地點　成都北門內興祿寺街本院西門外外銀槿橋圓通菴新院　詳章存院函索附郵即寄

國醫學院送診施藥委員會誌謝（續）

劉妙道　黃關階　代偉臣　譚光明　張玉春　侯輔朝
許青之　劉繼洪　許國澄　周村山　黃致中　陳階許
李作舟　趙財發　黃爾康　朱成吾　蕭華丰　王朝君
陳思周　王連山　王習廷　吳華光　王瑞堯　易子成
周從高　呂子和　周仁山　潘燕山　王育謙　李與順
鄭俊　龍維舟　陳子春　左春凡　王子驊　王漢卿
吳子榮　王吉廷　劉松壽　王碩堂　劉相如　黎青山
吳紫霞　王德順　華先本　王秀峯　沈山初　葉茂林

以上各捐洋一元

讀者信箱

答吳詩禮君（原文過長不錄）（一）

貴恙每逢夏月即發，秋盡則愈，可見與時令有嚴密關係，蓋夏月天候炎暑，空氣中含多量水分，脚部最易受溼邪侵襲，此即經所謂：「外邪襲人，風則上先受之，溼則下先受之」是也，兼之暑月汗出，最易鬱遏，釀成小形水泡，痛癢難忍，破後黃水流出。一到秋盡冬初，則炎威已盡，寒涼漸生，空氣因而乾燥，汗腺亦多閉塞，故自愈也！前醫認係溼熱，本無訛誤，或因用藥不當，致成頑疾，姑擬一方，內服外敷，以觀後效。

內服方

土茯苓五錢　毛銀花三錢　地膚子二錢　香白芷二錢

霜蒼朮二錢　枯黃芩三錢　甘草稍三錢　薏以仁三錢

黃豆卷三錢

右藥水煎服服後藥渣熬水洗瘡處

外敷外

生石膏一兩　雅黃連三錢　淨輕粉八分　香白芷三錢

硃砂三錢　雄黃二錢　好明礬四錢　梅花片一錢

右藥共爲極細末磁瓶貯定勿令洩氣

用法　未潰用溫水將瘡洗後將要乾時用藥乾摻瘡上已潰者調油敷摻之但每日必摻藥二次洗瘡二次忌穿皮鞋膠鞋在兩週內瘡可告愈

編者謹覆　七月十四日

（二）答朱永明君（原文從略）

用藥輕重，本無一定，當以所現證狀爲原則，貴恙既與平胃散所主治之證狀，完全相合，即可照下列分量配服：

由厚樸三錢廣皮三錢蒼朮二錢半甘草一錢，此外亦可加入藿梗三錢枳實一錢，暫服二劑，以觀後效，再必續服也。

夜間失眠，據現勢推測，其因有二，即或爲附屬證候，或爲思想複雜，暫可不必服藥，屬於前者，主證去而失眠自愈，屬於後者，則須寧神靜養，非藥力所能爲力也。

編者、七、一四、

（三）答倪振勇君

本刊「經方研究」一欄，作者係以方劑之記錄及主治之證候等爲研究原則，各藥分量，古書已有詳細記載，故不備錄，欲知其詳，請參看仲景「金匱」「傷寒」原文可也。

編者、七、一四、

醫學必讀要籍一覽（續）

武勝周復生

診斷學類（基礎三）

(西)診斷學上冊下冊……商務印書館版

(中)脉學發微……惲鐵樵著

(中)中國診斷學綱要……張贊臣編

(中)兒科診斷學……大東書局版

本草藥物學類（基礎四）

(中)章編藥物學……章次公編

(西)世界各國新藥集……顧壽白編

……最後消息……

中央國醫館理事會議決

中醫學校應呈請教部立案

（本刊特訊）中央國醫館於五月十五日假座重慶青年會中西餐堂，開常務理事會，出席者，陳立夫——周平瀾代——彭養光——陳遜齋代——邱嘯天，陳遜齋，張簡齋，列席者，焦易堂，陳郁，胡書城，張錫君，薛正清，主席陳立夫，紀錄薛正清議決案有：（一）令各分館多設中醫學校，其各校立案，應呈由中央國醫館轉咨教育部，（二）編纂中醫教科書，（三）充實中國製藥廠，（四）在渝設辦事處，（五）國醫館擬在成都，西京，各設醫務人員訓練班，（六）擬建議教部，創辦中醫中藥專科學校云。

國醫學院呈請教部立案

（本市訊）此間北門新禪寺街四川國醫學院，根據五月十五日重慶中央國醫館理事會議決案：「令各分館多設中醫學校，其各校立案，應呈由中央國醫館轉咨教育部」一節，業已依照法定手續，呈請教育部立案矣！

又該院年來人數衆多，原有標本儀器，每感不敷分配，刻正籌劃專欵，從事購置，聞已商有具體辦法云。

祕製靈藥正設廠製造中

本社總務主任兼四川國醫學校眼科學教授徐庶遙氏，對於眼科，造詣極深，尤其祕製眼藥，更爲一般社會人士所樂用，惟自抗戰軍興，原料缺之，病家每感無從購得，深以爲苦，刻徐氏爲便利病家用藥起見，已多方設法，購得大批原料到省，現正設廠製造中，聞不久即可正式出貨云。

本刊價目

零售每册五角半年六册，二元八角，全年十二册五元郵費外加・郵票代洋十足通用，但以一分至八分爲限。

廣告價目

地位	全面	半面	三分之一	四分之一
封面	八十元	六十五元	五十五元	四十五元
底面	七十元	六十元	五十元	四十元
普通	六十五元	五十五元	四十五元	三十元

附註：本刊廣告係以每期計算長期函議，另有優待。

成都圖書雜誌審查證審乙字第三六三號

歡迎投稿

一：本刊各欄，均歡迎投稿

一：來稿不論文言語體但須用毛筆繕寫清楚，並加標點，

一：來稿無論登載與否，均不退還，但預先聲明並付足退還郵資者不在此限。

一：來稿本刊有删改權，不願者須預先聲明。

一：來稿一經登載，即酌酬本刊一期或數期。

一：來稿請直寄成都與禪寺街國醫學院轉本刊編輯部

主　編：本刊編審委員會
總發行處：成都西玉西街愛知治療所
分發行處：成都與禪寺街四川國醫學院
重慶中一路八十一號濟生堂
本市廉官公所街峯淩藥號
代售處：本市各大書局
本刊社址：附設陝西街新中醫療養病院內

1958, 9, 1 3.

內政部登記證字藥五五六號　中華郵政掛號認為新聞紙類

醫藥改進月刊

集易書　（印：集易）

第一卷　第七期

短評

中醫學校列入教育系統的實現

編者

據本刊第六期所載消息：五月十五日，重慶中央國醫館假青年會召開理事會，出席會員多名，由理事長陳立夫主席，薛正清紀錄，議決案第一項，一令各省國醫分館多辦中醫學校，其各校立案應彙由中央國醫館轉咨教育部，這議案的意義，我們認為非常重大，是未可稍加忽視的。

關於中醫列入教育系統的問題，在戰前曾有過多次強烈的爭執，但因種種關係，結果都未實現，一直到現在，還是被拒絕於百尺高竿之外！

然而事實告訴我們，在這抗戰期中的後方，中醫已負上重大的使命了！試看每一都市、城鎮、或鄉村，假使一天沒有中醫診，病家會感到何等的痛苦？直接影響社會秩序，間接妨害民族健康，影響所及，又何堪設想呢？可是回顧中醫界的同志，能够確實擔負這種任務的，究有幾？所以就目前的環境來說，多辦中醫學校，訓練新的幹才，實在是刻不容緩的事。

陳理事長不但是提倡中醫的先進，同時又是身負全國教育最高責任的人物，對於這種情形，自然早已洞悉，此次理事會的議決案，亦必能付諸實現。我們希望各省國醫分館，從速創辦完善的中醫學校，我們更希望僅存的幾個中醫學校，趕緊完成在教部立案的手續，不要辜負提倡者的盛意！

本期要目

中華民國三十年九月一日出版

本刊編輯部啓事

本刊宗旨，係在以科學方法，闡揚舊有學術，以期達到改進之目的，故取材方面，着重實際，不尚空談，尚希賜稿諸君，務本斯旨，不勝歡迎也。

本刊編輯部啓事

連日警報，使編輯和印刷都發生了一些困難，致本期遲出版數日，尚希讀者諸君鑒諒。

本刊獎勵讀者介紹訂戶啓事

本刊內江讀者余宗岐君，一次爲本刊介紹訂戶十一名，特登刊獎勵，藉表謝忱。

本刊編輯部啓事

本刊爲發揚我國固有醫藥學術，增加治療效能，以應抗戰需要起見，特擬從下期起，增設「單方研究」欄，務盼海內同仁，共體斯旨，踴躍賜稿，藉光篇幅，不勝歡迎。

代郵：龍志雲君：請示知通訊處，此啓。

言論

對於建設中國本位醫學的意見（續）

蘇友農

今後指導藥物改進的途徑，在前面的敘述，我們知道國產藥物，有牠的社會背景，在醫療上有牠的特殊使用價值，我們基於國民經濟的關係，和基於建立國防醫藥的原則，與發揮國產藥物在醫療上的效能，對於目前遭受西洋藥物的傾銷和侵蝕，應加以改正的就是在國產藥物的本身，須立一定的法則來指導改進，這種辦法在根據中西藥物的比較，歸納起來，而應注意的原則不外下列幾點：

（一）在國產的生藥，應根據植物學農業學的原則，就各種藥物的形態性質科別產地，採集方法，種植方法等分別加以詳細研究，進而改良種植採集方法以增強藥物效能和增加藥物生產。

（二）國產藥物在過去使用的經驗都是本五味五色形氣等原則，來說明藥物作用的功能，現在是化學倡明的時代，我們應盡力用化學定性分析的方法來了解各種藥物構成的化學原素，和對於生理上所起化學作用，但這我們是以化學為根據去了解藥物的性能，不是說以化學的方法了解後，就完全可根據分析原素的結構而使之配合還原，即可代替有機性藥物的作用，這亦譬如化學雖能了解人體營養的化學關係，但仍不能以化學原素的供給，來代替有機性動植物的供給，是同一的例子。

（三）國產藥物的使用特點，就是複雜的配合，這種藥物配合作用的原則，是根據於過去使用的經驗，在傷寒論和金匱上的方劑，就是這些原則的根本。這些藥物經過各種不同分量的配合，而發生各種不同的治療效能，其中有特別利用其化學變化，而成特殊的作用。有些是利用其藥物在生理上，各器管分別而起各種不同的化學變化，來完成其治療的功能。這種種關係，我們認為亦得使化學法則去說明牠的必要。

四、國產藥物中，自然有些藥物含有不純的性質，和不適於人體的需要，但已往使用經驗，就是炮製，這些最普通的方法，即是薑汁鹽水，童便，醋，酒等浸炒，和蜜炙，同蒸曬，在藥物經過這些過程後，對於牠原有的性能，即生相當的變化，在化學變化的原則和作用，是有了解和加以說明的必要，藥物配合完全，即製成品藥，以便利使用，宋朝時代的和濟局方，曾有大批的製造，我們要求藥物的運輸便利，減少成本，與病者對於藥物的攜帶和服用便利計，對於國產藥物的精製上，亦有研究改良的必要。

（未完）

為什麼要改進中醫（續一期）

劉安瀾

中醫是否已具適應性的條件呢？這裏不用解釋，是有歷史作證明的，但是，我們不可否認，中醫自身沒有缺點，例如中醫學術的沒有系統，龐雜錯綜，且理說又多空泛，甚有故意神乎其說的，致令真理日晦，使理論與實際分離，令後人研究無由，這自然要責諸中醫界同人，沒有盡到中醫改進責任所致，同時缺乏中醫學術人才的研究，一般自稱優良的先進分子，除整日忙於應診外，是不暇顧及整個中醫的前途，以求改進，因此沒有人願將平生精力來研究中醫，整理中醫，無怪受敵人的侵凌，不能隨科學進步，就是自不努力不思改進的結果。今後要想改進中醫，惟有大家起來肩起改進的責任，才能抵拒敵人的侵略，才能適於大時代裏生存。

（三）用科學方法來整理

其次：中醫學術，在有般人，認為不合科學，太神祕，其實，是因他沒有研究過中醫學術的理論，這自然不會怪他，但是，我們應該自己承認中醫的弱點，如像中醫有些學術的理論，真是空泛而含糊籠統，當此人與科學鬥爭的時代，日本敢在中國橫行無忌，追本窮源，還不是仰仗科學的力量，所以我們要中國復興，也要研究科學，要想中醫保存，亦同樣要科學來整理，因為過去中醫學術太散漫分歧，我們應該使之系統化，無論關於中醫的生理，病理，或治療藥物等各部門，都應該用邏輯的方法，將各家的著述，搜羅攏來，用披沙揀金方法，編成合理化，適用化的專書，再將古說演繹而擴充之，使理論與實際不至脫節，使後之學者，得其門徑而深究之，然而這艱鉅的工作，要靠誰去做呢？自然責任就在醫者本身，尤其是國醫界的同人，應肩起的責任，不然，所謂改進也者，仍屬於畫餅。

造就新中醫人才，來作改進的先鋒，來負起承先啟後的責任，因為一種學術的興起，是非要多數人才的力量支持不可，請問中醫的人才在那裏呢？除了自稱優良的新進份子外，餘多為不學之流，且大多迫於生計，惑於利誘，專以應診為職務，無有顧及於整個國醫之前途，言之，實不寒而慄，中醫之不能跑在時代前面，這便為其主因，嗣後，祇有從事培養新中醫人才，充實新的力量，有了人才，一切問題，均可迎刃而解，豈止於中醫的改進呢！

（四）堅定信仰，埋頭苦幹

一般人都在追求真理，苦於無門，究竟真理是什麼呢？我可以這樣地解釋；「需要就是真理」，譬如三民主義，是中國人民所需要的，那末三民主義便是「真理」，所以，我們對主義認識後，就生出信仰，由信仰產生出力量，於是主義便是信仰的目標，信仰就是發生力量的源泉，舉這個例來，證明中醫學術，也是中國人所需要的，那中醫學術，亦就是「真理」研究中醫的朋友們，你們在中醫的寶藏裏，應埋頭去開闢新的田園，在你們思想方面，應堅定信仰，要信仰堅定，才能發生中醫新的力量，要自我改進，在學術上作改進，惟有這樣，靠自己努力奮鬥，則新中醫的建立，是不難成功的，中醫的前途，是永遠光明的。

（五）結論。

上面說明中醫一點改進的重要性，但，須要很多的，有智識的科學青年，不辭艱苦地去埋頭工作，竭蹶以赴，庶能完成其使命，不然，中醫的改進，仍只好是個口號，只好是個理想，然則我們可敬愛的國醫同志們，又將何去？何從呢？

（續完）

醫學研究

寒熱虛實之病理談

徐先彬

寒、熱、虛、實，爲中醫立說之根本，施治之準則，從古相沿，牢不可破，證之事實，自亦不虛，然細思古人立說之初意，亦不過用此四字以代表各種病症經過期中之現象，並無若何深意，乃後人不察，妄加鑿說，極端附會，於是亡陽也！陰厥也！少陰眞寒也！陽明裏實也！……種種名目，不一而足，致使眞理愈晦，邪說愈張，令人觀之，如墜五里霧中，是誠我中醫界千古大罪人也！夫處今日科學昌明之世，而猶抱殘守缺，高談此種荒誕不稽之玄說，無異却步疾行，而欲達到前進之目的，烏可得耶，猶有進者，寒熱虛實，旣爲中醫立說之根本，根本一誤，則其結果自無不誤，故欲從而改進之，研究之，發皇之，舍從此基本學說下手外，別無良法，雖起仲聖於九泉下而問之，亦當不異斯言也！

欲明寒熱，必先知體溫之來去，欲明虛實，必先知機能之盛衰。故寒者，體溫低降之謂也。熱者，體溫增高之謂也。機能衰減謂之虛，機能亢盛謂之實也。然四者之中，實與熱，儼成一氣，虛與寒，幾不可分。故古人於此等處，又以陰陽二字賅之。謂萬病不出乎陰陽，實則陰陽二字，不過係一種代名詞，如病之屬熱屬實者爲陽，則屬虛屬寒者爲陰，易以今日西醫之名詞，則病之屬於進行性者爲陽，屬於退行性者爲陰，機能亢盛者爲陽，機能衰減者爲陰，古醫籍所稱之陰陽，其意義不過是耳，金元以後，一般學者，多附會其說，陰陽之眞義，遂轉覺幽渺而不可究詰矣，可勝慨哉！

寒、熱、虛、實、之大概，旣如上述，今更從而論之，夫寒熱係指體溫之變常，前已言之矣，然人體正常之溫度，爲攝氏三十七度，過與不及，皆足爲病，欲知體溫之何故變常，必先明體溫之來源與去路，人體既爲無數細胞集合而成，細胞之生活力，又必藉各種物質以營養之，方能顯其功用，此物爲何？即日常所食之飲食物也。蓋飲食由口入胃，經幾次化學變化，變成糜粥，注入十二指腸，然後吸取入血，以作各組織營養之用，一部分老廢物質，則藉皮膚、二便、口、鼻等，排出體外，此種作用，生理學家即名爲代謝作用，當食物由胃入腸，發生此種作用時，即能將牠變爲各種簡單化合物，與氧結合，而起氧化作用，發生燃燒，此即體溫之所由來也。又血液在血管中循環，因摩擦關係，亦能產生部分熱力，藉以維持體溫之平衡，然吾人日食三餐，身體內之營養物，不斷增加，氧化作用，從未一刻停止，在理由氧化而產生之熱量，勢將繼漲增高，達於不可想像之地步矣！但實際上並未有此種現象者，則必另有一種作用以爲之調節耳。此作用爲何？即體溫之放散是也。體溫放散之最多者，厥爲皮膚，約占百分之八十，其次呼吸之時，因冷熱二氣之對流作用，以及二便之排泄，均可放散部分體溫，此即體溫之所由去也。體溫之來源與去路既明，則知欲維持正常之體溫，必須兩者平衡，過偏盛偏衰，病遂立作，設使體溫之來源過盛，或體溫之去路衰減，病必爲熱。體溫之來源衰減，或體溫之去路過多，病必爲寒，事實昭然，無容詞費矣！時賢陸淵雷、時逸人等，均有列論，可供參考。

寒熱既明，其次再論虛實，虛實者，機能亢盛與減衰之謂也。其限於局部者，曰局部之虛實，其遍及全身者，曰全身之虛實也。夫有生之物，其與死物異者，則賴有生活力以附麗於物質以爲之生存耳。此生活力即所謂之機能是也。人體之構造，外觀雖異常複雜，要而言之，亦不過呼吸、循環、消化、排泄、神經等五部，此五部各具有特殊機能以營其固有作用，設一旦外受客邪侵襲，內而七情損傷，身體各部之機能，受其影響，於是或亢盛而爲實，或衰減而爲虛，變化萬端，無由捉摸矣！

準斯以談，可知古人論寒、熱、虛、實，不過用以代表病症經過期中之各種現象而言，並無若何深意，尚望我醫界同人，認識清楚，勿爲後人所惑也！

衝任新解（續）

陳瑤鯤

再吾人何以知黃體對於胚胎有營養之作用，則可就數種實驗而得之，在胚胎着牀期，若以外科手術，剔除黃體，則胎兒定遭於死亡，此時若注射黃體分泌液，則胚胎仍能保持其生長，但在妊娠後半期，剔除之，胎兒却不至於墮壞，此中原理，則屬於胎盤，因胎盤中含有黃體之分泌物，雖一時缺乏黃體，胎盤却能代營此種任務也。

然則何以知胎盤之含有黃體成分乎？試以胎盤之血清注射於去勢之雌鼠身內，則與注射黃體液有同樣之結果，如交尾之特徵，性慾之亢進，以及陰道中發現鱗狀細胞等是。

胎盤之分泌素，非其本身自有者，乃平時接收各腺輸來之分泌物，而存儲之，以備妊娠後半期之用。以妊娠後半期，黃體便歸消滅，若胎盤無此作用，胎兒定不能達到長成之目的，勢必至於流產也。

綜上所述，種種生殖現象，皆系之於卵巢系統之下，故以任脈屬之卵巢，經云：「任脈起自胞中」，今卵巢確繫於胞之兩側，其爲任脈，蓋無疑矣。

任脈不僅屬於卵巢，關於其他各內分泌，尚有重要之連絡關係，如腎上腺對於生殖器之關係，可於摘去動物腎上腺之實驗而得之，摘去動物之腎上腺，則其生殖器發育不全，卵巢亦缺乏成熟卵胞，據 Meckel. 氏謂情力活旺之動物，較諸不旺者，有巨大之腎上腺，又黑人之腎上腺，亦較白人發達，少女之腎上腺腫瘍，則身體發育期早熟，外陰部亦早期成熟，又剔除卵巢，或在妊娠期中，腎上腺皆現肥大。此外胰腺亦與生殖腺有關，倘腺萎縮，感即性慾缺乏，外陰部及乳房均發育不全。

胸腺亦與卵巢有關，剔除幼稚動物之胸腺，則生殖器第一二次性徵之發育均不完全，又凡生殖器發育不全者，其胸腺之存在較爲永久，或對於有胸腺肥大者，與以卵巢製劑，每能使縮小，由此可知卵巢對於胸腺，抑制之作用也。

甲狀腺與生殖之關係，可於幾種實驗得之，剔除幼稚動物之甲狀腺時，即現各種發育障碍，生殖器發育停止，及不妊等症，若於長成之動物摘去之，生殖器立即萎縮，而呈無慾狀態。

松菓腺對於生殖腺之關係，若切除此腺，於幼兒七歲以後，卽漸次縮小，至破瓜期，幾至全部消滅，但若以松菓腺飼小兒，則睪丸呈非常早期成熟。女性則生殖器亦早期成熟，由此可知松菓腺，有組成生殖系之作用。

腦垂體對於卵巢關係更深，若剔去此腺，則全身之脂肪過多，生殖器萎縮，在幼稚動物，則生殖器發育停歇，是腦垂體有催進生殖腺之功能矣。

總觀上述諸腺體，對於生殖腺有營抑制作用者，有營催進作用者，然各腺亦有相互促進或抑制之能，如甲腺對於乙腺，有催進作用，對於內腺，則抑制之，甲狀腺、腦垂體、胰腺、副甲狀腺、卵巢，有相互抑制作用，甲狀腺，腦垂體、腎上腺、有相互催進作用，腎上腺，副甲狀腺，卵巢，有相互催進作用。

凡此多數腺體，相互間既有此等關係，故在平時一切腺體，能相調協，則足以保生理之平衡，倘一腺而有機能障碍或亢進，必影響其他諸腺，平衡為之破裂，而引起種種病變，卽中醫所謂「任脈為病也」，而以上各腺所分泌之液體，中醫命之曰陰，故經曰：「任脈統諸陰」。

考古稱任脈之經，起自會陰，上抵承漿，男子之睪丸腺，女子之卵巢腺，皆經於會陰，而腎上腺、胰腺、胸腺、甲狀腺、止於頷下，此各腺所經之路，卽合於任脈之經過也。

再以病證察之，卵巢性白帶，乃陰道子宮等，因卵巢亢血，而來強度之分泌，遂成帶下，又卵巢粘液素性囊腫，是為上皮細胞之分泌物液，稠粘或稀薄，色淡黃，乃至棕色，或褐色，又卵巢黃體囊腫者，初期為透明黃色，漸至化濃為黃體濃瘍，此卽所謂帶分五色是也，故治帶病，有補益脾腎而愈者，有疏胰腺有所不足也，有充塡腎液而愈者，乃上腺有所不足也，有分利水道而愈者，乃增加腎腸之吸收，是生殖腺分泌過甚也。

此外卵巢血腫、肌腫、上皮性瘍腫、濾胞囊腫，以及子宮瘜肉等，中醫統括之曰「帶下」，曰「瘕聚」，雖不及今世西醫之詳，然已得其梗概大端矣。

他如月經閉止，初潮遲緩，無月經，或月經過少，骨軟化病，性欲亢進或消失，皆生殖腺分泌亢盛，或減少之證，要皆任脈之病也，古人於婦科中，總以衝任為主治，有由然矣。

仿讀書記（續）

戴佛延

21 論痢

唐容川曰，內經以痢屬於肝熱，故曰諸嘔吐酸，暴注下迫，皆屬於熱，下迫與吐酸同言，則知其屬於肝熱也，仲景於下利後重便膿血者，亦詳於厥陰篇中，皆以痢屬肝經也，蓋痢多發於秋，乃肺金不清，肝木遏鬱，肝主疏泄，其疏泄之力太過，則暴注裏急，有不能待之勢，然或大腸開通，則直瀉而下矣，乃大腸屬肺金之府，金性收澀而不使瀉出，則滯澀不得快利，遂為後重，治宜開利肺氣，使金性不收，則大腸通快而不後重矣，枳殼桔梗粉葛枇杷葉，皆須為用，又宜清降肝血，使木火不鬱，則肝不大疏泄而不暴注矣，白芍當歸生地丹皮地榆，皆須為用，至於腸胃之熱，皆從肝肺而生，西醫名腸中發炎，言其已紅腫也，故黃連黃芩膽草黃柏，能退肝火，石膏知母天冬麥冬花粉連翹銀花白菊，能清肺火，皆當擇用，此清肺氣調肝血之法也，夫世醫泛言調氣調血，不能明肺氣肝血之所以然，則多不能救，痢危證禁口，世多不知治法，惟仲景存胃津液，足以救之，此即胃炎欲糜爛之候也，非大寒涼中加人參花粉，不能劫救，故凡禁口痢，但得舌上津回，即能進食而生矣，至於大黃，惟滿實者一暫用之，其餘蘊釀之熱，皆宜苦堅守治，不可用慓悍藥也，仲景治痢主白頭翁湯，夫白頭翁一莖直上，中空有瓤，能升達木氣，而通體有毛，無風獨搖，有風不動，其色純白，兼稟金氣，總爲金木交合之物，予從白頭翁悟出清肝木達風氣之法，又從下利肺痛一肺字，悟出肝之對面，即是肺金，清金以和大腸，又爲歷效之法矣，因書之以補前人所未詳。

延按，唐氏之論，係指欲下而窒滯者言，故立法主利肺清肝，若洞瀉無度，或下利清穀，此脾氣不升，腎氣不固，經云，清氣在下，則生飧泄是也，治宜溫補火土，雖發於夏秋之月，亦不得與時行痢疾混同施治矣。待續

傷寒六經傳變論（續）

劉庶機

H 生理機能說

太陽者排泄器官之病變也，排泄器官有二，一曰皮膚，一曰腎臟。皮膚外層曰表皮，無有血管神經之分佈，內層曰眞皮，始具血管神經，而汗腺則由皮下脂肪組織直通于表，專司排汗液和氣體之廢物。腎臟緣中央有輸尿管下達膀胱，膀胱前接尿道，專司排泄尿液及固形廢物。皮膚與腎，其作用甚爲密切。天熱時皮膚蒸發旺盛，則腎臟分泌尿量減少；天寒時皮膚蒸發[illegible]，則腎臟分泌尿量增多，蓋皮膚又具呼吸[illegible]作用，以輔肺臟之不足，如皮膚汗腺阻塞，必影響於肺而生喘咳，即其明證。

陽明者消化吸收亢進之病變也，消化器官分消化管與消化液。消化管由口腔，食道，胃，大小腸等所組成，消化液分唾液，胃液，膽汁，腸液所構成。在未病時，胃腸起蠕動作用，將各種消化液與食物攪拌，使混合融解後，便於吸收，其剩餘渣滓，再傳送至直腸，排出於體外，若胃腸充血，或全身動脈緊張過甚，則消化之吸收能力迅速而增強，將食物中之液汁，盡量吸取，以補償體中因炎證所失之水分，其結果腸胃枯燥，糟粕停積。

少陽者淋巴系統之病變也，蓋淋巴系統爲胸管，淋巴幹，淋巴微管，及淋巴間隙所組成，當血液經微脈管時，血中之液體成分，透過管壁，供養料以入淋巴間隙，而各組織中所産生之物質，亦賴淋巴液運去，進入淋巴管，諸淋巴管漸集合匯歸胸管，通入右心房處之大靜脈。以是在各淋巴之管腔中，滿貯透明之淋巴液。體腔內除肝脾能直接受血營養外，餘處之組織細胞，俱賴其營養。若淋巴系統有病，淋巴液還流鬱滯，則胸脇苦滿，寒熱往來之症作。

太陰者消化器機能衰弱之病變也，因消化機能衰弱，胃腸之壁肌，必起弛緩，消化液之分泌，亦必受影響。以致痰水停留，食穀不化，而成腹滿時痛，食不下，自利益甚之症。

少陰者心臟跳動與內分泌之病變也，心臟爲血液循環之原動力，其形如椎，居膈上兩肺間，分爲左右心耳及心室，有大動靜脈以連繫之，爲交通血流之路道。人之體魄活力，而由是產

生。如心動不足，心血行遲緩，全身怠惰，傾言嗜臥。如心動過甚，久則疲勞，漸趨麻痺。凡此皆手少陰之病也。內分泌又曰無管腺，有脾臟，副腎腺，甲狀腺，腦垂腺等，其分泌之素質，能刺激人體而營特殊之作用，不可須臾或缺，實操生命無上主宰之權威，尤以副腎腺素，有刺激血流，抑壓血管，與奮說之腎陰虧損，則亢陽不潛，龍雷飛越，極相吻合，是為足少陰之病。

厥陰者神經系統之病變也，包絡代心行事，屬於手厥陰經，古人謂腦為心，腦居頭腔中，分出神經若干對，遍布人體各部。高等動物，有此系統，而後能運動，能感覺，能顯其精神作用，能與全其生殖機能。體內各器官，無處不有神經，以為維繫，以為調和，若神經系統有病，則譫語，昏狂，不辨親疏之症作。一說厥陰為心臟衰弱，胸間蓄熱，即心虛取內熱是也，此殆為足厥陰之事耳。

四、傷寒六經與溫病傳變

內經以先夏至日為病溫，後夏至日為病暑，後人遂將春溫，風溫，暑溫，濕溫，秋燥等感冒，悉納於溫病之中，謂溫病邪傳三焦，與傷寒邪傳六經不同。以傷寒之邪，自表而入，始於足太陽膀胱經，由經絡而臟腑，為橫的傳變。溫病之邪，由口鼻吸取，始於手太陰肺經，順次而下，為豎的傳變。

傷寒六經傳變，對諸種疾病，實有不可包括無遺者，金元時已有人懷疑，然尚未敢離經叛道，正式非難，至清代葉香巖更開溫病傳三焦之端，吳鞠通繼其後，王孟英統其成，而三焦傳變之說，乃別立旗幟，分道揚鑣。諸家對溫病之認識，其理論既異傷寒，其治法自另尋途徑。以溫病初則犯衛，次則傷氣，再則入營，終則入血。在衛在氣易治，屬營屬血較難，中有由氣分入營分之際，而成氣血兩燔者。順傳由衛氣下三焦，逆傳則邪陷血分。又有順逆兩犯之包絡與胃受邪之症。若邪氣深伏少陰，或鬱肌膚，至春復感時邪而暴發，初時即舌絳血熱之證，則謂之伏氣溫病。

夏分濕熱蒸發，人在氣交之中，偶一不慎，即罹感冒，謂之傷暑，其病頭痛，身熱，汗出，口渴等。若初病即現舌白胸痞，口渴不飲，中焦症狀，謂之濕溫，與暑溫，較風溫為尤難治，亦有在裏在表之別，有氣有血之分，但裏症多於表症，血分少於氣分為異耳。

秋時微涼，空氣乾燥，氣候漸變，冷暖不常，感之而成病者，謂之秋燥，有復氣化熱，勝氣化寒之別。

夫四時感冒，雖難以傷寒之名概之，而其症狀之變遷未始不可以傷寒六經之法治之，何必巧立名目，徒尚空論，反滋紛歧哉！究古人對四時感冒，亦多濛混，不清之處，如溫病多在春時者，以春時一月至三月，氣溫驟變，最易發生肺炎，老人及小兒，因抵抗力不足，尤易感染，故稱此時曰肺炎期。凡患肺炎之人，熱型張弛超過三十九度，肺中顯現瓦斯交換障礙，致呼吸迫促，咳嗽胸痛，所謂溫病者是也。暑病多在夏令者，以氣候由寒而熱，皮下微血管漸次擴張，內經稱之曰陽外浮，因血管擴張，放散體溫，而所需飲食物為生溫之原料者，亦必減少。人若不知攝生，飽食濫飲，損及腸胃，或食過度，衰其抵抗，於是濕暑之病作。秋時天氣漸涼，血管收斂，血液多集於肺內，故現咳嗽，與春時同。至若冬季，以天氣嚴寒，皮膚密固，防體溫外散，內經稱為陽內斂，苟著衣單薄，衾被寒侵，則皮膚肌腠，將不能保持其固有之防禦，而傷寒之病作，者皮膚張弛，純係太陽之代名詞，統轄溫病暑濕，凡屬新感病症，俱不出太陽範圍，何得另立三焦，必始於手經耶。陸氏發明在太陽為之傷寒，在陽明為溫病。柯氏亦云：一寒未而熱能即傷寒欲解症，寒去而熱熾，即病發現症。「將傷寒六經與溫病三焦指示清晰，有益後學不淺。

（未完）

藥學研究

幾種含有碳酸鈣的藥物之檢討（續）

王贊曾

六、蛤粉

蛤粉，係蚌蛤屬，海蛤蜊，入藥係用其殼。

性味 鹹寒無毒。

作用 一、化痰飲 引證 熱痰、實痰、老痰、頑痰、清熱利濕化痰飲，定喘嗽，（李時珍）

按醫者賞用蛤粉治久咳，其意即在化痰，如蛤粉拌阿膠，即其一例也。

二、定喘嗽 引證 定喘嗽，（李時珍）止嗽，（黃宮繡）用作收斂劑，（藥典）

按碳化鉀於慢性氣管支病特效，黃宮繡曰，亦是斂肺清熱之功，考我國咸謂久咳氣散，故曰斂肺，即反映久咳之事實，況嗽喘初起，原無斂法，則其爲慢性也可知。

三 治水腫 消浮腫，（李時珍）

引證 一、治痰嗽，水腫，昔宋徽宗寵妃患此，李防御覓得市人海蚌蛤蜊粉，少加青黛，以淡虀水調，加麻油數滴，調服而愈，亦是斂肺清熱之意，無他治也，（黃宮繡）

四、治氣虛水腫，昔滁州酒庫攢司陳通，患水腫垂死，諸醫不治，一嫗令以大蒜十個，搗如泥，入蛤粉，丸梧子大，每食前白湯下二十丸，服盡，小便下數桶而愈，（普濟方）

按水腫之病機頗爲複雜，致爲醫者束手之症，凡云諸醫不治，之

則已不知利尿發汗逐水，溫運脾腎之藥用之凡幾，絕非歸功於小便利可知，從事於斯也久之，始發現碳化鉀有吸收炎性滲出物之效。

五 軟堅 化積塊，散結氣，消癭核，（李時珍）殖氣

六 制酸健胃藥 止嘔逆，心脾疼痛，（李時珍）

七 清血排膿藥 散腫毒，（李時珍）

八 止濇藥 止遺精白濁，（李時珍）並治血熱崩中帶下（黃宮繡）

九 明目 方證 治雀目夜盲：眞蛤粉炒黃爲末，以油臘化和丸，皂子大，納入猪腰子中，麻紮定，蒸食之，一日一服。（儒門事親方）

七、文蛤

文蛤古以其形似蛤而有花紋故名，一名花蛤，屬軟體動物瓣鰓類，有管類彎喙類文蛤科，產溫帶淺海沙中，藥用其貝殼。

性味 鹹平無毒。

作用 一、治瘡瘍，主惡瘡蝕五痔，（別錄）治口鼻中蝕疳，（目綱）

二、止血藥 大孔出血，女人崩中漏下，（別錄）

三、止渴 能止煩渴，（綱目）

按口渴西醫用重曹漱口，此或因煅後呈鹹性反應之效。

四、軟堅藥 能軟堅，（綱目）咳逆，胸痺腰痛，脅急鼠瘻。

八、海蛤

古人以海中諸蛤爛殼混雜沙泥，火煅爲粉，命曰海蛤，入藥，因之其內種類頗複雜。

性味　苦鹹平無毒。

作用　一、定喘止咳藥引證欬逆上氣，喘息煩滿，（本經）治咳逆上氣，（甄權）

二、治水腫引證主治十二水滿急痛，利膀胱大小腸，（蘇恭）治水氣浮腫，下小便，（甄權）

三、通淋巴　胃痛寒熱，（本經）項下瘤瘿，（甄權）胸脅脹急，腰痛，（日華）消積聚，婦人血結胸，（綱目）

四、凝血藥　五痔，婦人崩中，（日華）除血痢，（綱目）

五、解渴藥　止消渴，潤五臟。

六、止嘔藥　療嘔逆，（日華）

（未完）

附子

余仲權

性味：辛，温，有毒。

成分：劉寶善及周太炎云，本品含有烏頭素 Aconitin $C_{34}H_{47}NO_{11}$，中烏頭素 Mes-aconitin $C_{33}H_{45}NO_{11}$，副烏頭素 Hypaconitin $C_{33}H_{45}NO_{10}$。

效能：本經云治風寒咳逆，邪氣寒濕，膝痛不能步行，破癥堅積聚，血瘕金創。張仲景氏之實驗以附子主逐水，故治惡寒，骨節疼痛。旁治腹痛失精下痢。普通於虛脫者用以强心，衰弱者用以興奮，水腫用以利尿。用量〇、三——一、五錢。

藥理：本品在胃腸中，作用尚不顯著，吸入血液後，循行至副腎，呈其强烈之刺激，使其分泌加多，而間接使全身細胞之新陳代謝機能加速，令其活躍興奮，以治虛脫，衰弱，同時又能令血壓加大，使腎小體泌尿作用加速而利尿，仲景云主逐水，良有以也。

配合：生附子去皮臍，與木香等分，生薑同煎服，治十指疼痛，麻木不仁（王氏簡易方）；同南星等分，以葱汁調塗太陽穴，治久年頭痛（經驗方）；治耳鳴不止，無分晝夜者，用本品燒灰，同菖蒲等分，以綿裹塞耳中，日再用取效（楊氏產乳方）；附子一兩燒灰，同枯礬一分治虫風牙痛（普濟方）；經水不調，血臟冷痛，用熟附子去皮，當歸等分，每用水煎服三錢（普濟方）；斷產下胎，用生附子一枚爲末，淳酒和塗右足心，胎下乃去之（小品方）；久生疥癬，以烏頭煎水洗之甚驗（聖惠方）。

禁忌：凡非虛寒者忌用。

參考：處方名用附子，附片。產四川成都彰明及江油縣。本品以底平有角，皮色如鐵，肉色白，每個重兩許者佳，其他如洋附子及臭附子俱不可用。

△附子內服，必用其製品，但外用時，則以鮮生未經炮製者爲佳。

△日本學說：附子之效用—同於烏頭。猪子氏云，烏頭常用於神經痛，其効有三：（一）鎮痛：用於僂麻質斯，神經痛，痛風；（二）鎮靜：用於脚氣之心悸亢進；（三）利尿：用於各種水腫，但因發熱而亢進者勿用；

其用量爲〇、〇〇七八—〇、〇七八。

△藥學士下山順一郎云：蝦夷地方，以附子加蜘蛛蕃椒同搗煎汁，以塗竹箭射禽獸，謂之Basu。

△英美學說：附子用以止痛，寧睡，平腦，平脉，解熱，以其能遲達知覺神經也，服少量能奏麻醉之效，多服則喉間刺痛，肚疼，作渴，吐，瀉，遍體軟弱，甚至昏蒙而死。若牙部神經痛，先宜以酒浸本品擦之，不效時乃內服，牙痛可以綿蘸搽取效，風濕痛者，可日服三四次，久痛則兼外搽，損傷者以酒搽有奇效，若中毒者，可服吐劑，再用內外行氣之品即可。

國藥杜仲之治驗紀實

吳作成

杜仲性溫味微苦，諸書皆載爲治筋骨腰脚虛痛之特效藥，考五洲大藥房所售之非洲樹皮丸，仿單證明此丸爲非洲所產之樹皮製成，樹皮與華藥杜仲相似，功能强筋壯骨，據此以觀之，則非洲樹皮與國藥杜仲，當係一物，殆無疑義。

查本品之功效，在其筋膜，服用時須將筋膜吞下，始能發生效力，若用作煎水劑，則無效驗，試以杜仲和水煎之，則水褐色而味苦澀，再將杜仲取出，以手抽之，其筋膜依然如故，觀此則知筋膜與所煎水之色味，當含有不同之成分，其成分爲何？現刻雖不可知，然其筋膜效能，確有下紀數種事實，以資參考。

余廿載前因行房後跑步一鐘之久，未休息時即覺右腰部微痛，至晚三更，忽全身發冷，戰慄逾時，右腰部與右睪丸，抽痛異常，同時小便淋瀝，變紅黑色，服藥多劑，疼痛始止，但陽物已不能舉，右睪丸亦較前略小，便溺時向右邊斜射，蓋腎部已經損傷之現像也，醫治數月無效，頗以爲苦，後用杜仲四兩，猪腰子二個，水煎服，亦毫無效驗，再用八兩仍煎服，亦然，因思其功效或在筋膜，乃用三兩微火烘焦，研末和糖爲丸，如黃豆大，一日三服，每服三十丸，開水下，服甫及半，即覺陽物漸能舉動，服完後竟堅如平昔，心竊異之，遂再研三兩爲丸，如前服用，陽物舉時硬度與長大甚於平昔，週身筋骨發力，每日非作勇武之動作，身體不安，右手大指下與掌相連之筋，覺較前粗大，知爲藥性已發生効力不敢再服，數月後各種顯著現像，始行消失，病既生痊，又連生子女四人，皆杜仲之功也。

余妻年四十餘，忽患脚骨疼痛，皮肉不紅不腫，每坐矮櫈，或操作後，脚骨發痛不能行動，休息逾時始止，初疑係風濕爲患，後查係筋弱所致，以杜仲三兩爲丸服下，竟得痊愈，次年再發再服，效驗如前，此外曾施治筋痛疼者八次，中有三人係爲筋弱，經本品治愈，餘五人係風濕骨痛，服本品無效，

本品水煎服無效，已如前述必須丸服，始克奏功，惟須經微火烘焦研末，不可將筋膜炒斷，致失其效力，且其體質粘綿，不易研細，研時不必過羅篩，久研自細，但終有粗顆，恨未得良法研製之。

本品係僅限於醫治筋骨衰弱之骨痛，腎虛腰痛，陽物不舉，筋骨折損等症，其他不能治療，用者中病即止，不可過服，反致恣情縱慾，損害精神，無病者更不可妄服，戒之戒之!!

杜仲功效偉大，價值亦廉，惜乎用者多混合各藥煎服，但知其效，而未考其用，茲特將試驗所得之實際情形表而出之，尚希醫界同人深加研究，當知言之不謬也。

长篇专著

實用處方學（續）

徐庶遙

（一）嘔吐

處方：二陳湯

主治：嘔吐頻頻

病解：胃中受寒，或痰濕濁穢，使胃機阻塞，因起逆蠕動而作嘔吐。

藥味：陳皮　半夏　茯苓　甘草

方解：陳皮、半夏，辛苦温降，能散寒除濕，化痰止嘔，故為本病必用之品，再佐以茯苓利濕，濕去則痰濁無由生，甘草和中，中和而嘔吐自不作。

（二）

處方：小半夏湯

主治：喘咳嘔穢

病解：胃中停飲，肺胃均失降機　肺不降則喘欬作，胃不降則嘔穢生，然肺之所以不降，實由胃之停飲使然，故善治者，治其停飲可也。

藥味：半夏　生薑

方解：半夏降逆安胃，生薑温胃逐飲，停飲去而嘔穢不作，嘔穢息而喘咳自寧。

（三）

處方：吳茱萸湯

主治：嘔吐胸滿，煩躁欲死，手足逆冷。

病解：傷寒「少陰病吐利，手足逆冷，煩躁欲死者，吳茱萸湯主之」蓋病至少陰，則體力耗竭，心臟衰弱，血流遲滯，同時各種機能亦因而沉降，胃機失職，則嘔吐頻作，嘔吐過劇，則煩燥遂至於無地矣！四肢離心臟最遠，血少不能充達於四肢，故四肢亦逆冷也。

藥味：吳茱萸　大棗　人參　生薑

方解：吳萸本經稱其「温中下氣，開腠理」……故此藥不獨内温臟腑，亦且外温肌膚也，夫胃得煖而寒去，肢得温而血充，何嘔吐肢厥等證之足患哉！况再加生薑以温中止嘔，人參强心固脱，大棗安胃和中也？猶有進者，嘔吐甚則津液必傷，參棗均為增加津液之品，故猶為斯時必用之藥。

（四）

處方：大黃甘草湯

主治：食已即吐

病解：腸胃熱結，穢物停滯，不能排出體外，因而上逆作吐。

藥味：大黃　甘草（本方大黃須四倍於甘草）

方解：大黃性降，能袪腸胃熱結，故能止吐，恐其性猛害胃，故稍加甘草以制之也。

庶遙按：大黃一味，為治吐要藥，已屬事實，無容疑義，惟所治之吐，係宿食燥屎，鬱積於消化管中，妨碍飲食物下降而致者，始有特效，舍此則非其所治矣。

（未完）

經方研究

小青龍湯（發汗、解熱，鎮嘔，祛痰。）

汪鑫濤

桂枝　麻黃　乾薑　白芍　細辛　半夏　五味　甘草

此湯之適當證為第四二條「傷寒表不解，心下有水氣，乾嘔發熱而咳，或渴，或利，或噎，或小便不利，小腹滿，或喘者，小青龍湯主之」又第三四條「傷寒心下有水氣，欬而微喘，發熱不渴，服湯已渴者，此寒欲飲解也，小青龍湯主之」綜觀此湯，乃為傷寒表不解心下有水氣設一總方，又按各證，而略有加減者也，陸淵雷謂：「小青龍湯為急性呼吸器病之主方，又以其劇欬，故曰心下有水氣，」湯本氏「以平素胃內停水及表熱與停水迫於呼吸器而作欬」斯二子者，所論亦各偏執，未可據為定論也。古人昧於藏器部位，胸部內者，腹部上者，往往混同而論，今試就「心下」而言之，如錢氏則解為心下之胃脘之分，」考心下悸之心下，明指心失搏動之亢進而言，其發生確關於心，而波及於心窩部者也。「水氣」二字，陸氏以為「炎性滲出物」，中西惟忠氏以「乾嘔，欬，渴，噎，喘，皆為心下有水氣之狀」，徐大椿以「汗為水類，肺為水源，邪汗未盡，必停於肺胃之間，病屬有形也，是「水氣」者，除中西氏混言之外，陸氏以炎性滲出物當之，而徐氏則以邪汗作解者也。今再按文而考之，則心下有水氣為一證，發熱而欬，或咳而喘，又為一證，前者關於胃，如胃中有停水之意也，故以湯本氏所釋為是，柯氏云：此方主水畜在胃」。金匱要略謂：「本方治溢飲」，方機云：「治乾嘔」，是皆以胃視之也。咳或喘，均屬呼吸器病之症狀，不能專指為今之何病，蓋症狀不當，無法考究之故也。方極云：「小青龍湯治咳喘」，方機云：「治發熱而咳」，柯氏云：「治久咳肺虛」，陸氏謂為急性呼吸器病之主方，是各偏執一見之論，而不知其為病與呼吸器病之合併而來者也。因心下有水氣，乾嘔故用桂枝湯健胃；以期其水氣速由幽門排出，又因其有熱，故用麻黃發汗以解之也，細辛之用，陳念祖則謂：「入少陰而行寒水」，陸氏則謂「辛散」，然據今日之實驗成績，則知其說之不確也。蓋細辛一方面有發汗祛痰之効，他一方面有鎮靜作用，故可借麻黃之力，而用之也。方機云：「若喘者」，去麻黃加杏仁半升」，正以麻黃無鎮靜作用，故另加杏仁，以其中所含之青酸，以助細辛而鎮靜中樞以去喘者也。五味子之用，陸氏謂「酸斂，主咳嗽而冒」，然據今日之經驗，則知五味子能使咽喉生酸澀之感，為刺激性的使發生咳嗽，故可為祛痰劑而用之，非漏泄而下行也。細辛亦有祛痰之效，故亦助五味子之力，蓋半夏之用，本草經但言：「主心下堅，胸脹咳逆」，別錄以下，始言「主嘔逆」，確氣之上逆，於今日論之，麻黃細辛為解熱而用，五味子為祛痰而用，半夏為鎮嘔而用者也。

大青龍為發汗之重劑，較小青龍湯多杏仁大棗石羔三味，小青龍方，錢有云：「若喘者用杏仁」，是杏仁之用，恐大汗後生喘而鎮靜之也，石羔則為散熱而用，大棗則為矯味而用，殊不足取焉，關於小青龍湯，醫者多以為解表，逐水鎮咳之劑，其方所特見者為芍藥細辛五味子半夏四味，竊以為前三味相合，所以發揮祛痰之作用，而半夏所止嘔者也。是大青龍湯主治解表，亦即用發汗方法一以解熱也，小青龍湯一方面解熱，他一方面鎮嘔祛痰者也，然小青龍湯症，心下有水氣，乾嘔而兼咳此為大青龍症之所無，故另加細辛五味子以對欬，加半夏以對嘔，豈可因其有水氣，而即謂之有寒乎?!

大衆醫學

霍亂病的普通治療法

何志君

霍亂西名虎列拉（Choaera）爲急性傳染病中的一種，每當夏秋之際，流行甚廣，死亡亦衆，本病的原因，中西醫學，各有不同，中醫謂係風寒暑熱以及飲食生冷之邪，雜揉交病於中所致，西醫則以殼克 Koocks 氏所發現的霍亂弧菌爲本病原因，二說在表面上雖覺不同，而實有其共通之處，蓋風寒暑熱飲食生冷等邪，不過爲釀成霍亂之因，霍亂病菌，則爲既釀成後所得之果也，至本病主要證候，則爲吐瀉交作，揮霍撩亂，故經謂「嘔吐而利，名曰霍亂」，可見本病在數千年前，即已發現矣，醫者又因其病發時之各種情况不同，而分爲熱霍亂，寒霍亂二種，玆將其主要證候及治療方法分述於後；

（一）熱霍亂

證狀：病發甚速，吐瀉交作，揮霍撩亂，排出物多酸濁臭穢，日數十次或百餘次不等，胸腹作痛，煩燥口渴，目陷脉伏，尿量減少，甚至於腓腸肌痙攣作痛，（即俗謂轉筋）

治療：蠶矢湯

晚蠶沙五錢　生苡以　豆黃卷各四錢　陳木瓜三錢　川黃連二錢　薑汁炒製半夏　黃芩酒炒　通草各一錢　焦梔錢半　陳吳萸三分泡淡　陰陽水煎稍涼徐服。

（二）寒霍亂

證狀：吐利并作，與熱霍亂等，但瀉出物澄澈清冷，甚或完穀不化，而無酸濁臭穢之氣，小便復利，口不作渴，肢冷唇青，脈微欲絕。

治療：理中湯

人參　甘草　白朮　乾姜（分量臨時酌用）

煎湯溫服

加減法：臍上築者，去朮加桂，吐多者去朮加生姜，下多者還用朮，悸者加茯苓，渴欲飲水者加朮，腹中痛者加參，腹滿者去朮加附子，寒者加乾姜。

簡易救急藥品之應用：霍亂乃急性傳染病之一，病發甚速，每有不及進湯藥而體力即告衰脫者，故救急藥品之應用，更不可少也，其經濟而有效者，當推霍亂十滴藥水：

樟腦二十分　薄荷油二十分　火酒六十分

三物溶化後，貯瓶中，每服十滴或十五滴，入溫開水中服之。有效。

其次用淨白礬一味研末調陰陽水服之，亦有效。

此外更有一種欲吐不吐，欲瀉不瀉，腹中大痛之乾霍亂，（俗名絞腸痧）勢甚猛厲，倘施救不力，或治不得法，立可斃命，速用鹽湯探吐，有則可治，無則多死。

作者按：本篇所述，不過係指一般正常現象而言，見證用藥，自無差誤，倘見有其他特殊症候，務須延請當地醫師，詳爲診斷，幸勿自作聰明，誤人性命。

○米米米○ 雜俎 ○米米米○

檢驗紀實

為呈報當場檢驗情形并填具驗斷書請予鑒核由

案奉

開江縣縣政府訓令檢字第○七二號內開：「案查饒天清等訴告饒永定傷害一案，曾經本府傳訊，據受傷人饒向氏供稱：被饒永定將我頭顱砍傷三處，據被告饒永定供稱，饒向氏之傷係自行劃傷，來誣陷我的各等語，似此供詞各異，無從認定，除庭諭外，合行派警督飭受傷人前往[illegible]所。仰該所醫師陳義文依法檢驗。饒向氏頭上三傷，究竟係被人砍傷，抑係自行劃傷，迅予詳為驗明，填具驗斷書，繳呈到府以憑訊辦，此令」等因，計物證二件（凶器及染血痕頭巾）奉此。遵於五月九日，在屬所治療室，依法檢驗，結果認為饒向氏額上刀傷，確係自殺，理合將當場檢驗情形，并填具驗斷書，一并賫呈鈞府請予鑒核實為公便。謹呈

開江縣縣政府

醫師陳義文

中華民國二十九年五月九日

附當場檢驗情形

甲　一般檢查

一、受傷者饒向氏，年三十七歲，住本縣普安鄉，第十保四甲，職業，農。

二、受傷者頭裹青色蒼帕。長五尺，解後：頭髮梳圓髻，前額貼有草紙及舊棉，取下。則見有縱橫二寸二分之正方形黑紙一片，貼於居中的傷痕上。解下見塗有黃赤色中藥粉劑。

三、額角左側傷口在花尖下距髮際五分許，創口長一寸三分，額角右側傷口在眉毛上方。創口八分。

乙　精密檢查

一、居中傷口較兩傍大。創緣平滑銳利，創角呈銳角形，創口哆開甚小。上端微向右側傾，勢有化濃的趨向，邊沿微微紅腫。

二、兩邊傷口漸向癒合，右側刀痕直立，左側上端向左斜，三傷并列成「川」字形，唯居中者較重。

丙　說明

一、自殺及他殺傷口之鑑定。須注意檢損傷之性質部位與使用凶器之大小及鬥毆周圍之血液，足跡衣服等之當場狀態為最重要，如係被殺傷口。其人身上必有抵抗痕跡（像當時頭髮之紊亂，衣服之破綻，半面及其他部皮膚之剝脫或擦傷等），唯被傷者在睡眠時及突然被襲之時，乃不具抵抗痕跡。

今查該被傷人饒向氏，全身勿一抵抗痕跡，且謂：當時并無毆鬥等情事，是當場狀態，自憤將刀在頭上劃傷的一證，不然若疑為猛突砍傷。則謀害必毒，使不及抗爭，其傷必重，定有腦髓溢出。

二、以創口形勢，部位及使用凶器證之，查該受傷人饒向氏，素習右手執刀，額部為自殺之可能部位，形勢左額傷口成拳形傾左，顯是右手揮刀自劃之徵，凶器（豬草刀）重二斤

器所，刀口鋒利，若深施殺，傷口必大，定有鮮血溢出，因如此重大的凶器，更加凶首種刀力量，決不會使傷口如是的微小。

三、洗冤錄及近世法醫書皆謂：凡有自殺的刀劍或刺劍拌剁，而身體各部皮膚無抵抗爭及用手遮護所受的損傷，或以同一刃器頻回刺殺傷一部者，大抵均為自殺，查該受傷人饒向氏為同一刃器，在同一部位頻回殺傷，且無抵抗遮護痕跡，兩側較輕是自殺傷無疑，居中創傷較入，疑是第一次自砍，是第二三次自砍，因痛覺必遲產生之故。

四、頭巾上所染血痕依洗冤錄法：以舌試之無鹹味即非人血。用 Haffmann 氏，試驗處理後於顯微鏡下，見有多數有核赤血球散在係混有禽獸血液之徵。

右說明係據學理事實，茲謹鑑定於後

鑑定：據前查及說明鑑定該受傷人饒向氏頭上之傷確係自砍其物證（頭巾）上血痕確有禽獸血液與人血混雜

右鑑定係公正平允，真實不欺，須至鑑定者。

鑑定人 陳義文 章

於二十九，五，九。

太陽病治法拾遺

王攻穢

發汗利水，是治太陽病大法門，發汗分形層之次第，利水定三焦之高下，皆所以化太陽之氣也。汗法有五；（一）麻黃湯汗在皮膚，是發散外感之寒氣，（二）桂枝湯汗在經絡，是疏通血脈之精氣，（三）葛根湯汗在肌肉，是升發津液之清氣，（四）大青龍汗在胸中，是解散內擾之陽氣，（五）小青龍汗在心下，是驅逐蓄之水氣！治水之法有三，乾嘔而咳，水入即吐，是水氣在上焦，在上者汗而發之，小青龍五苓散是也，（二）心下痞硬，滿而痛，是水在中焦，中滿者瀉之於內，用十棗湯大陷胸湯是也，（三）熱入膀胱，小便不利，是水氣在下焦，在下者引而竭之，桂枝去桂加苓朮是也。

……學院……園地……

國醫學院青年醫送診所募捐露佈

本所自三月廿日成立以來，承社會人士及本隊同志熱烈捐助，謹代表族苦民眾致謝，茲將捐款，姓名列後。

楊俊清長期捐內科藥款，現已捐出三百一十元，李斯娥賀老太太各捐洋一百元杜耀川五十八元李克明十五元羅韞華曾裕豐各十三元張濬彭澤鈞胡宗林高志據沈國鵬梁相如葉德寬熊志銘唐伯樞王□政各捐六元陳昌倫六元余仲權陳特思趙耘農彭云喜冉連璪黨文若杜容舟盧□濟□清明劉柔遠吳禮成程定魁各五元彭德芳黎含章各四元王裕賓尚志昱劉元書貊燭生陳堯階葉樹直李範中丁伯僚劉光國王國良各三元趙特壽周燎各二元謝賓階鍾立嵩汪義成汪范禹各一元，以上共計八百零一元整。

國醫學院送診施藥委員會誌謝（續）

陳紹華 楊鄉如 李應旭 曾繁星 許松圭 彭□懷 周紹輔 夏繼詒 曹興橋 胡劉氏 林紹光

藍繼良 祝輔臣 藍伶涵 鄭輔清 吳致和 吳貞蘭 周雲波 吳鄭氏 周郭清 郝陶氏 鄭李氏

辛樹軒 丁翠雲 劉子宜 吳有卿 胡文俊 胡餘金 趙大才 鄭銀江 艾家祿 張啓昌 蔣九齋

汪淑俊 郭樹甘 廖明欽 袁定君 廖明倫 廖明釗 鄭獲忠 楊緝熙 周慶餘 黃耀君 周國順

張興漢 蕭邦興 葉駐元 葉曾氏 鄧文閣 張嗣鏞 吳澤良 許現廷 羅森 高志尚 何雁秋

程周家性 藍錫承善 汪羅鳳鸞 張素清 羅孟起 汪慧芬 汪紹祥 李利生 屈從見 汪文卿 汪澤果

以上各捐洋一元

（未完）

中央國醫館四川省分館公佈欄

國醫防治時疫宣傳大綱（續）

附：痢症之由來及治法

人在夏秋之間，易感暑濕寒熱，若其貪涼飲冷，則必鬱結於肺與大腸，而壅滯於肝脾，致變化汚穢而成痢症。蓋由濕熱夾雜飲食，滯積腸胃，肝脾以腐化汚濁而阻礙氣機，故汚欲出而氣不行，所謂「裏急後重」，其腹作疼。但此症應分寒熱暑濕四種治之，分述如次：

（1）寒痢

病狀：寒痢初起，頭痛惡寒，身疼不渴，下痢或白色，舌苦白滑，可用（一）方治之，如久痢或虛，熱象全無，下不腥臭，手足已冷，腹痛如故，可用（二）方服之，亦極有效。

治法

一、人參敗毒散

泡參二兩　茯苓二兩　前胡二兩　川芎二兩　羌活二兩　獨活二兩　桔梗二兩　柴胡二兩　枳殼一兩　甘草二兩　朮蒼二兩　陳倉米二兩　研末每服四錢

二、眞人養臟湯

白芍一兩六錢　當歸一兩二錢　黨參一兩四錢　木香一兩四錢　白朮六錢　肉豆蔻六錢　肉桂三錢　柯子皮一兩二錢　烏梅炭一兩　研末每服四錢水煎服

（2）熱痢

病狀：熱痢現象爲舌滑黃，或乾燥，口渴喜冷，必煩腹疼，下痢紅色，即「裏急無重」可用（二）方服之，守定此一方，或三四劑，自然痛減色淡，純正而愈。

治法

三、仲聖白頭翁湯

白頭翁一兩　黃連三兩　黃蘗三兩　秦皮三兩　研末每服五錢煎水服

（3）暑痢

病狀：此由受暑氣而成，狀類中暑，頭痛身疼，發燒口微渴，舌白滑，便滯下稀，而有漩，不如熱痢之多紅，寒痢之多白，可服（三）方隨證加減治之，痛甚加廣香，熱重加黃芩。

治法

四、六和湯

砂仁一兩　製半夏一兩　杏仁一兩　黨參一兩　赤茯苓去皮二兩　藿香二兩　白扁豆二兩　木瓜二兩　香薷四兩　厚樸四兩　甘草一兩　研末每服四錢　生薑三片　棗子一枚　煎水去滓溫服

（4）濕痢

病狀：濕痢者起於濕也，患者舌白膩，頭重身重，或四肢軟痛欲嘔，下痢白濃，腹亦甚痛，可用（五）方治之，或加吳萸黃連，或加炒木香黃連亦可。

治法

五、藿香正氣散

大腹皮一兩　茯苓一兩　白芷一兩　紫蘇一兩　陳皮二兩　桔梗一兩　白朮二兩　厚樸一兩　半夏麴二兩　甘草二兩　藿香三兩　研末每服二錢

以上各方，均爲治痢而設，如患水瀉，不在此例。

六、治痢單方

一、雞冠花煮甜酒治紅白痢。

二、生蘿蔔汁或萊菔子汁和蜂糖或白糖製溫服，治紅白痢。

三、過路黃和米炒焦，加黃糖煎，再加魚秋串馬蹄草煎服，治紅白痢。

讀者信箱

問

編輯先生：小兒於一星期前（四歲），忽然無故耳聾，身體與平時一樣健康，耳中無膿，亦不覺痛不知何故？有何治法？請詳細指導！此致

敬禮

讀者陶慶餘　八月十日

答

令郎無故忽然耳聾，必係濕痰過盛，壅塞竅隧使然，宜用宣竅化痰之劑，緩服有效，處方如下：

陳皮錢半　法夏一錢　菖蒲錢半　遠志錢半　雲苓二錢　甘草五分　佩蘭葉一錢

編者覆　八月十九日

問

紹唐患遺精病已十餘年，服中西藥無效，不得已去年停止教書，則遺精次數減少，今年又來教書，次數又增多了！平均每週必遺一次，熱則夢遺，寒則不夢而遺，過冷則精液隨小便而流出，服熱藥則夢遺，服涼藥則不夢而遺，操勞過度也遺，閒着無事也遺，請示方法。

再前年面部患癬，面部好了，移到頭部髮際，時發時愈，奇癢難堪，抓破則僅流黃水而已。西藥如碘酒、石炭酸、硫磺軟膏、土肥氏油膏；中藥如硫磺、輕粉、膽礬、黃柏、大黃等，均屬無效，請示治療方法，若能治愈，則感恩不盡矣！

此致

醫藥改進月刊社編輯先生

讀者姚紹唐　七月廿九日

答

貴恙係早年斲喪，虛損至極，欲求速效，殆不可能，據現勢觀之，似宜暫用甘淡酸濇之劑，以實脾斂腎，蓋脾強則納化有權，精可內充，腎斂則精固不遺，無憂外泄也，此外更宜絕對靜養，處方如下：

藕節　蓮花　蓮鬚　蓮肉　芡實　白茯苓　山藥各二兩

上藥共研為末，再以金櫻子二兩搗爛，和清水一升，煎濃汁約八分，再投前項藥末，煎成膏樣，和麵為丸，如梧桐子大，每晨服七十丸，米湯下。

癬病頑強，殊難根治，如用殺菌藥無效時，必須加入芳香之品以誘其外出，用嗎啡加入萬金油內，和勻擦之，有殊效。

編者覆　八月十九日

醫學必讀要籍一覽（續）

武勝周復生

(中)傷寒汲古……周岐隱著
(中)皇漢醫學……中華書局版　周子敍譯
(中)金匱要微……曹穎甫著
(中)傷寒雜病論……黃竹齋集註
(中)傷寒晉參……張拱端編
(中)金匱今釋……陸淵雷著
(金)金匱翼……尤在涇著

時令病學類　（應用科學四）

(中)時令病學……時逸人著
(中)重訂霍亂論……王孟英著
(中)鼠疫全書……李健頤著
(中)何氏增訂時病論……大東書局版

（未完）

○……最後消息……○

一月內治療千五百餘人
國醫學院獨得獎狀

（灌縣通訊）成都青年夏令營民衆醫藥服務處，由國醫學院青年團同志陳特思、彭德芳、曾敬光、羅超羣、王政等負責，已於入營時正式工作，上午十至十二時在城內樓外樓，下午一至三時在公園應診，所有內科外科，均施送藥品，幷注射防疫針，聞每日就診人數達百餘人，一般民衆，莫不口碑載道，咸稱便利，總計月來共治病者一千五百餘人，營內負責人對該隊十分嘉許，於出營典禮時，特贈奬狀一面，以作紀念云。

國醫學院三四兩班畢業證書印發到院

（本刊訊）此間北門興禪寺街四川國醫學院第三四兩班畢業證書，業經中央國醫館印發到院，聞不久即將正式通知各生，依照法定手續，前往領取矣！

本刊價目

零售每冊五角，預訂半年六冊，二元八角郵費一角二分，全年十二冊，五元，郵費二角四分，香港國外，郵費照加，郵票代洋，十足通用，但以一分至八分者爲限。

成都圖書雜誌審查證審乙字第三七七號

歡迎投稿

一：本刊各欄，均歡迎投稿

一：來稿不論文言語體但須用毛筆繕寫清楚，並加標點，

一：來稿無論登載與否，均不退還，但預先聲明並付足退還郵資者不在此限。

一：來稿本刊有刪改權，不願者須預先聲明。

一：來稿一經登載，即酌酬本刊一期或數期。

一：來稿請直寄成都興禪寺街國醫學院轉本刊編輯部

主編：本刊編審委員會

總發行處：成都西御西街愛知治療所

分發行處：成都興禪寺街四川國醫學院

重慶中一路八十一號濟生堂

本市廉官公所街峯凌藥號

代售處：本市各大書局

本刊社址：附設陝西街新中醫療養病院內

內政部登記證警字五五六號　中華郵政掛號認爲新聞紙類

醫藥改進月刊

集易堂

第一卷第八期

短評

站上自己的崗位

冰風

據本刊第七期消息，此次成都青年夏令營民衆醫藥服務處，由國醫學院青年團同志負責工作，在短短一月的時光中，治愈病者達一千五百餘人，博得營內當局的嘉許，當地民衆的稱頌，這實在不能不說是抗戰以來爲民衆服務規模最小而收效最宏的第一次。

中醫一向是缺乏組織，缺乏訓練，缺乏服務的精神，缺乏自我的覺悟，事實昭然，不容諱辯，他們每日除了照例應診而外，幾乎連什麼事都可以不問，在平時是如是，在戰時還是如是。這種超然的思想，無疑地，便是中醫落後的最大原因。

因爲中醫過於超然的關係，所以便不見信於政府，尤其對中醫本身的能力，表示懷疑，這次國醫學院青年團同志服務的精神和毅力，固然可使這種不甚正確的懷疑，部分減低，但欲獲得完全的諒解，勢非更有積極的工作表現不可，這點，希望國醫學院青年團的同志注意！更希望全國中醫界的同志注意！

在抗戰進入第五個年頭的今日，全國的一切，都已入於戰時總動員的緊急措施之下，中醫界的同志們，趕快覺悟起來站上自己的崗位！

中華民國三十年十月一日出版

醫藥改進月刊

本期要目

本刊致謝啓事 二

茲承

李重人先生捐洋五元謹此致謝

本刊編輯部啓事（一）

本刊宗旨，係以科學方法，闡揚舊有學術，以期達到改進之目的，故取材方面，着重實際，不尚空談，希賜稿諸君，務本斯旨，不勝歡迎也。

本刊編輯部啓事（二）

本刊爲發揚我國固有醫藥學術，增加治療效能，以應抗戰需要起見，從本期起，增設「單方研究」欄，務盼海內同仁，共體斯旨，踴躍賜稿，藉光篇幅不勝歡迎。

三民主義青年團中央直屬國醫學院區隊送診所啓事、本所茲承孫守初先生捐麝香一枚價值二百元，穎大嫂捐洋二十元，謹此致謝。

言論

對於建設中國本位醫學的意見（續）

蘇友農

診斷學

（一）診斷方法的根據和作用

在醫術上，診斷方法，是施行治療的根據。診斷的正確程度，可使治療的效果，亦愈趨於正確。但診斷方法的正確性，必須要根據的兩種基礎科學：

甲生理學。即是關於人體生理活動的正常現象，和實質的構造情形，有詳細的明瞭。方能推測機的演變。

乙病理學。即是關於人體生理異常的活動現象。和構造實質的變易情形，與伺造成異常現象的原因結果，這亦必須詳細知道。

對於前述兩種科學的認識，其所採用的方法，不外下列兩種：

甲靜的觀察；即是就全體或局部分析解剖的化驗。其需用的工具，則為肉眼的自覺觀察，和利用器具作輔助。以認識實質的情況。

乙動的觀察，即是觀察者就自身生理作用體驗的認識，同根據被觀察者自身，感覺的口述，與其表現的行為，藉以認識其作用的情況。

診斷方法除正確程度的重要外，其次迅速的得到診的結果，以作治療根據的使用，亦非常重要，否則需用的時期，若超過了病症治療的有效期，則診斷就失去了物的作用，而僅為一種研究了。這亦是採用診斷方法時，不可不注意的。

（二）中國醫學中的診斷方法

中國醫學中的診斷方法，一般的公認，分為「望」「聞」「問」「切」四大部門，聯合的共同應用，這四大部門中所包括的範圍，謹分述如次：——

（甲）望　經曰：「望而知之謂之神」。此望色為診斷之第一法也。靈樞經曰：「以五色命臟，青為肝，赤為心。白為肺，黃為脾，黑為腎」。又五臟生成篇曰：「五臟生存之氣，色見青如草茲者死。黃如枳實者死，黑如炲者死，赤如衃衆者死，白如枯骨者死，此五色之見死也。青如翠羽者生，赤如雞冠者生，黃如蟹腹者生，白如豕膏者生，黑如烏羽者生，此五色之見生也。生於心如以縞裹朱，生於肺如以縞裹紅，生於肝如以縞裹紺，生於脾如以縞裹括蔞實，生於腎如以縞裹紫，此五臟所生之外榮也。」至於觀形之道，可以肌肉皮膚而分別的，如格致餘論曰：「凡人之形，長不及短，大不及小，肥不及瘦。人之色白不及黑，嫩不及蒼，薄不及厚，而況肥人濕多，瘦人火多，白者肺氣虛，黑者腎氣足。形色既殊，臟腑亦異」。至脈要精微論曰：「頭者精明之腑，頭傾視深，精神將奪矣，背者胸中之腑，背曲肩隨，腑將壞矣。腰者腎之腑，轉搖不能，腎將憊矣。膝者筋之腑，屈伸不能，行則僂附，筋將憊也，骨者髓之腑，不能久立，行則振掉，骨將憊矣。得強則生，失強則死」

（未完）

醫藥改進月刊

醫學研究

温邪上受首先犯肺之探討

徐先彬

葉香巖外感温熱篇首創「温邪上受，首先犯肺」之說，後人多曲為註釋，謂發千古秘奧，究竟此言是否與時際相符？我們認為尚有研究之必要。

欲研究此問題，必須首先明瞭温邪致病之原理，與夫肺臟在人體上之作用，外感温病，亦時令病之一耳，其致病之原因，由時令氣候變遷，體工調濟失職，與傷寒致病之理，初無二致，不過傷寒係感時令之寒邪，温病係受時令之温邪為異，故其治法，一用辛温解表，一用辛涼解表，二者用藥雖有温涼之不同，而其解表之治法則一，蓋邪之自表而入者，仍使之從表而出也，後之註家，昧於此理，妄謂傷寒之邪，從表而入，病在太陽，温病之邪，從口鼻而入，病在太陰，在表面觀之，似乎言之有理，若細思之，則知其不無錯誤也，何則？夫從表而入之傷寒，固可用辛温解表之法，使其邪復還於表，此從口鼻而入之温病，與表無關，而投辛涼解表之劑何為？既知邪從口鼻而入，何不本「在上者因而越之」之義，而用催吐之劑，使其仍從口鼻而出也？是亦不思之甚者矣！

其次再談肺臟在人體之作用，夫肺居胸腔之中，為無數肺胞所構成，富有彈性，其作用專司呼吸，交換炭氧，其病變則為肺炎，肺膿瘍、肺潰瘍、肺壞疽……等，但無論何種病變，均必有其特殊致病之原因，外感温病，雖亦可使呼吸器官發生變態，而現喘咳，然此不過係一種附帶症候，決非温邪犯肺之主要原因甚明，凡稍具科學常識之人，亦當知之，無容多所詞費矣！

準斯以談，則所謂外感温病者，原屬時令氣候變遷，體工救濟失職，因而致病，非但不從口鼻而入，抑且與「肺」絕無關係也，然推香巖立說之初意，亦非絕無根據，絕無理由，不過因措辭失慎，昧者遂為所惑耳，大論云：「肺者，皮毛之合也」古人以為肺合皮毛，故凡外感肌表之病，率多誤為「肺」病而概言之，實則並非指「肺」臟言也，觀原文有「肺主氣，其合皮毛，故云在表」之句，即可知矣，華雲岫不知，遂釋為「邪從口鼻而入，故曰上受」，吳鞠通更附會其辭曰「温病從口鼻而入，自上而下，鼻通於肺，肺者皮毛之合也」，斯二子者，是皆不知温病之原理，妄加臆說，而誤「温」為「瘟」者也，夫外感之温病，邪自外來，故病在肌表，具有傳染性之瘟疫，邪從口鼻而入，病在腸胃，病既不同，治亦迥異，豈可張冠而李戴耶？吳氏為一代大家，尚不免有此失，無怪乎後之庸俗者流，不加深究，而誤為邪犯「肺」臟也，設使温邪襲人，果犯在肺，試問寒邪襲人，自表而入，將犯在何臟乎？抑五臟俱犯乎？恐葉吳重生，亦當啞然失笑也。

夫當葉吳之世，醫學雖相當進步，然無科學可資借鏡，故其立論，多涉空泛，本無足異，方今科學昌明，而此等邪說，猶深印於一般庸俗者之腦中，觸目皆是，我國醫學之不能與世界醫學並駕齊驅，良有以也！故不憚瑣屑，爰為敍述，願與我醫界同仁共勉之。

仿讀書記（續）

戴佛延

22 論茶

陸定圃曰，盧子繇本艸乘雅半偈，備稱茶之功用，採錄古今名家論說以為譜，因謂常食令人瘦，消人脂，倍人力，悅人志，益人意思，開人聾瞽，暢人四肢，舒人百節，消人煩悶，使人能誦無忘不寐而惺寂，章杏雲調疾飲食辨，則謂茶耗人精血，有消無息，欲使舉世不飲，實難勸喻，惟飲宜清，忌多忌濃，或以他艸木之可煎飲者，代之尤妙，若夫渴證及諸熱證發渴者，多飲之病更難愈，又謂古不專以茶作飲，故爾雅註疏，但云可作羹飲，并代茶兩字無之，由是觀之，茶經茶譜，明理人不屑挂諸齒頰矣，二說迥殊，當以章說為正，如不能以他艸木代之，則宜少宜清之言，切宜遵守，章又謂俗尚陳茶，僅隔年或二年止矣，乃竟有陳至五七年一二十年者，能令人失音，或暴死，蓋凡物過陳者，皆有毒也，此說亦世所罕知者。

延按，茶稟天地至清之氣，產生砂瘠之間，受雲露之滋培，無纖塵之滓穢，陰中之陽，可升可降，入手足厥陰經，其性味微苦微甘而涼，其諸主治，清心神，醒睡除煩，涼肝胆，滌熱消痰，肅肺胃，明目解渴，凡暑穢痧氣腹痛乾霍亂痢疾等證初起，飲之輒愈，蓋滌清上中兩焦之品也，故膏粱之輩，原可借以肅清，藜藿之體，決難當其剋削矣，攝生方面，則飽食後宜飲濃茶數口以助消化，若餒腹飲之，則寒脾胃，色紅者已經蒸盦，失其清滌之性，則易成停飲，今據盧氏章氏之說，一贊其功，一詆其弊，陸定圃之評，卻揚章而抑盧，竊以鄙見觀之，則清肅滌熱是其長，寒中敗脾是其短，優於肥貴人，劣於清癯輩，貴用者之當與否耳。

23 痢與利辨

尤拙吾曰，痢與泄瀉，其病不同，其治亦異，泄瀉多由寒濕，寒則宜溫，濕則宜燥也，痢多成於濕熱，熱則宜清，溼則宜利也，雖泄瀉有熱證，畢竟寒多於熱，痢病亦有寒證，畢竟熱多於寒，是以泄瀉經久，必傷於陽，而腫脹喘滿之變生，痢病經久，必損於陰，而虛煩痿廢之疾起，痢病兜澀太早，溼熱流注，多成痛痺，泄瀉疏利過當，中虛不復，多作脾勞，此余所經歷，非臆說也。

延按，考痢疾之原，由溼熱之邪，內伏太陰，阻遏氣機，以致太陰失健運，少陽失疏達，熱鬱溼蒸，傳導失其常度，蒸為敗濁膿血，下注肛門故後重，氣壅不化，仍數至圊而不能便，傷氣則下白，傷血則下赤，氣血并傷，赤白兼下，溼熱盛極，則痢成五色也，至泄瀉雖多屬於寒，然亦有屬熱證者，不可不辨，內經所謂暴注下迫是矣，名曰火瀉，又傷寒厥陰篇之下利欲飲水與白頭翁湯證，溫病之熱結旁流宜調胃承氣證皆是，其辨之之法，當以二便舌脈象渴否考查，蓋屬熱之證，瀉水多臭惡，小溲多黃赤，苔舌多黑黃而枯燥，口多渴而喜冷，六脈多沉數而有力，或瀉時肚痛如絞為候，與寒瀉之氣不臭，溲不黃赤，苔白而潤滑，口不渴，渴必飲熱，六脈沉滯無力而遲者，迥然不同，王孟英先生謂患溫暑而泄瀉，為肺熱之出路，肺移熱於大腸故也，凡溫熱病服涼藥之劑而瀉者，慎不可疑為寒溼而轉手溫燥兜澀以截其出路，旨哉言乎，至痢之屬於寒者，因炎夏貪涼，過食生冷，溼則凝滯，中州之陽，不能運化，清氣不升，脾氣下陷而致，必有腹痛後重，痢下色白，稀而清腥，脈遲苔白等證可據，與熱痢之脈數苔黃者迥不侔矣。（未完）

傷寒六經傳變論（續）

劉鷹機

須知三焦爲病症淺深之符號，并非另有深意，上焦代表病症初受時期，中焦代表病症繼續進行時期，下焦代表病症減退身體衰弱時期。

五、傷寒六經與瘟疫傳變

瘟疫由疫癘穢濁，口鼻吸收，瀰漫三焦，昏蒙神識，既非風寒外感客邪，亦非內傷滯積，與溫病相類而治異，和傷寒相似而迥殊。明季吳有性因崇禎辛巳南北大疫，流行江淮，以傷寒法治之不效，始推究病源，辨別症候。謂傷寒之邪，自毛竅而入，中於經絡，從表入裏，故其傳經有六，自陽至陰，以次而深，瘟疫自口鼻而入，伏於膜原，其邪在不表不裏之間，其傳變有九，或表或裏，各自爲病，有但表而不裏者，有表而再表者，有但裏而不表者，有裏而再裏者，有表裏分傳者，有表裏分傳而再分傳者，有表勝於裏者，有先表而從裏者，有先裏而後表者。其間有與傷寒相反十一事，更有變症兼症種種不同。

瘟疫即各種急性傳染病之謂，如白喉，鼠疫，霍亂，赤痢，腥紅熱等，遭其菌毒之侵襲者，沿門闔境，人人感染，如徭役然，損人眞氣至速，有頃刻即斃不及施治者，因此醫家目爲四時不正之氣，濁邪深入臟腑，故其感染也驟，傳變也速。推有性九傳之說，有意有三：

（一）明末饑饉，風雨失調，歲稔不豐，民有菜色，社會生活不安，公衆衞生不講，以致疾行，遍江浙魯皖各省，死人枕藉，以六經正軌傳變，豈能範此非常之疾、究其病害，自異傷寒、瘟。

（二）中國醫學，因襲陳言，素鮮發明，至金元四大家出，始有脾胃攻下，主火，潛陽之說，開醫學[illegible]步之新紀元，獨於瘟疫一症，死人無算，尚無人研究。

（三）六經傳變，傷寒論已有日數規定，雖不確切，然大體總不若瘟疫之迅速，亟宜另開途徑，別創學說。九傳縱云[illegible]，而藜藿壯之輩，間有可徵。

六、傷寒六經病解

序例謂傷寒多在大寒後春分前，中而即發之病，現經多數學者研究，咸認爲溼溫。溼溫即腸窒扶斯，爲傳染病之一。由傷寒桿菌侵入人體而發病，傳染路徑，多由不潔水爲其媒介，每年秋夜，傳染尤速，潛伏期約一星期，嗣後體強者即現三陽經症狀，體虛者現三陰症狀，十二指腸起腫脹潰瘍，三星期後有起穿腸出血誘發腹膜炎之危症者，過此即逐漸恢復期。本文非論傷寒，然傷寒不明，何能洞達六經，故其梗概如此。以下專論六經：

甲、太陽病

太者大也，陽氣盛於表位，謂之太陽。惡寒發熱，脈浮，頭項強痛，此其候也，氣血集中於肌表及體之上部，淺層動脈血液充盈故脈浮，頭部三叉神經受壓迫故頭痛，項部亦因充血凝滯，致肌肉痲痺而項強，皮下血滯故惡寒發熱，其所以有此現象者，全是人體中自然療能，欲驅病毒從汗腺而出之結果。汗腺在正常狀態時，以調節體溫爲其要任務。

（未完）

藥學研究

幾種含有碳酸鈣的藥物之檢討(續)

王贊曾

(九)貝子殼

貝子屬腹足動物，形態與種類頗多，藥用其殼，產熱帶之海中。

性味　鹹平有毒。

作用　一、去目翳，(本經)燒研點目去翳，(陶弘景本草集註)

方證　治目花翳痛，貝子一兩燒研如麵，入龍腦少許，點之，若有瘜肉者，加真珠末等分，(千金方)

二、開小便癃閉　五癃利水道，(本經)

方證　一、小便關格不通，悶脹，二三日則殺人，以貝齒三枚，甘遂三株，為末，漿水和服，須臾即通也，(肘後方)

二、治小便不通，貝子一對，生一個燒一個，為末，溫酒服，(田氏方)

三、殺蟲解毒藥　鬼疰蠱毒，(本經)溫疰寒熱(別錄)小兒疳蝕，吐乳，(李珣)男子陰瘡，解漏脯麵臛諸毒，射罔毒，藥箭毒，(綱目)

方症　一、治下疳陰瘡，貝子三個，煆紅研末，傅之，(簡便方)

二、治食物中毒，貝子一枚，含之自吐。(單方)

三、治漏脯毒，麵臛毒，及射罔在諸肉中有毒，并用貝子燒研，水調半錢服，(聖惠方)

四、治藥箭鏃毒，貝齒燒研，水服三錢，日三服，千金方)

五、排膿解毒藥，治鼻淵出膿血，下痢，(李時珍)

方證　治鼻淵膿血，貝子燒研，每生酒服二錢，日三服。

六、清熱藥，溫疰寒熱，解肌，散結熱，(別錄)傷寒狂熱，(甄權)

消水腫　下水氣浮腫，(李珣)

八、凝血藥，腹痛下血，(本經)

(十)河蚌

蚌生江湖淡水中，係軟體動物瓣鰓類無管類同柱類蚌科，入藥係用其殼

性味　甘鹹冷無毒

作用　一、鎮驚神經　滋肝陰，清肝火，治癲狂驚癇，眩暈，耳鳴，心跳，蚌殼入心肝二經，與石決明僅入肝者不同，故涉神志病者，非此不可，(醫典)

二、鎮嘔　爛殼粉，治反胃，心胃痰飲，用米飲服，止痢，并嘔逆，(日華)

三、止澀藥　止痢，(日華)止白濁帶下，痢疾(綱目)

四、止嗽消腫藥　除溼腫水嗽，(綱目)

五、明目　明目，(綱目)

六、凝血　血熱崩中吐衄。

七、解毒　醋調塗癰腫，(日華)擦陰瘡，溼瘡，痱瘙(綱目)

綜合上所臚列，則知其藥效之共通性為凝血，澀腸，固精，強骨。海產介類皆有軟堅之功，然各其特殊性，如強陰羞賞用鍾乳，補肺賞用珍珠，磨翳賞用珊瑚，潛陽賞用牡蠣，平肝賞用石決明，治嗽賞用蛤粉，止渴賞用文蛤，治水賞用海蛤，開

癰賞用貝子，治神志病賞用河蚌，要在能異中知其同，同中復知其異，斯庶無差忒矣。（完）

肉蓯蓉

余仲權

性味：甘鹹，微溫，無毒。

成分：本品含粘液汁，燐酸鈣，炭酸鈣，膠質等，又以製者多用鹽漬，故含食鹽亦不少。

效能：本經治五勞七傷，補中，陰莖中寒熱痛，養五臟，強陰益精氣，多子，婦人癥瘕，普通用作強壯藥，具有滑腸通便之功。常用一，〇——三，〇錢。

藥理：本品含多量粘液，能使腸內滑潤，且多鹽漬，故能通腸大便，此即古人所謂鹹以下降，滑可通腸也，且其他鈣鹽亦可用之直接充副腎分泌之原料，間接使全身細胞之新陳代謝加強，以奏強壯之功。

配合：治腎虛白濁，本品同鹿茸山藥茯苓等分爲末，米糊爲丸梧子大，每次用棗湯下三十丸（聖濟總錄方）；治汗多便泌，勿論虛者老者，法以酒浸肉蓯蓉二兩，沉香一兩，麻子打糊爲丸梧子大，每服七八丸，白湯下（濟生方）

禁忌：凡便溏腎熱，精滑，陽道妄舉者勿用。

參考：處方名用淡蓯蓉，肉蓯蓉。產河南山西陝西。製宜去心蒸熟，普通多用鹽漬，辨別之法，以色黃而柔潤，形扁，味甘而多花者爲最佳。

△張山雷云：蓯蓉爲潤品，藥市皆以鹽漬，其鹹能下降，滑可通腸，以治大便不爽，頗得捷效。

＝單方＝小兒頭生濕癬方

吳作成

小兒頭生濕癬，潰流黃水，痛癢難忍，久則成瘡，最難治療，且易傳染。余家子姪多患之，屢治不效，正苦束手，一鄉婦教以單方，施用二三次，竟得根治，嗣後屢經試用，莫不應効，但僅能治流黃水之溼癬，若乾癬則無効，茲錄原方如左：法用鯽魚數尾，照常用辣椒薑醋豚脂煎好，取其汁液，塗生癬之處，連塗二三次，無不應手即愈也。

生肉神效方

凡因刀槍或創傷，致肌肉腐蝕不易生長者，可每日服紅棗二十枚，分兩次服，最易生肌，屢試屢驗，惟此藥僅能生肌，不能生長皮膚，故於此點當另圖之。

又方，某軍官頭部被彈打傷，骨破髓露，一面施用外科手術，一面常服人乳，未久即愈，由此可知人乳亦有生肌之功。

治疔瘡簡便方

仲權

疔瘡初起，急用熊胆溶液塗其四圍，可免延久擴大，若無熊胆時，藤黃磨汁亦可代用，此外尚有更便方法，即在屋角或樹林中捕花蜘蛛置瘡上，伊即咬破瘡口吮其毒汁而令瘡消散，或於側所內捕白蛆一條，插其頭部，令汁出，以塗搽瘡之四周，亦能防止其範圍之擴大也。

更正

關於第三第五兩期黃症病之解釋一文中，被手民誤將「脾」排爲「皮」及「痺」，誤「脾氣」爲「脾之」，誤「及」爲「反」，誤「溼」爲「溫」，誤「元陽」爲「充陽」，誤「不期治而自愈」爲「不爲下」，特此更正。

經方研究

三陷及十棗三物白散五方合論

劉鐵杉

夫結胸一症，皆因誤下之後，陽氣內陷，氣與飲相阻滯，寒與熱相糾結之症也，自心下少腹硬滿而痛不可近者，主以大陷胸湯，結胸而項强如柔痓狀者，主以大陷胸丸，結胸正在心下，按之方痛者，主以小陷胸湯。大陷胸湯所下者，停痰宿飲也。大下陷胸丸所下者，蓄水也，小陷胸湯所下者，黃涎也，涎輕於水，而未成水者也，是故大陷胸湯用硝黃苦鹹之品，又借甘遂苦辛以攻水，直逐胸間之飲邪，兼蕩胃中之濁氣，大陷胸丸仍用硝黃，而更加葶藶杏仁以利肺氣，爲丸徐下之也。小陷胸湯用黃連以解心下之熱，半夏以疏脈絡之結，括蔞性寒，導心下脈絡之結熱，從上而降，此因其邪尚在脈絡，不若大陷胸症之深入也，至於寒實結胸一症，乃水氣與寒痰幷結之症，故用巴豆大辛大熱以散寒痰而破水，貝母開胸結，桔梗利肺氣，又作散以散之，至若十棗湯，則心下痞硬滿，引脅下痛，乾嘔氣短，汗出不惡寒。諸症，是表解而裏未和，故選用芫花甘遂大戟一派苦辛寒之品，直決水邪，兼用大棗以顧脾胃，緩峻毒，實因三焦之氣，阻格難通，水氣積於中焦，乃中滿瀉之於內之義也，總上所述，足見症雖稍同，用藥大殊，然均不出下之一法，更可見病既萬變，藥亦萬變，其法總歸於一也。

葛根黃芩黃連湯

汪鑫濤

葛根　黃芩　黃連　甘草

此湯適應證爲第三六條「太陽病醫反下之利遂不止脈促者，表未解也，喘而汗出者，葛根黃芩黃連湯主之」。今據文釋義，知「喘而汗出」承利遂不止之下，卽汗出與脈促表未解是兩病，故以和醫山田氏之說爲是。然山田氏謂「喘而汗出與下利，亦是兩病，其說則非又宜以陸淵雷之說爲是矣。何則，據其藥理及其病證，推敲卽可得而知也。許宏議云：「此方能治陽明大熱下利者」。陸淵雷謂「葛根黃芩黃連湯治熱利甚效」。今再考各藥之成分，黃連則有黃連素，葛根則有葛根之澱粉，黃芩之成分雖今尚未明，然據事實論之，凡用黃芩黃連之症，病人必有心下痞滿，證於瀉心湯，而黃芩之藥理作用，又與黃連略同，據 Tohe 氏云：「凡苦味藥皆有亢進食慾及亢進吸收之作用」，是可知黃芩能助黃連以健胃，及止泄之功矣。古人所謂苦寒藥，寒能泄熱者，蓋取苦能収斂炎症性機轉而止其熱之意也。陸氏謂「黃連之效——其症候皆心下痞」。是言藥力一則上達於頭，一則下降於骨盤者但實驗證以吾人殊難首肯其說也。徐大椿謂「黃連甘草爲治痢之主藥」，所論尚屬確實。經云，脈促者表未解也，註家有以因表未解，故用葛根以解之爲說者。此則殊難同意，蓋葛根無解熱作用故也，陸氏謂「本方之重用葛根一固不必有項强證矣」。是可知葛根之用，非專治項强。亦能止痢，但其止痢，則未必在減少腸中水分也。竊以爲利時而用葛根者，取其澱粉能刺激唾腺，增加分泌，以取消因體內水分消失所生之渴感，又可用澱粉以減輕下痢時腸管之工作，兼供給營養，以補中之者也，謂之能堅腸胃，盡収斂之職，而止泄則可，謂之能堅毛竅，而止汗則不可也，蓋此方中之藥，無止汗者故也。苦甘相合，固能健胃而利營養，然取於甘草者則非矣。至詳葛根之妙用，在於達表騰上，其說近於杜撰不可信矣。

麻黃細辛附子湯

醫藥改進月刊

麻黃　細辛　附子

此湯症爲第三〇五條云「少陰病始得之，反發熱，脈沉者，麻辛附子湯主之」。陳念祖謂「少陰病始得之，是當無熱，而反發熱者，爲太陽標熱外呈，脈沉爲少陰之生氣不升」。陸淵雷氏則謂「正氣虛弱之人，因抵抗外感，而見少陰證也」。竊以爲少陽症者，本爲循環系統之障礙，故其始發也，或可無熱，並非如陸氏所謂虛弱之人也，況其說籠統究其所指爲何種虛弱乎。殊難憶斷。然則反發熱者，乃外感又加於循環障碍之上矣。是爲二病併見之兆。所謂標陽外呈，或抵抗外感而發熱者是也。太陽篇亦云：「無熱惡寒者，發於陰也」，是亦可知純少陰症，不發熱矣，因有循環障碍，故心藏之張縮力不足，其心藏張縮力不足，故脈沉也。并非少陽生氣不升之故也。至於處方之義，陸氏謂「太陽發熱當汗……細辛則兼溫散之效。竊以爲陸氏之論，其說頗佳，蓋因發熱，故用麻黃發汗，以解其熱，此湯雖非發汗主法，然發汗之意，亦在其中矣。君況第三〇六條，所舉之麻黃附子甘草湯，與本湯之差別獨在細辛之用否，而其義中明言，「微發汗」。又曰：「故微發汗也」。即此可知此湯麻黃之用，爲發汗而設也，附子有鼓舞心藏之力，亦正以其刺激素刺激心藏中之自動中樞，而使血液循環旺盛，體溫增强，即古所謂退陰回陽之意也。故今日言附子之效能有四：一、强心回蘇藥，二、興奮神經鼓舞細胞，三、鎮痛止利，四、利尿發汗是也。陸氏謂「助太陽……表陽而內合於少陰」之說亦屬牽强附會，然爲溫經之藥，尚屬的當，故得以此而救其脈沉之現象者也。關於細辛之用，有以與麻黃相合而解者，謂「啓少陰之本陰，而外合於太陽」。尚與附子相合而論者，謂係「少陽溫經之藥」。考細辛一味，今尚無相當之研究，有謂與麻黃功用略同者，有所取其鎮靜作用，故仲景配方之意，尚難確定也，然按其論中，無痛之記載，似無取其鎮靜作用之必要，大概用以助麻黃發汗，而非助附子之力也。況於動物實驗上，細辛不過有一過性興奮之作用而已。今再考其用量爲二兩，其方排列之次序，次於麻黃，亦僅爲助麻黃之意焉。細辛對於心藏無毒由實驗上證明其呼吸停止後，心藏之搏動仍在，可以知之故其用於脈沉，亦無傷也」。

白虎湯白虎加人參湯竹葉石膏湯三方合論

劉蟠松

熱結在裏，表裏俱熱，爲白虎湯之的症，蓋因熱傷陽明之經，外逼汗出，內傷津液，致成煩渴譫語而垢之重症，當此之時，既不可行發汗之劑，又不敢用下奪之法，惟以石膏之辛寒清解其陽明之熱邪，方可保陰氣之不傷，不用石膏，則熱既不去，陰即難保，白虎湯之治，蓋以此也，由此觀之，可知白虎之用石膏，是專爲大汗煩燥津傷譫語而設，則與大青龍湯之用石膏，不汗而出煩燥者，相去遠矣，其白虎加人參湯，乃重在清渴，然何不用括蔞根，而用人參者何也，以括蔞乃治熱邪消燥津液也，用以去熱止渴也，此乃汗出多而胃液內枯，病邪雖去，陰氣已傷，而陽明之火猶熾，故加人參以生津止汗，解渴除煩者也，至竹葉石膏湯，徐靈胎謂爲仲聖治傷寒解後之調養方，因於汗吐下後，肺胃受傷，故法專以滋養脾胃之陰，培補中氣爲主，而用竹葉半夏以治氣逆欲吐，人參麥冬以治傷氣，石膏以清餘熱，甘草粳米以治虛羸，此內經所謂人之傷於寒也則爲病熱之義，是知熱病之後，滋養肺胃，爲聖人不易之法門也。

長篇專著

實用處方學（續）

徐庶遙

△便血

（一）

處方：黃土湯。

主治：先便後血。

病解：因腸管有潰瘍，或糜爛或損傷而起，每於大便之後即有鮮血流出，延時過久，體質逐衰弱，面黃肌瘦，甚至爲犯

藥味：黃芩　阿膠　白朮　附子　黃土　炙草

方解：阿膠止血，黃土溫腸，朮草補益中氣，黃芩消局部之炎

（二）

處方：徐氏槐角救腸湯

主治：大便下血，脈滑數有力者。

病解：大腸熱甚，迫血妄行，致腸粘膜破裂，血液外溢。

藥味：槐角　地榆　白芍　荷葉　黃連　枳殼　黃芩　荊芥炭　甘草

方解：槐角地榆涼血清熱，其功效尤顯著於大腸，黃連黃芩荷葉瀉腸內熱，荊芥炭以止血，芍藥通暢其脈，枳殼令腸壁蠕動以行氣，甘草矯味。

△呃逆

（一）

處方：丁香柿蒂散

主治：寒呃

病解：胃寒太甚，致橫膈膜受其影響，發生痙攣。

藥味：丁香　柿蒂。

方解：丁香辛溫，能使胃粘膜充血，以祛其寒邪，柿蒂澀平，專科橫膈膜之痙攣。

（二）

處方：新製橘皮竹茹湯（吳鞠通方）

主治：陽明濕溫氣充爲噦者。

病解：濕邪客於陽明，致氣不能下降而上逆，於是影響橫膈膜發生痙攣。

藥味：橘皮　竹茹　柿蒂　薑汁

方解：橘皮溫中行氣，竹茹降逆氣，柿蒂止呃逆，薑汁和胃且平上逆之氣。

遙按：呃逆一證，因胃氣不和，飲食不節未適，或係偶然發生，斷非病徵，但病中遇此，[illegible]即屬津涸，而胃陽將絕時與衰呃逆[illegible]也，以上兩方，不過爲治呃之大法，聊以示範之意，而表裏虛實，自當隨證變化爲要。

△肛門裂

處方：徐氏清燥潤腸湯

主治：大解後肛門非常劇痛，[illegible]括約肌痙縮，大解掙痛不[illegible]

病解：直腸有熱而津傷，肛門不得濡養，遂致龜裂，於查之必有小裂口或破傷，隱於縐紋之中。

藥味：麻仁　白芍　甘草　杏仁　枳殼　荷葉邊　生地　玄參

外用雞子油塗患處。

方解：麻仁潤腸，生地生津，荷葉邊清直腸之熱，白芍行血，枳殼行氣以使腸蠕動而易於通便。（未完）

大衆醫藥

治療爆炸傷之實驗談

藍光周

△爆炸傷亦創傷一種係由金屬磁類玻片尖銳物體及爆炸彈傷害局部組織而成與癰疽瘡癤迥異在治療上亦各不相同

中醫治療創傷用藥有獨到之處因破片傷人最重要者厥爲火毒治當去熱消毒防腐止血若照普通治療法不但不能令傷口速癒反而變證百出藥用生肌赤珠散止血防腐生肌消毒去熱外蓋軟象皮脂膏數日即癒効如桴鼓既余最近屢經實驗獲愈多人不敢自祕特公開全方希留心醫藥人士照方配用全活我受傷軍民俾益抗戰前途豈淺鮮哉

生肌赤珠散

藥品 象牙一〇、〇 廣龍骨二〇、〇 硃砂八、〇 生石膏一二、〇 陳石炭一六、〇 洋參一〇、〇 梅片五、〇 輕粉三、〇

製法 共研極細末爲撒布劑

象皮脂膏

藥品 眞象皮二〇、〇 黃占一〇、〇 花椒八、〇 掃粉五〇、〇 白蜡一五、〇 麻油八〇、〇

製法 先將象皮黃占花椒麻油熬成濃湯濾去渣再下白蜡掃粉以滴水成珠然後收斂成膏備用

腦膜炎驗案

羅愈羣

——夏令營社醫療偉蹟之一——

灌縣城內吳姓幼女，先病外感，醫以羌獨荊防麻黃細辛之類，服藥三十餘劑；頭疼不可近，近之則劇痛，下延於脊髓，頸項强痛亦甚，胃風則微汗出，醫仍以外感未愈，不敢易其方劑，進而至於目睛不和，鼻乾無涕，舌無胎且無津液，而且面色不榮，醫者多以爲不治，因此日日延誤，卒致四肢疼冷拘急，口渴引飲，食慾不振，鳩形鵠面，奄奄一息矣，適國醫學院同學數人奉青年團之託至該處服務，其母遂親負之求診，時已神色慘淡，垂危殆萬狀，脈之兩手弦實，據云夜半尙能安眠，因思大論有夜半手足當溫，兩腳當伸條文，知夜半津液尙可養神經也，夜半津液養神經，是體工自救作用，而助長此作用者，師用芍藥甘草湯，但此證更重，自當以東阿膠爲主藥，佐以巴戟天，肉蓯蓉，橘絡，葛根，龜板，鱉甲，芍藥，而以冰糖易甘草，再加減用之，三劑之後，汗止津生神安手足伸，口亦不渴，諸證如失，惟息尙未平，遂擬原方加厚朴杏仁各五分，五味子七粒而愈，其母以掌珠得救，十分高興，遂願施藥百付以濟貧苦病人云。

大蒜與肺癆

澤鈞

我國人不講衛生隨地吐痰，致使癆菌在痰乾時隨灰飛揚侵害別人，過去如是，現在仍如是，故以肺癆病爲多的我國，幾十年來還是百人中有九十多人有肺病！

現在要想把肺病驅除，第一要不隨地吐痰，多吸新鮮空氣，講求健强身體，第二才是找藥吃，以祛病魔。最普通最有效的就是多吃生蒜，尤其有肺病的人應得吃，吃後口臭濃茶可解

雜俎

西釋中醫典籍略考

陳義文

一、黃帝內經

譯者：法國人達比里氏(Dabry)

時間：公元一八六三年在香港法國領事時。

地點：廣東香港。

附註：

a.馬素氏(Marsball's)云：「此書由達氏譯成法文」——見馬素氏花柳病學(Marsball's syrbliology)達氏又於一八六三年刊行：「中國醫藥論」一書原名：「la medicine Chezles Chi-nors」。

b.毛景義中西醫話載：「考泰西之醫術其始維馬人漢尼巴僧入中國得內經素問等書，歸國專心致力學，十有餘年而後醫名鵲起，各國人聞風響往，咸執贊受於其門。

c.廣東孫逸仙醫學院，院長黃雯醫師，頗有意志翻譯此書，據聞已譯成二章。

d.時人王吉民醫師已譯有「上古天眞論」一章。

二、難經

譯者：德國人許保德氏(F. Hubotter)。

時間：公元一九二九年任柏林大學醫史教授時。

地點：德國柏林。

附註：

許氏將此書譯成德文後，刊於其所著之「中華醫學」中，自

第一九五至二三八面，獨為一章，原名：「Die chinesische」在德國利錫出版。

三、史記扁鵲傳

譯者：德國人許保德氏(F. Hubotter)。

時間：公元一九一三年已譯成德文載於(Archiv fur geschischte die Medizin, Band VII, Haft 20)

地點：德國利錫出版。

四、史記倉公華陀傳。

譯者：德國人許保德氏(F. Hu botter)。

時間：公元一九一三年已譯成德文。

地點：「東京東方自然科學雜誌」刊載(Mitteilungen der Dutschen Gesellschaft Fur Natur—und Vokerhunde Ostascew Band XXI beit)

五、張機脈學

譯者：費司門拿。

時間：公元一八[illegible]六年刊於嘉力森世界醫史(Garrison History of Midicine The pulse—bore of cheng ke Translated by August pfizmaier)

六、王叔和脈經

譯者：德國人許保德氏。

時間：公元一九二[illegible]年著「中國人傳及醫籍考」(grrido though the labyrinth of Chine e Midieae Wriers and Medical Writing) writing 中的第三十一章云：王叔和脈經由譯成德文。(未完)

成都青年夏令營的社會醫藥隊

陳特思

前言

為社會服務的部門很多，如像醫藥服務，確是件最實際的工作，因為直接為人類解除肉體上的痛苦，使過康樂的生活，誰個對他不生信仰呢？成都青年夏令營的訓練目標第四個是養成勞動服務的習慣，今年為了要充實這個目標的工作，特成立了個社會醫藥服務隊，專為社會同胞服務，我們（彭德芳曾敬光王政維超羣和筆者）是本隊的工作者，在這幾星期服務中大家同心合力，得着診療上相當滿意的效果，和營部及社會人人的獎評，精神上是非常的愉快，今天將服務中經過的一切作個記載。

準備

我們是中央團部直屬國醫學院青年同志，向來是以醫藥服務為對外的主要工作，這次參加服務又大家異常高興，七月下旬在蓉籌劃經費與備藥品器材，於開營時即到達工作地的灌縣。

服務

本月一日起本隊便與社會人士見面了，服務地點：午前在商務繁盛市民聚集的商業場，午後在城外風景幽美遊人不絕的離碓公園，因為兩處地方的不同，服務的對象也就略有區別，大概公園內智識青年如學生公務員佔多，商業場則工商農等勞動階級佔多，當我們每日剛到服務地點的時候，總有許多病者在那裏等候了，一見我們來，便爭先恐後的向登記處登記，每天人數平均在百人左右，為什麼有這樣多的人呢？一則是送診送藥，二則藥品是中西并用，三則工作同志他們都很客氣的細心的對付病人，據當地人士談：「本縣過去曾有不少的團體在此作過醫藥服務，可是他們的時間都很短促，從來像你們這樣的長時間工作，并且他大都洋化，老百姓們怕蹈攏來，這次青年團員是空前的創舉啊」——在這裏我們可看出本隊不僅是得到治療上的效果，同時也引起各層各色的人士對本團發生信仰——三民主義青年團是革命的服務團體，因此我們雖流了汗水，所得的代價却是很偉大的，在服務中承灌縣宣化慈善會捐助內科服藥，衛生院捐助防疫菌苗，紅十字會各大藥房資助用具并廉價售藥與我們，他們對我們有很大的幫助，值得致謝的。

趣話

當我們替民衆注射防疫針的時候，有不少的民衆緊緊的圍着觀看，常常聽到他們中間有這樣的說法：「他們的疫苗是中藥製的，效用穩當得多不比旁的西藥疫苗」，我們聽了除向他們解釋錯誤外，生了一種感想：同是一樣藥，在不同的人用起來便有不同的觀感，這雖則可笑民衆的無智識，但却可看出中醫在民間的信仰。

宣傳

我們剛到灌縣服務時，并未張貼標語，也未聚衆宣傳，只是埋頭做工作，漸漸的民衆對我們有信仰了，才開始文字與口頭宣傳，標語的紙條是長三角形，看去好像飛鷹，頗能引人注意，文字是很淺顯的，現在介紹幾個在下面：

1. 三民主義青年團是革命的團體
2. 夏令營社會醫藥隊以服務為目的。

3.民族健康國家才得富强。

4.要得身體好天天起得早。

5.平時注意衛生免得病時吃苦。

6.中西醫生聯合起來研究醫學。

7.改進中國醫藥發揚固有學術。

此外我們并在標語上公佈許多醫藥常識和治療有効單方，使大衆看了更能一目了然，其次便是在工作中附帶口頭宣傳了，彭德芳同志最喜歡與婦女們談話，她那嚴肅的面孔呈現在許多老少不同的婦女面前，講述很多關於抗戰期中前方後方的故事及本團的意義和服務的精神，曾啟光會打金針又配很多中藥有效的單方，常常向着圍緊觀看的民衆們口講指劃的，好像一個慈愛的教師似的，本營□教官和同學們也常來與我們談話關於醫學方面的各種問題，王□政羅超羣更是有勁，他兩人除了東走西走向各方面接頭聯絡外，更每晚到離城幾里的地方去診病，跑得汗流夾背而回。

旅行服務

第一次，八月九日夜裏，我們同了本營夜行軍到達蒲村，次日早飯後服務隊旗子掛在一家茶店門口，兩小時的工夫，替了七十餘患病同胞服務，病人越來越多，幾乎收不下攤藥的攤子，集合返營號吹了，才與病人分別，第二次，八月十五日午後，我們五人離開營部，向鄉間出發，準備五日的鄉村服務，大家拿出勇敢吃苦的精神，每人除負担自己行李外，并携帶很多藥品器材，赤足草鞋，在微風拂拂，細雨飄飄中，唱着宏亮的歌聲到民間去了，第一日在玉堂場服務，本場除瘡佔多外，內科以痢疾最多，工作四小時，治療百餘人，第二日在中興場服務，本日適逢場期，就治者頗多，只因我們要趕到預定地點，故僅診治六十餘人，外科仍以瘡最多，內科以眼病最多，第三日同營部旅行青城，第四日到太平場服務，民衆患胃腸病者最多，瘡亦多，共治九十餘人，第五日興達聚源場，本日病人最多達百三十餘人，并承該鄉鄉長幫助登記，病者除瘡傷仍佔多數外，內科無顯着的病症，惟打防疫針者特別踴躍，上面的趣話，即本場所出也，午後大家如像戰勝的雄軍凱旋而歸。

最後服務

八月二十一日的午後，是我們最後一次的服務了，今天的病人特別顯得依戀，我們將剩餘藥品，盡量贈送病人，并告訴他使用的方法及豫後的宜忌，一直到午後五鐘，在一羣病人圍繞着而目光依戀的集中注視時，我們為了時間的關係，與他們忍別了。

診療統計

附註：外科病以足部生瘡者最多，內科以胃腸病較多。

成都青年夏令營社會醫藥隊診療統計表（一）

統計 診別	出診	復診	初診	針灸	注射	內科	外科
人數	一六	四〇八	一一四二	六三	二六六	二九一	九四六
合計		一五六六				一五六六	
百分比	一、〇二	二六、〇五	七二、九三	四、〇〇	一六、九〇	一七、九〇	六一、二〇

(診別：出診、復診、初診；科別：針灸、注射、內科、外科)

成都青年夏令營社會醫藥隊診療統計表(二)

病者分類		人數	合計	百分比
職業	商	四二六	一五六六	二七、二〇
	農	三〇三		一九、三〇
	工	三一四		二〇、二五
	學	一七八		一一、三〇
	政	一〇三		六、五七
	軍	六七		四、二八
	本營兵伕	二六		
	本營學生	一二二		一一、二〇
	本營官長	一七		
籍貫	外縣	九一四	一五六六	五八、三七
	本縣	六五二		四一、六三
年紀	四〇以上	八一	一五六六	五、一六
	二〇—四〇	九五五		六〇、九七
	一〇—二〇	四三二		二七、六〇
	一—一〇	九八		六、二六
性別	女	三八三	一五六六	二四、四八
	男	一一八三		七五、五二

結論

在今天經濟不健全的農村裏，多少同胞呻吟作食衣的困難，多少同胞，呻吟於疾病的纏染，他們正待熱情的目光照顧，正待熱情的手救援，我們是革命的服務的青年同志，除了一致團結，消滅國內政治阻碍的罪人，趕走侵略的日本軍閥！使社會安寧民生有賴外，尤應擴大社會的社會服務工作，去救濟一般貧苦階級的人，我們救了一個人，就是增加了一個對三民主義信仰者，這對把握青年，統一團結是有多麼的補助啊，加緊社會服務工作，尤應加緊社會醫藥服務工作。

（完）

學院園地

國醫學院校友會聯絡畢業同學啓事

本會於月前發起組織本院畢業同學通信網，以期互相聯絡，砥礪學術，共謀中國醫藥學術之改進，各同學接到通知後，多已將自己近況填送本會，茲依取到之先後，逐一發表於後：

姓名	年齡	性別	籍貫	畢業年月	現任職務或開業	現在通訊處	永久通訊處	備考
徐先彬	二八	男	開江	二十七年八月	醫藥改進月刊編輯主任四川國醫學院教授	成都興禪寺街四川國醫學院	開江甘棠鄉	
張夢庚	三五	男	成都	二十六年六月	財政部川康區主任委員	署襪北二街七十七號	同上	
藏佛延	二八	男	合川	廿九年十二月	愛知治療所醫師	西御西街八十二號附三號	合川涼亭子戴家花園	
李又斯	二八	男	成都	二十六年六月	國醫學院事務員	四川國醫學院	三橋南街二九號	

國醫學院送診施藥委員會誌謝（續）

郭守中 楊輝閣 季明善 吳仲安 劉本帥 汪劍熒
德義鑫 張興枕 王 治 李澤華 曾國賓 鄭景明
劉海山 鄧宗豪 蕭德雲 黎永濯 鄒範之 張前定

羅事靜 滕虎沈 汪繼膏 呂纘鳳 周汝穎 朱自光
魏晉湯 盧興階 劉小姐 王華興 周錫祿 楊本趙
卓文炳 陳士林 汪本謝 曹樹清 藍希夷 蘇葭光
卓昭明 杜瑞五 汪 瀅 孫松山 鄭志芳 藍復興
黎槐春 王懷堯 汪紹祥 林順函 藍際厚 藍羣鳴
江興林 魏龍閣 汪自愚 巫有恆 藍佃之 藍介山
譚華昌 吳仲三 汪澤涵 吳興如 藍連成 藍樂之
凌浩闌 王清化 余仲衡 蔣祝三 藍本作 藍連模
樊高宗 舒玉門 肖芸漢 蔣公衡 藍際楨 藍俊俠
吳玉章 王官純 汪澤美 李 偉 藍運福 藍元海
程 濤 王官鎚 汪澤多 郭守中 藍運發 余仲權

以上各捐洋一元

醫學必讀要籍一覽（續）

武勝 周復生

(中)中國急性傳染病學……時逸人編
(中)廣溫熱論……戴北山著
(中)重訂瘟疫論……吳又可著
(中)溫症寶筏……吳貞安輯
(中)葉評溫病條辨……大東書局版
(中)溫熱辨惑……韋巨膺編
(中)濕溫時疫自療法……大東版
(中)葉評溫熱經緯……(平裝本)……一冊……世界書局版
(中)濕溫大論……胡修之編
(中)溫熱逢源……大東書局版

(未完)

中央國醫館四川省分館公佈欄

中央國醫館四川省分館　訓令　醫字第　號

爲令發本館編審委員會組織辦法，令仰推荐人員由

令各縣國醫支館
　　支館籌備主任

查復興中國醫藥，整理學術，實爲當務之急，本館有鑒於此，特於館內設立編審委員會，負整理編纂各種叢書刊物之責，除在省垣延聘專員外，查各縣醫林，不乏耆宿之士，學有專長，用特檢發辦法簡則，令仰遵照，詳爲物色推荐，以憑延聘，俾期羣策羣力，共襄復興之業，是爲至要，此令！

附發辦法簡則各一份

館長曹叔實
副館長劉子沉
　　　鄺鶴宵

中華民國二十九年七月　日

中央國醫館四川省分館編審委員會組織辦法

第一條　本館爲遵照中央國醫館整理國醫藥學術標準大綱之規定整理國醫藥學術編審出板物品特組織本委員會辦理之

第二條　本委員會委員除本館秘書各科長爲當然委員外並由館長聘請醫藥學者爲本會委員均爲無給職

第三條　本委員會依醫學門類暫分下列各組

(一)生理學組
(二)病理學組
(三)藥物學組
(四)診斷學組
(五)內科學組
(六)時令病學組
(七)婦幼科學組
(八)外科學組

第四條　本委員會各委員應各就研究所長參加各組由各組組員推舉組長主特進行

第五條　本委員會編書工作計劃大綱另訂之

第六條　本委員會編審出板物品應需經費由館籌辦之

第七條　本辦法經聯席會議通過施行

第八條　本辦法有未盡事宜得隨時修改之

中央國醫館四川省分館國醫藥學月刊簡則

第一條　爲發皇國醫藥學術普遍醫藥宜傳傳播本館研究要旨及整理國醫藥辦法特出本刊

第二條　本刊定名爲國醫藥學月刊

第三條　本刊內容分下列各欄

(一)論著(包括各科)
(二)研究
(三)整理辦法
(四)消息
(五)介紹

第四條　本刊由館長就編審委員中指定六人分負編纂審核文稿之責

第五條　本刊材料除由各編審委員每月經常擔負文稿外幷歡迎社會人士投稿

第六條　本刊審定用新聞紙一開二十四頁共合四萬二千字以後編纂人員加多再行擴充篇幅

第七條　本刊印刷核對推銷經費收支等事宜由館指定人負擔之

第八條　本辦法經本館會議通過後施行

第九條　本辦法認爲有須增減得隨時由本館會議修改之

讀者信箱

問

編輯先生台席：敬讀貴刊，已歷六期，內容之豐富，學說之新穎，眞令人讚佩不置也，茲有懇者，內人年二十七歲，身體素稱肥健，乃自今春三月，郊遊遇雨，歸途病作，當曾延診治，殊愈後月經即告停止，漸次影響食慾衰減，精神委頓，雖服桃仁紅花等藥數劑，終無絲毫效驗，不知是何原故？敬祈在貴刊上指示治療方法，并解釋病由，俾獲早愈，感激無暨矣！專此順頌

撰安

讀者何承纘謹上 八月八日

答

月經不潮，其因雖多，有血虛者，有血瘀者，有氣滯不舒者，有濕痰阻塞者，故施治之法，亦必考究其致病原因，未可一概拘於俗套也，脅夫人平素身體即稱肥健，又值郊遊遇雨，以理度之，其所治致病，明係濕痰阻滯無疑，故服桃仁紅花等等行血逐瘀之品而無効也，治宜化痰行滯，處方如下：

法夏三錢　雲苓三錢　藿香三錢　厚樸二錢　陳皮二錢　甘草二錢　佩蘭葉二錢

編者覆 八月八日

問

針灸是中國治療古法，當茲科學倡明之世，知此等古法，與今日之生理病理有何關係？

鄭之端問

答

針灸治病，屬於物理療法之一，其唯一作用，是在刺戰神經，對於病毒，促進生理的中和作用以中和之，對於病菌，則促進生理的殺菌作用而撲滅之，對於阻滯，則促進生理的正常機能而暢通之，此針灸治療之原則也

羅愈拳答

期爲君鑒：來稿因收到較遲，容於下期發表！

消息

江西新喻縣中醫的動態

（江西新喻訊）本縣中縣診療所，自成立以來，已經一載有餘，經兼所長趙畛和副所長敖保世、艾鳳起等，慘淡經營，熱心服務，對國家社會，不無貢獻，一般過境軍隊，駐縣義民，以及當地貧民，出征軍人家屬，不但免費施診，而且施送水藥丸散，深得一般民衆的信仰，增强抗建力量不少。

組織區鄉鎮中醫診療所

抗戰軍興，西醫西藥，隨時感到缺乏，而鄉間可說全無。所以中醫診療所的設立，是當前必要工作，尤其是出征軍人家屬，一旦生病，無錢請醫服藥，以致父母思念兒子，兒子能念父母，影響抗戰前途，實屬不淺。本縣中醫診療所，自奉縣令之後，即派敖副所長下鄉指導，約七月底全縣區鄉鎮中醫診療所，皆可望成立云。

組織中醫公會

過去新喻的醫生，都是漫無組織，形同一盤散沙，固步自封，各執門戶之見，甚至强詆同道，互相攻擊，在此「國家至上，民族至上，軍事第一，勝利第一」的時候，只有團結起來，站着自己的崗位上，努力爲國家民族服務，才對。該縣名醫，趙畛，敖保世，吳天爵，有見及此，發起組織中醫公會，以期健全各區鄉鎮中醫診療所，而便利出征軍人家屬，和一般貧苦民衆，故於七月二十日，假縣中醫診療所開籌備會，聞已領到縣黨部之許可證，定八月二日開成立大會，並請黨政軍首長參加指導，屆時定有一翻熱鬧云。

行業中醫要登記

（訪訊）蓉市中醫公會，奉市府令照非常時期民衆團體組織方案，凡執行業務中醫，應一律登記，該會刻正積極分區登記。

(最後)(消息) 三民主義青年團中央直屬國醫學院區隊

籌辦大規模的民衆醫藥服務社

(本埠訊)三民主義青年團中央直屬國醫學院區隊部容同志，因鑒於一般平民，苦於生計之奔波，大多無力顧及醫藥，此於國家民族關係至巨，成以爲有設立民衆醫藥服務處之必要，遂於區隊會議提出設立民衆醫藥服務社案，經衆一致贊同，幷推舉第一區隊負責人陳特思同志草擬計劃及預算，呈請 中央團部及 四川支團部請予核准施行，聞該計劃內容爲在成內適當地點設立總社，按每年內在四門各設服務社若干處，總以市民感染疾病時不苦問津爲原則，開辦費預算二萬六千元云云。

(又訊)國醫學院青年團設立之包包店送診所，迄今將屆半年，各服務同志以該所外科藥品有具特效者，應製爲成品藥，廉價出售，以利病者及一般需者之購用，遂籌備設立一小規模之製藥所，刻正由羅超羣同志草擬辦法中。

本刊價目

零售每冊五角，預訂半年六冊，二元八角郵費一角二分，全年十二冊，五元，郵費二角四分，香港國外，郵費照加，郵票代洋，十足通用，但以一分至八分者爲限。

廣告價目

地位	封面	底面	普通
全面	八十元	七十元	六五元
半面	六五元	六十元	五五元
三分之一	五五元	五十元	四五元
四分之一	四五元	四十元	三十元

附註：本刊廣告係以每期計算，長期面議，另有優待。

歡迎投稿

一：本刊各欄，均歡迎投稿。

二：來稿不論文言語體但須用毛筆繕寫清楚，並加標點。

三：來稿無論登載與否，均不退還，但預先聲明並付足退還郵資者不在此限。

四：來稿本刊有刪改權，不願者須預先聲明。

五：來稿一經登載，即酌酬本刊一期或數期。

六：來稿請直寄成都興禪寺街國醫學院轉本刊編輯部

主編：本刊編審委員會
總發行處：成都西御西街愛知治療所
分發行處：成都興禪寺街四川國醫學院
重慶中一路八十一號濟生堂
本市廉官公所街峯茂藥號
代售處：本市各大書局
本刊社址：附設陝西街新中醫療養病院內

成都圖書雜誌審查處審乙字第三九二號

內政部登記藥字五五五六號　中華郵政掛號認爲新聞紙類

醫藥改進月刊

焦易堂

第一卷第九期

短評

提倡民衆醫藥服務

氷風

中醫自從被加上一個「不科學」的頭銜後，一方面少數的人們對他極端詆毀，但另一方面，廣大的羣衆，却又對他萬分尊崇，這個怪現象，眞是有點不可思議！

中醫是否有存在的價値，那是另一問題，這裏且不去談他，單就對民衆的信仰說，已經値得注意。自從全面抗戰展開以後，政府爲要發動廣大的羣衆，實行自衛，凡一切可以動員民衆的工作，都已先後做過，惟於民衆醫藥服務一項，獨付缺如，這點，我們不能不引爲遺憾！

中醫既是廣大羣衆的信仰者，若能利用訓練民衆，組織民衆，定可獲得良好的效果。上次國醫學院青年團同志在夏令營所組織的民衆醫藥服務隊，便是一個很好的例證。現在江西已經開始動員全省中醫，組織各縣、區、鄉診療所，（見本刊消息）爲民衆治病了，在復興民族根據地的四川，希望對此也有所表現！

▶中華民國三十年十一月一日出版◀

本期要目

本期稿擠，「醫學必讀要籍」，下期繼續發表，此啓。

編者

本刊總務組緊要啓事

本刊近來收存郵票過多，對於刊務進行，不無妨礙，今後訂閱本刊，務希購貿郵局匯票，此啓。

本刊獎勵讀者介紹訂戶啓事

本刊廣西讀者韋飛揚君，一次爲本刊介紹訂戶二十九名，特登刊獎勵，以謝熱忱。此啓

中國國醫學會成都市分會擴大徵求會員啓事

啓者本會爲研究國醫學理及治療方術以期闡明中國國醫之眞髓并促進國醫界之團結及互助起見特擴大徵求會員凡欲爲國醫界奮鬥同志盍幸乎來。

登記處：成都西御西街八十二號附三號本會

致謝啓事

茲承衛生署中醫委員會捐贈「四川大黃」一册，特此誌謝。

○……代郵……○

王傑君：來信因收到過遲，下期作覆，此啓。

言論

對於建設中國本位醫學的意見（續）

蘇友農

又經脈篇曰：「五陰氣俱絕則目系轉，轉則目運，目運者為志先死。六陽氣絕，則陰與陽相離，離則腠理發泄，絕汗乃出」。其他如「皮毛焦，爪枯毛折，髮色不澤，面黑如漆，肉軟肉萎，中滿脣反，骨肉不相親，齒長而垢，筋急引舌，脣青，舌卷，卵縮」，則屬均為死相。

(乙)聞：經曰：「聞而知之謂之聖」。難經曰：「聞其五音以知其病」。此在內經，以「五臟有五聲，以合於五音，謂肝呼應角，心笑應徵，脾歌應宮，肺哭應商，腎呻應羽，是也。至以各種聲音之表現，而以為診斷方法的標準。在身經通考曰：「口出無論譫語也，此為有虛有實，無稽怒罵狂言也，此為實證，出言壯厲先輕後重者，外感也，語言懶怯，先重後輕者，內傷也，語不接續，鄭聲也，無人始言，獨語也，此證屬虛。鼻塞錯語呢喃，出言不正，熱證也。心汩汩有聲，先瀉後嘔，停水也，喉中漉漉有聲，痰也，腸若雷鳴，氣不和濕也，無還聲為鴉聲死證也，雖病發喘，癆瘵聲啞，危病也」。

(丙)問：經曰：「閉戶塞牖，繫之病者，敢問其情」。「必審問其所始病與今之所方病」，凡欲診病，必問嘗貴後賤，雖不中邪，病從內生，名曰脫營，嘗富後貧，名曰失精」。「凡欲診病者、必問飲食居處，暴樂暴苦，始樂後苦，皆傷精氣」。「診有三常，必問貴賤，封君敗傷，及欲侯王，故貴脫勢，雖不中邪，精神內傷，身必敗亡，始富後貧，雖不傷邪，皮焦筋屈，痿躄為攣」。難經曰：「問而知之者，問其所欲五味，以知其病之所起所在也」。其餘之經問而知道的，為問諸痛、寒熱，汗，飲食，二便，言能知覺等。

(丁)切：所謂切，就是根據動脈血管振盪的血壓，來考察病情。此中情形與症證的關係，在經曰：「夫脈者，血之府也，長則氣治，短則氣病，數則心煩，大則病進，上盛則氣高，下盛則氣脹，代則氣衰，細則氣少，濇則心痛，渾渾革至如涌泉，病進而色弊，綿綿其去，如弦絕死」。至於診切較好的時間，在經曰：「診法常以平旦，陰氣未動，陽氣未散，飲食未進，經脈未盛，絡脈調勻，氣血未亂，故乃可診有過之脈，切脈動靜，而視精明，察五色，觀五臟有餘不足，六腑強弱，形之盛衰，以此參伍，決死生之分」。其在脈的各種情形，和季節氣候的作用，經曰：「春脈者肝也，故其氣來軟弱輕虛而滑，端直以長，故曰弦，反此者病。其氣來實而強，此謂太過，病在外，其氣來不實而微，此謂不及，病在中。太過則令人善忘忽忽。眩冒而齲疾，其不及，則令人胸痛引背，夏脈者心也，故其氣來盛去衰，故曰鉤，反此者病，其氣來盛去亦盛，此謂太過，病在外。氣來不盛去反盛，此謂不及，病在中。太過則令人身熱而膚痛，為浸淫，其不及，則令人煩心。上見咳唾，不為氣泄。秋脈者肺也，故其氣來輕虛以浮，來急去散，故曰浮，反此者病，其氣毛而中央堅，兩旁虛，此謂太過，病在外，其來毛而微，此謂不及，病在中，太過則令人逆氣而背痛，慍慍然，其不及，則令人喘，呼吸少氣而咳，上氣見血下聞病音」，冬脈者腎也，故其氣來壯以搏，故曰營，反此者病，其氣來如彈石者，此謂太過，病在外，其如數者，此謂不及，病在中，太過則令人解體，腎痛而少氣，不欲言，其不及，則令人心懸，如病饑，脈中清，背中痛，少腹滿，小便淋」。脾肺之惡者，其來如水之流者，此為太過，病在外；如鳥之喙者，此為不及，病在中，太過則令人四肢不舉，其不及則令人九竅不通名曰重強」。這樣的診斷方法，在中醫學中，是普通而重要的方法，因此除內經上的紀載此類法則外，其餘如越人難經，王叔和脈經，脈訣，李時珍脈學等，都是特別在說明這些方法的。

（三）診斷學的作用和任務

從前面講的診斷方法歸納起來，使我們得到下列數種概念，和改進的意見：

第一：望的方法，是一種肉眼直接觀察法，是從人體色和形的變異現象為根據，而以推定內在五臟和全身的變化，這在若干的臨床診斷經驗，雖已實證是正確的方法，但這種變異現象而可作為內在變異的象徵，還缺乏事實根據的詳細說明，因此在建國醫診斷學的工作上，對於這些變異的象徵，應根據生理學病理學去說明其理由，同時更應用化學的分析法，就各種情況中，血液構成的素質，分別比較分析觀察，則使這種望色的方法，更可得正確的根據，其次，這些望的方法，不能直接看見內在臟腑的情況，往往使診斷的結果不正確，所以在求明確觀察內在臟腑形，的變異，對於西洋醫學中，用器械觀察法為輔助的X光線，亦須探用。

第二：聞的方法，這是應用聽覺採納病者的聲息，藉以測知各種病情變化的方法，這些聲音的種類，不外語言，呼吸，咳嗽，腸胃水鳴等，在生理和病理上，所有各種變異，都有事實根據，當然是應該說明的，另外，我們僅憑聽覺器官的直接作用，對於內在臟腑運動所發的聲音，是難於聽出的，在西洋醫學中診斷所用的聽診器，亦必須採用，來幫助我們對於臟腑聲音之了解。

第三：問的方法，這是病者對於知覺運動一者所感覺的自述情形，這種方法，在心理學上稱為內省法，在行為派的心理學者，雖然指斥這種方法為非科學方法，另創生理法來代替但這關於人體神經的知覺運動的差異情況，除病者自身能感覺外，於三者客觀的觀察，是不易知道的，因此對於這種方法，是不能廢除，而必需根據生理心理病理去說明變異情況的理由。

第四：切的方法，是中醫診斷上最普遍而必須探用的方法，因此對於探用所得的經驗，就是某種脈象，某類病症，應該表現某種脈象，又因體質強弱的差異，季節氣候的轉移而有成不同，這些情況，在各家脈學中，都有很詳細的叙述，不過這種差異變異情況的理由，很少有從生理學病理學上去發揮和實證，同時這種分別識驗的方法，更含有熟練而精確的藝術性實不是普通沒有經驗的人所能了解，因此，多數學習中國醫學診斷方法的人，對此是感覺最大的困難，在部份西洋醫學者，亦誤解其神祕性而認為非科學的診斷方法，我們要發皇中醫學術，對這些困難，應該切實根據生理學病理學去說明他，絕不能使他玄祕化而不為人所了解。

第五：上述診斷方法，係基於全身官能活動的變異情況中求得共通的原則而聯合使用的，所以對於全身性病症的診斷，能得到正確的了解，這是他的優點，但對局部性病症，因缺乏器械的輔助，不能得確切的認識，這是他的缺點，也就是我們應該將他認識清楚而不可忽略的。（節本完）

（全篇未完）

醫學研究

傷寒病名中合觀

李克蕙

傷寒一病名，有古今之異，有中外之別，有廣義狹義之不同，錯綜紛紜，無論於診斷上，於談論間，皆有引起誤會糾紛之可能，名不正者言不順，皆由於我國醫者，以西醫所稱之腸熱症，誤譯為傷寒病，且誤指歐西所指之腸熱症，即我國向來所稱之傷寒病，於是歧路中復有歧路，益莫可究詰矣。茲將古人對傷寒病名之沿革與定義，列舉如左，讀者對傷寒之名詞，或可得一相當之瞭解歟！

內經著者云：「今夫熱病者，皆傷寒之類也」，又云：「凡病傷寒而成溫者，先夏至日為病溫，後夏至日為病暑」。

難經著者云：「傷寒有五，有中風，有傷寒，有溼溫，有熱病，有溫病」。

傷寒論著者云：「太陽病，或已發熱，或未發熱，必惡寒體痛，嘔逆，脈陰陽俱緊者，名曰傷寒。」

肘後方著者云：「貴勝雅言，總呼傷寒，世俗因號為時行」，外台祕要引許則仁天行病云：「此病方家呼為傷寒」。

張子和儒門事親云：「春之溫病，夏之暑病，秋之瘧痢，冬之寒氣及咳嗽，正四時不正之氣，總名之曰傷寒」。

日人湯本求真言：「余所信奉，為醫聖張仲景所著之傷寒論及金匱要略二書，前者所主為傷寒，即述腸窒扶斯症之診斷療法」……和田啓十郎云：「人多謂仲景氏傷寒論，論述一種熱性傳染病，即傷寒（腸窒扶斯）之症狀治法，非萬病適用之書……然其記載之診候治則，以致一切藥方治法，殆用之萬病無不適當」。

中國醫學史著者陳邦賢氏云：「自西洋及日本醫學輸入以後，謂傷寒之原因，由於窒扶斯桿菌而來，舊譯作肚腸熱症，日本譯又名小腸壞熱症，又名泰裴士熱，博醫會譯作腸熱症，日本譯作腸窒扶斯，英醫合信氏曰，中國稱有毒之瘟疫」。

中國醫學史標名，「傷寒」，「溫病」「溫疫」「腸窒扶斯」。

章太炎氏云：「西名腸窒扶斯，即此名溼溫，羣醫驗症者知之，日本人譯為傷寒，據五種傷寒言之亦得，非麻黃湯證之傷寒也」。

丁仲祜氏云：「就傷寒腸窒扶斯症候會通而言之曰，輕症腸窒扶斯即太陽病也。若變為重症，其熱為稽留狀，成往來間歇者，即轉少陽也。病重者，其熱稽留而不往來，即陽明證也。若合併腸胃熱，腸胃熱者，即少陽病，胸脅苦滿；或太陰病滿是也。遷延神經熱，即少陰病也，劇發神經病，即陰陽疑似之症也」。

徐瀛芳氏云：「腸窒扶斯，日本譯名傷寒，博醫會譯腸熱症，愚謂譯義作腐腸熱，方為愜當，此則有待於多數學者審義也」。

陸淵雷先生云：「中醫所稱溼溫病者，多半係西醫之腸窒扶斯，而日本人譯為傷寒者也」

根據上面古今中外人士意見，可歸納數類，即古人心目中之傷寒，包括一切熱性病而言，（內經）今人心目中之傷寒，指冬令感寒無汗發熱脈緊而言，（傷寒論）日本人心目中之傷寒，誤以為即屬腸窒扶斯病，我國西醫沿日本人之誤，亦以為腸窒扶斯，即中國向稱之傷寒病也，此明明熱病而反稱傷寒之錯誤之由來也。

嚴格言之，腸窒扶斯，國醫會譯為「腸熱症」，較為恰當，若誤稱傷寒，實與我國近代定名之原則不符，因寒溫相反，溼溫病不應稱為傷寒病故也。

現在傷寒病名指腸熱症而言，已成為習慣之錯誤，而中西醫診斷病名之糾紛，皆因此錯誤病名所招致，殆非當時執筆者始料所及。

至書籍中所記，如不能平臥者曰豎項傷寒，腳軟不能行動者曰削足傷寒，隨意揑造病名，尤不勝枚舉，近日社會人士一般心理，常以為房事後得病，謂之傷寒，或謂之為夾傷寒或小傷寒，閩遇小兒患病，醫者斷病為傷寒（腸熱症），家長必哂曰，我家小孩尚未結婚，何來傷寒病耶？此由不可以理喻者。

腸窒扶斯病，即中醫所稱之溼溫症，此殆為近代學者所定論，然古時所稱溼溫症與現代症狀不符，而吳又可之瘟疫病，陸九芝又以已意改為溫熱病，皆溼溫症之見證，而不名為溼溫病，名同實異，實同名異，欲病名之整齊劃一難矣！

謂溼溫症（腸熱病）屬廣義傷寒病則可，（五種傷寒之一）謂傷寒病即溼溫症則不可也，猶之謂江西人屬中國人則可，謂中國人即江西人則不可也。

編者按：中醫病名，亟待整理，免為流俗所誤，殺人無算，嘗見溼溫患者，自述「陳寒」，醫者不加深究，竟投辛熱，以至藥甫下咽，生命立斃，厥狀之慘，殆有不可以言語形容者，然此不過僅舉其一耳，類似之處，筆難盡述，尚望我醫界同仁，共同致力於斯，使中醫病名，早歸劃一，非徒我中醫之幸，抑國家民族之幸也。

傷寒六經傳變論（續）

劉焦機

若異於正常狀態，則不能調整其功用，且能於一定限度其中。有代償肺腎之作用。蓋太陽所主之皮膚，驟遇寒冷空氣，則皮下感覺銳敏之神經，必起一種反應，使肌膚緊張，血管收斂，以保持其體溫。如侵襲超過常度，或經久刺激，皮膚亦即緊閉，汗腺不開，廢物停留，血行內傾，迫向肺胃，致呈乾嘔鼻塞之象，繼則心力充盛，挾其大量血流，向外奔走，有非驅病毒從汗腺透出不可之勢。終因阻滯過甚，其力不能使皮膚緩解，汗腺開張，而太陽病應現之各症，於是一一呈露。又因病者體質不同。其有皮膚組織粗鬆者，在患太陽病時，則皮膚不如前述之緊張，血管亦不起收縮，所呈病狀，為脈浮緩、發熱，自汗。惡風等之太陽中風。舊說以太陽病分三綱鼎立，桂枝症為風傷衛，麻黃症為寒傷營，大青龍症為風寒營衛俱傷。其說創自許叔微，不知風寒均屬空氣感覺之差異，原無兩分。景岳云：「風隨寒至，寒隨風來」，一語切實用。古人對太陽病，大都具有精確之認識。觀金鑑以太陽主表，為一身之外藩，凡外因百病之襲入，必先傷外藩，表氣壯邪無由入，表氣虛邪得乘之云云，即可明瞭。

（乙），陽明病

明為離明取象南之義，示陽實也，熱氣充實，表裏內外，無所不在，謂之陽明。在外則見潮熱，在內則徵譫語，有實於將衝向外之勢，病毒充滿腸胃，按之堅硬而有抵抗，故曰陽明之爲病，胃家實也。因病毒繼續產生，有增無已，直接刺激組織及神經，致使血管麻痺或痙攣，全身血液亢進，肌肉緊張，新陳代謝之化學機轉加強，生溫高張，體溫羈留，卒使放溫機能，不能與相應。調節作用，因以攪亂。其結果反使病毒深集於消化管內而無外出之希望。又因肌肉細胞之原生質，被高熱薰灼，致津枯液涸。而酸性毒素，大有使鹼性血液起崩離之虞，致發生酸性中毒危險，此種陽明病徵候，輕者身熱，汗出，口渴，重者揚手擲足，譫語狂妄。論中身熱煩渴，目痛鼻乾，不眠等候，爲陽明經症，潮熱譫語，大便難等，爲陽明府症，經症即輕病，府症即重病，蓋陽主裏，內候胸中，外候肌肉，故有此經府之分也。

(丙)，少陽病

少者微也，陽氣盛於裏，不能暢達於表。此陽氣微少之狀，名曰少陽。論中口苦，咽乾，目眩，是其候也。口苦是熱蒸膽汁上溢，咽乾爲熱耗津液，目眩乃熱蒸眼昏。少陽是三焦，三焦屬淋巴系統，素問稱之曰孤府，考淋巴系統之組織，其總幹在胸前面；左曰胸管，由下而上，右曰淋巴管，由上而下，再曰胸管及淋巴管，各分出其形如枝如網之淋巴細管，散布於體中各部肌肉組織內，以成動靜脈管之交通線，而淋巴管中之淋巴液，亦得在淋巴間隙處，供細胞營養之需，然動脈微血管中之血壓過高，則滲出於淋巴間隙之淋巴液增多，而微血管內之血液，反因以減少；若血壓過低，則淋巴液來源，亦覺困難，此少陽病之所由作，原病在少陽，體溫調節中樞疲勞，不能鼓舞血管輸多量血液於體表，於是淋巴管中之淋巴液，受其影響而鬱滯，因鬱之結果，又必影響於動靜脈還流之通路，此種情形，尤以胸腹二腔界限部之器官爲甚，此處淋巴鬱滯，則消化，呼吸，循環等各重要新陳代謝之工作，必被其妨礙，而不食，咳嗽，心悸等症現象，相繼發生，且該處淋巴既已鬱滯，其間各臟器之動脈中血液，亦起充盈，因血液充盈，又必誘發炎症，由炎症之持續，又必產生多量滲出物，滲出物蓄積愈多，則淋巴愈鬱滯，而血更無從得還流之通路矣，此種狀況，胸脇苦滿四字足以形容之，其餘勢追於上部，成爲口苦，咽乾，目眩，甚則耳聾，目赤，頭痛，前人謂少陽主半表半裏，即是此症，雖其無有太陽表症，又不是陽明裏症，實則兼有二者之半，而現胸脇苦滿也。

(丁)，太陰病

太陰者至陰也，象乎地，地屬陰，無所不包，故象之。病則腹滿而吐，食不下，自利益甚，時腹自痛，寒邪在裏，脾失健運，故腹滿而吐，食不下也，故腹痛止，遇寒加痛甚，以內甚燥屎，與陽明胃家實之滿痛有別。因太陰之病，乃平素虛弱，不所銷，胃腸肌肉弛緩，以致蠕動能力不足，消化作用減弱，各種消化液，亦不照正常分泌，或多減少，類不整，診知積鬱鬱，少則食穀不化，故殘餘宿滓，久儲腸內，停留不去，並產分解，不斷產生，此食物餘渣與瓦斯，實足以妨礙胃腸吸取和排泄，而陷於衰弱不振。且時時刺激胃腸神經，或壓抑管壁而起腹痛，小腸鳴，便秘或下利。若胃部迷走神經受壓過久，遂造成習慣性之頭痛昏暈，甚則夜間不眠，肢體痿弱，肌膚瘦削，精神不安，生活無趣，觸物傷懷，遇事即悲，思想消極，終日默坐不語。由消化障礙之太陰病，而引起神經衰弱症者，比比皆是。

（戊），少陰病

少陰者水火陰陽之代名詞也，水即無管腺之分泌素，或約制血行，或維繫生命，或管理生殖。火即心力驅血流行所起之燃燒作用，水不濟火，則火臟熾，火不濟水，則水橫流，其關之係為重大，可想見矣，論中提示，乃火衰水橫之病，後世以手少陰統之，茲亦僅就此而加以說明，夫心臟衰弱，必致驅血之力減退，而新陳代謝遂致不暢，體溫發生。因而減少，故惡寒皮膚聚起，四肢運動神經，因營養不足而起不全麻痺，或全麻痺。知覺神經由停滯老廢物之刺激，而生異狀感覺或疼痛，肌肉亦以營養失調而弛緩，故任外表感覺四肢倦怠脫力，腹辟輭弱，於裏硬大便失禁，或下利完穀，又以分解減弱，排泄物中少固形之物質。尿液透明，失卻臭氣，招致其他臟器之衰弱。其甚者因血循遲緩，遍身動脈自貧血之傾向，而汗出不收，下利不止；則僅有之體溫，亦將耗散矣，所謂脈微細，但欲寢，不啻將少陰病真面目托出無遺。

（己），厥陰病

厥者陰盡陽生之義也，氣血暴迫，直趨陽位，裏症似極而無實狀，外症似厥而反發熱，故以厥陰名之，其病消渴，氣上撞心，心中疼熱，飢而不欲食，食則吐蚘，夫何以有此厥陰之病歟？蓋人身血液，儲於血管中，其量有定，豈於此必虛於彼，可知體中一有痞塞，則大量血液被阻，不能通行，而他處遠隔之臟器組織與肉細胞，必發生貧血，因貧血之故，體溫遂感不足，設痞一去，其血流通暢，體溫隨即昇高，故厥熱相間，其有內迫於胸腹腔之臟間，外不循經，致腸壁貧血，神經不得營養，而起麻痺狀態，不能約束腸間肌肉，遭致下利者有之，以陰症之極，迫及頭腦，故腹現肌狀，心中疼熱，論中以氣上撞心一語明之，又肝糖不起養化作用，溶解於尿中，從小便排出，現消渴症狀。凡此厥陰之病，有二種不同之型，一為內外型，內熱外寒，厥熱相間。先寒後熱，數日而平，平而復發，如再歸熱，及陽厥等症是；一為上下型，上熱下寒，血集頭腦，下熱上寒，血滯腹腔，如急劇之腸貧血虛脫及卒中腦充血等是。（未完）

仿讀書記（續）

臧佛延

24 論諸陽

程應旄曰，汗多亡陽，人皆知之矣，然人身之陽，部分各有所主，有衛外之陽，為周身營衛之主，此陽虛遂有汗漏不止惡寒身疼痛之證，有腎中之陽，為下焦真元之主，此陽盡遂有發熱眩悸身瞤動欲擗地之證，有膻中之陽，為上焦心氣之主，此陽虛遂有叉手冒心耳聾及奔豚之證，有胃中之陽，為中焦水穀化生之主，此陽虛遂有腹脹滿胃中不和而成心下痞之證，雖皆從發汗後所得，然救誤者，須觀其脈證，知犯何逆，以法治之，不得以汗多亡陽一語，混同漫及之也。

延按，亡陽與無陽有別，無陽即無津液之互詞也，治法與亡陽大異，[illegible]論及之宜參。

25 辨腦主知覺心不主知覺之非

周伯度曰，陰者藏精而起亟，故腎之精華，必聚於上，上為末而下為本，西人謂腦主知覺，心不主知覺，是但見其上之精華，而不見其下之蘊蓄也，是不知陰為陽守，陽為陰使也，陰陽動靜之理。吾中醫亦豈能測識，所幸者，有神聖之遺經耳，醫至今日，可謂逸矣，西醫自中國周烈王時，即有解剖之學，至今析極毫釐，何如其勞，而不知猶是迹象也，內科理法云，凡人愈留心，則知覺之事愈明，又云，凡能留心者，視物較清，後亦易記，不曰留腦而曰留心，可見主權自屬於心，蓋全體通考云，腦筋由心叢而來，其叢乃脊髓百結兩根之所為，腦筋既根於心叢，自屬心主知覺，腦髓聽命於心，此可譬之電線，心發電，脊過電，而腦其至所也，蓋腎生精化髓而輸於腦，心以陽而爲腎之使，理固如是，必泥迹象以求，則所謂銅山西崩，洛鐘東應者，西人必更斥其誕矣。

自西醫腦髓司知覺之說行於中國，而中國人不察，信之者衆，試更論之，腎精生髓，由脊入腦，猶草木果實之結於頂上，余考西醫每云腦筋從某來者，多是上來至下，以本爲末，以末爲本，因其弊實由於是，即其說還叩之，亦有可正其非者，腎有髓質，西醫言之不一，他處無有，腎上核則言腦筋極多，非髓由腎生而何，中國謂心系貫脊屬腎，而西醫亦謂心叢，乃脊髓百結兩根之所爲，非心與腦相通而何，西醫言腦有透明之密質，心房之裹膜，亦言薄滑透明，非腦之明，根於心之明而何，此皆見於全體通考者，抑內科理法不云乎，背脊髓不通於腦髓，即不知覺，是又隱以腦髓爲不司知覺矣。

延按，西醫知腦之可貴，而不知腦之本原由於心，蓋腦筋必賴心血之榮養，始能運用靈活，不見心血虧耗之人乎，多見頭部貧血而發眩暈之感覺，補其心血，厚其榮養，則眩暈自止，不觀人之記憶或搆思乎，必閉目冥心，凝神設想，思慮過劇，必致頭昏腦眩，其大彰明較著者也，試再舉一例以證之，幼穉時代，每誦一書輒終身不忘者，心不外馳也，由壯而老，則每感健忘者，心血漸耗思慮縈擾也，孟子云，大人者，不失其赤子之心者也，其言深可玩味，今人所謂腦筋清晰，腦筋複雜者，試三思之，究屬於心乎，抑屬於腦乎，明者請下一斷語。

26寒邪六經俱受不必定自太陽

尤在涇曰，傷寒傳經次第，先太陽，次陽明，次少陽，次太陰，次少陰，次厥陰，此其常也，然而風寒之邪，亦有徑中陽明者，仲景云，陽明中風，口苦咽乾，腹滿微喘，發熱惡寒，脈浮而緊，又云少陽中風，兩耳無所聞，目赤胸中滿而煩者是也，不獨陽明少陽爲然，即三陰亦有之，云少陰病，始得之，反發熱脈沉者，少陰初受寒邪之證也，太陰中風，四肢煩疼，陽微陰濇而長者，太陰初受風邪之證也，厥陰中風，脈微浮爲欲愈，不浮爲未愈，此厥陰初受風邪之脈也，此三者，又與三陰直中不同，直中者病在藏，此則病在經也，是以六經俱能自受風寒，何必宗從太陽傳入，亦不必循經遞傳，海藏言之最詳，茲不重述。

傷寒傳足不傳手者，寒邪中人，先着皮膚，而足太陽膀胱之脈，在最外一層，故先入之，稍深則去皮膚而入肌肉，肌肉爲陽明之分，故次入之，又稍深則在軀殼之內，藏府之外，而足少陽之脈，正當半表半裏之間，故又次入之，迨去表而之裏，離陽而入陰，則三陰者，太陰爲開，厥陰爲闔，少陰爲樞，故邪氣入之，先太陰，次少陰，次厥陰也，合而言之，陽主表而陰主裏，表爲府而裏爲藏，故邪氣在表，則足三陽受之，在裏則足三陰受之也，手之三陽，雖亦主表，而太陽小腸，少陽三焦，陽明大腸，並從手至於頭，位偏而脈短，不若足經之自下行上，網維一身也，手之三陰雖亦主裏，然太陰肺，少陰心，厥陰心包，並處上焦，不若肝脾腎之實居陰位也，是故手三陽經雖陽，而脈紬於表，惟足三陽爲獨主陽之表，手三陰藏雖陰，而位不處陰，惟足三陰爲獨主陰之裏，傷寒之邪，所以恒在足而不在手歟，發明所謂傷寒止傷西北而不傷東南，亦穿鑿之語，夫邪氣浸淫，自足及手者有之，如玉機所謂，足經實，手經虛，故能寃熱，潔古所謂壬病傳丙，丙病傳丁者是也，然雖汗下逆誤，或七情勞倦之故，焉有傳及手經者哉。（未完）

藥學研究

麥芽之消食作用

徐先彬

麥芽有消食作用，幾乎盡人皆知，然其所以能消食之原理，與夫應用上宜注意的地方，則大都忽略，故其結果，致有效與不效也！

欲明麥芽消食之原理，必先知食物被消化之究竟，吾人日食三餐，蔬穀魚肉，雖不下數十種，諸就化學方面觀之，則不外蛋白、脂肪、含水炭素，鹽和水五類，此五類中，除鹽類和水，可直接吸收，不須消化外，其餘三種物質，皆非經極繁複的消化作用，不能吸收入血，以作體素中正常營養，此今日生理學家根據事實研究所得，不容懷疑者也。

此理既明，可進而談消化之理矣，內經云：「胃主納穀，脾主運化」，又云：「脾胃者，倉廩之官，五味出焉」，「脾者，為胃行其津液者也」，……凡此種種，莫不以消化之理，謂之脾胃，語雖不精，去實際亦不遠矣。蓋吾人消化器官，專為納化各種飲食物而設，酵液之分泌，亦專作消化諸種食物之用，此酵液為何？即生理學上所稱之唾液澱粉酵(Ptyalino)胃蛋白酵（Pepsin）膵澱粉酵（Amylopsin）膵蛋白酵（Trypaiu）膵脂肪酵（Steapsine）腸蛋白酵（Grcpsin）以及容易分解脂肪之膽液等是也，當食物由口入胃到腸時，須經過各種酵液之綜合作用，始能將食物中所含之脂肪、蛋白、澱粉等，逐一分解消化，成為極精細之單純物質，然後吸收入血，以作營養，由此可知，消化器官內之任何一種或數種酵素缺乏，或所食過多，使體內酵素無完全消化能力時，則該項食物，即停積腸內，而難於消化矣。

麥芽普通用作消食藥，是因其含有澱粉酵之故，故凡食米麥等物，不易消化者，係因胃腸內缺乏澱粉酵之作用使然，斯時以富含此種澱粉酵之麥芽投之，自然奏效，古謂：「傷麵食用麥芽」，雖不知其理，要亦經驗之談也。

惟此處有一極應注意之點，即溫度是也，麥芽在60°C時，效力異常宏大，約等於尋常三百倍，若熱至100°C時，其作用完全消失，一般用之無效者，蓋即此故，故處方時，務必註明「後下」二字，始能達治療之目的，而不致有誤也，尚望我醫界同仁勿忽諸。

白豆蔻

余仲權

形態：本品為蘘荷科白豆蔻之子實，形似龍眼，皮中子如石榴瓣。

產地：安南菩薩山。

性味：辛，大溫無毒。

成分：日人下山氏作著生藥學內，載本品含有脂肪油，芳香揮發油，及澱粉等。

效能：緩胃行氣，用於嘈雜嘔吐，噫酸，及消化不良，用量為〇·五——一·〇錢。

藥理：本品之芳香揮發油，入於胃腸，能刺戟交感神經，使胃分泌加多以助消化，則食物不致停滯，而減少腐敗醱酵以生之瓦斯，嘔吐中樞因不再受瓦斯之刺戟而嘔遂止；至於噫酸嘈雜，多係消化不良所致，今本品刺戟胃腸，以恢復固有機能，使消化正常，其病亦必愈，但本品辛濕，不可用其大量，否則致心跳加强，呈麻醉狀態，甚至尿白而死。

配合：同人參，生姜，陳皮，藿香以止嘔，同丁香治產後嘔逆

禁忌：凡血液虛少，而無寒濕實邪者勿用，其嘔逆反胃之因於熱者亦忌。

參考：處方名用白豆蔻，產安南菩薩山，本品形似龍眼，無鱗甲，皮中子如石榴瓣，以氣辛香者佳。

△英美以本品作溫補，開胃，袪風藥，又以佐瀉劑服之，能免腹痛，每服〇·一—〇·三五克。

△按：各種豆蔻，性味多相彷，其分別在白豆蔻芳香，氣功效多顯於身體之上部；草豆蔻辛烈，功能除中部之痞滿；肉豆蔻溫而澀，則多用以止濡瀉；紅豆蔻辛熱，常以治虛寒冷痛，此諸豆蔻用法之大別也。

砂仁

余仲權

形態：本品形似豆蔻，皮緊厚而有皺紋，色黃赤，外生小刺，為蘘荷科縮砂之子實。

產地：產廣東春陽縣。

性味：辛澀，溫，無毒。

成分：本品含芳香性揮發油。

效能：行氣止痛，安胎之效甚大，又能調中止嘔，以治消化不良及腹脹等症，以作香竄衝動及健胃藥，用量〇·八—一·五錢。

藥理：痛者多源於體液之循行不通，本品芳香回竄，能予滯塞處之機能以強烈之刺戟，則滯塞者得以暢通，而痛自消矣，且能刺戟胃腸，使分泌加多，蠕動增速，以振消化機能，則由消化不良而起之各項兼症，亦迎刃而解矣，欲用為香竄衝動及健胃藥也。

配合：砂仁得白檀香白蔻為使，功效在肺；得人參益智為使，功顯於脾；得黃柏茯苓為使，奏效在腎；得赤芍石脂為使，則作用偏於大小腸內。治姙娠因跌損或偶有所觸，致胎動不安，痛不可忍者，本品炒熟去殼搗碎，每溫酒下二·〇錢，須臾覺腹中胎動即達安胎之效（孫尚藥方）

禁忌：凡陰虛及有實熱者勿用。

參考：處方名用砂仁，本品以氣香者佳。

經方研究

梔子七方合論

劉鐵松

傷寒論用梔子之方有七，論中並未定明何經，凡汗吐下後，陰陽不調，心腎不交，而能懊憹虛煩等症，均以梔子爲主，佐以香豉，或其他藥劑，加減用之。昔仲聖用梔子之意，以其色赤象心，性寒味苦，能導火氣下交於腎；豆豉形色象腎，氣輕味甘，能引水液上濟於心。心腎一交，而成水火既濟之功，其反覆顛倒，心中懊憹諸症，未有不立愈者。若少氣者，用梔子甘草豉湯，只加甘草一味，以補胃氣之虛。若嘔者，乃胃中寒氣上逆，梔子生姜豉湯，加生姜以散胃中之寒；若大病差後勞復者，則用枳實梔子豉湯，又加枳實以散胸結之邪也。以上四方，添一症必加一藥，始爲用到，然皆心腎不交之症，因通心腎，故梔豉二味爲不可少之藥也，其餘如傷寒下後，身熱不去，微煩者，用梔子乾姜湯，以身熱不去，外有微寒，故用乾姜以溫散之，若下後心煩，腹滿，起臥不安者，用梔子厚樸枳實湯，以去心腹脹滿之邪，若身黃發熱者，梔子柏皮湯，加黃柏以清濕熱，使濕熱去而黃自愈也，觀此三方，只用梔子而去豆豉者何也　以其病不兼下焦，惟清其上焦之虛邪斯可矣！古人有謂梔子豉湯爲吐法，予每讀而常疑之，就傷寒論之梔子證，前後合六節，並不見一吐字，又就其原文云，若嘔者，梔子生姜豉湯主之，以此觀之，欲止其嘔，反令其吐，天下寧有是理耶？況乎吐下後而現虛煩，焉有令其再吐之理乎，豈不犯虛虛之戒耶！

柴胡六方合論

劉鐵松

邪在於表，法當汗解，而方有麻桂之異。邪在於裏，法當攻下，而湯有承氣之殊，至於邪在半表半裏，又非汗下之法所宜，惟柴胡和解一法，足以勝任，蓋少陽一經，界於太陽陽明之中，病則陽氣出入之道不利，轉輸之權失職，主以柴胡爲君，以其感一陽初生之氣，氣味輕清，能疏胸脇之滯氣，驅經絡之邪氣，從少陽之樞以外達太陽，助轉輸以除苦滿也。佐黃芩味苦性寒，去裏熱以解口苦咽乾之疾，半夏降逆止嘔，生姜宣通發散，如是則心煩喜嘔之病除矣，再佐甘草參棗助脾土之氣，使能由中達外，裏氣一和，而外邪自無由入之也，往來寒熱者爲邪正相爭之候，今內外之邪已解，寒熱從何而來，觀此方用藥之法，又用再煎去滓，使藥性平淡，而和解之精義已具，無怪乎以上諸症之效如桴鼓也，其有兼太陽之表病者，則加表藥柴胡加桂枝湯是也，以桂枝湯爲調和營衛之主方，合柴胡以助轉樞，於是上焦通，津液下，而亡陽譫語發熱惡寒支節煩之法痊心下支結微嘔等內外之證，一齊俱愈，此少陽太陽合病合治也，小柴胡去參棗姜夏而加大黃枳實，以治陽明熱結在裏之證，是和解之中，加以裏藥又少陽陽明合治法也，其有柴胡加芒硝者，即小柴胡加芒硝一味，而變其分兩之輕重，以治潮熱微痢，亦少陽陽明同法也，柴胡加龍骨牡力湯者，乃治胸滿煩驚，小便不利，譫語，一身盡黃，不能轉側者也，柴湯胡桂枝乾姜湯者，乃治胸脇滿，微結，小便不利，渴而不嘔，但頭汗出，往來寒熱，心煩者也，以上諸症諸法，亦皆以柴胡爲主，而隨症變遷，學者苟能觸類旁通，深究其義，自能變化隨心也。

長篇專著

實用處方學（續）

徐庶遙

△痔瘡

（一）

處方：秦艽防風湯

主治：諸種痔瘡初起

病解：本病多因素有溼熱，過食煎爆厚味，或因醉飽入房，或由臨產用力，或因中氣虛寒，或因久坐血滯，皆可使直腸靜脈鬱血，而成本病。

藥味：秦艽　防風　當歸　澤瀉　黃柏　大黃　陳皮　柴胡　升麻　桃仁　紅花　甘草

方解：大黃，桃仁，行血去瘀，當歸、黃柏，消炎活血，澤瀉利尿而溼熱可除，艽、防驅風則奇癢自止。再用陳皮疏氣，升柴舉陷，蓋氣行則結者可散，陷舉而墜者可瘳也

（二）

處方：加味四物湯

主治：痔瘡下血屬熱者

病解：患處充血過盛，微血管被迫破裂，因而下血。

藥味：當歸　芍藥　川芎　地黃　黃芩　黃柏　槐花

方解：當歸川芎，活血行血，生地芍藥，涼血鎮痛，芩、柏消腸炎而充血可止，槐花斂血管而血自不出。

（三）

處方：八珍湯

主治：肛門翻出，虛弱而面色不營者。

病解：中氣虛寒，靜脈無力還流，鬱於肛門部而成此病。

藥味：熟地　當歸　白芍　川芎　人參　白朮　雲苓　甘草

方解：地、芍、芎、歸，行血和血，苓、草、參，朮，補中舉陷。蓋中氣强則運送有力，循環暢則血因不滯，氣旺血行，則陷者可舉，弱者可復，或虛弱肛翻之足患哉！

（四）

處方：神妙療痔膏

主治：痔瘡瘀腫不收，疼痛難堪。

病解，血鬱生熱，熱盛則瘀腫疼痛也。

藥味：生草烏　白芷　地榆　槐角　五倍子　雞蛋黃油

方解：草烏白芷，善能定痛，五倍地榆，收斂出血，槐角有入直腸消炎之力，蛋黃油具潤燥解熱之功，故宜其效如桴鼓，而爲他藥所不及也。

庶遙按：此方余累試用，功效甚著，諸藥分量可臨時斟酌，不必拘泥，惟須生研極細，入蛋黃油調成膏劑，瓶貯待用，當患者於排便後，用硼酸水（或溫開水）將患處洗淨，然後用藥塗敷，或取棉球一枚，上蘸此藥，再塞入肛門，數易即愈，惟愈後務須注重調攝，勿使再發，若不知攝生，故犯禁忌，雖有此藥，亦難爲力矣，愼之！愼之！

（未完）

大衆醫學

心痛論治

冉廉琛

心痛一症，患者極爲普遍，每當病發之時，輾轉呻吟，痛苦萬狀，一般治療斯症者，又多不加深究，以至輕病變重，重病變危。目擊心傷，懸有年矣！爰將本病經過，及各種正當治療，概述如次，非敢謂深堂入室，不過作他山一助云耳。

（一）辨誤：通常所稱心痛，實即胃痛，蓋胃之上端，與心相近，故有此誤也。經云：「木鬱之發，民病胃脘當心而痛」。即此候矣！若因大寒觸犯，瘀血衝激而成眞心痛，其外候必手足青冷至節，旦發夕死矣！法在不治。

（二）病因：本病原因，約有數端，即1.胃寒氣滯，2.痰熱蓄積，3.水飲泛逆，4.蛔蟲上干，5.食停濁壅，6.瘀積胃口，凡此種種，均能使升降失職，壅聚作痛。

（三）脈象：脈經曰：「陽微陰弦，則胸痺而痛，責其虛也，今陽虛知在上焦，所以胸痺而痛者，以其脈陰弦故也」又「胸痺之病，喘息咳唾，胸痺痛短氣，寸口脈沉而遲，關上小緊數」，「心脈微急爲心痛，微大爲心痺，引背痛」，「脈短而數者心痛，濇者心痛」，「脈浮大弦長者死」。

（四）治法：須分病之新久，體之虛實，若因身犯寒邪，口傷寒物，初起之時，法宜溫散，倘因久鬱生熱，則又當以山梔爲君，熱藥爲之嚮導，則邪易去而病易瘳矣！

草豆蔻丸：草豆蔻（一兩麵煨）橘紅 吳茱萸 人參 殭蠶 黃耆 益智仁（各八錢）生甘草 當歸身 青皮（各六錢）澤瀉（便多減半）半夏（各一兩）桃仁（七十粒去皮尖）麥蘗麵（兩半炒）神麯（微炒）柴胡（膈下痛減半）薑黃（各四錢） 上藥爲細末，桃仁另研如泥，入諸藥中和勻再研，湯浸蒸餅爲丸，如梧桐子大，每服卅丸白湯下。

按：此方治客寒犯胃特效，濕痰鬱結作痛，亦可劫而止之•丹溪活套云：草蔻一味，性溫能散滯氣，利膈上痰，故有此效也•若因熱鬱而痛者，又宜以涼藥監制，如芩連梔子之屬，且更不可多用，恐積溫成熱也。愼之！愼之！

括蔞薤白白酒湯：括蔞實（一枚搗）薤白（三錢）白酒（一匙）

按：此方治陰寒過甚，陽痺不通之胸痺，加半夏三錢，治胸痺不得臥，心痛徹背，兼治痰熱蓄積。

茯苓杏仁甘草湯：茯苓（三錢）杏仁（三錢）甘草（一錢）

橘皮枳實生姜湯：橘皮（四錢）枳實（三錢）生姜（二錢）

按：二方皆治水飲泛逆之症，但茯苓甘草湯治水在膈上，橘枳生姜湯，治水停胃中，故一從淡滲，一從辛溫也•

傅青主方：心痛之辨有二，一由寒氣凌心而痛，則手足反溫，一由火氣焚心而痛，則手足反冷，治法：

寒痛方：良姜 白朮 草烏 貫仲（各三錢）肉桂 甘草（各一錢）

熱痛方：黑梔（四錢）白朮（五錢）甘草 半夏 柴胡（各一錢）

按：初期心痛（即胃痛），余每以此方分別治之，再詳參各諸審愼用藥，多獲奇效。

三花神佑丸：甘遂 大戟 芫花 黑丑 大黃（各三兩）輕粉（三錢）上藥爲末，滴水丸，小豆大，每服三十丸，沸湯下，日二服，以利爲度，按：此爲治流飲停痰之峻劑。

二陳湯加苦楝，或烏梅丸，治蛔虫上干。

桃核承氣湯：桃仁、桂枝、大黃、芒硝、甘草、治瘀血作痛。

（五）善後：痛方止，切忌過食，須以流動之物，漸次調養，方獲痊癒也。

雜俎

擬發起天府歷代名醫傳述爲編纂中國醫學史預備材料徵集史稿啓事

周禹錫

醫史爲醫學進化之源流，凡治一學，若不窮其源流，則如木之無根，未有能發揚滋長者，在過去雖有陳邦賢中國醫學史之作，對於秦漢以下醫官掌故，幷及著名醫家，行世書目，各按時代，鱗次排比，雖有可取，但其立言用意，專主揚西抑中，欲盡去其舊而新是謀以淆亂視聽。自民九出版以來，此念餘年當中，使國醫蒙受絕大之損害，實此書喧賓奪主有以致之，故在今日之國醫，莫不鵠望另有新纂詳備、端視聽、正趨向、之近代醫史出現，而爲我國醫學表彰其精神。（禹錫）自編著中國醫學約編十種，呈請中央國醫館審定完成後，即注意及此，然茲事體大，擬先從四川歷代名醫傳述下手。倣黃竹齋先生關中歷代名醫傳體例（見竹齋醫學叢刊）登報徵集。凡我醫林先覺，各縣同志，贊成此舉者，請將貴縣歷代有著述行世之醫家，暨其所知者，上自周秦三代，下迄近世，蒐集其姓名、出身、朝代、生長地點、生平經歷事略，著述名稱卷數、及內容大意，春秋若干歲、詳爲記錄，逕交瀘縣嘉明鎮拯瘼軒國醫講座，或投登本刊，一俟徵集齊全，彙印成書後，當各寄贈一冊，用酬雅意。想我同道諸君，爲表彰先哲發揚醫學起見，諒能各表同情也。此啓

附近代名醫傳述

鄒趾痕，名代權，字子衡，四川重慶人，民六年元宵觀燈，蹋傷足趾，愈而留痕，因改名以作紀念。幼習舉業，屢試不第，遂專治醫，生平如韓昌黎不讀三代以下之書，惟以素問、靈樞、傷寒論、金匱要略，四書爲宗，六十年如一日，嘗謂靈素以後，惟有仲景書，如日月麗天，任百氏鑽研，眞義蘊伏隱而未發，故各家著各家之傷寒，而非仲聖之傷寒，雖錢塘張隱菴稍啓其機，惜未深入堂奧，乃本其生平悟遂軒岐仲景一貫之學理，著爲素問微言詳解，靈樞微言詳解，傷寒論詳解，金匱要略詳解，發前人所未發，開後學不二法門，甫脫稿於北平寄廬，即不幸適蘆溝橋事變，未果印行，次年遂歸道山，享壽八十有七，遺著由其仲君遠鴻保存囘渝，國事平定，即可付印，生前尙著有天年醫社日記二期，素問上古天眞論詳解，聖方治驗錄各一冊行世。

西譯中醫典籍略攷（續）

陳義文

（七）銀海精微

譯者：華德醫師

時間：公元一九三一年將卷一全部譯出刊載於中華醫學雜誌第一卷第一期眼科專號其英文題名（A Reswme Oncient Chinese Veatise On Aphstpalmology,）（Yin Hai Ching Wei）。

地點：上海池濱路四十號出版。

（八）壽世編

譯者：德國人許保德氏（F. Hubotter）。

時間：公元一九一三年已譯成德文

地點：德柏林刊行。

學院園地

通告

查本學院以前畢業之速成科及一二三四各班學生應領之畢業證書，業經呈奉中央國醫館印發到院，亟應轉發飭領，以昭鄭重，惟領取是項證書手續，應予明白規定如后：

（一）領取畢業證書時，應繳工本費三元，粘貼印花費六角，本人最近二吋光頭半身像片兩張，并將本學院前發之臨時畢業證明書同時繳銷，以杜流弊。

（二）外縣請託郵寄時，應開明確實通信地點，除照繳工本印花各費及臨時證書外，并應將雙掛號郵費隨函附繳清楚，以憑核發。

（三）託人代領者，除由本人具函聲明外，其代領人仍應依照上開第（一）項規定手續辦理。

上示各項，除分告外，仰即遵照辦理，赴院承領，幸勿延誤是要！此告。

中華民國三十年九月一日

中國國醫館四川分館國醫學院院長　林梅坡

副院長　李斯熾

四川國醫學院畢業同學近訊

姓名	性別	年齡	籍貫	畢業年月	現任職務（或開業）	現在通訊處	永久通訊處	備考
陽俊明	男	二六	青神	廿七年上期	西康省黨部幹事·西康國民日報社採訪課長·兼副刊主編	西康省黨部	青神復興場	
唐第仁	男	二八	永川	廿六年上期	陸軍第十八軍軍司令部一等軍醫佐	萬縣佛手舖	永川來蘇鎮蘇英醫社	
馬驎	男	三〇	永川	廿八年下期	振濟委員會施診所醫師	重慶中一路振濟委員會第一施診所	永川永安場	
周澤甫	男	二五	雙流	廿九年上期	開業	雙流外東一四四號	雙流外東潤肥五金店	
古以立	男	三〇	巴縣	廿六年上期	重慶中國醫院副院長·中國製藥廠製造科主任	重慶新橋鎮中國製藥廠	巴縣虎溪鄉義和永	
潘覺非	男	二八	合川	廿八年上期	上海市建國中學校導師	合川上海市建國中學	合川官渡郵轉	
汪鑫濤	男	三三	江北	廿八年下期	重慶市診療所主任	北碚中醫救濟醫院轉	江北石場郵轉	

中央國醫館四川省分館公佈欄

中醫公會組織規則

民國卅年五月九日行政院公布

第一條　中醫公會以研究中醫醫藥增進公共福利並謀中醫醫藥事業之發展為宗旨

第二條　中醫公會之任務如左

一、關於中醫中藥之研究改進

二、關於增進國民健康及醫藥常識之指導

三、關於會員執行業務之調查統計及指導

四、關於社會醫療救濟之設計及協助

五、組織各項中醫中藥研究會講演會

六、舉辦中醫補習學校或其他關於中醫中藥之公共事業但須呈請主管機關核准

七、辦理合於第一條所揭宗旨之其他事項

第三條　中醫公會分為縣市中醫公會院轄市中醫公會及全省中醫公會聯合會

第四條　中醫公會之區域依現有之行政區域同一區域內每級中醫公會以一個為限

第五條　凡領有中醫證書執行業務之中醫人數達十人以上時應依其執行業務之區域設立院轄市或縣市中醫公會但必要時雖不足十人亦得由主管機關命令組織之

第六條　設立院轄市或縣市中醫公會應以五人以上之中醫聯名發起召集設立大會擬定章程呈請該管主管機關核准遞轉社會部及衛生署備案設立大會非由該縣市具有中醫資格者過半數出席不得開會但會員因故不能出席大會時得以書面委託其他出席會員為代表

第七條　設立省中醫公會聯合會應以該省內縣市中醫公會三個以上之發起召集設立大會擬定章程呈請該管主管機關轉報社會部及衛生署備案設立大會非由縣市中醫公會選出之代表半數以上出席不得開會前條第二項但書之規定於前項設立大會準用之

第八條　前條第二項之出席代表人數在有會員三十人以內之中醫公會為一人其超過三十人者每滿二十人加一人

第九條　有左列情事之一時衛生署得召集全國醫公會聯合會議

一、衛生署認為必要時

二、有省中醫公會聯合會及院轄市中醫公會十個以上之提議時

第十條　中醫公會章程應載明左列各事項

一、名稱區域及會所　二、會員入會出會及除名之規定　三、職員名額職務及推任解任之規定　四、關於會議之規定　五、關於經費之規定

第十一條　省中醫公會聯合會及院轄市中醫公會設理事監事由代表大會或會員大會選舉之其人數理事至多不得逾十一人監事至多不得逾七人

前項理事得互選常務理事一人至三人處理日常事務

第十二條　縣市中醫公會設理事由會員大會選舉之其人數至多不得逾五人

前項理事得互選常務理事一人處理日常事務

第十三條　理事監事均為名譽職任期二年

第十四條　中醫公會得酌設有給職員佐理會務由理事會任用之

第十五條　中醫公會應將代表名冊或會員名冊及會務概況等呈報該管主管機關遞轉社會部及衛生署備案

第十六條　中醫公會代表大會或會員大會分無期會議及臨時會議兩種由理事會召集之

第十七條　中醫公會代表大會或會員大會之決議以代表或會員過半數之出席出席代表或會員過半數之同意行之

第十八條　左列事項之決議須經代表或會員過半數之出席出席代表或會員三分之二以上之同意

一、變更章程　二、會員之除名　三、理事監事之解任　四、清算人之選舉及關於清算事項之決議

第十九條　中醫公會經費以左列各款充之

一、會員入會費　二、會員常年金　三、捐款　四、資金之孳息

第二十條　本規則自公布日施行

讀者信箱

問

1.初生小兒，在七日或十四日後，偶感客邪，遂病手足瘛瘲，口眼喎斜，（俗稱急驚風，又名七風）間有胸腹熱勢沸騰，似釜中炊煮一般，當時投以柔潤熄風清膈熱之藥，反不效，竟成死證，究竟此係何故？當服何藥？

2.友人之子，起居飲食，與平人無異，惟喜抓吃地上泥土，此種現象，是否有病？當服何藥？

3.金匱紫參湯，治肺痛下利，先賢詮釋此條，謂紫參色赤類似丹參，唐容川亦無具體辨別，但補註云：此藥尚待闕疑，竟至有是病而不敢用是方，究竟此藥係何種藥，所治係何種病？請貴刊逐一詳細指示，嘉惠來學，不勝銘感之至。

六，學中醫讀者明愚謹上　八月二十四日

答

1.是病之來源，由小兒墜地時，接生者剪斷臍帶，手術遲緩，或刀剪未經消毒，以致破傷風菌由臍帶斷口傳入數日後即發育成熟，病遂作矣！始而驚啼繼而壯熱，唇青口撮，舌強聲嘶，終顯痙攣，致成死症，初起有效藥方，當推幼孩集成所載剎防敗毒散為第一，若欲預防此病，須於斷臍時實行嚴密消毒。并以燈火燒臍帶處合焦，庶免此患。

2.此係一種病態，大抵小兒脾胃虛弱，欲作疳疾，或有蚘蟲，每現特異嗜好，貴友令郎，喜吃泥土，或者正應此病，當治以健脾殺蟲之劑，人鷓鴣菜亦可服。

3.紫參屬蓼科植物，為多年生草本，產山野巖谷間，叢高三四寸，葉作卵圓，春暮開帶紅白色之六瓣小花，連綴而成穗狀，根為形似地黃之地下莖，長尺許，有節，以其色紫類參故名，味苦性寒，功能破血消瘀，為通經藥，金匱用治肺癰下利，「肺癰」二字，或以為錯簡，或當作腹痛，金鑑以其文義不屬而不釋，時賢陸淵雷亦主張暫行闕疑為是，據此以觀，則紫參破血消瘀，能治下利，甚為明顯，其治肺癰，是否有效，尚有待於今後之研究證明，未可稍加意測，惟此藥識者甚少，藥店中亦不能購得，殊可惜也！

編者覆　十月十四日

問

敬啓者，鄙人二年前醉後暴怒鬥毆，被一拳擊傷左脇，調治數月，始告痊愈，可是，現在如動怒過勞房事後，覺傷部隱隱作痛，故特函請貴刊闡明病原，並指示方藥，蒙治愈，恩同再造矣！此致醫藥改進月刊社編輯先生

讀者黃榮光敬啓

答

貴恙治愈，時經兩載，今動怒行房，仍覺傷部隱隱作痛者，以該部受傷過甚，本能未復，一有所觸，痛立作也。此時務宜絕對靜養，謹慎房事，蓋怒則肝氣橫逆，勞則元精耗竭，如此正愈竭而木愈橫，而痛亦愈烈也。宜用活血通經之品，內服外敷，緩緩行之，自然有效，處方如下：

外用方：生川烏四錢　生草烏四錢　生南星四錢　生半夏四錢　川大黃二兩　醋煎成膏，塗敷患處。

內服方：歸尾三錢　蘇木二錢　竺七三錢　松節二錢　川牛膝三錢　續斷三錢　甘草二錢　川黃柏二錢　明乳香煅一錢　自然銅二錢　上藥研粗末，布袋盛，用好燒酒一斤，泡服。

編者覆

○……最新消息……○

診療所紛紛成立

（江西通訊）：自政府公佈中醫診療所組織以來，各縣區鄉紛紛成立，如豐城秀埠成立中醫診療所，鄒衞之任所長，鍾耀卿副之，新淦中醫診療所，由趙彬主持，副所長敖世保，吉水第一區中醫診療所，設丁江鎮正街，主持人張超維彭籌，各所皆以服務社會免發診治爲原則，或散發對症丸散，以利病者，過境軍民，莫不稱便云。

祕製徐氏眼藥業已出品

徐庶遠先生祕製之徐氏眼藥，經三月來之努力，最近業已出品，頃携樣品多瓶到會，除分贈親友外，擬呈請當局註冊後，即大批發售，聞已租定泡桐樹街四十三號爲臨時辦事處云。

國醫研究所第三期舉行結業禮

（貴陽通訊）：貴州省國醫分館主辦之國醫研究所，第三期學員二十二人，修業期滿，於本年（九月）二十五日舉行結業典禮，計是日到有國醫界名流及各界來賓多人，由館長希澤，住所長耦航等，均有極懇切之訓勉。

國醫學會創設送診所

（本市訊）中國國醫學會成都市分會理事長黃茂生，爲使各會員多得實習機會起見，特於本市創辦一送診所，地址暫設城內東打銅街九十二號，已於雙十節紀念日開幕，聞前往就診者異常踴躍云。

義診處正式成立

（重慶特訊）衞生署中醫委員會與全國新運總會合辦中醫義診處一處，於每星期一、三、五下午三時至五時，在新運總會內應診，所聘中醫師十五名，均係國內名流，如張簡齋、胡書城、潘國賢、宦世安、李斯生、黃堅白、周復生、王默夫、張友之、蔡立侯、周百川、魏益齋、李裕軒、鄧炳[illegible]、蔣遐明等、輪流義務應診，該處已於九月十二日開幕，求診者異常踴躍云。

美醫藥加緊援華

（昆明電訊）美紅會贈我第一批藥品布疋器材一千二百噸，均已陸續抵達昆明，其第二批廿一千噸，亦已起運，年內可全部到達，該會中國救濟事業主任韋思國，定十月初返美述職，並與美朝野商加緊援華辦法，及訂購我各方請求援助衞生材料。

又據美醫藥援華會代表鄭寶南談稱：美醫藥援華會，本年度將特別側重於醫藥衞生人員之訓練，現正計劃在筑設護士校及訓練班，並在全國各地設醫藥衞生圖書館八所。

國醫學院青年團消息

1. 近事 中央團部命令改總爲分團部刻正籌備進行中。
2. 送診所奉命改爲青年診療所，本期叔到同志募捐二千餘元，中央團部補助一千元，正充實內容，擴大服務，每日除門診出診照常外，並爲遠道同胞信函解答醫藥問題，代製內外方藥。
3. 雙十節爲青年圖書室成立週年紀念，規定紀念辦法請黨政名流題贈書畫。

本刊價目

零售每冊五角；預訂半年六冊，二元八角，郵費一角二分；全年十二冊共五元，郵費二角四分，香港國外，郵費照加。

廣告價目

地位	封面	底面	普通
全面	八十元	七十元	六五元
半面	六五元	六十元	五五元
三分之一	五五元	五十元	四五元
四分之一	四五元	四十元	三十元

附註：本刊廣告係以每期計算，長期面議，另有優待。

成都圖書雜誌審查證審乙字第圖一一號

歡迎投稿

一：本刊各欄，均歡迎投稿

一：來稿不論文言語體但須用毛筆繕寫清楚，並加標點，

一：來稿無論登載與否，均不退還，但預先聲明並付足退還郵資者不在此限。

一：來稿本刊有刪改權，不願者須預先聲明。

一：來稿一經登載，即酌贈本刊一期或數期。

一：來稿請逕寄成都興禪寺街國醫學院轉本刊編輯部

主　編：本刊編審委員會

總發行處：成都西御西街靈知治療所

分發行處：成都興禪寺街四川國醫學院

重慶中一路八十一號濟生堂

本市康官巷所街崇德藥號

代售處：本市各大書局

本刊社址：附設陝西街新中醫療養病院內

內政部登記藥字五五五六號　中華郵政掛號認為新聞紙類

醫藥改進月刊

焦易堂

第一卷第十期

短評 請中醫委員會報告工作概況

冰風

衛生署中醫委員會自民國二十六年三月十日成立以來，將及五載，其中工作情形如何，我想除負責諸公而外，恐怕沒有任何人能知其梗概吧！

回憶該會成立之初，通電全國，電文中曾以數事昭告全國中醫界同志，即：「一、中醫設立學校，如何明訂標準，列入教育系統，一、中醫設立醫院，如何建立軌範，普遍羣衆安康，一、如何使中醫適用器械，完備現代科學效能，一、如何使中醫訓練人才，參預地方衛生行政，一、成藥種類，如何使之統一，而免參差，一、藥材製造，如何使之改良，而切實用」……綜觀上列數端，誠為改進中醫藥之先決條件，各地同仁，莫不引領延望，靜待早日實現者也。乃時至今日，非但無絲毫表現，甚至聲息俱無，這其中主要原因何在？凡屬中醫界同仁，亦莫不萬分關切，亟欲一知其究竟以為快！

中醫委員會負責諸公，均係中醫界名流碩彥，且又素以改進中醫藥為職志，對數年來工作情形及今後各項措施，諒必有精密計劃及詳細報告，值茲全國中醫界同志熱忱仰望之際，我們希望來一次公開的報告。

中華民國三十年十二月一日出版

醫藥改進月刊

本期要目

本社基本社員題名（續）

周敦化　周民膏　王宗清
杜容舟　郭澍甘　朱仁宇
陳衛卿　陳德芬　王志强
劉育民　周世民　王用治
鄭文凱　徐伯朋　郭震東
梁湘如　張漢　吳丕成
顧大超　汪紹慧　倘自皋

漲價預告

刻因紙價印工，相繼高漲，較之兩月以前，增高幾達三倍，本刊雖素以服務國醫藥爲職志，但爲維持久遠計，在此種情勢之下，亦不得不將價格略爲提高，以資彌補，現決擬自二卷一期（三十一年三月一日）起，實行加價，惟在一卷十二期以前訂閱者，仍照原價收費，以示優待，茲將改訂價目列後，希即注意是幸。

改訂價目：零售每册八角，預訂半年六册，四元六角，全年十二册九元，郵費在內，香港國外，郵費照加，郵票代洋，折計算，但以一分至角半者爲限。

本刊總務組啓

本刊獎勵熱心服務社員啓事

本刊基本社員余仲權、潘庭勳、李克明、于季曦、王政、王祚久、彭澤鈞等，對於刋務進行，極爲熱心，不憚艱涵，不辭勞怨，此種服務精神，殊堪敬佩，茲經本社第一次社員大會公決，予以登刊嘉獎，以謝熱忱，而資鼓勵，此啓。

徐庶遂緊要啓事

逕啓者：鄙人前代售李克薰先生所著「中國發明之科學藥方」一書，因存書早已售罄，餘在郵寄途中，一俟到後，當即補寄，但以來書無多，外縣函購，統限於十一月十五號截止，以後即不再收費，希查照爲荷，此啓

言論

對於建設中國本位醫學的意見（續完）

蘇友農

衛生學

一、衛生學的意義和作用

衛生學這門科學，在有些博士專家的著作中看來，這是只有從西洋文化中搬過來的，才配稱科學。而在自己認爲落後野蠻人的衛生方法，是不配稱科學的。因此這些專家對於衛生學的解釋：「衛生學，是研究保持生活機能不變的身外條件和理由」。又解釋實驗衛生學的定義：爲「研究人類身外的環境，對於人身生活機能的影響，以理化生物等各種自然科學爲爲基礎，確定使各個人增進健康的原則」。至解釋社會衛生學的定義：「研究社會協同體中不均人的相互生活關係之與保健的影響，以統計經濟等各種社會科學爲根據，綜合其集團增進健康的原則」（陳文之衛生學與衛生行政）。在根據這些定義而所敍述內容，都是只注意於身外條件，實施改善的方法和理由。而這些所謂身外條件，已不過以聚衆而居的都市對象。這就是所謂先進文明國家中特產的公共衛生學——環境衛生學。誠然，這種社會進化，違反自然而有礙於人類健康生活的環境，是應該倣效他人的經驗，而實施應用。但這以少數的都市和都市的人爲對象，而應用的方法和理由，就可抹殺多數非都市的地域和非都市人，在保衛生命上的方法和理由，而能配稱爲代表人類全體的衛生學嗎？因此，我們認爲廣義的「衛生學」，應當研究人類身體預防外界刺激產生疾病之因素，及方法，并綜合比較說明其作用理由。我們必須使每個人，在任何環境下，都能了解和使用保衛其健康生命的方法。

二、中醫衛生方法在科學上的評價

在有些博士專家的眼光中看來，中國醫學的衛生方法和理由，不能被稱爲科學「衛生學」的原因：

第一。中醫疾病因素，只注意「六淫」「七情」的刺激，而不了解「細菌」的刺激。

第二。中醫只注意內在精神的修養，不了解環境的改造。

上述的差異，確是中西衛生方法不同的分野。但是事物彼此的差異，就可由主人奴的認爲非眞理不合科學嗎？我們自然不否認細菌是疾病產生的刺激因素之一？但西醫學者能否認生物學中，環境氣候對於生物的影響嗎？并能否認人類身體在氣候的變化中，不能適應產生變化的非正常生理現象，不是疾病嗎？至於「七情」在精神的刺激中，能否認心理作用，不能產生

理作用嗎？不能產生失常的生理作用，而為病態嗎？其次，所謂精神的作用，在實行修養的人，認為最終到成仙成佛的目標，這當是另一問題，但其在却病延年的功能，我們在研究生理學和心理學中，我們認識中樞神經，和運動神經，是主宰全體器官活動的根本，那麼神經感覺，傳染，運動等力量的強弱，對於器官活動的強弱，在事實上當有不可否認的作用了。不過這些理論的根據，在被人蒙上了玄學的外衣，一般人就忽視了牠的價值，我們要建設中國本位醫學中的「衛生學」，我們就要把握上述的科學根據來奠定他的基礎和發揚他的作用。

三、中醫衛生方法在使用價值性上的評價

有些西洋醫學者，對於中醫衛生方法和理由，否認其列在「衛生學」範圍內，除了稱為不科學一點之外，其次，就是以中醫衛生方法，不是像公共衛生方法那樣使用。但事實經驗告訴我們，在社會政治經濟的發展上，須在使都市逐漸的集中擴大，而於衛生的法則上，仍以都市遜於農村分散式為合符自然的最善原則，不是以有了公共衛生的方法，就可把都市改造來，勝過自然的鄉村生活。因此公共衛生方法，誠然是都市發展必須的方法，而廣大鄉村中，則必須的是指導，適應自然氣候變易的方法。在這種自然的場合，人類的能力，對於自然氣候，尚沒有控制的作用，但起居飲食等的生活方法中，我們是有充分調節的須驗知識，這固然不需要設備，但需要人人了解和實行。在城市中，從事於物質環境的改造，固可減少違反自然而產生的弊害，不過另一方面，因生活的複雜，所影響於神經作用無價值的消耗，而無形消蝕人生活動的潛在力，以增加其疾病的感應，和縮短其壽命，這亦被博士衛生學家忽視而無足輕重的。又在這次大戰中，所給的認識，人體對於自然氣候的適應和抵抗力，是佔優勢的一個因素。同時在生理學和心理學的實驗上，指出中樞神經對於運動神經宰制的強弱，是表示動物進化的標尺。所以如何謀減少神經無價值的消耗，同如何增強神經的力量，及增強中樞神經的宰制力量，這怕是使人類向健康文明道上發展不可少的工作能！

四、對於政府衛生政策的觀察和希望

在政府當局，希望國民的身體健康，減少疾病，注意衛生事業的發展，這種心情，非常迫切。不過在主持衛生事業施行的人，往往固執於西洋醫學衛生方法的成見。不僅否認中醫的衛生方法和理由，廢而不用，并認為整個中醫的學術技能，是施行西洋衛生方法的障礙，故曾由衛生署提議澈底廢除中醫。其實，中醫的衛生的方法和理由，及醫藥學術，對於西醫的衛生方法——公共衛生——是沒有矛盾的，并且是可互為補助的。但抱有是非成見的人，不從學理上的研究比較，而企圖利用政治法律的力量來摧殘，已失學者的態度。同時企圖以政治法律來滅除異已的事業，更違反維護人民健康生活的主者。尤其以并無矛盾關係的中醫學術，視為施行衛生事業的障礙，而欲澈底廢除，更為人所不解。在這紛爭的當中，衛生事業當局，對於衛生事的努力。除在都市中根據公共衛生的理論設施，增長了些健康的幸福外，但對於整個人生的身心健康，和對廣大的鄉村農民，收得了些什麼結果。我們在個人和整個民族健康上著眼，我們覺得需要完整的衛生學，同時希望主持衛生事業的當局，應除去成見，而注意全國人民各方面衛生方法的增進和應用。（完）

醫學研究

傷寒六經傳變論（續完）

劉庶機

七，六經傳變

六經傳變，古人謂清邪中上，濁邪中下，皆循太陽經氣而入。邪勝六經之氣，其病日深，六經之氣勝，其病日減，其傳變之名有五：

循經傳　太陽傳陽明
越經傳　太陽傳少陽
誤下傳　太陽傳太陰
表裏傳　太陽傳少陰
首尾傳　太陽傳厥陰

此外在三陽經者，有併病合病之名。何謂併病？曰一陽經先受病，又過一經，或二經三經同病，其後歸併一經自病者，名曰併病；何謂合病？二陽經或三陽經，同時受病，不可以一經名者；或一經未能，又傳一經二經三經同病，不歸併一經者，則名合病。

併病同病前人或有謂陰經亦有之，其理由爲病情錯雜，難以一經名之，故另易併合之名。陽經如斯，陰經一如斯也，其證據爲三陽經俱有發熱症，頭痛症，而三陰俱有下痢症，不食症。然陰經併合，傷寒論未有明訓，何得妄事揣測。按之事實，三陰無傳變，祗有直中兼發。既無傳變，安有併合。

在三陰者，有直中兼發之稱，何謂直中，曰陽氣素虛之人，始病無發熱頭痛，便惡寒踡臥，腹與少腹俱痛，自利厥逆，脈沉者，此爲直中三陰：

太陰直中　胸腹痞悶，臍下痛，下利清穀，不渴。
少陰直中　四肢厥冷，吐利而渴，渴不能飲，惡寒踡臥，身體痛，當臍下少腹痛。
厥少直中　若胃氣素虛，則乾嘔吐涎沫頭痛，若腎氣素虛，則厥冷自利，少腹痛。

何謂兼發，曰如太陰病重者，必發少陰或厥陰是也。

在陰陽經者，有兩感之病，何謂兩感，曰，陰經陽經，併感於寒也。有傳經直中之別：

傳經兩感　一日太陽與少陰同病，二日陽明與太陰同病，三日少陽與厥陰同病，此傳經兩感，爲禍最速。
直中兩感　論中謂少陰病，反發熱，即直中兩感也。

素問熱病論曰：「兩感於寒而病者，必不免於死。」傷寒序例云：「兩感俱作，治有先後。」然則兩感之病，一云死，一云治，其故何耶？蓋表裏同病，陰陽混淆，寒熱錯雜，重者難痊，輕者尚可治也。一說兩感，皆屬陽症，由熱邪元極所致。陰症本無熱邪，無有傳變，豈有兩感之理。且傷寒之病兩感者甚少，惟溫熱病爲多，以溫病從少陰發出太陽，即是兩感之症也。

上述各種名詞，顯係標明症位之所在，系病勢進退，則以傳經表之。如太陽症不解，傳入少陽，少陽不解傳入陽明，誤治則傳入三陰；或由太陽誤下，少陽誤汗誤吐，俱可直入三陰。此爲病勢由淺及深也。若從三陰內症，轉出陽明，再由陽明轉出少陽，或從少陽，轉出太陽，則爲病勢由深而淺也。

夫六經傳變，有傳有不傳，有變有不變，有始終在一經或三陽經者，有一經未罷，而轉屬他經者，有一經先病，後與他經併病，或三陽經齊病者，有初病即表裏相傳，陰陽兩感者，有初起即直中三陰者，凡此種種，不一而足，以人之形有厚薄，體有盛衰，臟有寒熱，府有虛實，故有此寒化熱化，從虛從實之判也。

至傳經日數，一日太陽，二日陽明，三日少陽，四日太陰，五日少陰，六日厥陰，本爲義出內經。然仲景併無此言。觀明篇云：「陽明中土，無所復傳，」可見不因誤治陽明，無有再傳三陰之理。更觀太陽篇中，有云二三日者，有云八九日者，甚至有云過經十餘日不解，何嘗日傳一經，或有以一日二日不可以分別六經傳之次第，遂爲氣傳而非經傳，乃向壁虛構，尤不可靠。張令韶云：「本太陽病不解，或入於陽，或入於陰，不拘日數，無分次第，何經最虛，邪即陷之，本無定例。」

傷寒論本是隨症以分經，並非因經以定證。。太陽主皮膚汗腺，汗腺失其生理常態，即現太陽經症；少陽主淋巴，淋巴鬱滯，即現少陽症；陽明主胃腸渣滓，渣滓燥結，即現陽明症；太陰主胃腸津液，津液枯竭，即現太陰症；少陰主心力，心力衰弱，即現少陰症，厥陰主氣血，氣血厥熱，即現厥陰症，總要認清六經提綱，方能識得六經，識得六經，乃知傳變，人謂太陽外藩，表病必先傷太陽，而後遞及陽明，少陽，以入三陰。此誤以仲景傷寒論之次序，認作病情傳變之次序，蓋病情變幻最奇，焉能按步就範，而如理想哉。

八，六經脈法

傳變既明，脈法亦當辨也，茲述六經脈法於後：

太陽病脈浮緊浮緩，以太陽主心力旺盛，能驅大量血液於淺層動脈，使邪外出，其脈自應之而浮，若皮膚緊張過甚，汗腺不通，則動脈管壁肌肉不能擴張，故浮而緊，若皮膚弛緩，汗孔開張，其動脈管壁肌肉，亦稍弛緩而減其抵抗，故脈浮而緩。

陽明病脈洪大，以陽明主體溫上昇，血流暢旺，新陳代謝亢進，脈道無阻，故脈洪而大。

少陽病脈弦，以少陽主半表半裏，邪離太陽，其司脈管之中樞神經疲倦，血壓必然下降，故脈不浮不沉，準之而在中位，其若琴弦然。

太陰病脈沉弱，以太陰主消化機能減退，中焦不能敷布津液，病在內而不在外，故脈沉弱。

少陰病脈微細，以少陰主心臟衰弱，不能運血，致淺層動脈貧血，血壓下降，故脈微細。

厥陰病脈沉遲，或沉細欲絕，以厥陰主陰陽錯雜，寒熱盛負，其脈道瘀滯，故有沉遲，或沉細欲絕之象。

序例以尺寸俱浮，爲太陽受病，俱長爲陽明受病，俱弦爲少陽受病，俱沉細爲太陰受病，俱沉爲少陰受病，俱微緩爲厥陰受病，與傷寒論六經現症之脈，微有出入。總之三陽之脈宜浮大滑數，三陰之脈，宜沉弱澀遲，方與病情稱符，若陽病見陰脈，病已將趨沉衰，陰病見陽脈，病則日漸發越矣。

九，六經治法

六經治法，前人議論甚詳。然多離合實際，須知對症施治，按病處方，雖云未能盡愈諸病，亦可見病知源。

發汗利水，爲治太陽病兩大法門。發汗是治太陽表症，利水是治太陽裏症。因症毒集中體表上部，有向外解之傾勢，準自然療能之機，以發汗解熱藥，暢其血行，病勢當可減殺，發汗有表實表虛二種，表實無汗用麻黃湯，表虛有汗用桂枝湯。若病毒潛伏於排尿部，致該部誘發炎病，此時除利水消炎外，別無善法可治。利水亦有蓄水蓄血二種，口渴，煩燥不眠，小便不利，水入即吐，爲膀胱蓄水症，五苓散；其人如狂，小腹急結，小便自利，為膀胱蓄血症，宜桃核承氣湯。蓄水為腎臟分泌障礙，蓄血乃小腹部各臟器充血壅滯，非真蓄水蓄血也。失汗則代謝物質，蓄積過多，甚有危及生命之虞，若熱於裏，宜麻杏石甘湯，或大青龍湯；飲聚於內，宜小青龍湯；熱瘀膽管，皮膚無汗，或小水不利，宜茵陳蒿湯，或麻黃連軺赤小豆湯，若因溫病經疲勞，而表病又未解，寒熱如瘧，宜桂枝麻黃合半湯，或桂枝二越婢一湯，過汗能使心臟衰弱，體溫放散過度，致汗出不止，四肢重痛，宜桂枝附子湯，若心下悸叉手冒心，宜桂枝加龍牡湯，下腹衰弱，欲作奔豚，宜桂苓朮甘湯或姜朮甘湯。

陽明病治方有三：一曰涌吐，二曰清裏，三曰下奪，痰濁凝聚胸口作欲吐之狀，宜瓜蒂散或梔子豉吐之，以開邪外出，經云：「高者越之」是也。若高熱稽留持久，耗散精力，宜白虎湯或白虎加人參湯以清之，所謂能勝熱是也。若腸中有糟粕，腹部硬痛，宜審其緩急用三承氣湯下之，所謂釜底抽薪是也。

和解為少陽正確治法，邪鬱淋巴，知非表病，故不可汗，寒熱相搏，則非裏症，故不可下，非有形之邪，填塞胸口，更不可吐。然則舍汗吐下三法之外，補瀉兼施，調之和法。胸脇脹滿者，大小柴胡湯，心下痞腹中有水氣者，三瀉心湯，．水熱相結而成結胸，大小陷胸湯，瓦斯充滿胃口，乾嘔食噫，旋覆代赭石湯。

三陰屬虛，宜用溫補：太陰為腸筋衰弱，下利腹痛，水寒為患，宜理中湯丸，不急宜四逆湯，少陰為心臟衰弱，宜真武湯、強心生溫，若血液濃稠，血行澀塞，宜通脈四逆湯，厥陰為厥熱進退之象，寒嘔宜吳茱萸湯，吐蚘下利，宜烏梅丸，陽厥宜四逆散，陰厥宜白通加豬膽汁湯。腸穿孔下血宜黃土湯，若三陰兼有表症者，太陰宜桂枝湯，少陰宜麻辛附或麻附甘湯，厥陰宜當歸四逆湯。

併病合病治法，係見某經之病重，即以某經為主，如太陽與陽明合病。表氣不通內迫下利，宜葛根湯逆流挽舟，太陽與少陽併病，心下支結，宜柴胡桂枝湯，通表和裏，太陽與少陽合病，自下利者，為熱勢下趨，宜黃芩湯，不下利而嘔者，為水邪留胃，宜黃芩加生薑半夏湯。此雖合病，實則表邪已無。陽明與少陽合病，有宿食，下利脈滑者，宜大承氣湯。三陽合病，腹滿身重，口不仁面垢，宜白虎湯，重消陽明。三陰直中宜急用四逆理中，若見虛脫，面赤戴陽，為元氣衰微，不能制其浮火，宜通脈四逆，或白通加豬膽汁湯。

十、結論

醫之難，不難於治病，而難於辨症，蓋病症雖多，不外新舊三者而已，新者因毒素繼續產生，藉血液淋巴之循流，由甲臟器之病變，可以引起乙或丙臟器之病變，其經過程序，若精細思查，即可發見其自規律可尋，舊者係某臟器，被物理或化學之物質刺激，此刺激經久不斷，即能使某臟器失其固有之生理作用，因而他臟器，亦蒙不利之影響，此舊病與新病，即現，所謂官能障礙，和器質變性，官能障礙，極易恢復，器質變性最難治療。傷寒六經中之三陽經病，多指官能障礙而言，三陰經病，多指器質變性而言，故病在三陽易癒，病在三陰難痊。

六經能指定病位之所在，能統轄病情之差異，能賅括病勢之進退，此誠近今研究傷寒六經傳變共同之意見，即前賢亦多洞達此理，故能流傳二千餘年，成為中國醫學研究中心問題。熔千百人之心思才力於一爐，造成內科治療臨床技術特長，不可謂非人類之一大貢獻也。

世界學術，競尚發明，注重實際，雖歷名家，對六經理論，各有空玄歧異之處，然於辨別症候，俱能窺其底奧，透澈無遺，縱將來醫趨於如何演進，而此六經辨症方法，亦不會歸於消滅，斯可斷言者也。何淺見者流，倡言不合科學方法，幾欲廢止中醫。嗟乎；我皇皇古醫，純係悲天憫人之作，濟世活人之術，有識之士，既已急呼於前，以挽垂亡之國粹，吾儕後啓，寧不奮勇步趨，用扶大道之不滅乎！

仿讀書記（續完）

醫藥改進月刊

戴佛延

27 熱入血室

尤在涇曰，熱入血室共三條，其旨不同。第一條是血舍空而熱乃入者，空則熱不得聚而游其部，故胸脇滿。第二條是熱邪與血俱結於血室者，血結亦能作寒熱，柴胡亦能去血結，不獨和解之謂矣。第三條是熱血入而結經猶行者，經行則熱亦行而不得留，故必自愈，無犯胃氣及上二焦，病在血而不在氣，在下而不在上也，若誅伐無過，變證隨出，烏能自愈耶。

28 溫熱入血室

王孟英曰，溫邪熱入血室有三證，如經水適來，因熱邪陷入而搏結不行者，此宜破其血結。若經水適斷，而邪乃乘血舍空虛而襲之者，宜養營以清熱。其邪熱傳營，逼血妄行，致經未當期而至者，宜清熱以安營。

29 寒溫互舉溫言伏氣

雷少逸曰，經云冬傷於寒，春必病溫，此寒久化熱，不比傷寒必須溫散，自以清解為急。蓋傷寒由外傳裏，仍用外解，溫邪由內而發，必須內解，傷寒宜發表，有一分表證，仍宜表之，故下不嫌遲，溫邪宜治裏，有一分下證，即宜下之，故下不厭早，傷寒由太陽始傳少陽陽明，溫邪一起，即在膜原，經所謂膻中即心包是也，故發熱頭痛雖同，而舌苔口渴則異，吳又可達原飲雖佳，須防過燥劫陰，尚非妥法，總以清疏救液為主，夫溫邪內蘊，已近心包，急用清解疏達，一到陽明，便可潤下，庶不傷陰，羚羊雖清散之品，性不滋潤，未能和陰，犀角則香開心竅，引邪入室必至神昏譫語，津涸劫陰，其熱益甚，又不敢急用攻下，徒求救於方諸水金汁，有何希冀耶。至牛黃清心丸至寶丹，尤屬隔靴搔癢，竟無不死之理。

延按，顧氏之論，乃指溫熱入陽明，誤用犀羚，致引邪深入也，其實心包譫語，與陽明譫語，大有分別，陸士諤先生云，厥陰心包之譫語，是昏不識人，須喚之不醒也，此是神明已蔽之鐵證。陽明之譫語，呼之即醒，呼過仍譫語如故，足徵神明未盡蔽也，所以一主硝黃蕩滌，一主犀角開透，誤投皆有弊害矣。

30 溫暑伏氣證狀

王孟英曰，伏氣溫病，自裏出表，乃先從血分而後達於氣分，故起病之初，往往舌潤而無苔垢，但察其脈軟而或弦或微數，未渴而心煩惡熱，即宜投以清解營陰之藥，迨邪從氣分而化，苔始漸布，然後再清其氣分可也，伏邪重者，初起即舌降咽乾，甚有肢冷脈伏假象，亟宜大清陰分伏邪，繼必厚膩黃濁之苔漸生，此伏邪與新邪先後不同處，更有伏邪深沉，不能一齊外出者，雖治之得法，而苔退舌淡之後，踰一二日，舌復乾絳，苔復黃燥，正如抽蕉剝繭，層出不窮，不比外感溫病，由衛及氣，自營而血也，秋月伏暑證，輕淺者邪伏膜原，深沉者亦多如此，苟閱歷不多，未必知其曲折乃爾也。

延按，醫家病家，俱宜識此，否則病者狐疑不定，醫者首鼠兩端，必僨事矣。（完）

藥學研究

談談牡丹皮清血中伏火

袁道澄

牡丹皮能清血中伏火，爲吾人所不能否認之事實，血中伏火，亦曰陰火，亦爲吾國古醫籍中所數見不鮮之術語，何謂血中伏火？何以血中伏火亦曰陰火？而牡丹何以能清此血中伏火？此種複雜問題，實有研究之必要。

欲討論牡丹皮之清血中伏火，必以明瞭牡丹皮之本身性能爲先決條件，爰試先談談牡丹皮：

性質　辛寒無毒。

成分　據長井理學博士之實驗，從其發現一種新化合物，名之爲魄與挪爾，此外由原藥學博士，又於其中發現有安息酸，及伊蘇郁烈斯垤林脂肪酸鬱打，但是否爲本品之有效成分？至今尙屬疑問。

效能　瀉伏火，散瘀血，止吐，除煩熱，用爲通經藥，此外痔瘡腰痛關節炎亦用之，間有用作强壯藥者。

作用　在胃不起作用，至腸，始與膵液化合而被吸收，在血中能助血液之氧化，使全身血液旺盛，並能刺激生殖神經，令卵巢充血。

主治　寒熱中風瘛瘲，驚癇邪氣，除癥堅瘀血，安五臟，療癰瘡（本經）除時氣頭痛，客熱，五勞勞氣，頭腰痛，風噤癲疾。（別錄）

就其作用而觀之，本品能刺激生殖神經，使卵巢充血，乃國藥之所謂破血也，不在本題範圍研究之內，姑置勿論，而其吸入血中，能助血液之氧化，使全身血液旺盛，似乎不惟不足以清火，適足以助長火勢，而國醫謂之清血中伏火也何居？於此所亟應研究，與以圓滿之解釋者，厥爲血中伏火四字。

按血液爲貯藏及運輸燃料與助燃料之工具，並爲播熱於全體之流動機體，此燃料與助燃料之所以能起燃燒，亦賴血液中之氧化酵素作用於其間也。設三者有一缺乏，使血液中之氧化減弱，則爲血寒；茲而燃料與助燃料本不缺乏，因循環失職之影響，轉使二者壅遏於血液之中，血液中之氧化酵素，不能使之照常氧化而播散之，此種未盡氧化，（即陰火）與乎未經血液播散之熱，（即血中伏火）古醫籍統名之曰血中伏火，亦曰陰火。

吾人對於血中伏火——陰火——既有澈底之了解，再進而談牡丹皮清血中伏火；蓋本品味辛，能刺激血液中之氧化酵素，而促進其氧化速率，使鬱積之燃料與助燃料，盡量氧化，不致壅遏於血液之中，同時妙在以其辛之力，促使血液播之於全身而放散之，血液得以清潔，此即中醫之所謂清血中伏火也。試觀古人治骨蒸，有汗用地骨皮，無汗用牡丹皮，則牡丹皮能發汗可知，惟其能發汗，所以能使血中伏火放散於外，由汗而解，不致潛伏於血液之中，於是而血中伏火之伏字，愈覺有味，而古人下字之妙，於茲可見一斑。

茴香

產地：本品產廣西。

形態：本品屬木蘭科之分裂實。

性味：辛，平，無毒，其溶液呈中性反應。

成份：本品含茴香油 Fdnnel Oil 3—7%其中主要素爲阿涅篤魯 Anethol $C_6H_4O \cdot CH_3C_3H_5$ 約佔五〇—六〇%及少量之鐵魯澄 Terpen $C_{10}H_{16}$

效能：袪寒濕，治疝痛及神經衰弱之消化不良，用作芳香健胃藥，常用〇、五—一、〇錢。

藥理：本品入胃，能刺戟胃壁神經，興奮其機能而加强分泌，以奏健胃之效，由腸吸收入血，能刺戟血管壁神經，使血行迅速，因此血中廢物及過多水份，咸能加强排泄，古云其袪寒濕，或即指此也。

配合：開胃進食，用茴香二〇、〇生姜四〇、〇同搗，用火炒焦爲末，酒糊丸梧子大，每次溫酒下一〇—二〇丸（經驗方）；治腎消水飲，小便如膏油，用茴香川楝等分爲末，每食前以酒服二、〇（保命集方）

禁忌：凡陰虛火旺，腸道妄聚者勿用。

參考：處方名用大茴香。

△周夢白云：日本產者爲莽草之果，含有西根米酸 Shi Kinain saure，毒性甚强，切不可混入八角茴中，其鑑別法爲本品形體較小，蓇葖小艇形以頂端較爲尖銳，且帶彎曲，氣味則與八角茴全異，類似小荳蔻或蓽澄茄。

△英美各國，以本品一、〇濃酒五、〇浸泡，每服〇、二六二五—〇、五二五以行氣袪風，而治肚痛。

△賁勞逸氏云：本品入胃，即刺戟胃壁使之充血，旺盛胃之機能，促進分泌與吸收，若用多量，則胃壁受强烈之刺戟，而起骨盤肉臟充血，至腸中則亢進腸之運動，抑制腸肉瓦斯而驅除之，其被腸吸收後，一部分氧化而與 Glykuronsaure 結合，一部分變爲不明之化合物，一部份不起變化，此等物質在體內不久皆自腎臟排出，其經過腎臟時，亦刺戟之而使充血，排尿量亦因而增加。

△丁福保氏云：茴香爲興奮袪風藥，用量〇、五—二、〇

讀者注意：

此間四川國醫學院傷寒教授鄧紹先先生，對於傷寒一科，造詣極深，所著「傷寒論釋義」一書，內容新穎，尤爲當今罕覯之作，凡素知先生學識者，莫不引領渴望，亟欲一睹以爲快，祇以抗戰期中，印刷困難，出版問世，尚屬有待，茲商得先生同意，從下期起，將原稿交由本刊提前發表，藉慰多數讀者渴念，統希注意是幸，

本刊編輯部啓

經方研究

瀉心十二方合論

劉鐵松

瀉心諸方，均治傷寒汗吐下後之餘疾者，方雖相似，而治法各異，但其主要目的，在治心下之痞症則一也，以生姜甘草半夏三瀉心方而論，其藥品大致相同，稍一加減，治違卽殊，不可不逐一辨之，試觀生姜甘草二瀉心所治之症，均有雷鳴下利；以乾嘔食臭，脇下有水氣，斷爲胃中不和，主以生姜瀉心湯，宣通胃氣，下利谷不化，乾嘔，心煩不安，又斷爲胃中空虛，主以甘草瀉心湯，補胃氣之虛，若半夏瀉心湯，則治柴胡症已罷，滿而不痛之痞也，大黃瀉心湯，附子瀉心湯二方，治陰邪之已化者，故人參乾姜勿需也，然大黃瀉心，因表已解，但留所餘之氣痞只取大黃黃連水漬輕清之氣，以清上焦餘邪足矣，附子瀉心，因表陽衰，仍汗出而惡寒，雖仍用三黃水漬之氣以治痞，而惡寒乃亡陽之兆，不得不用附子濃煎，以扶下焦之虛陽爲急務；觀其錯綜變化，寒熱並用，水漬取氣，輕以清上，濃煎取汁，濁以達下，無不直達病所，餘如黃連湯，卽半夏瀉心去黃芩加桂，因其表邪未盡，故加一味桂枝，以調和表裏；若心胃之間，寒熱不調，則主旋覆代赭湯，良以心下痞一證，雖與瀉心相間，而多噫氣不除，故加旋覆赭石以鎮逆氣，至若黃芩湯，則專治協熱下利之症，並不雜以風寒表藥，攻裏急救裏之義也，若兼嘔者，仍於黃芩湯中加半夏生姜，宣通胃氣，降逆止嘔。傷寒吐下後，寒格更逆吐下，以致食入卽吐，則用乾姜黃芩黃連人參湯，以散寒邪，亦去邪不忘補正之意，至發汗吐下後，正氣已虛，腹脹滿者，則用厚朴生姜甘草人參半夏湯，總之見證施治，隨症處方，得乎心而應乎手，頭頭是道也。

單方二

通變砆雄化毒丸

周禹錫　蕭尚之

功用　開氣機，化血毒，分清濁，解水毒，食毒，殺毒菌徵蟲從大便出！

上治　急性傳染霍亂，吐下，聲嘶，轉筋，甚至眶陷，螺癟，腹壁陷下，四肢冰冷，汗出，心中慌亂，脈伏不出，然在數小時內卽死，雖有良醫妙藥，追不及救，暨病起陡然，不吐不瀉，心腹攪痛欲死；肢麻，心慌，胸痺，脈伏（俗名絞腸痧或作瘓痧，又稱急痧，）以上兩種溼乾霍亂。

藥方　砆辰砂極細末四兩　泡明雄黃極細末四兩　生貫仲淨末二兩　生青嵩葉淨末二兩　生獨頭蒜淨肉八兩　生苦薤白四兩

製法　先將蒜薤納臼內，搗極爛如泥，後入砆雄貫嵩，和搗極匀，爲丸如櫻桃大，曬乾瓷貯。

用量服法　救急五丸至十丸，預防一丸至三丸，白開水稍涼送下，或徵嚼爛亦可。

實驗效果　在數分鐘內，心中慌亂，心腹攪痛立止，吐瀉轉筋等症隨卽減輕，先救急以保命，生機已得，然後良醫得以診查各種霍亂類別，而施治療。

製方原起　本年入夏以來，時疫霍亂，卽開始，各地流行，（西名虎列拉、簡稱虎疫，）實爲急性傳染，與乾霍亂同一險急，而死亡之多且速，誠屬令人可驚，惜古今中外霍亂一門，病理驗案，苦無有能以一方統治急性傳染溼乾霍亂，而於陰性陽性，調劑適宜，皆無妨礙，既能防疫，可救急，最新發明「簡便賤」之特效良方，禹錫、尚之有鑒於此，對於本病救急預防，深思苦索，爰將近著曾經中央國醫館審定待刊之中國醫學約編十種內第九種瘟疫約編所載之砆雄化毒丸，加以通變，更名爲防疫救急丹，猶未敢自信，先自製小劑，過有上症，用以救急，或自覺胸悶欲吐，或心中發慌，口中清涎過多，肢軟，或微麻，卽是已染本病毒菌徵蟲，用以預防，皆有特效，屢試屢驗，然後敢公諸社會，復蒙各界慈善大家，等先製送，收效宏奇，出人意表，咸公認爲我國醫界空前未有之重大新發明，際此抗戰時期，保國衛民，於綫後方，皆所切要、獻本「人盡其力」之教言更進而貢獻於國家民族用備採納，不勝翹望！民一二八，七，於隆昌。

長篇專著

實用處方學（續）

徐庶遙

（五）

處方 還原蛋。

主治 腸生瘻管，時流黃水。

病解 痔瘡不治，宕延時日，因部潰濃而生瘻管，穿腸者掛綫可愈，不穿腸者宜久服此方。

藥味 雞蛋　象牙末

方解 法用雞蛋一枚，將頂敲破，始將象牙極細粉末納入，用紙貼好破處，放飯上蒸之，待熟取服，（早晚空心最妙）。緣雞蛋為滋補之品，象牙甘寒無毒止血斂瘡拔毒生肌，但總要持之以恒，久之自效，若朝服一次夕無進步，遂置不服，殆矣。

△牙痛

（一）

處方 玉女煎。

主治 齒痛牙齦腫或出血者。

病解 元陰本虛，蓋以胃火上衝，牙齦遂呈充血證狀，而齒部又富於神經，遂不堪刺激而作巨痛矣。

藥味 生石膏　熟地　麥冬　知母　牛膝

方解 石膏大清胃熱，熟地滋腎，知母瀉腎熱，麥冬養陰，牛膝引血下行不使充集患部。

（二）

處方 陰八味

主治 牙齦不腫，只牙齒覺燒痛。

病解 牙齦不腫當非胃熱，只是牙齦燒痛必為腎陰虛損陽氣上攻何疑。

藥味 伏苓　熟地　山茱萸　山藥　牡丹皮　澤瀉　知母　黃柏

方解 伏苓澤瀉利小便導熱下行，熟地山藥茱萸滋肝養腎，牡丹皮清血熱，知母黃柏涼腎降熱。

（三）

處方 獨活散

主治 治風毒牙痛，或齒齦腫痛。

病解 齒部受風邪刺激，遂充血而作腫痛。

藥味 獨活　羌活　川芎　防風　細辛　荆芥　薄荷　生地黃（水煎漱嚥）

方解 羌獨防辛芥荷驅風散熱，川芎散血，生地養陰清熱。

△呼吸器病

（一）

處方 麻黃湯

主治 無汗惡風而喘者。

病解 寒邪侵表，汗不能排，遂累於肺，致肺之支氣管抽搐不利，於是內外氣體交流發生障碍而哮喘。

藥味 麻黃　杏仁　桂枝　甘草

（未完）

雜俎

答某君對史記倉公華陀傳之質疑

陳義文

編者按：本刊第八期所載「西譯中醫典籍略考」中有「史記倉公華陀傳」一目，曾引起本市讀者某君（來函未署名）來函質疑，意謂史中僅有扁鵲倉公列傳，並未見有倉公華陀傳等語，且其年代亦不相符，茲仍由原作者陳義文君，根據平日研究所得，逐一答覆如次，希即注意。

大示奉悉，筆者纍閱中華醫學雜誌第二十二卷十二期（民廿五年十二月出版）「醫史特輯」欄中第一二三二頁載有「史記倉公華陀傳」一目，當時筆者亦甚懷疑，因史記係東漢天漢四年（公元九七年）的作品。而華陀係東漢末年與三國魏朝時人，且其事蹟及醫術多演在魏朝，其間相距至少在數十年至百年以上，故當時一面懷疑，一面研究，繼又在「中西醫學」第一卷第一期（公元一九三五年八月出版）夏以煌所著之「華陀醫術傳自外國考」一文中，重見「史記倉公華陀傳」名目，今筆者考集西譯中醫典籍時，旨在考集，當然應以譯者原目列出，未便妄加刪改，若覺疑為筆者之言，實屬錯誤。

許保德氏（P Hubotter）係一位醫史教授，翻譯吾國醫籍甚多，「史記倉公華陀傳」雖未指明由何書譯來，但據筆者觀測，泰半係從後漢書方術傳或其他醫籍中譯成，並且可以肯定的說，他之所謂史記，並不是指司馬遷所撰的史記，因為魏志及後來醫史籍裏面，多有倉公華陀的傳記，他之言「史記倉公華陀傳」與史記所載「△△列傳」迥不相同，故所譯「史記倉公華陀傳」，將華陀傳置在史記倉公傳之後，并少一「列」字，可見他連倉公傳都不是由史記上直接翻譯而來，或者正是由魏誌及其他醫史籍上翻譯而來，亦未可知，要之「考集」與「考據」大有區別，此之略考，固屬於「考集」之列，故不應失譯者之原意，而妄加刪改也。質之高明，然乎，否乎？

西譯中醫典籍略攷（續）

陳義文

（九）產育保慶集

譯者：英國人馬士敦（Z. P maxwell）。

時間：公元一九、一七年。

地點：英國婦科雜誌（Vhe Iewmal of obstltrics ond gynaecology of the 及 ritish Znglish），三四卷第三期。

附註：此書卷上共計二十一論已譯者由第一至十八論，未論者僅十九至二十一論而已，下卷計方六十二，僅擇大要譯出。

（十）洗冤錄

譯者：英國人嘉爾斯（H. A. giei）

時間：公元一八七三年。

地點：福建寧波，初分期載於「中國評論」Chma Receren 時，當一八七五年，迨至一九三四年乃將全書重刊於英國皇家醫藥雜誌（Procildinge of the 及 ozae society o Meticine）第一七卷的第五十九面至一〇七面醫史文欄中。

（未完）

學院園地

四川國醫學院畢業同學近訊（續）

姓名	年齡	性別	籍貫	畢業年月	現任職務（或開業）處	現在通訊處	永久通訊處	備考
高樹楷	二六	男	彰明	二十八年上期	彰明中壩鎮醫學研究會主席	江油中壩永生醫務所	同上	
馮資德	二七	男	巴縣	二十八年上期	晉字中學醫務主任	巴縣西里虎溪鄉壽元長藥號	巴縣西里虎溪鄉懷安堂轉	
黎光祿	三一	男	廣安	二十八年下期	廣安縣城廂東城小學校校長	廣安縣東城小學校	廣安太平鄉郵務代辦處轉	
鄭季臯	三○	男	郫縣	二十七年上期	開業	成都新開寺天祿國藥號	同上	
黃茂生	二八	男	廣安	二十九年下期	成都愛知治療所所長	成都西御西街愛知治療所	廣安太平鄉郵轉	
郭樹沿	二六	男	榮昌	二十九年下期	成都愛知治療所醫師	成都西御西街愛知治療所	榮昌保安鄉郵轉	

電令

江西省吉水縣政府訓令

民字第3122號 民國三十年九月廿二日發

令第一區丁江鄉鄉長陳采喬

案奉

江西省政府民濟字第二四七九四號訓令內開：

「查本省三十年度行政計劃普設中醫診療所分期實施一案規定區中醫診療所應於本年六月底以前普設竣事鄉鎮中醫診療所應於九月底以前普設竣事并將設所地點成立日期及經常費施藥費數目依限列表賫核業經民濟字第九三一五號訓令暨第一五五一四號巳灰民濟代電飭遵各在案現在普設區中醫診療所限期早逾鄉鎮中醫診療所設置限期瞬即屆滿除分令外合亟令仰該縣長迅遵前令電令尅日將設立區中醫療診所情形列表報核并仰如限將鄉鎮中醫診療所普設竣事表報案關非常時期醫藥救濟本年度行政計劃中業經規定完成限期如再玩延即以執行計劃不力議處併着凜遵此令」。

等因；奉此，查本縣區鄉中醫診療所，僅縣城及二、三、四、各區巳成立，其餘五、六、兩區暨各鄉鎮，均延未遵辦。茲奉前因，除分令外，合行令仰該鄉長即便遵照辦理。如限普設！仍將辦理情形，報轉爲要！

此令。

縣長 蕭 逸

快郵代電

各縣國醫支館，國醫公會，中醫公會均覽：案准前成都市國醫公會移交，前聯合發起省中醫公會聯合會一案，奉中國國民黨四川省執行委員會，社勝字第二四六號批答內開：「據呈爲依法聯合申請發起籌備四川省國醫總公會，懇請立案發給許可證并派員指導一案，茲手指如次：

一，查中醫省的組織，應爲某某省中醫公會聯合會，而以各縣市中醫公會爲基本會員，發起組織省中醫公會時，應遵照人民團體組織方案第四項之規定，「其有系統，或有級數者，先行組織其基本團體，俟其基本團體組織完成，有經過相當時期之指導與考核，認爲健全時，方得合組其上級團體，」復查該會等除新津中醫公會，業經備案外，其餘各公會，本會均未據各該縣黨部轉報，無案可稽，核予規定不符，所請礙難准行。

二，該會等，始欲籌備省的組織，須先遵照規定，逐級完清立案手續後，再請組織四川省中醫公會聯合會可也此批。」

等因奉此；查中醫公會組織規則，於本年五月九日，始經行政院公佈施行，本會遵照改組，尚未完竣，各縣交通往返不便，所有縣中醫公會，在此短促期內，未必能依法組織完善。呈報有案。乃近得有所謂四川省中醫公會聯合會令祕字第一五〇號通告開：「案查本會籌備已久，亟待成立，惟各縣中醫公會，尚有少數未能依照手續具報會員名冊，推派代表到會合行通告，迅於文到一週內所有會員名冊推派代表姓名，報由本會備查，以便彙轉，而利進行此告」等由。查本會爲省會首善之區，對於此項事關全省醫界同人簇定組織事宜，究有何縣本會等依法發起，事前乃毫無所聞，及該所謂「省中醫公會聯合會籌備會」係奉頒省黨部何字號許可證書，亦未註明，此項組織，顯係違法行爲。除呈請省黨部批答外，誠恐各縣同人不明真象，遭受欺騙，特此電達，請煩查照爲荷，成都市中醫公會籌備會叩。

法規

中央黨部社會部核准
國民政府內政部教育部備案

中國國醫學會成都市分會章程

第一章 總則

第一條 本會定名爲中國國醫學會成都市分會

第二條 本會以精研國醫學理審究治療方術以期增進人類健康爲宗旨

第三條 本分會辦事處設成都西御西街八十二號附三號

第二章 任務

第四條 本會之任務如左

一、闡明中國國醫之眞髓及價值

二、輔助中央及地方衛生機關各種醫藥衛生工作之實施及協助政府推行各項衛生法令之實施

三、接受政府或團體之委託辦理國醫圖書之審核成藥之檢驗及方劑之鑑定

四、研究國醫教育問題之設計及社會醫療救濟實施方法之改進提供關係機關採擇

五、組設社會醫療救濟機關

六、舉行關於國醫學術之演講

七、編輯並發行國醫刊物

八、介紹有效之國產成藥和生藥及國醫專門技術人員

九、調查中國藥物及各項生藥之產地產量及運銷概況

十、矯正國醫事務上之弊端

十一、關於國醫事務上必要之維持及救濟

十二、促進國醫界之合作及互助

十三、改進國藥之產量及辦法

十四、其他有關國醫之事業與任務

第三章 會員

第五條 凡熱心研究國醫術之國醫或學者贊成宗旨並願遵守本會任務者經會員二人以上之介紹理事會之審查通過得爲本會會員會員入會時須填具入會志願書繳納二寸照片二張入會基金法幣四元及常年費六元由總會發給會員證章證書

第六條 有左列情事之一者不得爲本會會員

一、違背三民主義之言論或行爲者

二、違背抗戰建國國策之言論或行爲者

三、褫奪公權者

四、患精神病者

五、嗜好賭博或吸食鴉片者

第七條 本會會員有選舉權被選舉權發言權表決權及享受本會醫學上一切設備之權利

第八條 本會會員有遵守會章服從決議繳納會費及協助工作進行報告工作情形之義務

第四章 組織及職權

第九條 本會以會員大會爲最高權力機關其權如左

（一）接納及採行理監事會之報告 （二）修正章程

（三）選舉理事監事及候補理事監事

（四）監督理事會及監事會執行會務

（五）開除會員 （六）審核預算及決算

第十條 本會設理事七人至十人候補理事一人至三人監事五人至八人候補監事一人至三人由會員大會選舉之以得票較多者為正式次多者為候補任期一年連選得連任

第十一條 本會聘請名譽理事七人至九人由會員大會或理事會決議聘任之

第十二條 理事組織理事會其職權如左

（一）對外代表大會 （二）執行會員大會決議案

（三）召集會員大會

（四）計劃並辦理第四條列舉事項

（五）執行監事會決議案但認為必要時得移請復議一次

（六）採納會員之建議 （七）支配經費

第十三條 理事互選常務理事五人至七人推選理事長一人副理事長二人組織常務理事會其職權如左

（一）執行理事會決議案 （二）召集理事會

（三）處理日常事務

第十四條 常務理事會為便利工作得設總幹事一人及左列各組每組設主任一人副主任二人幹事若干人其人選由常務理事會決定聘任之

（一）總務組 （二）組織組 （三）醫學研究組

（四）編審組 （五）藥物研究組

第十五條 監事組織監事會其職權如左

（一）監督理事會執行會員大會之決議

（二）考查本會職員工作之勤惰及會員之言行

（三）提請會員大會或理事會分別獎懲功過之職員及會員

（四）稽核本會經費收支帳目 （五）監督各種事業之進行

第十六條 監事互選常務監事三人至五人組織常務監事會其職權如左

（一）辦理監事會議決案 （二）召集監事會

（三）處理日常事務

第十七條 監事會得設總幹事一人幹事若干人由監事會決議聘任之

第十八條 本會理事或監事因故出缺得由候補理事或監事分別依次遞補以補足前任任期為限

第十九條 本會於必要時經理事會之決議得設立各種特種委員會

第二十條 本會職員均為無給職但因工作上之必須要經常務理事會決議得用僱員

第二十一條 本會理事會監事會之辦事細則另定之

第五章 會議

第二十二條 本會會員大會每年舉行一次但理事會認為必要或有全體會員十分之一以上之請求聲明會議目的及召集理由時得開臨時會員大會

第二十三條 理事會監事會每兩月舉行一次必要時得舉行臨時會議

前項會議候補理事監事得分別列席有發言權如理事監事因故不能出席時得由候補理事監事分別依次臨時遞補有表決權但臨時遞補者不得超過全體四分之一

第二十四條 常務理事會常務監事會每月舉行一次必要時得舉行臨時會議

前項會議各該會總幹事及各組正副主任得列席報告工作

第二十五條 理事會監事會認為必要時得舉行理事監事聯席會議得由常務理事常務監事會召集之

第二十六條 本會各種會議須有法定人員過半數之出席出席人員過半數之同意方得決議

第六章 經費

第二十七條　本會經費以左列各項充之
(一)會員常年費　(二)會員捐款
(三)黨政機關及醫藥團體之津貼或補助
第二十八條　本會經費之收支賬目須經會員大會審核並編製報告刊佈之

第七章　獎懲

第二十九條　本會職員或會員有左列情事之一者得由監事會決議提請會員大會或理事會給予獎勵
(一)發明特殊藥品或製藥方法者
(二)發表有關國醫學術之特殊著作者　(三)熱心服務者有成績者
第三十條　前條之獎勵方式分左列各種
(一)給予獎章或獎狀　(二)獎給匾額或銀盾銀鼎　(三)給予獎金
第三十一條　本會職員或會員有左列情事之一者得由監事會呈請會員大會或理事會予以懲戒
(一)違背本會會章及決議案者
(二)妨害本會信譽者　(三)不納繳會費者
第三十二條　前條之懲戒方式分左列各種
(一)警告　(二)停權　(三)開除會籍開除會籍之懲戒須經會員大會之決議
第三十三條　凡被開除會籍之職員或會員須繳還本會給予之一切證件至其所繳各費概不發還

第八章　附則

第三十四條　本章程如有未盡事宜得由會員大會決議修正呈報總會及黨政機關備案
第三十五條　本章程經會員大會通過呈報總會及黨政機關核准後施行

讀者信箱

問

醫藥改進月刊社編輯先生：家父現年五十六歲，於民國二十四年，在滁染得痢疾，一日五六次至數十次不等，便色如膿，略帶血絲，每次排便不多，神氣衰弱，服藥無效，不知此係何病？應如何治療？請示藥方，感激無涯矣，此致。敬禮　省立南充師範學校王傑

答

令尊身染痢疾，數年不愈，必因初起施治失宜，脾胃受傷，致成休息痢疾：治宜調中暢氣，方藥如下：

潞黨參三錢　白朮三錢土炒　黃耆三錢　廣陳皮錢半　青木香八分　當歸三錢　炙甘草一錢　厚樸二錢　荷葉三錢

編者

問

敬啓者，鄙人患狐疝已四年，立則腎囊腫大，臥則覺有物縮入腹中，而腎囊亦平復如故，曾經中西醫治療，均無效驗，素審貴刊改進我國醫藥，使發揚而光大之，有功社會，殊非淺鮮，請賜以良方，療此痼疾，當銘感五中也，此致。醫藥改進月刊社編輯先生

張軼歐謹上

答

狐疝係小腸由骨盤孔墜入腎囊所致，但小腸之所以下墜，則由於臟寒之故，仲景金匱要略謂之陰狐疝氣，用蜘蛛散治之，有特效，編者亦累試之，蓋方中桂枝之辛溫，能散臟寒，蜘蛛墜而能收，力能升提，故其效甚切也，如寒甚者，則加姜附，濕甚者，則加苓朮茴橘，惟仍須於其收上之際，用布帶緊束患處，勿使墜下，一面服藥，久必自愈，處方如下：蜘蛛十四枚焙乾　桂枝半兩，為散，飲服八分至一錢，日再服，蜜丸亦可。

編者

最後消息

國醫的科學藥理篇再版付印

季克惠醫士，編著之藥理篇一書，以科學原理，解釋國藥應用之一般原則，如「人的生殖在精子，植物的生殖在種子」，「人的呼吸器是肺，植物的呼吸是葉」，「蟲類的運動神經，人是萬萬不及的」…………等，淺顯明瞭，得未曾有，初版發行，不數月頓告售罄，現因讀者紛紛要求再版，或預先匯欵訂購者，爰重加增訂，付諸手民，將於最近期間，出版發行云。

國醫學會開秋季社員大會

此間中國國醫學會成都市分會於十一月三日在會址舉行秋季社員大會到有市黨部市政府指導員各名譽理事及在蓉社員共百餘人由主席陳特思報告該會過去工作及未來計劃後各指導員名譽理事及各社員均分別談話會場熱烈歷二小時始散。

國醫學會籌組文化服務社

中國國醫學會成都市分會，為便利各地同道選購書籍及適應社會需要起見，特組織文化服務社，經售及代購實用各種醫學書籍，關內部組織，已大體就緒，短期內即可公佈，該社辦公地點，暫設成都西御西街八十二號附三號云。

國醫學院青年團消息

一、該隊於十一月十日正式成立分團部，余仲權任主任，陳特思任書記劉柔遠任第一股長，杜容舟任第二股長，王政任第三股長。

二、國醫學院青年診療所工作同志於前兩旬內，并組到鄉埸為疾苦民衆服務，遠近民衆均稱頌不已。

徵稿啟事：

逕啓者：本刊二卷一期，擬出「三一七國醫節紀念特刊」，藉以喚起全國各地同仁，共謀改進，該期稿客，自當特別精采，除函請國內作家專門撰稿外，尚希海內明達，共體斯旨，踴躍賜稿，以光篇幅，而資借鏡，此啓。

附徵稿辦法如後：

一、內容：

1.屬於紀念性者，分下列諸項：

甲、有關國醫藥事業之檢討。

乙、有關國醫藥事業改進之建議：（包括教育、行政、業務等）。

丙、對今後四川國醫藥改進之意見。

丁、感言。

2.屬於發揚性者：各種學術方面之專門著述。

二、來稿無論文言語體，總以立論正大，文筆流暢，并用毛筆繕寫清楚為主。

三、稿長以在四千字以內為限，（本刊特約撰述不在此限）。

四、來稿無論登載與否，概不退還，但預先聲明并附足退還郵資者不在此限。

五、來稿請於民國三十一年一月底以前寄交本刊編輯部。

六、來稿一經登載，即以本刊致酬。

醫學必讀要籍一覽（續）（應用科學五）

武勝 周復生

婦女科學類

（中）女科輯要箋正……………沈堯峯著
（中）女科新論輯粹……………王愼軒著
（中）重訂達生編……………印光法師等編
（中）女科祕訣大全……………陳蓮舫著
（中）傳青主女科仙方……………傅山著
（中）中國婦科學……………時逸人著
（中）婦科學講義……………秦伯未編
（中）近世婦人科學……………商務版
（中）月經病自療法……………宋愛人撰
（中）馮氏女科……………馮紹著

本刊總務組啓事

茲因物價飛漲，經秋季社員大會議決，各基本社員常年經費，暫增爲四元，除專函通知外，希各社員從速將此費寄繳成都西御西街八十二號愛知治療所黃茂生處，以便繼續享受權利，此啓。

本刊總發行處緊要啓事

本刊爲便於統計訂戶及預算刊物起見，特將各分發行處及各代售處於十二月份一律撤銷，今後如蒙訂閱，請直函成都總發行處爲盼，此啓。

中國國醫學會成都市分會擴大徵求會員啓事

啓者本會爲研究國醫學理及治療方術以期闡明中國國醫之真髓并促進國醫界之團結及互助起見特擴大徵求會員凡欲爲國醫界奮鬥同志盍幸乎來。

登記處：成都西御西街八十二號附三號本會

成都圖書雜誌審查證審乙字第四一一號

本刊價目

零售每冊五角，預訂半年六冊，二元八角，全年十冊五元，郵費另加

主　編：本刊編審委員會

總發行處：成都西御西街愛知治療所

分發行處：成都興禪寺街四川國醫學院

本刊社址：附設陝西街新中醫療養病院內

內政部登記業字五五五六號　中華郵政掛號認爲新聞紙類

醫藥改進月刊

集易堂

第一卷　第十一期

短評

從中醫公會成立說起

冰風

籌備已久的蓉市中醫公會，已於十二月十四日正式宣告成立了。

中醫界的團體，向來很多，尤其是在復興民族根據地的四川，更覺難以數計，彷彿記得在數年以前，四川省國醫分館成立的時候，參加選舉的單位，竟達三十餘個，舉此一端，已足驚人了！

中醫有如許多的團體，而各團體又都義正辭嚴，聲言以改進國醫藥爲職志，這在表面上看來，似乎很可値得慶幸，實際上，除少數單位尙在本着他們的目標工作外，大多數都借着團體的幌子，來增高個人在社會上的地位，說到工作，幾乎連工作地點也很少看見，遑論其他？……

中醫公會，是現在中醫界唯一的法定團體，且又成立在抗戰最緊急的今日，其所負使命之重大，已不待言。所以我們希望負責領導諸公，務要克盡職責，不要步以往的後塵，同時更希望所有會員，亦要精誠團結，融合一致，不要暴露自己的弱點，於他人給我們以致命的打擊！

中華民國三十一年一月一日出版

本期要目

本刊總發行處緊要啓事

本刊爲便於統計訂戶及預算刊物起見，特將各分發行處及各代售處於十二月份一律撤銷，今後如蒙訂閱，請逕函成都總發行處爲盼，此啓。

中國國醫學會成都市分會擴大徵求會員啓事

啓者本會爲研究國醫學理及治療方術以期闡明中國國醫之眞髓，并促進國醫界之團結及互助起見特擴大徵求會員凡欲爲國醫界奮鬥同志盍幸乎來。

登記處：成都西御西街八十二號附三號本會

漲價預告

刻因紙價印工，相繼高漲，較之兩月以前，增高幾達三倍，本刊雖素以服務國醫藥爲職志，但爲維持久遠計，在此種情勢之下，亦不得不將價格略爲提高，以資彌補，現決擬自二卷一期（三十一年二月一日）起，實行加價，惟在一卷十二期以前訂閱者，仍照原價收費，以示優待，茲將改訂價目列後，希即注意是幸。

改訂價目：零售每冊九角，預訂半年六冊，五元，全年十二冊九元，郵費在內，香港國外，郵費照加，郵票代洋，折計算，但以一分至角半者爲限。

本刊總務組啓

逕啓者本刊　卷十期內載增價啓事被手民將定價刊誤特再更正

言論

輿論下的自我檢討

——民卅年輿論界對於中醫之批評和我人應有之認識——

彭澤鈞

一、緒言

民國三十年是我國抗戰的勝利開頭年，以往軍事變……，各弱點，經崇高的領袖和賢明的政府當局有計劃的平反後，敵人均佔優勢，事實昭然。至現在勝利開頭年業已過去，在政府勢必又已加諸檢討，用策將來；而我中醫界當亦必作瞻前顧後的打算，以圖進步！

願凡百事業之得改進，其與民命相關者，類多受輿論的策勵，因輿論界之評論，往往為大衆意識的反應，極其客觀而清透的多，依據以為改進之方，至少是合於時代要求，能適應環境，和必得大衆的擁戴的。

二、民卅年輿論界下的中醫

民國卅年輿論界有關於中醫之言論，散見於各報誌足資考證者，僅就管見所及摘列如後：

（一）三月十一日新新新聞之小鐵椎欄「中醫管理權」一文，略謂：「我們認為西醫在今天還到完全替代中醫的時候……各有一方面之發展，不可偏廢，即決不可能有所輕重厚薄，本[illegible]西醫之不能管中醫，猶之耶教之不能管佛教，亦猶之舊洋裝書不能捨棄綫裝書，亦猶之麵包之不能完全承繼飯食，何也？性質雖近，而各有其本質之不同也。

「我們主張西醫應該研究中醫醫術，中醫也應研究西醫醫理，兩者媾合其適，自不難產生新的醫術為世界醫學放一異彩，一若曰管理則入主出奴，分門別戶而排擠傾斥之事生焉，此適摧殘醫學而非整理衛生行政應有之道也。」

（二）五月二十日黨軍日報衛生週刊載唐成集氏「新舊醫學之比較觀」，略謂：

「……科學醫是如日新月異地進步的，現在我們來看我國舊有醫學到底若何？」

「外科方面的比較」（新醫有科學方法來包紮敷傷；有手術法療內臟病等，舊醫仍然如昔）。

「內科方面，望聞問切的診斷和有儀器為輔的診斷；有動物實驗，有統計說明與精確比較的臨床經驗，舊醫不同；有新奇消病法與性根據底舊丹丸散等簡單的舊醫學方法不同。」

（三）八月五日星期評論沈鬧如氏之「談中醫問題」略謂：

「中西醫之爭，往往超出了學術本身的範圍，節外生枝，以致多少年來雙方的爭論，不但相持不下陷於僵局，而且越撥越糊塗了。

「事實上，全國現有西醫和人民數目比一下，可知西醫不敷分配。

「如果西醫確是很外的話，誰也不會找中醫來延長痛苦。

「在今西醫的質量方面，一律沒有達到相當水準的時候，對於中醫，祇有聽其存在。

「國醫館……幷無什麼表現，大家只當他是一個空頭機關

「要不是士大夫們好談玄理，亂把陰陽五行之說摻入其間，那末中醫到現在，恐不會受「不科學」之譏誚的。

「我主張要管理中醫，必須先把學術本身加以整理。

「不要因見少數的荒謬的論著，而即抹煞整個的學術，不要因有幾個庸醫的存在，而即藐視整個的中醫藥。

「我總覺中醫之所謂病，多年是症。

「西醫直到現在，對於若干種非常普遍的病，似還未有根治之法。對於西醫固不妨全盤接受，但對於西醫所感束手的病，……中醫去一試……如果有效，西醫亦應虛心研究，斟酌接受，科學的態度，固應如此。

「近幾年雖有幾所中醫學校，而其課程漫無標準……人自為政，鮮有成績，……為防不學無術者厠身其間起見，政府應設一訓練機關，抽調現有中醫，加以基本訓練，導以新學識，積漸積久，當能達到科學之路。

(四)十月十九時事新報社評「醫藥事業的改進」略謂：

「由某審業專家被某大醫院誤致毒劑說起：

「一、醫藥派別問題 1.行業者多為德日派醫，行政及公立醫院落英美派手；2.不合協點，(甲)德日派為七年畢業，理論講授與實習同時；……英美派六年制，先有三年之理論基礎……

「二、中醫藥澈底科學化問題 現中醫有許多確能治病……說中醫無科學根據則可，說毫無科學研究之價值則失之公允。站在國民經濟立場講，純用西藥，每人外匯費一元則當為壽五千萬……中醫藥之科學化……概括起來。1.中醫主管機關應懸巨獎徵集民間確效秘方予以公開；2.應於醫學院特設研究所研究中醫藥之內容，取得科學之根據；3.醫院遇有疑重症束手無策時，如經中醫治愈，應指定對中醫較有研究之醫生切實研究，或將其質料送研究所研究，中國西醫，截至現在，幷未走上相當水準，對醫學亦無多貢獻，如果醫學界把中醫藥科學化的責任担負起來，我們相信憑藉先人幾千年來之經驗，一定有新的發現和貢獻……」。(詳見各該報誌)

以上除唐成集氏一文只代表西醫局部意見表示自矜外，其他大體實極客觀而能充分代表大衆意識和醫藥界應有的趨向的。其文義有關西醫者，因足供吾人借鏡，故幷摘入。見仁見智都在讀者，惟令人引以為歉的，沈氏之「對於中醫，只有聽其存在」一語，似為不請中醫早已取得法定之存在地位，非因西醫達到所謂相當水準時，即可置中醫於不存在之境也。

此外，因筆者所見有限，遺交當不在少數，未能一一得而列舉，然即此引徵者，要皆足闡明一般對中醫問題之認識也。

三、我中醫人士應有之新認識

歷來中醫對自我認識後，對改進問題雖議甚多，然每多固執私見，紛紜擾攘莫衷一是，鮮有至中大正之理論足以放之四合而皆準者，故其努力於國醫藥及其事業之改進。不但少有成效，甚且背道而馳！茲謹根據定見及摻合現代輿論，試訂應具之新認識列後，以就正海內賢達，藉作三十一年以後吾人通有之中心思想，便放有的之矢，福利國民，貢獻世界人類。

（以下接第九頁）

醫學研究

傷寒論釋義

鄧紹先

太陽經病第一

太陽病，昔人均以為營衛病，為人體之最外一層病，所謂太陽主營衛，太陽為諸陽之氣者是也，柯韻伯獨認營衛病，則心肺病，其識見自更加人一等，蓋太陽病之主病，即呼吸系統，與循環系統病，至於與相關連而續發者，則為神經，淋巴，營養，排泄等系統中之某一器官病，原六經者，不過分人體為六區，每區之所有無所不包，然則各經俱可兼使上述諸系統病矣，是又不然，蓋所謂太陽主人體最外一層者，非單指皮膚，實併指攝佈於皮膚之精力與體溫而言，精力即可營也，體溫即衛也，亦即古人所謂太陽主氣之為病也，又所謂經之為病者，則或指血管，或指神經，殊不一定，而通常所稱之太陽病，乃包括本區之全體，即最外一層，與背之全部是也，太陽既主營衛，究營衛之所自，則心行血，肺吸氣，以氣化養料，而生出精力與體溫，由體內佈達於體外，是全身之熱，俱賴心而後生，故稱心主君火，但心雖行血，若無小腸以吸取養料，則仍不能化合而生熱，故稱小腸為火府，肺臟主氣之出入，其所吸入之空氣，非純粹之氧，就中且含有害於人體之氮與碳等，必須仰腎臟之分泌與擇別，然後由大腸以排泄其廢物，方能變吸入之空氣為純氧氣，是無大腸，則肺吸入之氣為無用，故肺與大腸相表裏矣，又血液中之過剩水分與廢液，亦賴腎之擇別，乃能成純淨之血，而遂其氣化生熱之用，是營衛之生成，既以心、肺、大腸、小腸為主體，復以腎臟為主體矣。是以太陽病，則營衛病，營衛病，則波及心、肺、腎、大小腸，俱病矣，非止此也，當腎臟泌別廢液，由輸尿管輸入膀胱，此而有礙，亦必波及。是太陽病亦關係膀胱矣，又除心、脾、肝、三臟直接於血外其他不與血液直接者，，其精力與熱之發生，則賴由血管滲出之淋巴液以運輸養料與氧，苟血管失其生理之常，則淋巴之運行，亦必失常，人類個體之構造，雖極複雜，簡言之，無論體素與臟腑，皆由細胞與血管組織而成，介於二者之間者則為淋巴管，是即所謂半表半裏，亦即手少陽三焦也，三焦與心包絡相表裏，包絡屬手厥陰經，內經以心為君主之官，以包絡為臣使之官，按君，羣也，統理羣事，是之謂君，臣，承也，分理羣事，是之謂臣。昔人釋義，謂君主，無為者也，包絡則代君宣化。就字義論，包有覆理義事，是非神經而何。人體淺層屬表之血管，其緊張弛緩，俱由分配其間之舒縮神經所司，此神經之中樞，位於延腦，而其副中樞，則位於脊髓中，是營病，血理病，則神經亦受病矣。合上所述，凡手六經病，俱賅括於太陽經中，故太陽一經，其條文占本論全體之大半，前人謂傷寒傳足不傳手之說，證其不然矣。

太陽既包括手經，而本經中之至重至要者，則莫如營衛，營衛為氣血所化生，吾人生機之恃以持續不斷者，舍氣血莫屬，病太陽必病氣血，即病不由表入而由他處入者，亦必及於氣與血，此本經之所以重要，而治本經主方麻黃、桂枝兩湯，所以變化與效用俱無窮也，又書中正治之方不多，而汗下失宜，誘起他變，隨症救逆之法，則頗不少，在救逆各法中，凡病邪傳變之途徑，與處所，正氣出入之障礙，與變動，施治之先後緩急與禁忌，辨症之主客，寒熱，虛實，輕重與表裏，莫不詳悉精嚴，後先互發，昔賢奉此爲矩則者，良以中風傷寒濕溫，熱病，溫病，古人均稱傷寒，熱則傷寒二字，係爲一切感症立法，而非單爲傷寒立法可知，惟書經兵火，由漢迄晉，所存已屬不全，善讀者，務須融會貫通，深思勤求，探其法之竟究，乃可取捨自如，無往不利，若但執脈症以辨病，擬方以施治未免牛刀割雞，殊覺可惜也。

太陽病多陷少陰，世人只知其爲由表傳裏，不知腎臟官能之強弱，全恃氣氣供給之多寡，即血循環之有無窒礙，是肺與腎，腎與心，均關係極密切矣，肺之供給不足，則腎病，所謂金生水也，腎之官能失職，則心病，所謂水剋火也，不明[illegible]作用，絕不能研究傷寒。

上述各節，爲太陽經病之綱領，學者務須了然於心，然後參之條文，自然迎刃而解，可免暗中摸索之弊矣。

太陽之爲病，脈浮，頭項強痛，而惡寒。

此條首揭判識病所之標準，夫太陽病爲表病，爲外層之皮膚受邪，而失其生理之常，考皮膚有包裹及保護身體之功，且爲一種感覺器官，此外尚具調節體溫，呼吸，吸收，分泌，諸作用，邪由外來，傷及膚表，於是血液奔集於淺層膚表之動脈管，以謀營救，故令脈浮，血管之收縮與緊張，有舒縮神經司理之，其中樞位於延腦，脊髓內亦有數副中樞，茲以舒縮神經受邪，致傳入之力，比傳出者大，故波及中樞與副中樞，而令頭項強痛，惡寒者，以血管緊張，多量之血，與外界接近，增加體溫之輻射所致，此爲太陽一經受病之定脈，定症，凡外來之邪，無論其性質爲何，一犯太陽，則脈必浮，頭項必強痛，而兼惡寒，只須遇有此等脈症，便可必其爲太陽病無疑，惟六經傷寒，俱各惡寒，不過病在三陰，必脈沉而無熱，病在三陽，必脈浮而有熱，然又何以別其屬在太陽，以在太陽，則寒熱同時而發，在少陽，則往來寒熱，在陽明，則但熱而不寒，即寒亦甚微，條文中不言發熱者，以得病之初，或有發熱較遲，不與惡寒同顯者，湯本求眞謂惡寒者，將欲熱，而不能發熱之徵，此釋極爲明確。

本條除認定爲太陽病之標準外，條中惡寒一證，極應注意，以此證爲外候之標準，雖邪入陽明，即已入於胃，若猶惡寒亦應取之表，以發其汗，俟寒止，乃奪於陽明，方可攻其裏，此大法也，亦定法也，故論中有若汗多，微發熱惡寒者，外未解也，其熱不潮，又曰陽明病，脈遲，汗出多，微惡寒者，表未解也，又大陷胸湯條曰，脈浮而動數，頭痛發熱，微盜汗出，而反惡寒者，表未解也，大黃黃連瀉心湯曰，心下痞，惡寒者，表未解也，不可攻痞，當先解表，十棗湯曰，汗出不惡寒者，以表解裏未和也，由此，則知惡寒確爲外候之標準矣，故於太陽篇首，始揭發熱，而獨舉惡寒也，是以凡曰表證，外證，曰表不解，外已解者，皆指太陽之發熱惡寒言之也，惟脈則必浮，故曰脈浮者，病在表，可發汗，又曰，脈浮數者，可發汗，又曰，脈浮數者，法當汗出而愈，又曰，脈浮者，宜以汗解，是脈浮之例亦然。

（未完）

擷盦醫話：

脾—膵—胰，胰臟定名之錯誤。

李克蕙

解剖之名，見於內經，是古人已有解剖臟腑之事實，第古代手術簡單，輔助器械不完備，而解剖尸體，又爲法律人情所不許，故往昔解剖記載，不能十分精密者以此。

解剖人體，既爲法律人情所禁，而動物之臟腑，乃爲習見之事實，猪肉爲日常食品之一種，猪肺猪心……不僅用以爲人體臟器模型之借鏡，而以肺入肺，以心入心，且用以爲臟器療法之藥品，顧動物與人體，因環境習慣不同，生理上之構造，因斯而稍有分別，及獸類之胃臟，與人類之食□，此其顯而易見者，至日常習見，可以爲人體生理模型之猪內臟，其與人體特異者，則無脾臟，自古脾臟之形狀，模糊影響，至今仍沿訛襲悮，無法辨明者，非無故也。

余雲岫氏，對古書記載脾臟之文字，疑莫能明，曾與章太炎先生討論及此，章先生與余氏論脾臟書有云「八十一難論脾臟事，兄疑脝子油即古所謂脾臟，而左脅下一器，日本人所謂脾者，古書何以不見，按釋名稱，脾，裨也，在胃下，裨助胃氣，主化穀也，言在胃下，則爲脝子油甚明，難經稱脾扁廣三寸，長五寸，有散膏半斤，其言廣長之度，爲左脅下器，爲脝子油，難辨明白，言散膏半斤，則明是胰子油也，但詩稱嘉殺脾臄，月令稱祭先脾，今脝子油但可充面脂去垢之用，又時或蒸以爲藥，而不可烹調爲餐，唯左脅下一物，今浙西稱草鞵底，江南稱夾肝者，味不甚美而頗可食……」實則浙西所稱草鞵底，江南稱夾肝之物，即韓醫所稱之「聯貼」不佞常以猪之「聯貼」生吞治「糖尿病」，應用有特效，因此知猪之聯貼，即日本人所稱之膵臟也，章先生則悮指膵爲左脅下一物，不知猪之內臟，根本無此一物也，（所謂味不甚美而頗可食，當然指猪之內臟而言）余氏疑脝子油即古書所謂脾臟，章先生則以爲釋名所稱在胃下者爲脝子油，不知脝子油既與脾臟無關，更與貼近胃下之膵臟尤無關也。

辭源胰字註：「亦作脝，臟名，日本譯爲膵臟，婦女冬日取以浸酒塗面及手，可免皴裂者」以胰子油爲膵臟，此一悮也，又同書膵臟條證「生理學名詞，一名胰，俗名夾肝，一謂膵臟，屬夾肝是矣，謂胰子油俗名夾肝，此又一悮也，不知膵臟係指俗名夾肝之物，而胰子油乃似脂非脂，似肉非肉之脊骨間猪油，（婦女用以塗面及手）正是此物，絕非夾肝也，兩物異名，不知何以混爲一談也。

考人體生理解剖學，左脅下胃底之外側，形卵圓而扁平，色赤褐者，曰脾臟，（猪內臟無此物，）余氏所謂左脅下一器，日本所謂脾者，古書何以不見，即此，□橫臥於胃下，與十二指腸之間，亦扁平如牛舌，色黃白者，（猪之膵臟色赤褐如肝故俗稱夾肝）曰膵臟，（浙西稱草鞵底，江南稱夾肝，韓醫名稱聯貼者是之）脝子油生於兩腎之間，似脂非脂，似肉非肉，則另是一物。

本草綱目猪脾條下附註，俗稱「聯貼」，可見古人但知猪之有聯貼，（說明名曰「脾」，）不知人體除聯貼以外，尚有左脅下卵圓而扁平，色赤褐之另一物也。

以猪之內臟爲人體臟腑模型之借鏡，馴至只知膵臟爲脾，不知膵臟以外，尚有左脅下卵圓之一物，（古代所稱之脾）今人復以膵臟爲胰子油，生理學書籍竟以胰臟爲公認之名詞，張冠李戴，其錯誤蓋非一日，禮失而求諸野，脾，膵，胰，之糾紛，蓋過屠門一商榷之乎。

藥學研究

山柰

余仲權

產地：本品產廣東、福建、及四川各地。

形態：本品屬蘘荷科，藥用山柰之地下莖，皮色紅黃，切開則肉白而外凸，其氣芳香。

性味：辛、溫、無毒。

成份：含揮發油。

效能：散寒，溫中。用作芳香健胃藥。用量○・八——一・五錢

藥理：本品所含揮發油，辛溫香竄，嗅覺神經受其刺戟，已能引起食慾之增加，一經食入胃中，則刺戟胃壁神經，令其分泌加多，蠕動加速，故能臻健胃之效也。消化機能旺盛，則營養充足，內臟得有充分之養料，則因營養不養而致動作不健之所謂寒症，自當因而解除，古云溫中散寒之意，其是之謂歟！

配合：海上一字散，治一切牙痛，法以山柰一錢，以麵包煨熟，入麝香少許爲末，隨左右搐入鼻中，約十二分之多，口含溫水嗽之神效，（普濟方）；治面上雀斑，用山柰子，鷹糞，陀僧，蓖麻子等研勻，以乳汁調好，夜塗旦洗甚效。

禁忌：凡陰虛血虧，胃有鬱熱者勿用。

甘松

產地：本品產四川松潘縣，江油縣，茂縣等處。

形態：本品爲[illegible]科植物甘松之地下莖，長三四寸，粗二三分，外呈灰褐色，有香氣。

性味：甘，溫，無毒。

成份：本品含揮發油，日本藥學博士朝比奈泰彥氏對本品研究結果，證明其油中含有一種物質，名曰 Sesquiterpen，其份子式爲 $C_{15}H_{24}$

効能：理氣醒脾，止痛，用作芳香健胃藥。用量○・八——一・五錢。

藥理：本品作用與山柰相彷，有健胃之功，入腸內則能令腸壁之吸收作用亢進，故云醒脾，蓋古人所謂脾，多指腸之吸收機能而言也。至於痛病多由機能之阻滯，或廢物停積，神經受壓或毒素之刺戟所致，本品據荷蘭藥鏡云：治一切神經病及胃腸運動衰弱，蓋即古人所謂理氣止痛也，因古人多指神經或內臟機能爲氣也。

配合：治腎虛齒痛，甘松硫黃等分爲末，泡湯漱口神經（經效濟世方）。

禁忌：凡[illegible]滯及血多而患欣衝性病者忌用。

參考：[illegible]方名用甘松。

△本品浸劑，即西藥房出售之顛草酊，用以治各種神經性疾病。

△荷蘭藥鏡云：凡腦神經及心胃運動衰弱者，此藥能使其運達，失神昏迷者，能使其蘇醒，血管之運動虛弱懈弛者，本品之揮發油能衝動之以使其強健，又能發汗，利小便，對遷延性神經病及神經運動失常之熱病有特效，於虛憊熱病，能使精力活潑充實，鎮定痙攣。若腹內臟器衰弱，粘液壅滯，飲食難消化者，有婦人多因於經滯，服此藥甚效，若患痙攣性疼痛者尤佳。

△張山雷云：治真寒霍亂，用本品有特效。

厚樸（十一）

產地：四川省

形態：爲厚樸樹之皮。

性味：苦、溫、無毒。

成份：經長井氏之研究，知其中含有 Atractylon $C_{14}H_{18}O$ 及 Atractylol $C_{15}H_{26}O$，與蒼朮所含相同；許索德氏云，其中含有 Magnolol

效能：本經云：治中風傷寒，頭痛寒熱，驚悸，氣血痺，死肌，去三蟲；張仲景氏云主治胸腹脹滿，兼治腹痛。通常用以燥濕化積，健胃。用量〇·八——一〇錢。

藥理：本品在胃雖無顯著作用，但吸收入血，對腎之刺戟特甚，而令其泌尿作用加強，使血液清潔，因此，身內過多之水份既去，而收燥濕之功，其因水份停積而起之消化不良，遂得間接之治療，而奏化積健胃之效。

配合：同枳實大黃以瀉實滯；同蒼朮陳皮以運中；治不免吐瀉，用厚樸一〇·〇半夏湯泡七次，姜汁浸半日，再米泔浸之以水煮高度，只研半夏，每用薄荷湯下〇·五錢一一；下利水穀，久不得差者，厚樸三〇·〇黃連三〇·〇水三升煎一升，空心服之（梅師方）

禁忌：凡胃腸機能衰弱者，忌用，孕婦亦當慎用。

參考：處方名用厚樸

△本品以皮厚，有鱗皺，色紫而多油潤者，乃爲上品。

（以上接第四頁）

（三）中醫命名釋義：今日之中醫，不應是能了解科學，善採外國醫之優良技術，運用中藥，能研討改進舊有藥物及方劑，不用與藥中有同效之外國藥，且又能與洋醫合作，又稱國醫者；迺在中國境內對中國人稱之又一命名也。

（二）中醫之改進問題 1.病之能愈，是藥的實際作用，而不是理論的冠冕，守舊派以爲中醫就是信奉陰陽五行氣化論哲理醫；空論學說的專使，爲此種風氣實誤的史蹟觀念，例應成爲過去所有事，倡之無變於開倒車轉向十五六世紀，只有招現實天然淘汰的惡果！吾人當知學術無境界，合卽公開善法，沒有誰能據爲私有，（唐氏前論當不免無謂自訟之譏！）故吾人不謀改進則可，欲謀改進只有趨重中醫科學化（此說早已依據科學，糾正舊有錯誤，使適合現實需要；2.上說並不是以爲固有學術應棄之不顧，相反的，我們正需要探索古人思想方法系統，披沙揀金，採取寶貴經驗，科學化的研討後，轉獻于現代醫界。

（三）中醫應有之努力 中醫自三一七而後，漸獲法定權益，無如意見紛歧，尚自私者衆，會議自能者，又復高蹈自絜，致中醫前途，尚屬黯淡，無一權威之機關，無一可觀之學校，社會少人注意，有之醫生或存一縮可能之助力，亦未得如西醫之優越，實助與地位，而自滿者，正競競焉五臨六陰，一是其所見之謗，所不知一國之進步，[illegible]，針對此等缺點，延攬吾人今後應有之努力爲一：1.建立一有力的[illegible]國醫館及其分館之組織，照教部中醫課程標準，儘可能的創辦學校爲中醫[illegible]；3.[illegible]學術團體，應積極的方面傳結一致，事業人士倡[illegible]；4.[illegible]；5.熱心中醫的事業人士，當不避艱苦，作多方可能之立，而國醫人士自省；[illegible]活動！6.一切有益方案，付諸實幹！

年後，果能如上所述，切實一致進行，吾人閉目假想，多則二十年後，醫學放異彩！不，否則「仍舊貫」的下去，百年後仍無辦法！不復再倚息於人。

成藥單方

退熱粉

山西芮城薛毓英

原料：生白芷二兩　生姜八錢　胡椒五錢　川芎五錢　細辛四錢　石膏八錢　陳茶葉八錢（搗碎[illegible]）

操作：上藥共研極細末，裝瓶貯藏聽用。

主治：發汗解熱，普通一切風寒時感，均可適用，功同阿斯匹林（Aspirinum）。

用量：大人每服二錢，小兒每服一錢至錢半，體素虛弱者，宜斟酌減服。

止痢水

貴州遵義李煥章

原料：大黃一兩　丁香一兩　砂頭一兩　[illegible]膽草一兩　[illegible]一兩　陳皮一兩　生地二兩　白酒三斤

操作：諸藥入酒內浸七日，隨時搖動，至第八日，將藥滓濾去，取淨液，瓶貯聽用。

主治：天行赤痢，裏急後重，日夜十行。

用量：宜視病之新久，體之虛實，斟酌審用。

救急水

原料：麻黃一兩　陳皮一兩　吳萸五錢　丁香四錢　廣香四錢　茴香六錢　樟腦三錢　薄荷油酌加　白酒三磅

操作：先將各藥投酒內，泡三星期，濾過，取淨液，加薄荷油瓶貯聽用。

主治：一切時行急症。

用量：每服十滴至二十滴。

野蒿麥葉

新喻敖保世

民國二十九年，余服務於新喻縣中醫診療所，今年夏六月中旬，忽得家電云：岳母患惡瘡危篤，促余返家，抵家而余岳母已安然無恙，惟肌肉消瘦，余問其故，云小腹右側生一瘡，大如茶杯，紅腫作痛，皮上起顆粒如桐子大，頂色黃潤，狀若蓮蓬，醫謂黃蜂瘡，以黃蜂燒灰醋調無效，正無法可想之時，門外一中年農人，謂用野蒿葉麥，擇其大者吐口津於葉面，再以手擦之，如捲紙煙狀，待其葉柔軟，帖於瘡口，日三四換，可以提膿外出，散紅消腫，並生肌無疤，後依其言，果三日即愈，自此該村凡患瘡節者，均如法泡製，莫不收效，村人皆喜愛之，特錄出以供海內同仁之研究。

甘草大黃治海底漏

葉德寬

「海底漏」這個名詞有點陌生吧，這是一般的俗名，即前後陰之間所發生的漏症，假如治療不當，不特不易收到效果，而且還有生命的危險，數年前友人授余一方，專治此病，即用大黃甘草等分為末，用酒沖服六錢，數劑即可收功，余曾以治療數人，莫不應手取效，因不願守祕，特誌之以待同志之採用。

頭痛驗方

杜裕舟

數年前因患頭痛，苦不可當，家兄命取酸辣椒，去其蒂，[illegible]將中之漿液滴耳內，未幾，其痛遂止，後經數次試用，[illegible]數，查此方[illegible]不爽，但何以能有此種效驗，則令我一籌[illegible]，搔首欲問天，特誌出以俟高明之指教。

○……經方研究……○

論麻黃杏仁甘草石羔湯

漆紹康

傷寒論之發汗後、不可更行桂枝湯，汗出而喘、無大熱者，可與麻黃杏仁甘草石羔湯，此條註家聚訟紛紜，莫衷一是，柯韻伯氏則謂汗出不可用麻黃，無大熱不可用石羔，竟改為：……不汗出而喘，身大熱者云云，柯氏天資聰穎，讀書尤着實際，其所著傷寒來蘇集，多有可取，惟此條則殊未當，何以言之，蓋仲景原有發汗後，用桂枝湯更汗之法，如傷寒發汗，解半日許復煩，脈浮數者，可更發汗，宜桂枝湯是也，茲云發汗後，不可更行桂枝湯，是其汗出而喘等症象，為體內脂肪及寒水炭素等之燃燒機轉亢盛所致，此燃燒機轉亢盛，則自呼吸器攝取酸素，及排除炭酸量俱增加，迷走神經之肺臟叢受刺戟，枝氣管及氣胞痙攣，故呼吸頻數(即所謂喘)，汗分泌神經亦因之興奮而汗出，其體內溫度高，則內臟之血管擴張，而末梢血管收縮，故外表反無顯著之大熱，如此則桂枝劑之刺戟性強，而有興奮健胃作用者為不宜矣，故曰不可更行桂枝也，其主用本方者，以麻黃能使氣管枝及胞孔，(減輕哮喘，與杏仁之鎮靜呼吸中樞者，以治其喘，石膏為硫酸鈣有收斂消炎之作用，甘草為緩和矯味劑，微有祛痰作用，有用於氣管枝卡答兒者，合之能使體內之燃燒機轉衰減，而諸症以治，於此可見古方之妙矣，柯氏以仲景用麻黃為發汗劑，其症狀必無汗，故改異之，不知麻黃與石羔之收斂消炎者同用，則無大汗虛脫之虞，而有解熱消炎定喘之效，氣血水藥徵云．麻黃合石羔治汗出而喘，合桂枝治惡寒無汗，其說頗當，湯本求真氏云，此汗出與桂枝湯症之汗出不同，此因伏熱擠出，富粘稠性，臭氣惡，可為臨床診斷之助，惟余以此條僅憑汗出而喘，無大熱等症象為未備必尚有口舌乾燥，體溫昇高—攝氏三十九至四十度以上—脈搏數大等狀、蓋必如此，乃可以斷其汗出而喘等為體內燃燒機轉亢盛所致，不然，則太陽病下之微喘者，表未解也，桂枝加厚樸杏仁湯主之條，豈無汗出，(因桂枝湯症有有汗)與喘之症狀乎，抑又何別，惟此口舌雖乾燥，則未有如白虎湯症之大熱，大渴，大汗，脈洪大無倫耳，鄙見如此，賢之高明，以為否，希教止之。

小柴胡湯

汪鑫濤

—治胸脅苦滿，往來寒熱，及默默不欲飲食，心煩喜嘔—

柴胡　半夏　人參　甘草　黃芩　生姜

大棗

主要症狀。謂「胸脅苦滿……無不效者」。湯本氏云「小柴胡湯以胸脅苦滿為主症」。劉棟云「凡柴胡湯正證中，往來寒熱一症也，胸脅苦滿一症也，默默不欲飲食一症也，心煩喜嘔一症也，病人于此四症中，但見一症者，當服柴胡湯，不必須其他症悉具也」。山田氏倘意于劉棟之解，謂「于柴胡正證中定為，可謂的確矣。有但認胸脇痛而施者，有但認寒熱如瘧而施者，」一成無己諸人，則以胸中煩而不嘔為一症，渴為一症，腹中痛爲一症，脅下痞硬爲一症，心下悸小便不利爲一症，不渴身有微熱爲一症，咳爲一症。程應旄謂「于少陽篇手，口苦咽乾目眩中求之」。據山田氏謂「成無己，程應旄所舉之證候，爲諸經之所通有，豈足以就一症以定少陽柴胡部位乎」。方極云「治胸脅苦滿……或嘔者」。方機云「治往來寒熱……或嘔者」。古方便覽云，「治瘧疾」。綜上而觀，則柴胡症者，乃發熱具，胸脇苦滿及嘔者是也。據一一〇條「先宜服小柴胡湯以解外」。第一五七條「嘔者，發熱者，柴胡症具」。第一〇八條「嘔不止心下急」。第二三七條「身濈然汗出而解」。第三八四條「嘔而發熱者小柴胡湯主之」。及陰陽易第三條「傷寒差以後，更發熱者，小柴胡湯主之」。諸句即可證之也。陸氏湯本吉益氏學，以胸脇苦滿爲主症者，不過爲出于偏面之觀察，而立之論耳。竊以爲發熱爲先發者，而嘔胸脅苦滿等症爲續發者，何以言之，有礙即是以害其消化器系統之機能，如熱襲於胃，則發生消化障熱，當然可見嘔及胸脅苦之症是仲景力說此症，而忽於熱也。後世不揣於此，故亦證述之耳，口腔內之變化，特加舌胎之發生，爲胃病之先兆，急性病之時爲尤然。然是否因傳染病（瘧症）或因感冒而發熱，殊難斷定，但證諸他證，殆可謂其熱爲因消化器病變而生者也。進而言之，設以爲發熱爲純因胃病而生，則又與論中舉之熱症，不相符合，故可謂因有其他原發性熱性病而兼有腸胃合併證而生者也。

陳念祖謂「此湯爲使太陽之氣，從樞外出」。而市醫遂以爲升提藥。凡有頭眩頭痛衄血吐血諸症，皆屏棄不敢用矣。陸淵雷氏謂「此說起自潔古東垣」。又謂「柴胡治胸脅苦滿，其效如響，即或不中，亦未見有升提之害也」。故柴胡之用，主要對往來寒熱，或多對熱而設，待熱解之後，則食慾自然恢復，默默不欲食自瘳，而胸脅苦滿，不待去而自去矣。是以熱爲先發，而腸胃症狀爲續發者也。故曰柴胡主治往來寒熱，而旁治胸脅苦滿也。

讀者來函

成都醫學改進月刊社列列執事鈞鑒：杰人於十月十二日始獲與貴刊第一卷七八兩期見面，具悉各執事在此抗戰期間，尚不斷以改進我中醫藥爲職志，拜讀之餘，良深佩慰，倘能本此精神，繼續努力，不難化中國醫爲世界醫，除約我中醫界同道，盡量訂閱外，特寄蕪函，用申賀忱，并頌

撰安

萬縣吳杰人再拜十月十六日於大竹軍次

中國國醫學會成都市分會文化服務啟事

本社編印之時病學業已出版，存貨無多，購置從速，訂購手續如次：

定價：每冊玖元，外埠郵費掛號另加一元。

長篇專著

實用處方學（續）

徐庶遙

方解：麻黃入血中能使血壓增高，心跳加速，內臟之血管均被激而收縮，而外部皮下之微血管，因強心增其鼓出之力，使血液自然轉運於外，故外部皮下之微血管，反被激而放大，汗腺之排泄遂此增多，枝氣管之抽搐亦被激而鬆弛。桂枝入心亢奮心臟，且能擴大皮下微細血管，以達放汗目的。蓋與麻黃實為伯仲。杏仁能麻醉肺臟神經使不致感應過敏，故亦為欬逆哮喘專藥，甘草矯味調和藥性。

△冒風（一）

處方：參蘇飲

主治：惡寒、頭痛、無汗、發熱、咳嗽、唾痰，脈浮、流清鼻涕。

病解：膚表受寒失其調節，遂致皮下微細血管收縮故呈惡寒，體溫不能由表放散故發熱也。體中蓄熱血壓增高，血充於頭故頭痛，又肺與皮膚亦有密切之關係，蓋皮膚之專職為放散體溫排泄水毒而肺之吸氣與冷俱入，其呼氣與熱俱出，故呼吸亦能放泄少量之體溫與水毒，由是言之人身吸養排炭散溫泄水，乃肺與皮膚相助為理，吸養排炭則肺為主而皮膚副之，散溫泄水則皮膚為主而肺副之，古人謂：「肺合皮毛」良為不謬，乃相助為理之器官，一方面失職，他方面必起救濟代償之作用，故皮膚之散溫泄水失職者肺則起而代之，於是欬嗽唾痰之症作矣，鼻為肺之門戶，內熱刺激粘膜遂發炎而鼻流清涕，淺層動脈充血，故橈骨動脈作浮矣。

藥味：紫蘇　半夏　枳殼　前胡　茯苓　甘草　葛根　陳皮

方解：陳皮半夏茯苓除氣管分泌之痰，紫蘇前胡葛根開表發汗枳殼以利氣機。

△喉症（一）

處方：六味湯

主治：一切喉症初起

病解：內有鬱熱，容易上衝喉頭粘膜，緣粘膜最嬌嫩，遂往往引起充血而發炎矣。

藥味：桔梗　甘草　防風　荊芥　殭蠶　薄荷

方解：白殭蠶味鹹辛性平無毒，為喉科要藥，能驅風—散熱—化痰開喉痺，桔梗甘草治粘膜之炎，防風荊芥薄荷均驅風敗熱。

△鼻衄（一）

處方：犀角地黃湯

主治：傷寒溫病，熱傷血分衄血。

病解：體熱內蓄，上迫鼻之粘膜，致衝破微細血管而出血。

藥味：犀角　生地　牡丹皮　芍藥

方解：犀角清心熱，生地丹皮涼血，芍藥斂血兼育陰。

循環系統病

△吐血（一）

處方：瀉心湯

（未完）

大衆醫藥

臁瘡

冉廉琛

臁瘡多由濕熱而成，濕下受之，故兩脛內，外，臁多生；古人謂外臁屬三陽經易治，內臁屬三陰經難治，蓋外臁肌肉比較內臁豐富，治療上容易生肌，內臁肌肉貧瘠，難以收功，此亦經驗有得之談，此病多患於農家子女，及長途征客，久經暴雨濕朝，鬱久而生、初起或內，外臁發炎，炎形或大或小，或癢或痛，潰爛後即難收口，動輒數年不愈，筆者長孩曾罹斯病，因對外科，素少研究，但其理亦逃不過內科之詣，簡閱方書，數製藥物迄無一驗，偶爾留心檢閱「驗方新驗白油膏爲該瘡之第一妙方」依法煉製，業已收效，繼得友人劉君玉章家藏祕方患此病者，抄檢醫治，莫不霍然，因不忍失，錄供吾道，以爲病家，醫家之一助。

內服方：初起宜服當歸枯痛湯加牛夕三錢，服數劑。

處方：

羌活　人參　苦參(酒製)　升麻　葛根　蒼朮各三錢　靈甘草　黃芩(酒製)　茵陳蒿(酒炒)五錢　防風　當歸　澤瀉　知母(酒製)　猪苓各三錢　白朮一錢五分　煎湯空心服，臨臥時再服。

外治方：

(一)白油膏，製法詳驗新編

(二)銅綠　胆礬　土子　鉛粉　蛇床子　木鱉　龍腦香

研末和猪油塗用。

煎藥常識

佛延

害了疾病，是非常痛苦，精神上，身體上，所受的影響，也非常重大，但是要想解決這種煩悶，使之愉快，便非有治療的工具，那麼，就非靠服藥不成功，如果煎藥不如法，則愈病之效力必銳減，可是一般醫家病家，俱很忽略此種問題，而煎藥一項，又大半皆委之僕備，即使方藥中病，但煎法已經失度，所以收效比較遲緩，試觀古人制劑，覆杯則臥，汗出則已，是何等神速呢，特錄出之，以告病者！

1. 發汗劑之煎法

所謂發汗劑，就是能夠加速血液之循環，弛張血管，感動皮膚，得以出汗而減身內之熱度，並放出血內之炭輕養氣者，如像麻黃薄荷蘇葉荊芥葱白這一類的東西，氣味香散，容易揮發，宜用百沸水，緊火急煎熱服，微微出點毛毛汗，病就好了！

2. 涌吐劑之煎法

所謂涌吐劑，就是能夠惹動胃之內皮，或感動腦與腦筋，逐出胃中之積物者，如瓜蒂白礬生梔子鹽湯這一類的東西，或者味極苦，或者味很鹹，或者味很酸澀，服入胃中，最能引起胃之反應而作嘔吐，病灶就從吐而驅逐去了，如果煎這類藥，必定要用逆流水急火，那麼效力更大了！

3. 攻下劑之煎法

所謂攻下劑，就是能夠刺激腸粘膜，催進大腸的蠕動，排去大腸內之垢穢者，如大黃芒硝牽牛巴豆這一類的東西，宜用急水緊火煎服，如劑內有硝黃，則硝黃後下，要見效必要當迅速！

4.清熱劑之煎法

所謂清熱劑，就是能夠鎮靜血行之亢進，減退體溫及組織之分解，輕快因血熱血發生之障礙者，如丹皮黃芩黃連石膏連翹這一類的東西，宜用新汲井水煎服，因爲他才有除熱去煩的效力啊！

5.補養劑之煎法

所謂補養劑，就是能夠助胃消化，令腦與肌肉出力，變虛弱爲強壯者，如人參黃芪龍眼當歸蟲草這一類的東西，宜用清潔之河水，慢火久熬溫服，因爲這些藥，味是很濃厚的，如果不久熬，則味不易出，見效是不大的！

6.化痰劑之煎法

所謂化痰劑，就是能夠喚起咳嗽，稀薄氣道之分泌物，或增多氣道之分泌物，而奏祛痰之効者，如石菖蒲貝母杏仁橘紅膽星半夏這一類的東西，宜用蘆菔煮水，或竹瀝煮水，也宜急火煎服，能奏祛痰之偉効！

7.利尿劑之煎法

所謂利尿劑，就是能夠感動內腎，增尿多之分泌者，如茯苓車前澤瀉木通燈芯草這一類的東西，也宜用急流水緊火急煎服，是效如桴鼓的！

……其次，至於煎藥的經過和器具，也有重要性。1.煎器必須潔淨無油膩，2.前煎此藥，即不可再後煎彼藥，恐怕後煎攻尅，此煎補益，後煎寒涼，此煎溫熱，譬如酒壺泡茶，雖不醉人，難免酒氣，3.藥物中忌銅鐵器者甚多，故以採取瓦器爲佳！

徵稿啟事：

逕啟者：本刊二卷一期，擬出「三一七國醫節紀念特刊」，藉以喚起全國各地同仁，共謀改進，該期內容，自當特別精采，除函請國內作家專門撰稿外，尚希海內明達，共體斯旨，踴躍賜稿，以光篇幅，而資借鏡，此啓。

附徵稿辦法如後：

一、內容：

1.屬於紀念性者，分下列諸項：

甲、有關國醫藥事業之檢討。

乙、有關國醫藥事業改進之建議：（包括教育、行政、業務等）。

丙、對今後四川國醫藥改進之意見。

丁、感言。

2.屬於發揚性者：各種學術方面之專門著述。

二、來稿無論文言語體，總以立論正大，文筆流暢，並用毛筆繕寫清楚爲主。

三、稿長以在四千字以內爲限，（本刊特約撰述不在此限）。

四、來稿無論登載與否，概不退還（但預先聲明並附足退還郵資者不在此限。）

五、來稿於民國三十一年一月底以前寄交本刊編輯部。

六、來稿一經登載，即以本刊致酬。

雜俎

西譯中醫典籍略攷（續）

陳義文

附註：此書譯釋精當，論斷確當，其單行本，在英國John Bale sons E Damlelsson Std印行，共計五十面，上海別發書店，(Kelly and walsk)寄售。

此書法國亦有譯本，刊於一七七九年巴黎中國歷史藝術科學雜誌Memoires Concernant l' hntory les Vciences, les arts, les mocurs, les wsages, etc des chinois第四二一面至四四〇面。

至八六三荷蘭地杏烈氏Degris譯爲荷文刊於拍打威雜誌Verbanalinger Van Het Bataneiosch geuootschan Van Knnstln In Wetenschaven第三〇卷。

（十一）飲食正膳三卷元忽思慧撰

譯者：候祥川醫師

時間：公元一九三六年

地點：上海高斯德研究院生理學系

（十二）四卷高陽生著明張世賢編

譯者：法國神父夏斐(P. Herwien)

時間：公元一七三五年

地點：法國巴黎刊於都哈爾(Du Halde)所編之「中國史地軍事政記錄」書中(Descripior Jeograpiqul Historgue, Chronogique, Politque cle Co lmagiceode la Chiue)

附註：此書有法英德三種譯本，其中以法國譯本爲最早最好，英國譯本係由法著轉譯而成，共有二種：(一)爲卜羅氏(E. Brooks)譯本，共計册於一七三六年出版，不甚完備，初版缺乏精彩，(二)爲克非氏(Cacaus)刊行本共二大册，一七三八年再版在一七四一年，德國譯本係許保德氏手筆刊於中華醫學第二三九頁至二七二頁，許氏甚稱夏斐氏法譯本眞確，唯夏斐氏以此書爲王叔和之脉經實誤。

（十三）瀕湖脈學

譯者：德國人許保德氏(F. Hubotter)

時間：公元一九六八年

地點：德國和賜刊行於中華醫學的第一七九頁至一九三頁。

（未完）

醫學必讀書籍一覽（續）

周復生

小兒科學類（應用科學六）

（中）錢仲陽兒科案疏……何廉臣註大東書局版

（西）近世案兒科學……蕃□商務版

（中）小兒藥證眞訣箋正……張山雷註

（中）痘科學……繆俊德著

（中）吳氏兒科……吳克潛著

（中）保赤新書……惲鉄樵著

（中）中國痳痘學……（鄧）朱壽朋編

（中）重訂幼集學……大東書局版

外科學類（應用科學七）

（西）外科總論……徐雲商務版

（中）中西全纂外科大全……大東局書

（中）藥醫論……許半龍編

（中）馬評外科全生集……上海中醫書局版

（中）外科金鑑……濟大醫著

（中）外科準純……王肯堂編

（中）瘍科綱要……張山雷著

（中）外科學大綱……許半龍著

（中）外科顧問大全……陸清潔編

（中）瘍科心得集……大東局版

（中）徐批外科正宗……陳實功著徐靈胎批

（西）外科學一夕談……商務版

（未完）

公佈欄

爲據呈請明白規定中醫管理權責辦法以資推進一案參酌建議請鑒核示由

案據四川醫學會等呈稱案奉中央國醫館四川省分館醫字第　號訓令轉奉四川省政府民二字第二四七九二號訓令開爲據四川省國醫分館轉呈醫學會等呈懇不受衛生試驗處管理一案經函准衛生署中字第五五一五號公函復稱查修正中醫審查規則附錄第一條既明定其在已設有衛生行政主管機關之省市則爲其所屬之衛生行政主管機關省已設有衛生試驗處關於中醫審查事項應由該處負責辦理未便另委其他機關管理以紊系統復查同條後半段規定惟辦審查登記時就各該地中醫團體延聘專家五人至九人組設中醫審查委員會負責執行則辦理審查登記之中醫審查委員會委員既屬延聘中醫充任在管理上自無歧視或不公允之處醫學會等所謂各節顯無理由未便准如所請相應復請查照飭知爲荷等由准此合行令仰遵照等因奉此合行轉飭該會等知然等因奉此屬會等經分別召集會議宣佈傳諭惟各會員紛紛發言討論綜合意見僉以國府頒布中醫條例係以中醫具有數千年歷史價值治療效用自古迄今遍於全國維護民族健康關係綦重故對於中醫予以提倡改進之權付內政部及各級官署以實行之任務屬會等深體斯旨方喜中醫經政府提倡之下當必日益發皇光大對於省府所組織之審查委員會無不遵令服從乃衛生署竟以頒行中醫審查規則爲整理中醫之根據無形藉以攫取中醫管理權查是項規則既載有延聘醫團人員三人至九人組織中醫審查會之規定除辦理中醫師之審查登記之消極任務外其對於管理整頓事項之權并未付之中醫人員負責辦理查各級衛生機關之中除臨時性質之中醫審查委員會係中醫外其餘均係西醫對於中醫學術并未求深研了解決不能負積極整理發揚中醫之責用以副國府頒行中醫條例之至意與全國人民健康保障殷殷之期望不過把持權柄消極摧殘以謀阻止中醫之發皇貽誤民族之健康耳屬會等爲中醫前途發揚計爲民族健康計對於衛生署藉中醫審查規則攫取中醫管理權之處絕難承受管理復查吾川人口有七千萬之衆居全國人口六分之一中醫效用普及實多又況向爲產藥之區銷行全國救濟尤廣且現爲民族復興根據地在兼理主席宣示提倡衛生維護民族健康之下關於國有醫藥不限於消極之登記審查即可卸責尤須諳練中醫學術之人積極整理改進絕非不知中醫學術之衛生試驗處所能擔任者用特具文再呈鈞館懇請俯念吾川情形特殊對於中醫藥改進責任關係綦重管理權責應遵照中央頒布中醫條例之意明定辦法轉請中樞鑒核施行是否有當伏乞指令祇遵謹呈等情據此查國府頒布之中醫條例第一條第三條第八條第九條規定審查管理之權均爲內政部及各級官署是政府之官稱既明定各級官署是即授權於各級政府任用中醫人員以整理推行責任之意而吾川國醫藥之亟待整理與整理要點前奉鈞府二九年民二字第三一〇三二號訓令飭議省參議會決議整理國醫藥案中四項推行醫政第一款所列籌設省市縣中醫國藥管理所關於醫師藥師一切行政事宜一節足徵應遵中醫條例確立中醫藥管理權責以司管理責任之意實爲代表民衆一般之所復查該會等所請明定中醫管理權責辦法之處誠爲整理中國醫學之關鍵是根據中醫條例及省參議會代表民衆之要求而請願於鈞府者也若不詳察事實妥定辦法則匪特管理事項無從實施而爭端不休糾紛日烈其於發揚人民健康良非淺鮮鈞館上本中醫條例之

奉旨與承鈞府令轉宗旨並管理權整理中醫之本意及聘採爽特出爲中醫管理權辦法及設置專司負責人員不外兩端一保持衛生行政之統一於衛生行政機關中之各級主腦人員設置正副分別由中西醫人員充任分司管理改進中醫藥衛生事宜之責任二於省市縣政府內組織各級中醫委員會建立中醫管理系統以謀中醫事業之改進二者之中任擇其一對於條例之旨既屬符合并爲全川人民所需要及中醫所要求者也茲據前情用特具文呈請鈞府鑒核示遵謹呈

四川省政府。

征集單方

四川省臨時參議會第四次大會提案

提四字第十五號

提案人　瑞林

連署人　馮若飛　余富庠　董鑄仁　蔣肇成　王伯常

案由：擬請普遍征術醫藥特效單方，以應抗戰需要案。

理由：抗戰時醫藥缺乏，一般所苦，尤以前方爲甚，本席上年於簡方，目睹此項情形，於第一次大會時，曾有籌備前敵醫藥之呼籲，此次黨政軍民慰勞團有北戰場歸來歷次報告，亦有此迫切之請求，但無論中醫西醫，中藥西藥，不僅供不應求，抑且遠不能致，非別籌簡便有效之方，不易辦到，查中國舊傳禁方，每多靈異，且俯拾即得，不待外求，其例不勝枚舉，只緣得者祕不傳授，遂致失傳，以長桑君之於扁，鵲尚慎重如此，追論其他，後世益藏爲專利之具，率設誓持嚴禁訂洩，偶有一二流行於江湖鄉僻間者！亦若聲尤不顯，信者寥寥，若夫驗方新編等書，搜羅宏富，饒有名理，惟終嫌高深於藥劑之製備，亦不復繁重，何如祕傳方藥，謹幾獻驗成功，求之不難，脈之，亦易之爲愈耶。本席以爲倘能廣爲征求，不分中西新舊藥，丈佈之，凡持特效簡便，復利於戰時需要，咄嗟可辦者，即須普遍傳佈，使前方將士及後方民衆，得就地覓求材料，減少無謂犧牲，增加抗戰力量，且使神異醫方，永傳於世，不至如廣陵散之絕於人間，實一舉數得之計也。

辦法：一、由政府委託醫藥協會，及國醫藥學校征求特效藥單方。

二、凡有特效單方，能合戰時需要，及專治旅行或某一季節中常患之危急創傷病症者，皆可應征。

三、征得各特效單方，於覆驗合格時，擬訂酬費，俟換到單方後，即公佈之。

四、各方藥應擇要製備，儘先送給抗戰部隊備用，普通告各地鄉鎮保甲，分別製備，并廣佈之。

四川省政府訓令　民字第三五八一七二號

事由——准參議會函送該會參議員提議征佈醫藥特效單方一案仰遵照辦理由

令中央國醫館四川省分館

案准

四川省臨時參議會參字第一五四二號函送該會參議員瑞林提議，普遍征佈醫藥特效單方，以應抗戰需要決議案，請予參酌施行，等由到府，除函復并分令外，合行抄發原案，令仰該館即便遵照辦理，并將征集單方具報來府，以憑彙辦爲要，此令。

附抄發原案一件

中華民國三十年十月　日

兼理主席　張羣

民政廳長　胡次威

學院園地

三民主義青年團中央團部直屬國醫學院分團青年診療所爲前方將士製藥及救濟後方貧病募捐啟

全國黨政軍各先進及父老昆季諸姑姊妹們：

本團因鑒於後方生活高昂後，貧民將多哀吟牀第無法就醫，同志等爲醫界青年，救病扶傷，責無旁貸，爰於本年三月自捐藥、款，組設青年診療所於省垣外西包包店，救治貧病便利疏散區疾苦同胞，至今九月，多蒙熱心慈善人士及病家捐款幫助，得植初基，（過去捐款早經露佈各報誌及本刊），茲因世界擾攘，外國醫藥救護之協助來源斷絕，前方將士負傷疾苦需藥自亟，診所亦需擴展服務範圍，故特發起募集藥款，便并爲前方將士製藥，惟祈各界人士，撫念前方將士爲全國同胞爭生存，而浴血抗戰，與後方疾苦同胞需治同殷，慨解仁囊，共襄盛舉，抗建前途幸甚，貧民同胞幸甚，謹啓。

附白：如蒙各界人士慨捐藥款，希賜匯交成都興禪寺街國醫學院陳特思，收後給據并登報刊爲誌謝。

茲將目前經募各款除登報外特此露佈

楊俊卿八百元，鄧錫侯潘文華各四百元，余中英馬德齋林海坡各二百元，甘叉男葉仲裕各一百元，李叉斯五十五元，王德豐呂漢才各五十元，徐東仕馨潘廷寬溫聰芳宋受天鄭仕樂卿樹臣何錫銘李榮明藍煥章趙琴芬各三十元，大嫂劉文淑劉沈氏羅澤鈞各二十元，王致禨十三元四，吳禨十二元，趙子宜劉宋氏張永康陳華廷楊天成王國良熊志銘吳丕成高志墈尚志皋各十元，鄭本瀾葉天祥黃自强史俊卿楊述虞朱孟才楊紹翔丁伯僚李森高勒甫粱翔如于裕賓黨文若張直侯朱伯舟張仲芳吳浙銘許逵全黃相臣粱登榮楊智勇傅汝舟傅永楓臧正倫王紹福楊昌傳其湘傅文俊曾子章劉先國以上各五元（未完）

讀者信箱

問

1. 十二經脈之通道各若何？希以現代生理上之名詞示之。
2. 古謂傷寒傳經，是否循一定程序，其原因若何？
3. 表、裏、虛、實內「裏」與「實」是否相同？治此二症者，應從何處著手？

宋禮智 上

答

1. 中醫所謂十二經脈者，不過係體驗人身內部各臟器實質的病變，與表現於外面有關的證候，分成十二個區域和階段，藉以定施治之準則，解剖上實無其物也，倘能明乎此理，則得之矣。
2. 傷寒六經分野，不過就外感病的機轉，表示出他淺深的層次的意思，既有層次，則病勢蔓延，自可循一定程序，由淺入深，由輕至重，不過傳經的遲速，却不一定，總之，現某經之病，即是邪入某經，不必拘於一日定傳一經之說也。
3. 「裏」是對表症而言，「實」是對虛症而言，凡邪之自表傳裏，審其爲裏實者，可下之，若裏未實者，不可下也，故治此二症者，宜在虛實二字上着眼。

趙汝衡君：早泄由於身體虛弱所致，治宜從補益入手，如腎氣丸之類（藥房有成品出售）即治生殖腺衰弱之專藥，惟君之疾病，因診斷不詳，未便確立方藥，可就地延醫診治爲當。

謝良福君：耳內流膿，臭不可當，幸未致礙覺，此爲外聽道之潰瘍，可每日用消毒棉花吸去膿汁，再撒布冰片末少許，一週左右即可全愈。

志誠君：凍傷初起未潰時，治療甚易，下列數方，可任擇其一而試用之，（一）天天用冷水洗擦，繼續一週即可生效。（二）用國藥秦艽研末調香油，或熬膏調和凡士林，再以油紙攤貼之，即覺奇癢，數次即愈。

消息

國醫學院青年團組織鄉村服務隊

三民主義青年團中央直屬國醫學院分團部，組織鄉村服務隊，以醫藥服務，慰問代書，及通俗宣傳爲中心工作，該隊已於十二月十五日午前八時整隊出發，共有隊員二十餘人，至服務區域爲成都附近各縣云。

中國醫師學會在渝舉行四屆年會

（重慶特訊）衛生署中醫委員會同仁發起組織之中國醫師學會成立以來，工作極爲努力。最近在重慶新橋衛生署舉行第四屆年會，除通過重要決議案多件外，並改選張簡齋、高德明、劉還鈞、吳穉仙、蕭性堅五人爲常務理事。陳遜齋、曾義、費宗彝三人爲常務監事。侯燕楫、康昭護、胡光慈、謝鸞熊、何龍舉、趙學淵、熊雨田、蔣治安八人爲理事。時逸人、劉仲興、江龍柏、龔志賢四人爲監事。楊衡軒、何維新、史濟凡、郭震乾、熊尊爵五人爲候補理事。王伯萍、李森普、尹大榮三人爲候補監事。據該會常務理事兼衛生署中醫委員會專員高德明稱：「該會爲增强力量，推廣會務起見，將在各省市設立分會，各縣設立支會，廣徵同志，協力進行。凡曾依法領有中醫證書之醫師，均得申請入會」云云。

中國國醫學會成都市分會文化服務社

大批時病學業已出版

——每部定價玖元——

中國國醫學會成都市分會文化服務社，因鑑於醫學書籍之缺乏，特集資編印各種醫學書籍，茲悉該社第一次編印之時病學業已由日新印刷局印就，內容豐富，用本色報紙十六開印刷，每冊約百五十餘頁，售價國幣玖元云。

成都圖書雜誌審查證審乙字第四一一號

本刊價目

零售每冊五角，預訂半年六冊，二元八角，全年十冊五元，郵費另加二角四分

廣告價目

地位	封面	底面	普通
全面	八十元	七十元	六五元
半面	六五元	六十元	五五元
三分之一	五五元	五十元	四五元
四分之一	四五元	四十元	三十元

附註：本刊廣告係以每期計算長期面議，另有優待。

本刊總務組啓事

茲因物價飛漲，經秋季社員大會議決，各基本社員常年經費，暫增爲四元，除專函通知外，希各社員從速將此費寄繳成都西御西街八十二號愛知治療所黃茂生處，以便繼續享受權利，此啓。

主編：本刊編審委員會
總社址發行處：成都西御西街愛知治療所
推銷處：鐵瓶井街二十四號附一號香港雜誌公司成都分公司　祠堂街東方書社

1958, 9, 1 3.

內政部登記證字五五五六號　中華郵政掛號認爲新聞紙類

醫藥改進月刊

第一卷　第十二期

短評

爲四川國醫學院青年團同志進一言

山葉

近來爲了生活的高昂，一班貧民謀生不暇，自無餘力顧到自己健康。因此內傷呀！外感呀！瘡癬呀！總是在我們這班窮苦同胞身上出氣，若是不幸罹了疾患的話，要想請醫麽？不獨現在醫生請不起，就是吃藥這筆費，也非他們所能負担，所以近來窮苦同胞死亡率特別大，其原因就在這裏，當此國家爭取存亡關須，需要發揮廣大人力之際，我們似不能熟視無覩，尤其是我們醫者更不能聽其自生自滅罷！

四川國藥學院青年團同志諸君，明瞭了對時代本身所負的責任，前此以堅苦卓絕的精神，創設一義務施診所於外西銀桂橋，送醫送藥，貧民稱便自無待言，近又組織巡迴醫療隊，沐風櫛雨不畏艱難，遠征達五縣之廣，治療人數約四百人之多，此種服務精神，算是最有意義與最勇敢，眞令吾人佩服不置；但猶不能已於言者，惜此不過小規模舉動，其救人術總未能及於多數，設使該院青年同志七八十人均願發揮一己之力量，設法將此小規模之施診所，充實爲一更大而完善的青年醫院，不猶愈於今日耶？此非筆者單獨仰望於靑年諸君，因時下社會需要至切而已。有志者事竟成，看青年諸君之最後努力如何耳。

中華民國三十一年二月一日出版

本期要目

本刊總發行處緊要啓事

本刊為便於統計訂戶及預算刊物起見，特將各分發行處及代銷處於十二月底一律撤銷，希今後訂閱諸君，請直函成都總發行處交涉為盼，此啓。（社址：西御街愛知治療所）

中國國醫學會成都市分會擴大徵求會員啓事

啓者本會為研究國醫學理及治療方術以期闡明中國國醫之真髓，并促進國醫界之團結及互助起見特擴大徵求會員凡欲為國醫界奮鬥同志盍興乎來。

登記處：成都西御西街八十二號附三號本會

本刊漲價預告

刻因紙價印工，相繼高漲，較之兩月以前，增高幾達三倍，本刊雖以服務國醫藥為職志，但為維持久遠計，在此種情勢之下，亦不得不將價格略為提高，以資彌補，現決擬自二卷一期（三十一年二月一日）起，實行加價，惟在一卷十二期以前訂閱者，仍照原價收費，以示優待，茲將改訂價目列後，希即注意是幸。

改訂價目：零售每冊九角，預訂半年六冊，五元，全年十二冊九元，郵費在內，香港國外，郵費照加，郵票代洋，九折計算，但以一分至角半者為限。

本刊總務組啓

本刊總務部啓事

茲承釋照玲先生捐洋二元謹此致謝

言論

中醫的前途

彭澤鈞

同志，如果你是關心中醫的前途者，那你安坐瞧一瞧我的推敲吧：

談起中醫問題來，一定使人聯想到和西醫過去對立紛爭的事實，與目前尚未協和合作的惡因，從而担心到中醫的將來，——前途命運的！這，自然各個立場有各個立場的見解，產生如下的一些理想來：

第一中醫將被抹煞消滅的　具此理想者，各方面的人士都有，他們鑒於中醫在行政方面，終是落伍的，醫學表現上大部份中醫是腐敗玄渺，不切合時勢理論的要求的，雖有一部份治療經驗的優點，但有被洋化改精的趨向，故隨時有被抹煞消滅的可能，而可能期以在西醫量的增足時為最大！

其實，被抹煞消滅的事實，是中西醫對立紛爭的結因，也就是自西醫獲得優勢地位而後即開始要了的把戲，結果，只使中醫抗衡，和一些中醫們努力改進，同時還獲得局外者同情。

第二中醫將被天然淘汰說　持此見解者，以西醫為最，而以一般洋化科學家為次，他們以為中醫不合科學，亦即不合時代，中國教育一普及，智識份子加多，社會對醫選擇合理化和政府取締「不合法」的醫生行業與辦理學校下，則中醫自歸於天演淘汰的末路！

此種見解，吾人亦以為是，不過其所被淘汰者，只是中醫中玄說派部份，而決不會有損於科學中醫！

第三復古　倡復古者，純是典型的所謂舊醫，他們在舊的思想系統中獲得一些會心的義理與治療經驗，他們鑒於目前西醫不能代替中醫，事實上幸能治西醫不能治之病來自滿，故慨嘆今不如古，以為挽救方法，只是注重國學，多讀古籍，才能使古人奧義得以發揚，他們也為後學找出很多「哲學的」「氣化的」……等統路子，以為都概瞭了古人「只可意會」之處之後，自然就明瞭科學醫的淺膚，所以他們還在積極的撒佈復古種子，自然，在他們心目中以為這樣繁殖起來，將成一個不可輕侮的陣線！

這當然是冬烘先生只多唸了幾部津津有味的經史子，固步自封，徒驕寶藏，踏古人坐談習性者的夢想，也有些因目前幼孩期的科學尚未能運用到來解釋複合藥物的治療奇蹟，故可妄肆其如簧之舌來鼓動復古，在惟有科學才能救國的思潮中，這當然是將被淘汰的部份，而其還在微動的象徵，只顯示最後的掙扎而已！

第四科學中醫說　這派醞釀於三一七以前，發動於三一七以後，努力謀求中醫問題之解決者，亦以此為主幹，其陣容亦與日俱增。這是適應時代要求的轉捩點。不過當中也有為達其某種目的而發力冒牌的，有以為只把此科學名詞來解釋古典就算完事的，以致分道揚鑣，未相和諧來作整個問題的研討，與未得政府賢明的幫助與指導，故客觀上屬望雖多，成就不大！

就舉此犖犖大者，供吾人從一無偏頗的觀點出發，來探索推究應採的可能徑路，自不難找出中醫的前途究屬誰手來！

這裏讓我們冷靜下來了解一下醫的意義：

醫，古稱仁術，是解脫人類疾苦的應用技能，現代就大的方面講：一則是充任國族健康的保姆，一則又為促進世界文明的要具。據此則醫本應無色彩與軒輊可言，何必因國之間而有中西之別，優劣之不同呢？竊者以為中國醫學，本諸舊遺，海禁開後，舶來物於倚歐風，入主出奴，盡力裨販，未為國害！而兩者間又因各有短長，忌悔以生，因起相拒作用，紛擾不休！以迄於今。或曰：誠然，惟今後兩者短長去取，似應考慮變易，以期揉合為一，以增功能，用符同的，福利國族？這我想只要站在世界文化與國族立場着想，誰也不會反對「不錯」二字吧？那末，又讓我們再搜求各方人士的意見和政府的態度來找中醫該由之途，將達之處吧！

第一科學家的　過去受過科學洗禮的人，幾乎都反對中醫拒服中藥的，到後來他們親眼見過些中醫治療事實，抗戰前後，大大改編了。如人類學家劉咸先生曾於科學第二十一卷二期上寫「介紹中國醫史」一文中有着下列的意見：

「最後，吾人本科學立場，當然贊同西醫之科學治療法，……中國醫理除大部份過於玄妙，不合事理，須絕對加以排斥外，其中究有一部理論並不違背科學原理。……而歷代醫藥著述，復不乏義理之作，蓋本數千年來用人作試驗結果，宜其有若干可寶貴之經驗，不可一概抹煞。所足惜者，中醫知其當然，不知其所以然，而歷代相傳，經庸俗人之附會穿鑿，以致輾轉失真，誠能將過去醫理方術，加以科學整理，吾人相信其中未嘗不可發現若干有用事實，可為未來新醫所採用，蓋醫術固為科學，一半亦為藝術，而最後之試金石，則為能否起死回生，嘗見有危難病症，西醫束手，而中醫往往能挽回之，此種事例，雖不甚多，然為事實則不容否認，即此一點，可以耐人尋味矣，中醫之不能遽爾剷除，以及少數高明中醫，尚為一般人所信仰者，其在斯乎？又西醫傳入中國，亦已百年，無時不與中醫相衝突，然中醫猶能立足者，則必有其可以存在之理由。而一般人之信仰其內科者尤多。又如中國藥為現在生理化學家，藥物學家所最感興趣之研究問題，發明至富，間接證明中醫用藥有不違背科學治療之處。吾人以為中西醫之爭，乃一時之事，倘西醫界能再進一步以醫理、手術、用藥之精深處，說服中醫，則中西醫之爭，可迎刃而解，固可不必利用官府命令，學會勢力，施以壓迫，否則中醫本其數千年傳授之一部分有效經驗，與之抗衡，終無了時，此則吾人於贊成科學醫之餘，希望西醫界有以善處之也。」

「於此又有可預測者，未來之新醫，必為中西醫之合產物，或者中醫所佔成分少，西醫成分多，然必以不違科學原理者近是，西醫之治療固處處以科學為依歸，而中醫之一部份有效良方，與若干經驗，其中亦必有科學學理之存在，兩者皆宜存研究態度，不可互相藐視，否則必兩失之。質言之，醫術無所謂中西，能治人者即勝利，而推陳出新，端在研究，則又事理之所必至也。」（前後略）其他科學家，具有與劉先生同見的當不在少數。

第二科學醫界的 散見於各醫報雜誌有據可查的，在中醫方面（即治病多實用中藥的），如中西醫藥及明日醫藥兩刊主張廢玄說，研究國產藥物與古人治療經驗爲最力，其次要算中醫科學雜刊。至西醫方面（即實用外國藥者），具此主張，向來亦衆，如民生醫藥第二十期家渭君的「從國醫之存廢問題說起」一文後有：「我在這裏謹望：（一）國醫們能拿出學者的態度來：不頑固不拘於一局；（二）西醫們勿以有科學根據而不屑視國醫們。我的口號是：『融合國醫西醫於一爐』。」又二九年十一月二十七日新華日報副刊上吳與先生的抗建中的藥劑問題一文亦曾指出中西醫的應該：「（一）整理中醫的經驗，（二）根據中藥的經驗更進一步走上中藥的科學研究的大路，（三）建設完善的藥物化學實驗室，聘請中西醫藥人材，使互相虛心研究和探討以負起建立新的中國藥物學的使命。……望中西醫的同志們，能本分工合作的精神，團結起來。從實際上去幹，開闢起中國醫學的道路，完成醫藥在抗戰中的緊急任務。」

好了，這足見凡是科學範疇中人的意見是接近的，再來看看政府吧！

抗戰以還，政府亦已因大家認識一致，即進一步予中醫以一個改進機會，如頒中醫專科學校課目表，教部又組設中醫教育委員會附於醫育會中，另一方面協助各醫校研究國藥，這足以看出政府意向是：中醫最多經驗好，有民衆的擁戴歡迎，不能因其理論不科學而廢棄，爲國族健康及經濟命脈計，實有不能不照之理由，而應指示在徬徨歧路的中醫們以正大坦途！惟尚未愜人意的，兩年多來再進一步的，沒有表現，沒有辦一所中醫學校爲中醫事業人士法，及示爲國而謀之積極心。

綜上以觀，可知中醫的前途，已大白於科學化的前題下，中醫惟科學化才有前途，亦惟具科學基識者才能把握中醫的前途，至若泥古不化的守舊派，只自日趨於消聲匿跡，受政府與現代醫界人士所唾棄的。因爲討論中醫的先決問題，業已成爲過去，而尚應過渡的，祇是下列幾個部份：

1．中醫爲體西醫爲副與中醫爲副，西醫爲主的偏向問題。

2．因中醫爲國重視而後的醫育與行政改革問題。

這些問題又必然的解決於（1）有裨益於國民的健康；（2）有補於國家較過去的經濟損失；（3）有貢獻於世界人類，促進世界文化之發展等的前題之下。這是中國醫學必由之路，必達之點，總裁說過：「我們要作一個現代革命者，決不能忘却專衆本位，與忽略科學的精神。」亦可說中醫未走軌道以前，需要革命的亦是應以科學的精神，就專衆本位的需要上着想而實際做去的。如果任人再要問究竟怎樣才能實際達到正軌，趨於光明呢？那我只好轉告魯迅先生說過的話：「路是人走出來的。」不是說說就有了路，同樣，中醫的前途，是中醫們創造出來的，不是說說就得了前途。再如你是一個中醫事業人士，你如果真想心中醫所負使命的艱大，應有迎頭趕上現代醫學的必要的話，那你得趕快振臂一呼，要實行一切既定的好方案（中國一切的問題，好方案都儘有，只欠實行，故少成效。）藉上以促起政府之切實注意，協辦學校，中以聯絡醫界同志，組織一強有力的科學中醫團體，與辦學校，下以教導來益的同志，免他們誤入歧途，而得盡爲真理實力！總到時，中醫的光明前途，必爲你親切的找到！但假如你不盡可能而冒牌改進者的話，前途必因你而只有黑暗，令人不能不懷疑到你別有企圖或你的幹擾了。

「少說」空「話」，「多作」有意義的「事」，同志，如果你是一位實驗室工作的科學家的話，那你快去拿起你的燒杯，礙過你的試管吧！這時已然是中夜的一點過了，陰森的冷氣有些使人，我要睡覺去了！——好在經驗告訴過我，冬傷於寒，春不會病溫的，三四月間我們再作一度紙上談兵的見面吧！

三十二年一月十四日中夜

醫學研究

傷寒論釋義（續一）

鄧紹先

太陽病，發熱，汗出，惡風，脈緩者名中風。

上條既至以頭項强痛惡寒之脈病證，與浮之脈證識病在太陽矣，本條復申明，若於上條病證外，再兼發熱、汗出，惡風症，脈浮而兼緩者，則可知其爲風傷太陽，發熱汗出者，風傷外表之血管之舒張神經，致血管弛緩，血中水分外滲，汗腺開張，欲汗出，血液奔集以謀抵抗，故發熱，惡風者，汗腺開張所致，此與惡寒有別，惡寒爲無風亦寒，惡風則有風始寒也，然則惡風較惡寒爲輕也明矣，凡呼吸脈四至爲緩，此傷風之緩脈，則尙含弛緩之義，以舒張神經，爲風所刺激，致血管弛張之故，夫風四時俱有，未必一感卽病，其能感人卽病者，絕非和風，必爲挾寒而凜冽之風無疑，昔人謂爲風傷衞者，以血管弛張，體溫外泄正衞外之陽氣外泄也。

三陽病，均發熱，細檢之，可別爲惡寒發熱，往來寒熱，身熱，惡熱，潮熱，此五者，均發熱之大綱，其中文有表熱，有外熱，有微熱，是皆發於身外之熱，卽上之所謂身熱也，有裏熱，有煩熱，有瘀熱，有蒸蒸發熱，是皆屬於惡熱，此七者，爲發熱之細目，獨惡寒發熱，往來寒熱爲表，以其兼惡寒也，身熱，惡熱，潮熱爲裏，以其不惡寒也，蓋惡寒發熱者，其熱全在於表，翕翕然者也，是爲太陽，往來寒熱者，其熱在於胸膈之間，使人心煩喜嘔者也，是爲少陽，身熱者，胸腹之常熱也，其熱存於肌膚，使人身重微煩者也，惡熱者，惡如惡寒，惡心之惡，其熱在於分肉，鬱鬱如蒸，炎炎如焚，使人常煩者也，潮熱者，發作有定時，如潮汐之以時來去也，其熱專結於裏時熏於肉，亦能使人煩燥者也。此三者，屬陽明，陽明者，三陽之極，故其熱之及於膚，或肉，或骨，爲其極爲然，三陰之主寒也，尙有表熱，外熱，發熱等，雖然其脈症自與三陽迥別，非沉微細而手足寒甚則無脈，而四肢厥逆，非若三陽之脈浮，一身手足盡溫也，此外熱入血室，似應另爲一目，然而或屬往來寒熱，或屬潮熱，尙有所謂無大熱者，則在五綱之外，大，卽太表之大，非大小之謂，蓋以無表症也，卽指太陽之寒熱而言，他若熱結，結熱，熱實，協熱，合熱，熱越，熱利之類，是皆見於五綱之外焉。

太陽病，或已發熱，或未發熱，必惡寒，體痛，嘔逆，脈陰陽俱緊者，名曰傷寒。

初感於寒，陽鬱不久，故有已未發熱之分，總綱中已言惡寒，本條復言者，見傷寒惡寒之特甚也，營衞之氣，因寒遏而不伸，水毒難於外泄，此體痛之所由來，且太陽之正氣，出入於胸膈，茲以寒阻於外，而出入不利，故嘔逆，管理膚表血管之舒縮神經，獨以收縮神經對低溫之感覺極銳敏，現在神經因寒之刺激而收縮，遂使血管亦緊縮，令脈呈轉索切繩之急切象，陰陽者，合尺寸浮沉而言也，總之本條病症，因皮膚緻密而緊張，致汗不出而膚表之排泄機能被阻，水毒不得外泄而內迫使然也，凡見此等脈症者，可必其爲寒邪所傷也。

嘔吐一症，條文中凡三十六見，而大端不外寒熱之別，熱之所以致嘔吐者，以水毒或及於胃，或逼於胃，或素心下有水氣，爲彼所激，此爲外使之然，寒之致嘔吐亦然，不過自內使然，惟熱則脈浮，卽不浮亦不得爲沉，寒則脈必沉，縱至細微，固不得爲浮，

（未完）

斑疹傷寒與猩紅熱

淳甫

引緒第一

斑疹傷寒與猩紅熱習有發斑之傾向，而具傳染之性質，前人著述，又復混同，致使後學者，疑竇孔多，分辨無從，不知斑疹傷寒，即吳又可所論，猩紅熱乃師愚所明，病源不同，治法自殊，邪中有清濁之異，斯藥宜有涼下之別也，王學權重慶堂隨筆有云：「吳又可治疫主大黃，蓋所論濕溫爲病，濕爲地氣，即仲聖所云濁邪中下之疫，濁邪乃有形之濕穢，故宜下而不宜清，余師愚治疫主石膏，蓋所論者暑熱爲病，暑爲天氣，即仲聖清邪中上之疫，清邪乃無形之燥火，故宜清而不宜下，二公皆卓識，可論治疫兩大法門」，斯言也，雖籠統而論，略察病由，然疫有清濁，症有寒熱，其治法固各殊途也，

欲明疫症之界說，雖知疫字之定義，許氏說文云：「疫，皆民病也」，劉氏釋名云：「疫役也」，以其病之傳來，患都相同，與行役頗覺類似，所謂「五疫之至，皆相傳染，無間大小，病狀相似」者也，（素問刺法篇）古代民智未啓，防疫無方，固傳染病之來也，大氐皆任其所之，盡其病也，無遏止之可能，惟託天行，或諉鬼祟而已，「家家有僵尸之痛，室室有號泣之哀」，（借用曹植語）其慘狀固有目不忍覩者，然侵襲繁賾，受禍綦深，則思有以制之，仲景悲宗族淪喪，橫夭莫救，咸由傷寒之致命，於是勤求古訓，而有卒病論之作，疫病端倪，略已得啓，王燾秘要傷寒門著八家之說，從事研討，蓋亦日衆，而屬蘇僵流金散并明預防之溢，可知事此舉之不乏人矣，夫病之能傳染者甚多，固不止于傷寒也，徒執一法以御萬變，自有掣肘之虞，固施寒用熱治，法因隨宜而有殊，入主出奴，是非因異地而有判，溯其原因，未始不由難明各病之眞象，徒執是字以自印也，譬如吳又可氏所遇者，斑疹傷寒也，與傷寒似疫而實非，而云以傷寒治之，不效，乃推究病原，參諸醫案，著爲疫論，余師愚不知已所發見者爲猩紅熱，亦云熱傷寒法以治疫，焉有不死，賢者如此，其他自可不問也，因傷寒定義，本有廣狹，（謝利恒醫學源流論有說）病源方面，未嘗定準，故投劑楚撻，遂有寒溫之別，而疫症界說，復多寒熱之名，魔障重重，益增後人之茅塞，徐洄溪有言，治一病必有一病之方，疫病未嘗不如是也，天花與痲疹不同，霍亂與痢疾自別，前人立法，實已臻善，浪引古說，不加揀擇，與南轅北轍者，又何殊，而徒疫字以爲說者，亦忽焉於不加細察，用以自圖者耶，疫有寒溫之名，不過究其病勢之進退，急慢，或盛衰，以亦治療大略，以其能傳染也，故謂之疫，以其病情有異，故復加寒溫以區之，乃相對之名，而非絕對之辭也，甚者不惟不推求厥原，而復更以運氣之說應之，升降之論文之，霍亂未至虛脫，而乃投以四逆，濕溫，已多汗，而復刼以麻桂，吁，仁人之術，安知不爲殺人之技也耶，夫寒溫之說，本不可泥也，疫症尤爲不可，朝承氣而晚桂附者有之，晨辛溫而夕寒涼者有之，一病也，已有緩急之殊，寒熱之異，此末期霍亂，腸穿孔之傷寒，所以皆假强心劑以奏興奮之效也，治病貴於圓通，臨證當求活潑，不可稍稍拘執，則溫疫寒疫等名仍之，以備一說可耳，

固非施治經對準則也。

西說之傳染病，有以系統分類者，尚可差强人意，（此說，單以急性者而言慢性如梅毒肺癆等不在茲例但其術亦微）如傷寒霍亂痢疾之歸於消化器，白喉之列於呼吸器，腦脊髓膜炎等之屬諸神經系，動物爲媒之脾脫疽，昆蟲介紹之瘧疾熱，發疹性之痘瘡，創傷性之破傷風等是也，按證而求，於鑑別上不無最大之裨益，庶乎籠統弊端，得以稍免，又有所謂法定傳染病者，蓋其病毒力量，傳染甚鉅，一經流行，每有不可收拾之勢，故政府時加注意防止傳播，茲據衛生部所定者記之如次：

一、傷寒或類傷寒　二、斑疹傷寒　三、赤痢
四、天花　五、鼠疫　六、霍亂
七、白喉　八、流行性腦春髓膜炎　九、猩紅熱

右列九種凡屬於神經系者一消化系者三，呼吸系一，發疹性者三，創傷性者一，蓋傳染諸病，其中有來勢不烈，爲害不劇，或傳佈不廣，限於某部及必隨某種特殊之情況者，故尚無妨於民生，不似九者之毒厲耳，吾國古代所流行之大疫，大都屬於此類，茲編所論，則爲發疹性之斑疹傷寒，與猩紅熱二者，天花得種痘之法，預防有方，故不備錄，其他各病，俟諸暇時續之可。

茲將余所記紂語弟卷中論引載如下以作本篇之殿。

「傷寒得陸氏今釋而略備，陸氏本長漢學，而兼具科學頭腦者，故其說協合，溫熱則應用此法治之者鮮，錫璜串解，頗病牽强，難語匯通之奧，余擬將條辨一書，詳爲考訂，參前哲之優長，捨西說之新論，如發斑兼明斑疹傷寒與猩紅熱之治療異同，發痙條則以腦脊髓膜炎諸說補之，未備之鼠疫白喉霍亂等，亦可隨宜選入……」。

此志也，余蓄盡久，是編之作，亦椎輪之意云爾。

論因第二

疾患與生理正常現象，本爲對待之稱，故病理即屬生理之反面，吾人體軀何因而病，吾人機能原何而變，必有所以致之者，三因之說，肇見於金匱，而倡明於陳言，爲我國言病理者之先聲，其中內外二因，尤爲要點所在，外因者，感於六淫，內因者，中於七情，換言之，即外邪侵入體內，與體素本身機能之病變而已，傳染病雖由外因，然其連環性，確有最大之關係，在今將新舊諸說，比較如下。

1.古說敍要　傳染病因，古說可分爲二，即鬼祟說與厲氣說是也，陳邦賢云：「關於傳染病的原因，在秦以前，大都說是鬼神作祟，所以用儺逐疫，秦漢以後，學者發見傳染病與季節有相當關係，因爲認氣候不正，是傳染病原因，於是有癘氣說」，（醫學史）古代民晴渾噩，智理有限，認爲疾病之來，必有致者，尤其傳染諸病，所患悉同，流行甚是，更足與懼畏，此天行疫鬼之說，所以深中人心也，考之古籍，如周官占夢云：「季冬遂令始難，（按即儺也）毆疫」，又方相氏狂夫四人掌蒙熊皮，黃金四目，玄衣先裳，執戈揚盾，帥百隸而時難以索室毆疫」，他如月令呂覽諸書，皆有大難記載，可想古代對於鬼祟之說，信乎實深，其逐一禮，尤爲出之鄭重，以爲時移節換，氣候有還，厲鬼因隨而爲患，故禮月令季春注曰「陰寒至此不止，害將及人，所以及人者，陰氣右行，此月之中，日行歷昴，昴有大陵積尸之氣，氣佚則厲鬼隨出行」，此等思想，固甚幼稚，然於不可思議中求解，則應有若斯幻想也，逮後則想其說不可信，（未完）

藥學研究

麥芽

余仲權

產地：係用大麥培養，各地皆產。

成份：含澱粉，維他命，糖化酵素（Diastase）

效能：健胃消食，滋養。用量三・〇—四・〇錢。

藥理：除澱粉為人身不可缺少之養料外，維他命等尤為吾人不可一日缺乏之要素，且發芽時所生之糖化酵素，能使含澱粉之食物易於消化，故有健胃之功，消化既得正常，則營養不起障礙，一切皆得以康復矣，故云其有滋養之力也。

配合：妊娠欲去胎者，用麥芽一升，蜜一升服之即下（外台祕要方）；產後便祕者，不可妄攻，宜麥芽炒黃為末，每次沸湯下三・〇，與粥間服（婦人良方）。

禁忌：凡虛而無積者勿用。

參考：處方名麥芽

△英美以麥芽作潤劑及養生，配麥芽膏用之，其處方以大麥芽粗末一〇〇・〇水四〇〇・〇以八六—一三〇度之溫度煮一小時，過濾，再以一三〇度蒸之成膏，每服一・〇—四・〇

△黃勞逸氏云：本品能令澱粉起加水分解，而生糊精與麥芽糖，更可使麥芽糖分解而為葡萄糖，其反應如下

$3(C_6H_{10}O_5)_n+NH_2O=NC_6H_{10}O_5+NC_{12}H_{22}O_{11}$

$(11)_nC_{12}H_{22}O_{11}+_nH_2O=_nC_6H_{12}O_6$

凡食米麥等食物不易消化時，由於胃腸缺乏之澱粉酶的作用所致，故可用麥芽治之。

桔梗

產地：本品產安慶古城山

形態：本品色白有蘆，切之心起菊花，屬桔梗科

性味：辛，微溫，無毒。

成份：日人松田幾義，梅澤，及大鹿諸氏之研究結果，謂本品含有 Kakyosaponin 分子式為 $C_{29}H_{40}O_{11}$

效能：本經治胸脇痛如刀刺，腹滿，腸鳴幽幽，驚恐悸氣，經張仲景氏實驗，主治濁唾腫膿，兼治咽喉痛，常用以散寒祛痰，鎮咳治喘，并治肺結核，肋膜炎，用量〇・八—三・〇錢。

藥理：本品由腸吸收入血，循行全身，能使其排泄作用加強，使廢液得以外洩，又能使氣管之分泌加多，痰濁遂易於咳出，所謂祛痰是也，他如喘咳之因痰而生者，服此卽可以制止。至本經所舉各症，多源於廢液之充斥，肋膜炎亦不免有漿液之停留，故本品皆能治之也。

配合：治牙疳臭爛，用桔梗茴香等分燒研敷之（衛生簡易方）；治鼻衄，桔梗為末，加犀角末日服四次，（普濟方）。

禁忌：凡陰虛火逆，及風寒痺肺者勿用。

參考：處方名苦桔梗。

△袁淑範云：桔梗為祛痰鎮咳要藥，用於呼吸系及神經系病。亦可用以代參以作強壯劑。

△日本用作強壯劑，每用二—六瓦。

△平板務豪云：桔梗與遠志有同樣之效，其中含有沙波

霽，藥劑師清水如氏曾提出其中成份研究之，定其名曰普利企靈。

△黃勞邈氏云：本品主要作用為溶解赤血球，日人大鹿氏在日京醫太藥物室研究結果，謂其溶血作用大於遠志二倍，能使氣管分泌增加，助痰之咳出。其適應症如流行性感冒，肺結核，百日咳，哮喘與所起之技氣管炎而痰不易出者，皆有效。

成藥單方

消炎膏

景星

—驗方之一—

原料：廣丹四〇·〇樟腦一〇·〇鉛粉一五·〇松香一五·〇黃臘二〇·〇豬油一四〇·〇

製法：先將豬油熬好去滓，納黃臘及松香，待溶化後，若有不純雜質即除去之，乃將鉛粉廣丹放入，徐徐撒放，一面不停攪拌，直至醫液泡沫上昇，方去火源，但攪拌仍不可稍停，至冷至攝氏三〇度左右，此時將樟腦徐徐加入，攪和至極勻，候冷凝時即成。

效能：消炎，殺菌，治一切熱性瘡瘍。

藥理：膏內廣丹為氧化鉛 Red Lead Pb_3O_4 有殺菌之功，因此遂能保護肉芽之生長，且促進新陳代謝，鉛粉為炭酸鉛 Lead Carbonate $PbCO_4 \cdot Pb(OH)_2$ 亦具殺菌之功

用，樟腦 Camphor $C_{10}H_{16}O$ 香竄揮發，富於興奮，既能興奮細胞使之活躍，又能殺滅為害之細菌，且令血液暢行，使廢物毒素得以得洩；至於豬油為副型藥，且有潤澤皮膚，及幫助藥品易被吸收之功；松香黃臘，能使藥物粘著不致脫落，且具有保護之力。

按：本方為羅春舫先生之驗方，李又斯君得此，曾濟人不鮮，余受教於李君，多次應用，亦不爽效，惟製煉若不得當，則或硬或軟，均不便於用，余曾以此製成者配入凡士林三〇%應用時較為便利，因不願守祕，錄此以供同仁之採用。

食積的聖藥

景星

用大蘿蔔一個，嵌入巴豆七粒，以之懸屋簷下，任其開花結實，取其種子服之，治食積確有殊效。

又方，以雞內金（即雞膍子壳）一個，炮之使焦，研細和紅糖作丸服之，少頃噫氣數聲，其積遂消矣。

凍瘡神效膏

景星

用秦艽煮汁，濾後，取濾液濃縮之，至成糖漿樣為度，和以凡士林，均配成下列之比例，凡一切凍瘡未潰者，莫不應效，其配法比例如次：

秦艽膏 三〇·〇

凡士林 七〇·〇

經方研究

四逆十一方合論

劉鉄崧

夫傷寒之邪，傳入三陰之經，至於手足厥逆，脈微欲絕之際，其人身中，只餘一綫之殘陽，難敵彌漫之濁陰，若不急以大辛大温之品，挽殘局於萬一，作背城一戰之計，而其人尚有生理者乎，所以四逆湯用乾姜，味辛氣温，散中焦之寒，以通陽氣，附子辛温有毒，能温下焦之寒，以回其陽氣，用甘草以交通上下，調濟水火，其下利清谷，惡寒厥逆諸症，焉有不愈者乎，然甘草既有調濟水火之功，於乾姜附子湯，白通湯，白通加猪胆汁三方，減去此味，只用姜附者何也，蓋回陽在急，乃孤注一擲之時也，故不得再用甘草以緩姜附之性，難建殊功也，是以晝日煩燥不得眠，夜而安靜，脈沉而微者，姜附湯主之，至若少陰下利，則專主以白通湯，用姜附辛烈之品，俾便陽氣速返，猶恐二味力有未逮，故再加葱白以通其陽，若服白通湯後，而反厥逆無脈者，則必須加猪胆汁及人尿，蓋利用大苦鹹寒之品，冀同類相感，引姜附之力以達其任務也，既云甘草能緩姜附之功，而通脈四逆仍用之者，其義何居，須知面赤如醉，乃孤陽外越，所謂戴陽之症，及兼汗出而厥，陽有立亡之象，此時不得不用甘草以調燮陰陽，若徒恃勇將猛功，必致瓦解之勢也，至通脈四逆加猪胆汁者，即可類而推之，其四逆加人參，乃治下利，利雖止而津液已亡，加人參補氣以生津也，四逆加茯苓湯，治汗下後，病仍不解而煩燥，故不特加人參以生津，更須加茯苓以降其氣，以除煩滿也，至四逆散方中用枳柴芍草等疏邪通氣之品，并無辛温散寒之輩，仍存四逆之名，其理安在，要知四逆散所治之症，乃邪傳少陰之熱邪，故泄利下重，外兼欲悸腹痛等症，此四肢厥逆者，手不過肘，足不過膝，乃少陰之樞輸不利，不若寒厥脈微等純陰之症，故用此四味以分其上下之機，助其轉輸之能，再隨症加減之可也，當歸四逆湯仍有四逆之名，又何也，本太陽傳經之邪，表症未罷，陽氣已虛，故亦手足厥逆，脈微欲絕也，其加吳茱萸生姜者，取其散寒尤速，以治久寒也，合數方而觀之，四逆之名則一，用藥寒熱却異，而治病亦迥別，大相逕庭之處，苟能細心討論，研究至理，自不貽南轅北轍之譏矣。

理中九方合論

理中湯者，仲景用之治霍亂之多寒者也，然余謂凡中焦之有寒邪爲患者均宜之，以中焦之氣一通，而上下之陰陽遂和，升降得序也，按霍亂之病，總因寒熱不和，陰陽格拒而成，況多寒者陽氣必虛，勢所必然也，故方中用姜朮之辛以壯其陽，參草之甘以和其陰，上下交通，水火得濟，寒多而吐利者，其有不愈者乎，至眞武湯乃治太陽病重汗之後，心液乾枯，而陽氣虛浮，腎水上泛，以致發熱心下悸，頭眩身瞤動，欲擗地者，用附子辛熱以壯腎之陽，以鎮水逆，白朮燥濕崇土，以治水泛，生姜之宣散，茯苓之淡滲，兼芍藥之苦降酸斂，以收散漫之陽仍歸於腎，於是水有所主，不致泛濫而爲害矣，其茯苓桂枝白朮甘草湯，亦治吐下後，腎陽一虛，失司水之權，故頭眩心悸諸症，與眞武湯之症相同，而立法亦彷眞武之意，不外鎮腎氣痛治水逆也，附子湯之治身痛骨節疼者，以附子益腎中之陽，並驅寒濕，白朮燥中焦之濕，助心陽下交於腎，合人參芍藥濟附子改逆暴，茯苓開淡滲除濕，俾中土健運，使交通心腎之氣也。甘草附子湯治風濕相搏，骨節疼痛，惡風等症，此乃風淫於表，濕留關節，故用桂枝以驅風，白朮燥其濕，加甘草以緩而行之也，若驅之太急，恐風氣去而濕氣留，反遺後患也，其桂枝附子湯，及桂枝去桂加白朮二方，皆有風濕相搏，身體疼煩之症，若脈浮而濇，乃內外之陽已虛，用桂枝附子以回陽却濕也，而若大便硬，小便自利，乃腸胃津已耗，用桂枝去桂加白朮以補土生津也，至芍藥甘草附子湯，治發汗後不特病不解，而反惡寒者，乃表症未罷，腎陽復虛，故用芍藥甘草附子，兼調和陰陽之法也，桂枝人參湯，乃表裏兩解之方也，因表症未罷而數下之，遂成協熱下利不止，心下痞鞕之症，故用桂枝以解中土之表邪，參朮姜草以溫陷下之裏邪，然協熱下利，本應苦寒下瀉之劑，以去其熱，而反用溫裏之藥者，蓋以其數下之後，必有痞症可慮而後用之，此又仲聖言外之意也，凡讀書能於無字處注意之，斯爲善讀書者也。

炙甘草湯黃連阿膠湯二方合論

炙甘草湯，治傷寒脈結代，心動悸之方也，按遲時一止，與乎動而中止，不能自還之結代脉，皆由血虛不能循環，而失其常度也明矣，其動悸之症，爲血液虛少，不能養心所致，此更不待辨者。○炙甘草湯方中之人參地黃阿膠棗仁麥冬甘草等味，固爲養陰之品，然又用生姜桂枝二味，豈生姜桂枝亦爲養陰之藥哉，蓋本內經孤陰不生，獨陽不長之意，故補陰之中，不得不用辛甘之品以化其陽，使陰陽調和，而血得以營養於內，充行脈絡，於是結代之脉可復，動悸之症可愈也。至於黃連阿膠湯，乃治少陰傳經之熱邪，方中只用芩連苦寒以瀉熱，用雞子黃阿膠芍藥英甘寒微酸以養陰，考之論云，少陰病得之二三日以上，心中煩不得臥者此方主之，又按少陰病以但欲寐爲提綱，則此症之心悸，以致不得眠者，可知心陽亢於上，而腎陰竭於下，上下相隔，而火自爲火，水自爲水，其有不心煩失眠者乎，故用芩連瀉心下之熱，雞子黃補離中之虛，又以苦平之芍藥降其氣以入腎，阿膠以養坎中之精水，使上濟而交於心，坎離得交，則心不煩而得臥也，此仲聖探造化之機，窮陰陽之理，於補陰之中，必兼用化陽之品，使陰陽有互生之機，可見經方有出神入化之妙矣。

长篇专著

實用處方學（續）

徐庶遙

主治　吐血不止，面赤，脈沉實而滑者。

病解　胃熱太甚，迫血妄行，致衝破胃之微細血管而溢血。熱邪鼓盪於內，故脈亦沉實，然吐血必分肺胃，肺血鮮紅而輕有泡沫，且咳嗽，不如胃血暗紅而重也。

藥味　大黃　黃連　黃芩

方解　三味俱係苦寒之品，而黃連瀉火兼能收縮腸胃之血管，黃芩入血，能減退組織細胞之氣化機能，以阻止濕熱之增高，大黃瀉下以逐腸胃之積滯，且可去瘀。

（二）

處方　十灰散

主治　吐血不止，脈雖有力，但較前證稍輕者。

病解　脈實有力則血中之熱非大瀉其火，難歸平熄，故用瀉心湯治之，以示不稍姑息之意，今脈雖有力不如前此之甚，當以不用過事苦寒之藥以克伐胃氣為佳。

藥味　大薊　小薊　茅根　樓皮　側柏　大黃　丹皮　荷葉　茜草　梔子

方解　右藥燒存性為末，鋪地出火氣，童便酒水隨引。血在人身最為重要，倘出血過三分之一以上者，均能令人虛脫，無怪唐容川氏於其血證論上首重止血也，本方均屬瀉熱去瘀止血之品，而燒炭存性，大半有收縮血管之功，不獨吐血可用，即衄血（吹鼻）刃傷均可用也。

（三）

處方　逍遙散

主治　肝有鬱熱，頻頻失血，脈弦而滑者。

病解　失血不止，脈弦而滑，肝之鬱熱顯然，熱鬱則邪火內迫衝破血管矣。

藥味　柴胡　當歸　白芍　白朮　茯苓　甘草　薄荷　煨薑　丹皮　梔子

方解　梔子丹皮清熱，當歸白芍滋血，薄荷透鬱熱以外出，白朮茯苓甘草，補胃以開血之來源，煨薑溫散鬱結之血，柴胡通達淋巴，使血管中既失之血，淋巴液得以補充。

咳血

（一）

處方　清燥救肺湯。

主治　乾咳無痰，咳久即有血隨出。

病解　肺臟蓄熱，薰灼氣管支而發咳，咳久絡破血遂隨出。

藥味　人參　甘草　芝麻　石膏　阿膠　杏仁　麥冬　枇杷葉　桑葉

方解　芝麻麥冬人參生津潤燥，枇杷葉桑葉消氣管支之熱，杏仁鎮咳，石膏瀉肺熱，阿膠生血修補血管壁。

（二）

處方　瓊玉膏

主治　失血過後，久咳不止。

病解　失血過後，肺陰已傷。於是肺氣愈燥，支氣管受其刺激，肺臟不得清寧，故久嗽不止。

藥味　生地　白蜜　人參　茯苓

方解　法用生地先搗為汁，與白蜜和合入磁瓶內，再將人參茯苓為末，和入蜜中，煮三晝夜，懸井中一晝夜取起。（未完）

雜俎

西譯中醫典籍略考(續完)

(十四)本草綱目

譯者——吳國人伊博思氏

時間——民國十八年

地點——平北

附註：此書共計五十二卷，九十六部，共六十二類已譯者共計三九卷，從卷一至卷二節譯，卷八至三七、卷四二及卷四七至卷五二全譯，王吉民醫師著有「英譯本草綱目考」敘說詳盡。刊於「中華醫學雜誌」第二一卷第一〇期民國二四年一〇月出版，伊氏專事考查植物學在吳時發現中國藥用植物種類至多奏效至速，如哥倫布發現新大陸遂專意赴華考查，欣然就道，旋至北平遇華人劉汝强君任職北平博物試驗所廣徵中國藥材，得本草綱目一書驚為世界珍寶乃與劉君譯為英文曰：藥學植物於民國十八年刊行由朱啓鈐作序。——見中國藥學大辭典

(十五)醫宗金鑑

譯者：英國人馬爾氏(W. R. Morse)

時間：一九三六年任華西大學醫牙學院院長時

地點：成都華西壩

附註：此書共計七十四卷，馬氏僅譯外科至十六卷。

(十六)達生篇(二卷清韓齊居士著)

譯者：馬士敦醫師(J. P. Maxwell)

時間：公元一九二三年

地點：美國醫史雜誌第五卷三期

附註：此書係馬士敦同劉醫師同譯，僅選其中各要論翻譯，馬氏曾任北平協和醫學院醫師。(未完)

小兒痘痳係屬榮衛先天免疫性病論治

羅超羣

第一章　總論

小兒初離母體，卑獨生存，其生理機構，尚不完善，故於防禦病原之外襲，亦不周密，必經痘瘡麻疹之後，體工的防衛能力，才漸漸充實，則痘痳為先天免疫性病，無可疑議，今必論痘瘡係屬小兒衛分的先天免疫性病，麻疹係小兒榮分的先天免疫性病，蓋於此中辨涇渭，求其分治之法也。

第二章　榮衛直解

第一節　榮衛的認識

榮衛是吾人生理機能所表現出來的抗毒作用，分抵抗性與綜合性兩種，屬於抵抗性的稱曰榮，屬於綜合性的稱曰衛，例如某病原刺戟某部，某部即起紅熱腫痛，機能障碍之證，久之又由漸而消失；因為即起之證，就是抵抗作用包圍病灶，命曰榮；漸釋之證，即是綜合作用以掃除病原，命曰衛，又如：傷寒發熱，是榮的抵抗作用；繼之以汗解，是衛的綜合作用。在此不特認識榮衛的單獨作用，而且要注意在榮衛的聯繫作用，並注意榮衛在生理上是分不出界限的，故統稱曰生理機能。

(未完)

大衆醫藥

當心你的耳朵！

仲權

青年診療所裏，每天幾乎都有一二位耳朵不好的來求治，問其原因，不是由於挖傷，便是誤入水液……總之，都由於不知講究耳朵衛生所致，因此便引起了我寫這段文字的念頭，現在分幾段述明耳的衛生，耳的疾病和治法額要的寫在後面——

第一段　耳朵的衛生

我們的聽覺器官雖然是以內耳爲最重要，可是它深藏在顳顬骨的深部，不易受到外來的刺戟或損傷，所以疾病也比較少些，至於耳翼，外聽道及鼓膜部不同，因爲與外界接近的機會太多，就容易受到外傷或細菌的侵襲，此外鼓室或歐氏管也常常有細菌從口腔或鼻腔侵襲進去而惹起疾病，譬如傳染性的傷寒，痳疹，流行性感冒，猩紅熱等，或鼻粘膜炎，咽粘膜炎等，常常合誘起鼓室內發炎，這就是常見的中耳炎，耳朵既有這許多危機，因此，我們對於它的衛生，當然要切實的講求，才能避免疾病的發生，現在未寫到耳朵疾病治法之先，要把重要的衛生方法，條列如下：

（一）氣候的注意：在朔風凜冽的「還寒時候」，或氣候變動不常的當兒，亟應注意體溫的保護，不要毫不經心，致生感冒而誘起中耳炎，這是全身的保護，除此以外，局部的保護尤其重要，最好在氣候異常時，用脫脂棉塞住外聽道。

（二）沐浴的注意：當沐浴或洗頭時，假如有水進了耳內，須即用乾布或棉花將水吸擦乾淨，最好預先注意勿使水流入耳內，這在小兒沐浴時尤爲重要，因爲小孩皮膚薄弱，極易糜爛，而且有時會因耳疾病而惹起濕疹及其他疾病。

（未完）

學院園地

國醫學院青年團鄉村服務隊的花絮

仲權

三民主義青年團中央團部直屬國醫學院分團，成立以來，各部負責同志，對工作十分熱心，全體同志，亦極活躍，本團因鑒於鄉村廣大羣衆，亟待宣慰，遂發起組織鄉村服務隊，以宣傳，慰問，代書，醫藥服務三項爲工作中心，於三十年十二月十五日由成都出發，經新都、新繁、郫縣、温江、雙流等五縣，於二十五日安返成都，茲將本隊服務經過摘誌如次：

我們的陣容！ 本隊的組織如下：隊長余仲權，總務組長唐伯樞，宣傳組長趙耘農，慰問代書組長王政，醫藥組長陳昌倫，隊員丁伯僚，陳德芬，顧大超，王宗清，李克明，曾蓉豐，我們因爲人數太少，除丁隊員是聽用外，各組組長有時候亦得要當一當聽用的。

女英雄男處女 本隊於十五日由成都出發，在將軍碑（離市十五里）午飯後，即繼續前進，女同志顧大超，綽號團長，短胖精幹，走起路來，確稱能手，每次出發，她總是先頭部隊，一直到返蓉，還保持着她那打前站的威風，所以人都稱她女英雄；還有一位男同志，他剛走出北門口（成都市）便喊脚板痛得很，等到走攏新都縣（四十華里），他已弄得一跛一跛的了，的確，一個很少走過長路的人，初次的鍛鍊，實在也是很老火的，這位同志便上了這個當，所以人都叫他做處女。

唐吵吵曾吹吹 還有要給大家介紹的兩位同志，便是總務組長唐同志，和他的一個助手曾同志，從出發到返蓉，每天三餐，組長都要和跑堂的撥嘴巴勁，因爲他的話比較多，都叫他是唐吵吵；曾同志呢，一出發便傷了風，鼻子老是不通，白天大家東跑西跑到不覺得，一到晚上更深人靜的時候，他那一雙不大通暢的鼻孔，便發出悠揚的聲音來，弄得大家不好入夢，於是便贈他一個徽號叫「曾吹吹」！

小女兒和么舅 最後還要介紹的人物是小女兒王同志，和么舅趙同志，王女士是一位天眞活潑的女郎，聲音清脆，唱得幾首動聽的歌曲，因此便成了本隊的要角，宣傳方面尤其是不可缺少，趙同志便負着宣傳組長的責任，自然是要與她切取連絡，不知怎樣這小女會提起她的宜山老是姓趙，於是便要宣傳組長做么舅，趙同志不便推却，於是便以老輩子自居，因此他的宣傳工作也得以圓滿的完成任務，雙流縣便是小女的故鄉，所以到了那裏（本隊最後的服務地點），他們親戚講得十分熱鬧，簡直弄假成眞了。

上面這一段開場白，似乎太沒意義了，我是要想借此寫寫生活的實況，也不得不先有這樣一個開端，現在來把我們十幾天的工作經過，簡要的寫在下面：

……新都的服務……。我們因爲是步行，同時要候着笨重行緩的行李車，所以到新都時，已是午後四時了，廣即拜謁縣長請予代覓住地，一面又到各機關法團請予邦助，這裏的住地實在困難，經縣府數度往返，乃指定吉祥旅店，房租當由縣長負担，這天爲了住的問題，便把時間虛度了，十六日才展開各組工作，茲將各組工作分述於次：

一、醫藥服務　十六日午前八時，由陳昌倫，王政，陳德芬，

李克明各同志負責，在第四民衆茶園展開工作，至十二時止，其治療三十七人，其科別統計如下

外科	二二人
內科	一二人
種痘	三人
合計	三七人

二、宣傳　午前八時，由趙耘農，丁伯僚，王宗清，唐伯樞，曾裕豐，顧大超各同志出發宣傳，因與歌詠配合，且是日適逢趕集，故聽者共在五千人以上。

三、慰問代書　因見出征家屬門上皆有榮譽牌號，故本日午後一時半即全體出發按戶慰問代書，并爲治病種痘，因此費時太多，故至六時，僅工作全城三分之一，次日即須向新繁出發，只好以此次失敗作爲下次之借鏡。

四、其他　在這裏工作的結果雖不怎樣圓滿，到也不算有過失，這裏的國醫有一個支舘的組織，但是實際上不知誰負其責，我曾經拜訪過一翻五次，結果是莫明究竟，於此可見此地國醫團結一般，又在這兒舉行了兩次隊務會議。

……………。十七日的晨早，我們便從新都向新繁出發，沿途無話，到目的地已是午後一時了，因爲縣長出巡未返，便找縣黨部設法住地，當歡迎本隊……新繁的服務……。

出黨部會客大廳，并爲女同志特備一室，以示優待，晚間陳書記長并邀請當地黨團同志十餘人舉行茶話，黨團同志，歡集一堂，十分親愛，這裏的工作，除了當天張貼標語外，當天午后三時，曾請託中城鎮公所代爲召集出征軍人家屬，由全體同志屆時到鎮公所舉行

一、慰問代書　共到有家屬七十九人，我們首先宣布這次到各

縣服務任務之後，即由同志十一人分組與各家屬個別談話，每人都持着自己的筆記簿和鋼筆，把各人所詢得的結果，記錄下來，以作工作的準繩。

二、醫藥服務　這裏的病人甚多，尤以皮膚病爲甚，可見此地衛生行政之欠缺，本組從八時至十二時，共治八十一人，其統計數字如下

外科	四六人
內科	二八人
種痘	七人
合計	八一人

三、宣傳　在這裏宣傳的方式，也是如上次一樣的，但以非當趕集之期，聽衆較少，總計不過三千人。

四、其他　此地工作，因有新都的經驗和失敗，比較上進步了些，這裏國醫支舘尚未成立，自然說不上團結，本院畢業同學住此者尚有八人在，曾於十八日晚歡宴本隊全體同志，同學相見，自然分外高興。

……………。十九號的早上，由郫縣出發，十二時到達郫縣……郫縣的服務……，住縣黨部大樓，因爲時間尙早，所以仍請郫筒鎮代爲召集各出征軍人家屬，於是日午後四時在該鎮舉行

一、慰問代書　因通知方式尙未妥善，故到者僅二十餘戶，旋即開始工作，許多因知道較遲，故次日前來請託代書，及其他邦助者尤多。

二、醫藥服務　二十日的上午，在縣政府側茶園展開工作，至十二時止，共治五十七人，統計如下

三、宣傳　本日又當趕集，本組收獲較大，各處聽講者，總計不下六千人。

外科	四〇人
內科	一一人
種痘	六人
合計	五七人

四、其他　工作與己往相若，此地國醫較有組織，尚合辦有中醫院一所，不過僅是形勢，內容去實際尚遠，此猶有待於未來之深加改良者。

……溫江的服務……二十一日到溫江，是午後一時，後來因爲住地問題，一直忙到天黑才決定住縣政府，因此本日沒有工作，二十二日各組乃正式推動，計

一、醫藥服務　午前八時起，在西街來龍茶社工作，共治五十八人，其統計如下

外科	二九人
內科	一六人
種痘	一三人
合計	五八人

二、宣傳　本日又當趕集，聽者自然十分踴躍。

三、慰問代書　是在午後由全體出發工作的，在魚鳧鎮展開工作，求治病者尤多，是以醫務組又在這兒忙了幾個時候。

四、其他　此地支館也是有名無實。

……雙流的服務……二十三日午後二時到達雙流，因本院畢業同學招待午膳，時間便此消費，故本日在此僅作標語之張貼而已，二十四日乃開始工作，因此地爲本隊工作之最末一地，故各組同志莫不十分努力，期完成最後之一次服務，其概況略述於後

一、醫藥服務　午前八時，在東明路茶社工作，雖不逢集會，應診者亦不乏其人，以至醫務組直至午後一時才得休息，其治療數九十七人之多，其統計如下

外科	六一人
內科	二九人
種痘	七人
合計	九七人

二、宣傳　雖不逢趕集，但利用夜間各茶社之熱鬧者前往工作，獲效亦不可謂不大，且當講畢時，聽者竟起立高呼歡迎口號，爲所經各地所罕見，足徵此地民衆對抗建關懷之一般。

三、慰問代書　共到征屬五十餘戶，他們病者亦不少，故醫務組此時亦忙個不休。

四、其他　此地文化水準較高，對抗建認識較清，至於我國醫之組織，仍付缺如。

……工作以後……我們經過了十幾天的長途跋涉，一面是在宣揚主義及政府法令和安慰出征家屬，一方面是想看一看我中醫界在各地的內幕，現在對後者是得到了一個結論，「中醫是一盤散沙」我不是隨便在這裏批評，請上述各地的同仁自己想一想，我說的是否事實？既往不究，很盼望我醫界同志們，不要放棄了下面的幾個責任！

一、化除私見，精誠團結！

二、爲桑梓建立醫藥衛生的軌範，以輔政府之不逮！

三、用時代的科學，闡揚固有的寶藏！共圖改進！

消息

青年診療所寒假繼續送診

三民主義青年團中央直屬國醫學院分團部組織之青年診療所，雖已屆寒假，該所工作決不因假期而停頓，每日前去求治者仍十分踴躍云。

國醫學會成都市分會文化服務社將編印處方學及中國眼科學兩書

中國國醫學會成都市分會文化服務社，因鑒於抗戰期間醫藥書籍之缺乏，特彙資編印各種醫藥書籍，最近業已將時病學印刷出版消息會誌本刊，茲悉該社將於最近商得國醫學院眼科教授徐庶遙先生同意，將伊出版之中國眼科學，加以修正，重行付梓，并將徐氏所輯之實用處方學同時付印，想不久將來，此二書即可與讀者見面云。

蓬溪縣政府佈告改進醫藥暫行辦法

（蓬溪訊）此間國醫支館負責人喻翔帆徐周謀晏譜乾等呈請縣府公佈改進醫藥暫行辦法，縣長方勉耕據呈後，旋即佈告週知，茲誌其暫行辦法如次：——

（甲）關於改進國醫事項：

一、凡縣屬國醫人員，均應在本館登記，負改進國醫責任

二、未登記之國醫，由本館通知限期登記，必要時，呈請縣府勒令登記。

三、國醫須向該館區支館，領取登記表，經本館查明合格，姑認正式登記。

四、凡已登記未合格之國醫，由本館彙報核辦後，始准執行業務，或未登記之國醫，仍由本館通知國藥店，不得爲其所處之方配藥，必要時，得呈請縣府停止其執行業務。

五、本館隨時考查國醫診治方案，以資研究。

六、本館設醫學研究會及國醫院，以便國醫講習，而資改進。

七、國醫業務上有過失時，由本館呈請縣府予以懲戒，必要時得呈請縣府停止其執行業務。

（乙）關於國藥事項：

一、凡縣屬國藥人員，均應在本館登記，負改進國藥責任

二、未登記之國藥人員，由本館公告登記，並呈請縣府核辦。

三、逾限不登記之國藥人員，由本館通知病家，不得在該藥店配藥，必要時得呈請縣府停止其營業。

四、本館隨時派員指導國藥店，鑒別藥物品類，及改良藥物泡製。

五、本館設藥物學研究會及國藥院，以便國藥人員研究，而資改進。

六、國藥人員，出售僞劣藥品者，由本館呈請縣府予以懲戒，或呈請縣府停止其營業。

讀者信箱

迪聲君：

來示悉，茲將垂詢各節，分答於後：——

（一）遺精，據來函所述，實爲身體薄弱所致，治法當以補益之品爲主，稍加鎮澀藥以治其標可也，又以診斷不確，未便孟浪處方，希諒！惟攝生方面，若不忽略下列幾個要點，持之既久，亦不難獲效的。1.注意營養，2.勿食辛燥，3.定時運動，4.清心寡慾，5.勿過勞動。

（二）令堂左手麻木，當爲血行不暢之故，可用後列配方煎水熱罨，不難收效也，處方如下：

乳香　沒藥　白芷　皂刺　附子　雞血藤　茜草　五靈脂

——編者覆

▲代郵▼

逕啓者：本箱因園地有限，抑且常受侵略，今後除力爭地盤之增加外，對賜問諸君，一概遵免不錄原函，濟此時艱。編者叩

醫學必讀要籍一覽（續）

喉科學類（應用科學八）

（中）喉科紫珍集……大東版
（中）白喉辨證……千頃堂版
（中）疫痧草……陳耕道著
（中）喉痧淺論……夏春農著

傷科學類（應用科學九）

（中）金鑑正骨科篇……清太醫院編
（中）傷科輯要……大東書局版
（中）國醫軍政傷科概要……董志仁著
（中）傷科眞傳秘鈔……陳鳳山著

針灸科學類（應用科學十）

（中）中國針灸治療學……承澹盦著
（中）溫灸術講義……溫圭卿撰
（中）中國針灸講義……曾天治編
（中）中國針灸學……溫圭卿著

中國國醫學會成都市分會啓事

啓者本會經常務理事會議決，凡加入本分會各會員，購本會文化服務社出版各種書籍，概照定價八折計算，但每人限購一部，（外埠郵票另加二元）此啓。

中國國醫學會成都市分會文化服務社啓事

啓者本社經社員大會議決，凡加入本社各社員，購本社出版各種書籍，概照定價七折計算，但每人限購一部，（外埠郵費另加一元）此啓。

成都圖書雜誌審查登記證雜字第〇二二號

本刊價目

三月一日以前零售每册五角，預訂半年六册，二元八角，全年十册五元，郵費另加二角四分

三月一日起零售每册九角，半年五元，全年九元。

廣告價目

地位	全面	半面	三分之一	四分之一
封面	八十元	六五元	五五元	四五元
底面	七十元	六十元	五十元	四十元
普通	六五元	五五元	四五元	三十元

附註：本刊廣告係以每期計算長期面議，另有優待。

本刊總務組啓事

茲因物價飛漲，經秋季社員大會議決，各基本社員常年經費，暫增爲四元，除專函通知外，希各社員從速將此費寄繳成都西御西街八十二號愛知治療所黃茂生處，以便繼續享受權利，此啓。

主編：本刊編審委員會
總發行部
社址：成都西御西街愛知治療所
推銷處：（一）鐵爐井街二十四號附一號香港雜誌公司成都分公司
（二）祠堂街東方書社